KB152264

Public Health

공중보건학

제3판

이주열 지음

공중보건학

첫째판 1쇄 발행 | 2012년 3월 15일
둘째판 1쇄 발행 | 2013년 3월 5일
셋째판 1쇄 인쇄 | 2016년 1월 25일
셋째판 1쇄 발행 | 2016년 2월 2일

저 자 이주열
발 행 인 장주연
편집디자인 신익환
표지디자인 김재욱
일 러 스 트 허민경
발 행 처 군자출판사
등록 제 4-139호(1991. 6. 24)
본사 (10881) **파주출판단지** 경기도 파주시 회동길 338(서패동 474-1)
전화 (031) 943-1888 팩스 (031) 955-9545
홈페이지 | www.koonja.co.kr

※ 파본은 교환하여 드립니다.
※ 검인은 저자와의 합의 하에 생략합니다.

ISBN 979-11-5955-002-7

정가 25,000원

서문 - 3판

PREFACE

공중보건학을 20년 이상 강의하고 있지만, 어느 순간부터 공중보건학에 대해서 자신감보다는 두려움을 갖게 되었다. 강의 내용의 정확성은 말할 것도 없고, 적절성 및 최신성에 대해서도 의문을 갖게 되었다. 매일 국내외에서 공중보건학과 관련된 새로운 자료들이 엄청나게 발간되고 있는데, 내 지식의 울타리를 벗어나지 못하고 있다는 생각을 하게 된 것이다. 스승님들께서 1시간 강의를 위해서 3시간 준비해야 한다고 말씀하셨던, 그 의미를 이제는 알 수 있을 것 같다. 2012년 이 책의 초판을 발행하고, 다음 해에 부족했던 부분을 많이 보완하여 제2판을 출간한지 3년이 지나고 있다. 안타깝게도 저자는 지난 4년 동안 스스로가 만든 지식의 울타리에 갇혀 있었다. 공중보건학은 건강과 관련된 현실적인 이슈를 설명할 수 있어야 하기 때문에 새로운 이론과 분석방법들이 계속해서 공급되어야 함에도 불구하고, 저자는 바쁘다는 핑계로 기존 울타리가 부서지고, 새로운 영역이 개발되어도 관심을 기울이지 못하였다.

그런데, 이 책을 통하여 많은 학생들이 공중보건학을 처음 배운다는 사실 때문에 책임감과 의무감을 갖게 되었다. 그래서 낡은 울타리(편집, 통계자료, 설명 부족, 오탈자, 어색한 문장 표현 등)를 손질하고, 새로운 영역(내용 추가, 최신 정보, 개정된 법률내용 등)으로 울타리를 넓히려는 생각에서 제3판 작업을 시작하였다. 원고를 마무리하고 보니, 제2판의 범위와 내용을 보완하는데 충실한 것 같다. 공중보건학은 기본 개념과 이론적인 내용을 주로 다루는 보건의료 분야의 기초과목이기 때문에 교과서의 범위와 내용이 일반적으로 규정되어 있는데, 많은 시간을 고민하고 자료들도 찾아보았지만 저자의 능력부족으로 제2판을 크게 벗어나지 못하였다.

공중보건학 책은 보건의료 분야의 입문서 또는 안내서로서 역할을 하기 때문에 시중에 출간되어 있는 여러 공중보건학 책에서 보편적으로 수록하고 있는 내용들은 모두 포함하였고, 저자가 학자로서 가지고 있는 개인적인 의견은 최소화시켰다. 최근 연구윤리 특히 표절에 대한 기준이 강화되어 마지막 순간까지 고민스럽게 하고 있다. 왜냐하면, 이 책은 공중보건학을 처음 배우는 학생들이 건강 관련 내용을 쉽게 이해할 수 있도록 기존에 출간된 책과 자료들의 내용을 정리하고 재구성한 결과물이기 때문이다. 이런 이유로 모든 자료의 출처를 정확히 표기하기 어려운 부분이 많아서 참고문헌에 포괄적으로 정리하였다.

원고를 마무리하고 다시 살펴보니 여전히 부족한 부분들이 있는데, 이것은 앞으로 보완해 나갈 것을 약속드린다. 아울러 제2판과 전혀 다르게 편집하여 멋진 책을 만들어 주신 군자출판사 직원들께 감사를 드린다.

2016년 1월

공덕동 서재에서

서문 - 개정판

PREFACE

초판이 기대이상으로 큰 관심을 받아 수정 · 보완할 수 있는 기회를 바로 갖게 된 것을 기쁘게 생각한다. 긴 시간 동안 자료를 수집하고 고민해서 정리했지만 막상 출간하고 보니 내용적으로 부족한 영역이 여러 곳 발견되었고, 잘못된 문장표현과 오자도 다수 있었다. 저자가 지적 오만에 빠져서 좀 더 정확하고 폭 넓은 자료로 내용을 확인하지 않아서 발생한 것도 있고, 검독을 게을리 하여 발생한 것도 있다.

제2판에서는 초판에서 문제가 된 모든 부분을 전체적으로 수정 · 보완하여 내용의 정확도와 완성도를 높였다. 부분적으로 보완된 것 이외에 내용이 많이 수정된 부분은 첫째 공중보건학의 발전 과정에 건강증진 시대 추가, 둘째 역학 연구방법에 대한 설명 추가, 셋째 만성질환 관리에 새로운 질병통계 자료와 노인보건 내용 추가, 넷째 인구보건에 저출산 내용 추가, 다섯째 건강증진 이론과 건강도시 내용 보완, 여섯째 학교보건과 산업보건은 일부 내용 보완, 일곱째 병원보건은 전문간호사 관련 내용 추가 등이다. 한편, 최근 건강관리에서 중요성이 부각되고 있는 영양은 17장 보건영양으로 추가하였다. 그러나 정신건강 분야는 마지막까지 고민하다가 이번 개정판에서는 제외하였다. 공중보건학에서 다루어야 할 정신건강의 범위에 자신이 없었기 때문이다. 따라서 전체적으로 21장이 되었다. 제2판 작업 중에 새로운 정부의 조직개편안이 발표되어 이 책의 내용과 관련된 정부 부처의 명칭은 수정하였다.

처음 책을 집필할 때 보다 제2판 작업을 하면서 더 많은 고민을 한 것 같다. 이 책의 내용이 시중에 출간되어 있는 어느 보건학 책보다 앞서 가려고 노력하였다. 저자가 학자로서 갖고 있는 보건현상에 대한 개인적인 의견이나 관점은 최소화하고 보편적이고 일반적인 보건학 내용을 정확하고 쉽게 작성하려고 노력하였다. 다만, 과거 공중보건학 내용 중에서 시대적 흐름에 부응하지 못하는 내용은 과감히 제외하고 새로운 건강 관련 내용들은 추가하였다. 그럼에도 불구하고 여전히 미흡한 부분들이 있는데, 이것은 계속해서 보완해 나갈 것을 약속드린다.

2013년 2월

공덕동 서재에서

서문 - 초판

PREFACE

공중보건학은 보건의료 분야의 기초과목으로 그 내용은 건강증진 및 질병예방과 관련된다. 건강과 관련된 여러 분야를 대상으로 하기 때문에 범위가 매우 넓다는 특징이 있다. 우리나라의 경우 공중보건학은 예방의학적 접근으로 출발하여 환경보건학적 접근으로 발전하였으며, 2000년대 이후에는 사회과학적 접근이 중요하게 다루어지고 있다. 학자의 전공과 관심에 따라 공중보건학의 접근방법과 강의 내용에도 차이가 발생한다. 또한, 시대적 요구에 따라 새로운 영역이 계속해서 개발되고 있어 최근의 공중보건학 내용은 과거와는 차이가 있다.

공중보건학은 보건의료 관련 면허증 및 자격증뿐만 아니라 보건직 공무원 시험의 필수과목이다. 이것은 공중보건학이 보건의료 분야에서 얼마나 중요하게 고려되는지를 보여주는 것이다. 따라서 보건의료 분야의 학생들에게 공중보건학을 정확하게 이해시키는 것은 중요한 일이다. 한 권의 책이 수험서의 특성과 학문적 내용을 모두 갖춘다는 것이 쉽지는 않지만 불가피한 일이다.

이 책은 총 20장으로 구성되어 있으며, 내용에 따라 5부(1부: 건강과 보건, 2부: 역학과 질병관리, 3부: 환경관리, 4부: 보건관리, 5부: 영역별 보건)로 구분하였다. 이 책은 전문서적과 수험서의 특성을 모두 갖추고 있다. 특히, 공중보건학을 처음 배우는 학생들이 체계적으로 이해할 수 있도록 기본 개념을 충실히 다루었다. 공중보건학은 총론 과목이기 때문에 심층적인 내용은 각론 과목에서 다룰 것으로 생각하고, 이 책에서는 공중보건학의 기본 내용을 개괄적으로 이해할 수 있도록 구성하였다. 기존에 출간된 많은 책들의 장점은 활용하고 부족한 부분은 보완하는 방법으로 내용을 정리하였다. 이 책은 새로운 학문적 연구결과물이 아니라 기존의 내용을 오늘날의 보건학적 흐름에서 재정리 및 해석한 것이다. 공중보건학의 특성 때문에 저자가 기존에 출간한 여러 책들과 중복되는 내용이 다수 발생하여 원문 인용이 불가피하였다. 미흡한 부분은 앞으로 저자가 학문적으로 더 노력해야 할 이유가 될 것이다.

이 책이 공중보건학을 처음 배우는 학생들과 각종 시험을 준비하는 수험생들에게 조금이라도 도움이 될 수 있다면 저자에게는 큰 기쁨이 될 것이다. 멋진 책을 만들어 주신 군자출판사 직원들께 감사의 마음을 전한다.

2012년 2월

연구실에서 저자

목차

CONTENTS

PART II 역학과 질병관리

목차 CONTENTS

PART IV 보건관리

목차 CONTENTS

PART V 영역별 보건

부록

I

공중보건과 건강

CONTENTS

CHAPTER 01

공중보건학

학습목표

- 공중보건의 정의를 설명할 수 있다.
- 공중보건학과 임상의학의 차이점을 설명할 수 있다.
- 공중보건학의 특성을 설명할 수 있다.
- 외국 공중보건의 발전과정을 설명할 수 있다.
- 우리나라 공중보건의 발전과정을 설명할 수 있다.

01 공중보건학의 정의

공중보건학(public health)의 개념은 학자와 관련 기관에 따라 다양하게 정의되고 있으나, 1920년 윈슬로(Charles-Edward Amory Winslow, 1877~1957)가 정의한 내용이 가장 일반적으로 받아들여지고 있다. 그는 "공중보건학은 조직된 지역사회의 노력을 통해 질병을 예방하고 생명을 연장시키며 신체적 · 정신적 효율을 증진시키는 기술이며 과학이다(public health is art and science of preventing disease, prolonging life and promoting physical and mental efficiency through organized community effort)"라고 하였다.

윈슬로는 지역사회의 노력으로 ① 환경위생(the sanitation of the environment), ② 감염병 관리(the control of communicable infections), ③ 개인위생에 대한 보건교육(the education of the individual in personal hygiene), ④ 질병의 조기진단 및 예방 활동을 할 수 있는 의료 및 간호서비스의 조직화(the organization of medical and nursing services for early diagnosis and preventive treatment of disease), ⑤ 자신의 건강을 유지하는데 적절한 생활수준을 보장받을 수 있는 사회적 기전의 발달(the development of the social machinery to insure everyone a standard of living adequate for the maintenance of health) 등을 구체적으로 제시하였다. 그런데 오늘날 우리가 이해하고 있는 공중보건의 사업 내용과 1920년에 윈슬로가 제시한 것과는 약간의 차이가 존재한다. 이 책의 공중보건

학의 발전과정에서 다시 설명하겠지만, 공중보건의 범위는 시대적으로 계속 변화되어 왔으며 오늘날에는 그 범위가 점점 포괄적으로 넓어지고 있기 때문이다.

공중보건학이 임상의학(clinical medicine)과 다른 점은 환자 개인이 아닌 지역사회의 인구집단을 대상으로 포괄적인 건강문제를 다루는데 있다. 임상의학은 개인 환자의 진료와 관련되는 분야로 인간 해부구조나 생리기능이 정상에서 이탈했을 때에 정상적으로 회복시키기 위한 치료 기술이라고 할 수 있다. 이와 달리, 공중보건학은 지역사회의 건강문제를 진단하거나 해결 방안을 모색할 때에 단순히 생물학적인 요인만을 고려하는 것이 아니라 그 사회의 정치, 경제, 문화 등 여러 요인을 고려하게 된다. 이런 이유로 공중보건학을 사회과학으로 간주하는 경향도 있다. 오늘날 공중보건학의 범위는 포괄적 보건의료(comprehensive health care) 전반으로 넓어져 보건과학(health science)으로 불리기도 한다.

표 1-1 공중보건학과 임상의학의 비교

구성	공중보건학	임상의학
대상	인구집단	환자 개인
목표	건강증진, 질병예방	건강회복, 고통 경감, 재활
장소	지역사회	의료기관
관련 학문	예방의학, 자연과학, 사회과학	기초의학, 치료의학, 재활의학
필요 정보	건강설문조사, 역학조사, 통계자료	임상병력, 생물 · 생리학적 검사
개입 방법	보건사업, 보건교육, 법 제정	상담, 투약, 수술, 의료서비스

02 공중보건학의 특성

1) 성격

공중보건학은 보건문제 해결에 관심을 두는 실천적인 성격이 강해서 교육내용이나 연구내용도 지역사회가 당면하고 있는 건강문제와 연결될 수밖에 없다. 이러한 특성으로 공중보건학은 다른 학문과 달리 사회변화에 따라 그 범위와 내용이 빠르게 변화된다.

또 다른 특성은 공중보건학은 자연과학뿐만 아니라 사회과학적인 지식과 방법이 활용되며, 이를 종합하여 보건문제 해결에 응용하게 되는 학제 간(interdisciplinary) 연구로 이루어진다는 점이다. 공중보건학은 여러 분야가 유기적인 조직체로 기능하여 지역사회의 건강을 효율적으로 증진시키는데 필요한 지식과 기술을 연구하는 응용과학이라고 할 수 있다.

공중보건학은 화학, 생물학, 통계학, 의학 등의 자연과학적 기초뿐만 아니라 사회학, 행정학, 경제학, 인류학, 정책학, 법학 등 사회과학적 기초를 건강문제의 파악과 해결에 유기적으로 응용하는 학문이다. 공중보건학 자체 내에서도 주요 관심을 어디에 두느냐에 따라 환경보건학, 보건경제학, 보건사회학, 보건교육학, 보건통계학 등으로 세분화된 개별의 학문체계가 성립될 수 있다. 그러나 최종목표는 인간의 건강증진이며, 이에 접근하는 방법이 분화되었을 뿐이다. 지역사회 주민의 건강을 증진시키기 위해서는 건강과 관련된 여러 분야에 대한 지식이 필요하게 되어 공중보건학은 다양한 내용이 종합되는 학문적 성격을 갖게 되었다.

표 1-2 공중보건학의 구성요소

구성	자연과학	사회과학
제공	연구대상	연구방법
내용	질병 관련 지식	건강증진 방법
관련 학문	생물학, 화학, 약학, 의학, 역학 등	행정학, 경제학, 사회학, 인류학, 정책학, 법학 등

2) 접근방법

공중보건학은 그 대상을 개인보다는 인구집단 또는 지역사회 전체로 하며, 개별 환자의 치료보다는 지역사회 전체의 건강증진을 목표로 한다. 이러한 목표를 달성하기 위하여 공중보건학은 활동을 병원에 국한하지 않고 지역사회 전체로 확장한다.

지역사회는 주민들이 단순히 일정한 지역에 함께 거주하는 것 이상의 의미를 갖는다. 지리적으로 근접해 생활하면서 사회구조와 사회적 기능을 발전시키게 되고, 이 과정에서 주민들은 상호작용을 통해 서로의 생활과 행동에 영향을 미친다. 지역사회는 다양한 기능을 가지고 있으며 이로 인해 개인과 집단의 생활에 다각적으로 영향을 미친다.

공중보건학의 대상이 지역사회라는 의미가 단순히 대상범위가 전체 주민이라는 것만을 뜻하는 것은 아니다. 어떤 인구집단의 건강문제는 특정한 사회환경, 개인이 속한 집단, 집단과 관련되는 개인의 여러 요인이 상호작용하여 일어나는 결과로 보기 때문이다. 이러한 접근방법은 지역사회 보건문제를 해결하여 그 지역에 속한 각 개인의 건강을 향상시킬 수 있다는 점에서 임상의학과는 다르다.

임상의학에서는 환자의 건강상태를 알아보기 위하여 증상을 살피고, 각종 임상검사를 실시하여 그 원인을 판단한다. 그리고 치료를 위하여 투약을 하거나, 주사를 놓거나, 수술을 하기도 한다. 그러나 공중보건학은 접근방법이 다르다. 지역사회에 있어서의 증상은 그 사회의 사망률, 사망원인, 질병 이환율, 보건위생 상태, 의료전달 양상 등으로 표현되며, 건강상태를 측정하기 위한 검사로서 사회조사, 보건통계분석, 환경조사 등의 방법을 이용한다. 지역사회의 불건강 원인을 확인하기 위하여 사회경제적 요인을 분석하고, 주민들의 가치관, 관습, 사회규범, 건강에 대한 지식 및 태도에 관심을 기울인다.

공중보건학에서 치료는 주민들에 대한 보건교육, 지역사회의 건강을 해치는 각종 요인에 대한 법적 규제, 모자보건사업, 감염병관리, 환경위생, 학교보건, 영양관리, 가족계획 등의 각종 서비스사업을 의미한다. 지역사회의 공중보건 사업은 주민들의 적극적 참여로 추진될 수 있다. 한편, 공중보건학적 접근 방법이 필요한 이유는 다음과 같다.

첫째, 각 개인의 건강상태는 주변 사람들로부터 영향을 받게 된다. 건강하지 못한 이웃을 두고 나만 건강을 유지한다는 것이 어려운 실정이다. 이웃에 발생한 감염병은 순식간에 나와 내 가족의 건강을 위협하게 된다. 결국 내가 건강하기 위해서는 주위의 모든 사람들이 건강해야 하는 것이다.

둘째, 인간의 질병은 대부분이 지역사회의 여러 가지 환경과 여건에 밀접하게 관련된다. 지역사회 주민들의 건강에 대한 태도, 생활습관, 가치관, 생활양식 등은 질병발생에 큰 영향을 미치고 있다.

셋째, 의료기관 중심의 치료적 접근만으로는 지역사회가 가지고 있는 여러 보건문제를 해결할 수 없다. 건강관리를 위해서는 건강증진, 질병예방, 치료, 재활 등으로 연결되는 포괄적인 방법이 고려되어야 한다. 특히, 지역사회보건문제를 해결하기 위해서는 지역사회 주민 전체가 참여하는 다양하고 조직적인 활동이 필요하다.

03 공중보건학과 인접한 분야

1) 위생학

위생학(hygiene)은 개인과 환경의 관련성을 규명하고, 이것을 기초로 환경을 개선하여 질병을 예방하고 건강을 증진시키는 학문이다.

초기의 위생학은 주로 개인의 건강을 중심으로 하는 개인위생학의 범주에서 크게 벗어나지 못하였으며 개인위생 중에서도 환경위생에 중점을 두었다. 그러다가 개인의 건강문제가 점차 사회 전체의 환경변화에 영향을 받게 되어 인구집단을 대상으로 하는 공중위생학이라는 정의를 사용하게 되었다. 좁은 의미의 위생학은 환경위생학(environmental hygiene)을 말하며, 넓은 의미의 위생학은 공중위생학(public hygiene)을 말한다.

2) 예방의학

예방의학(preventive medicine)은 기초의학의 한 분야로 질병발생의 원인을 규명하여, 이 요인이 인간에게 작용하지 않도록 하려면 어떻게 해야 할지를 주로 연구한다. 예방의학은 질병예방을 주된 목적으로 하는 학문으로 질병과 건강문제 전반에 대하여 물리적 환경, 사회적 환경, 인간행동 요인들과의 연관 및 상호작용 관계를 포괄적으로 다룬다.

일반적으로 예방의학은 공중보건학과 같은 의미로 사용되고 있으나, 엄밀하게 보면 대상과 내용에서 차이가 있다. 예방의학은 개인 또는 가족 중심으로 질병을 예방하고 건강을 증진시키는데 필요한 의학적 지식과 기술을 적용하는데, 공중보건학은 지역사회의 인구집단을 대상으로 건강위험 요인을 제거하는데 중점을 둔다.

3) 사회의학

사회의학(social medicine)은 건강과 질병을 사회적 맥락 속에서 이해하고, 그 맥락 속에서 문제를 해결하려는 학문이다. 사회의학은 질병의 요인을 생물학적으로만 탐구하지 않고 사회적 요인을 제거하는데 중점을 둔다. 건강위험 요인에 대해서 사회과학적으로 접근한다.

사회의학은 사회적 환경요인을 관리하여 인간집단의 건강을 추구한다는 점에서 공중보건학과 학문적 맥락을 같이한다고 볼 수 있다. 우리나라의 경우 일부 의과대학에서 기초의학 분야로 예방의학 교실 대신에 사회의학 교실을 두고 있다.

4) 지역사회의학

전통의학이 개인중심, 치료중심, 제공자 중심으로 전문화되면서 대상자들의 다양한 의료요구를 충족시킬 수 없다는 점에서 지역사회의학(community medicine)의 필요성이 강조되기 시작하였다. 지역사회의학은 의료서비스의 제공자와 일반주민 사이의 협력적 과정이라고 할 수 있다. 의사와 보건요원 및 지역사회의 자발적 상호작용을 통해서 지역사회 모든 주민에게 포괄적 보건의료서비스를 제공하는 것을 목적으로 한다.

지역사회의학에는 전통의학의 장점과 예방의학이나 공중보건학의 기술이 공존하며, 아울러 사회의학적 접근이 고려된다. 지역사회가 상호 협력하여 지역사회 보건문제를 해결하게 된다. 따라서 지역사회의학에서는 지역사회 주민의 적극적인 참여가 필수적으로 요구된다.

04 공중보건의 발전 과정

공중보건학이 학문적으로 체계를 갖추기 시작한 것은 산업혁명 이후라 할 수 있지만, 인류는 집단생활을 하면서부터 질병으로부터 자신을 보호하기 위하여 다양한 노력을 시도하였는데, 이것이 공중보건의 기원이라고 할 수 있을 것이다. 각종 질병에 대한 원인이나 대책은 그 시대의 지식, 기술, 문화 수준에 따라 결정되기 때문에 역사적 살펴보면 공중보건 활동은 다양한 형태로 진행되었다. 각 시대별로 진행되었던 공중보건 활동을 살펴보면 다음과 같다.

1) 외국

1-1) 고대기

초창기의 인류는 질병과 외상은 죽음으로 연결된다는 것을 경험을 통해서 알았으며, 이런 이유로 체력과 건강의 중요성을 인식하였을 것이다. 이들은 자신의 건강을 지키기 위해서 태양을 숭배하고 건강을 해치는 질병의 본체를 악령의 소행으로 생각하였다. 악령을 몸 밖으로 내보내기 위해서 살아있는 동물을 바치면서 기도를 하였고, 병든 육신으로부터 악령을 제거하기 위하여 식물이나 동물에서 추출한 약물도 함께 사용하였다.

고대 의술의 대부분은 종교적 활동과 관련 되어 있고, 종교적 예배에서 청결이 강조되어 위생적 청결관념이 보급되기 시작하였다. 건강관리에 적용되던 미신적인 지식과 기술을 타파한 사람들이 그리스의 자연과학자들이었다. 인간의 질병을 초자연적인 힘에 의존하여 치료하려 했던 원시적인 형태의 의료가 체계를 갖추게 된 것은 히포크라테스(Hippocrates)학파 덕분이었다. 히포크라테스 시대에 와서 건강 정의는 인체의 구성요소들이 조화를 이루는 상태를 의미하는 것으로 발전되었다. 히포크라테스는 인간의 건강은 생활양식, 기후, 지형, 공기상태, 음식 등 포괄적인 환경요인에 영향을 받는다고 생각하였다. 또한 신체 내에는 혈액, 점액, 황담즙, 흑담즙의 4가지 체액이 있고, 그 질과 양의 조화에 따라 건강이 유지되고 그것이 불균형을 이룰 때에 건강을 해치게 된다는 체액설을 주장하였다.

히포크라테스 학파의 체액설, 프노이마(靈氣)설은 당시 건강관의 기초가 되었으며 로마의 갈레누스(Galenus)학파에게 계승되었다. 히포크라테스 학파의 건강관은 생명현상의 표현이 심신의 건강이라고 하는 관념적인 것에 머물렀으나, 갈레누스는 동물실험과 해부까지 실시하여 과학적인 연구로 발전시켰다. 질병은 나쁜 공기에 의해 전파된다는 그의 장기설(miasma theory)은 17세기까지 지배적인 위치를 차지하였다. 한편, 로마는 그리스의 의학과 위생을 그대로 계승하였기 때문에 특별한 것은 없었으나 하수도, 공동목욕탕, 급수시설 등의 위생시설에서 괄목할 만한 발전을 이루었다.

1-2) 중세기

일반적으로 중세는 로마제국이 멸망한 기원 476년부터 동로마제국이 몰락한 기원 1453년 사이의 기간을 말한다. 중세 암흑기의 시작과 함께 그리스 시대에 발달된 의학지식은 대부분 사장되었다. 이 당시의 로마 가톨릭 교회의 기본 입장은 정신과 사회문제는 의학에 의해서가 아니라 교회에 의해서 치유되어야 한다는 것이었다. 질병과 죄는 본질적으로 깊은 관련성이 있다고 생각하여 질병은 자기가 저지른 죄에 대한 벌이고 악마나 마법에 걸릴 때도 병이 생긴다고 보았다. 따라서 신에게 기도와 참회하여 천사의 구원을 비는 것이 건강관리를 위한 기본적 방법으로 간주되었다. 또한, 이 시기에 병원과 요양소가 많이 건립되고 병원에 상근하는 의사가 생기게 되었다. 그러나 의사의 역할은 신체의 질병을 치료하는데 제한되었다. 대부분의 치료는 육체와 정신의 관련성, 사회환경이 건강에 미치는 영향 등에 대해서 특별히 관심을 두지 않은 채 이루어졌다.

이 시기의 생활양식은 비위생적이어서 콜레라, 나병, 홍역, 결핵 등과 같은 각종 감염병이 창궐하였으며, 특히 14세기 페스트 유행은 전유럽을 휩쓸어 유럽 전체 인구의

1/4에 해당되는 사망자를 발생시켰다. 페스트에 대책으로 환자 색출, 격리소 설치, 환자의 의복과 침구 소각 등을 실시하였고, 페스트 발생 지역은 검역소를 설치하고 교통을 차단하였는데 여기에서 오늘날의 검역제도가 유래되었다. 1383년 프랑스 마르세유(Marseilles)에서 최초의 검역법이 통과되었고 최초로 검역소가 설치되었다.

1-3) 중세이후부터 산업혁명까지

1500년 이후 봉건사회가 붕괴되고 종교적인 압박에서 해방되기 시작했는데, 이 시기를 르네상스 시대라고 하며 근대적인 사회경제로 발전하기 시작하면서 근대과학 기술이 태동하였다. 네덜란드인 리웬호크(Leeuwen Hock)는 현미경을 발명하여 인간의 눈으로 볼 수 없었던 질병의 원인을 밝혔다. 영국의 그랜트(John Graunt)는 런던 시민의 사망자료와 교회 세례기록을 30년간 관찰하여 1662년에 인구학과 보건통계학의 최초 논문을 발표하였고, 이탈리아의 라마찌니(Bernardino Ramazzini)는 직업병에 관한 노동자의 질병을 저술하여 산업보건의 기틀을 마련하였다. 1669년에 네덜란드의 호이겐스(Christiaan Huygens)가 평균수명을 계산하는 방법을 제시하였고 1693년에는 생명표가 작성되어 연금계산에 활용되었다.

한편, 1750년 이후 계몽주의 시대에는 환경위생 운동과 근대 공중보건 활동들이 본격적으로 시작되었다. 특히 독일에서 공중보건에 대한 정부 활동의 필요성이 크게 인식되었는데 독일의 프랑크(J. Frank)는 완전한 의사경찰체계를 저술하여 건강에 대한 국가책임론을 주장하였다. 이 책이 공중보건과 개인위생을 체계화시킨 최초의 공중보건학 저서로 간주된다. 1798년에는 당시 가장 무서운 두창에 대한 우두종두법을 영국의 제너(Edward Jenner)가 발견하여 예방과 치료에 대한 길을 개척하였다. 오늘날 제너는 면역학의 아버지로 불리며, 우리가 맞고 있는 백신 예방접종은 모두 제너가 발명한 종두법에서 발전된 것이다. 1810년에 프랑스의 라플라스(Pierre-Simon Laplace)는 확률론을 발표하여 이때부터 질병에 대한 통계분석이 시작되었다.

1-4) 산업혁명 이후

산업혁명은 1750년에서 1850년까지의 시기로 영국에서 시작된 기술의 혁신과 이로 인해 일어난 사회, 경제 등의 큰 변혁을 일컫는다. 다른 분야도 그렇지만 근대 공중보건은 산업혁명을 계기로 급속히 발전하였다고 할 수 있다. 산업혁명 이후 진행된 주요 공중보건 활동을 기준으로 공중보건의 역사를 살펴보면 다음과 같다.

(가) 환경위생 시대

산업혁명으로 도시는 도시계획이 이루어지지 않은 채 인구가 급격히 증가하고 산업 폐기물과 생활쓰레기들이 쌓이게 되었다. 이에 따라 악취는 물론 파리, 모기, 쥐 등이 번식하고 생활환경이 크게 오염되어 각종 감염병이 만연하여 환경위생의 개선이 시급하게 되었다. 영국에서는 1837년에 런던을 중심으로 열병이 대유행하였고, 이때 공중보건 운동의 선구자인 채드윅(Edwin Chadwick)은 열병조사보고서를 작성하여 정부에 제출하였다. 이런 결과로 1842년에 공중위생감독 및 각종 위생조사를 위한 보건정책 조사위원회가 설치되고, 1848년 세계 최초로 공중보건법(Public Health Act)이 제정하였다.

이 시기에는 모든 질병은 나쁜 공기에 의해 전파된다는 장기설(miasma theory)을 대신하여 감염설이 받아들여지게 되었다. 이 과정에서 결정적인 역할을 한 사람이 영국의 의사 스노우(J. Snow)로 그는 런던의 콜레라 유행을 조사하여, 1855년에 저서로 콜레라 발생의 전파 양식에 대하여를 발표하고, 콜레라의 원인이 공동우물이라는 것을 입증하였다. 한편, 1862년 영국의 래스본(Rathborne)이 방문간호사업을 시작한 것이 오늘날 보건소 제도의 효시가 되었다. 독일의 페텐코퍼(Pettenkofer)는 자연 환경이 인체에 미치는 영향을 규명하였고, 1866년 뮌헨대학에 최초의 위생학 교실을 창립하여 근대 위생학의 기초를 세웠다. 1883년 독일의 비스마르크(Bismark)가 근로자질병보호법을 제정하여 세계 최초로 사회보장제도를 실시하였다.

(나) 감염병예방 시대

감염병의 병원체를 계속 발견하기 시작한 19세기 후반은 감염병 예방을 위한 혁명기라 할 수 있다. 파스퇴르(L. Pasteur), 코흐(R. Koch) 등은 원인 불명이었던 여러 감염병의 원인을 파악하고, 감염경로를 규명하는데 공헌하였다. 1860년 프랑스의 파스퇴르는 질병은 자연발생적인 것이 아니라 미생물에 기인한다고 주장하였으며, 독일의 코흐에 의해서 결핵균(1882년), 콜레라균(1883년), 탄저균(1883년) 등이 발견되어 세균면역학의 기초가 형성되었다. 19세기 말에 여러 학자들에 의해서 50여종의 세균이 발견되어 원인불명이었던 여러 감염병의 실체를 파악하고, 전염경로를 밝힐 수 있었다. 이러한 세균학의 발전으로 감염병예방 기술이 발전할 수 있었다. 한편, 코흐에 의해 병인학(etiology)의 정의가 도입되어 생의학 연구의 관심은 거주와 환경에서 미생물로 변화되었고, 의료인들은 과학적인 실험결과에 근거한 치료의학에 집중하였다.

(다) 지역사회보건 및 보건교육 시대

20세기에 들어서 산업의 고도화는 경제생활면에서 자본가와 노동자 간의 빈부의 격차를 심화시켰다. 이런 결과로 노동자의 생활은 극도로 비참하여 빈민굴을 형성하게 되었다. 이러한 참상을 해결하기 위하여 사회실태를 조사하고, 이것을 기초로 하여 취약한 환경을 개선하는 방안이 모색되어 산업노동자, 생활보호자, 모자보호에 관심을 기울이게 되었다. 이를 뒷받침해 주기 위하여 사회보호의 손길을 가정에 미칠 목적으로 보건원(保健員)사업이 발달되었다. 특히, 미국에서는 1908년 뉴욕시 위생국에 소아보건과를 설치하고 학교급식 사업을 시작하였으며, 보건지도와 더불어 공중보건의 보급을 위하여 가정주부와 아동을 대상으로 올바른 생활습관을 익히도록 보건요원이 보건교육을 실시하였다. 이러한 활동을 배경으로 1909년 하버드의과대학에 예방의학부가 설립되었고, 1913년 보건대학원이 설립되어 예방의학 및 공중보건 전문가를 체계적으로 양성하기 시작하였다.

한편, 미국에서는 제1차 세계대전 후 경제적 호황을 이루었으나 1929년에 발생한 경제적 대공황은 많은 실업자를 발생시켰는데, 이것을 계기로 1935년 세계 최초의 사회보장법이 제정되었다. 또한, 1935년에 미국에서는 최초의 국민건강조사가 실시되었다.

(라) 사회보장 시대

현재와 같은 적극적이고 완전한 사회보장제도가 파급된 것은 1935년 미국의 사회보장법이 공포된 이후라고 볼 수 있다. 영국도 제2차 세계대전 이후 사회보장제도를 채택한 나라로 1942년 베브리지(Beveridge) 위원회가 사회보험을 통하여 전국민의 최저생활을 보장하여야 한다는 보고서를 발간하였고, 1944년에 보건성에서 국민보건서비스(National Health Service)라는 제목의 백서를 의회에 제출하였으며, 1948년에 완벽한 사회보장제도를 실시하였다. 국민보건서비스는 모든 국민들에게 경제적 부담 없이 종합적 보건서비스를 제공한다는 측면에서 획기적인 제도라고 할 수 있다. 이와 같이 국가가 국민의 최저생활과 건강을 보장해야 할 의무를 갖는 것은 국제사회의 통념이 되어 이 시기를 사회보장 시대라고 할 수 있다. 한편, 1965년 미국에서는 사회보장법 개정으로 노인의료보험(medicare)과 저소득층에 대한 의료부조(medicaid) 제도가 성립되었다.

또한, 이 시기에는 공중보건 분야의 국제협력이 이루어졌다. 1945년 국제연합(United Nations)이 창설되었고, 1946년 국제노동기구(ILO) 및 유엔아동기금(UNICEF), 1948년 세계보건기구(WHO)가 창립되었다. 세계보건기구(WHO)가 창립되면서

1920년에 창설된 국제연맹과 국제위생사무국은 폐지되었고, 범미주 위생국(The Pan American Bureau)은 세계보건기구의 미주 지역 사무소로 합쳐졌다.

(마) 가족계획 시대

환경위생 개선, 감염병 예방, 보건교육 시행, 사회보장제도 확충 등 대인보건사업을 포함한 공중보건사업과 활동이 활발해짐에 따라 영아사망률을 포함하여 사망률이 급격히 저하되어 인구가 크게 증가하게 되었다. 인구의 증가는 다양한 보건문제를 유발하기 시작하여 국가가 정책적으로 가족계획사업을 시작하였다. 1952년 국제가족계획연맹(International Planned Parenthood Federation)이 창립되었고, 우리나라는 1961년 정회원국이 되었다. 적정인구의 규모는 각 국가마다 주어진 여건에 따라 결정될 수 있는데, 이 시기에는 선진국들이 산아제한을 위한 가족계획사업을 추진하고 개인들도 적극적으로 동참하여 20세기 중반 이후로 피임도구 및 피임약의 개발이 강화되었다.

(바) 건강증진 시대

20세기 들어 감염성질환이 감소하고 만성질환이 증가함에 따라 건강문제 해결에 대한 새로운 방법의 필요성이 제기되었다. 개인 및 지역사회의 생활습관과 건강행동을 변화시키기 위해서는 질병치료 중심의 보건의료서비스로는 한계가 있어 건강결정요인에 대한 다양한 접근이 필요하게 되었다. 1970년대 중반부터 생의학적 모형에 기반을 둔 공중보건을 극복하기 위한 방안으로 신공중보건(new public health)이 대두되기 시작하였다. 신공중보건은 집단의 건강수준 향상과 건강불평등 감소를 목표로 하기 때문에 공중보건을 개인적 접근 전략에서 사회 · 생태학적 접근으로 전환시켜 광범위한 건강결정요인에 관심을 갖도록 한다. 특히 건강결정요인으로 사회적, 환경적, 심리적 요인의 상호작용을 중요시하고 상호의존적인 개인, 조직, 지역사회, 국가의 건강을 동시에 관리하려고 한다.

신공중보건으로 일컬어지는 건강증진(health promotion)의 중요성은 1974년 캐나다에서 발간된 라론드 보고서(Lalonde report)에서 처음 제시되었으며, 건강증진의 구체적 실천 방법이 국제적으로 인정되기 시작한 것은 1986년 세계보건기구의 건강증진을 위한 오타와 헌장(Ottawa charter)이 발표된 이후이다. 건강증진은 개인의 건강생활실천 기술과 능력을 강화시켜주며, 집단이나 지역사회의 건강관리 능력을 강화시켜 건강결정요인에 대해 집단적 통제를 가능할 수 있도록 하는 것이다.

또한, 이 시기에는 환경오염 문제가 국제적으로 관심사가 되었으며, 1972년 스웨덴 스톡홀름(Stockholm)에서 제1회 유엔(UN)인간환경 회의가 개최되어 공해의 심각성을 논의하였다. 또한, 1992년 브라질의 리우데자네이루(Rio De Janeiro)에서 세계 각국의 정상들이 모여서 지구환경보전을 위한 리우 선언(Agenda 21)을 채택하였다. 한편, 1997년 지구온난화를 막기 위한 환경 관련 국제합의서(교토의정서)가 채택되었다. 2015년 프랑스 파리에서 개최된 유엔 기후변화협약 당사국 총회에서 파리 협정(Paris Agreement)을 채택하여, 2020년 만료 예정인 교토의정서를 대체하게 된다.

2) 우리나라

2-1) 서양의학 도입 이전

(가) 삼국시대

역사 이전 사람들은 주술로 악신을 물리치고 복을 얻을 수 있다고 생각하였기 때문에 주술사들을 절대적 권능을 가진 사람으로 인식하게 되었고, 이들이 질병을 치료할 수 있고 재난을 면하게 할 수 있다고 생각하였다. 치료 방법으로는 자연에서 채취한 약초로 생즙을 마시거나, 찧어 붙이거나, 약물을 끓어 먹었을 것으로 추정된다.

현재 남아있는 의학 문헌에 대한 최초의 기록은 고구려 평원왕 때(563년)에 중국에서 귀화한 지총이 내외전, 약서 및 명당도 등 164권의 서적을 가지고 일본으로 건너갔다는 내용이다. 의약서가 중국으로부터 고구려에 전해져 다시 일본으로 전해진 것으로 추정된다. 백제는 고구려에 비해 중국과 교류는 늦게 시작하였지만, 의박사와 채약사를 구분하여 일본에 파견한 것으로 보아 고구려보다 더 발전된 의료제도를 갖고 있었던 것으로 짐작된다. 한편, 통일신라시대에는 당나라 문화의 영향을 받아 의학교육과 의사제도가 도입되어 정착되었는데, 효소왕 원년(692년)에 처음으로 의학을 두고 박사 2인으로 하여 학생들에게 체계적으로 의학교육을 실시하였다.

(나) 고려시대

고려시대에 와서는 중국의학 뿐만 아니라 서남아로 부터 수입된 인도의학과 아라비아 의학 등의 지식을 종합하여, 고려인에 적합한 새로운 의학을 정립하고자 노력하여 약제와 처방에서 큰 성과를 거두게 되었다. 의료제도로는 목종 때에 중앙에 의약행정을 총괄하는 대의감(大醫監)을 설치하였는데, 공민왕 때에 전의시(典醫侍)로 명칭이 변경되었다. 서민들의 의료사업을 담당하는 기관으로 광종 때(963년)에 제위보(濟危寶)를 설치하여, 노인과 가난한 사람들의 구료를 할뿐만 아니라 전염병이 유행할 때에는 방역과 구호하는 일도 담당하였다. 이외에도 동서대비원(東西大悲院)이 있었고, 혜민국(惠民局)에 의원을 두어 서민들을 대상으로 의료사업을 펼쳤다. 한편, 고려시대의 의학교육은 중앙과 서경에 의학원을 설치하고, 의박사를 두어 의학교육을 담당하게 하였다. 공양왕 때(1389년)에 이르러 의학행정의 중추기관인 전의시에서 의학교육을 담당하게 되었다.

(다) 조선시대

조선 초기에는 고려의 제도를 그대로 이어받았기 때문에 의료제도에서도 큰 변화는 없었다. 고려 말의 전의시를 전의감(典醫監)으로 명칭을 변경하였을 뿐 동서대비원과 혜민국은 그대로 존속하였다. 태조 때(1397년)에 일반 서민들의 의료기관으로 중앙에 제생원(濟生院)을 설치하였고, 지방 의료기관으로 의원을 설치하였다. 태종 때(1406년)에 제생원에 의녀제도가 신설되었다. 의녀제도는 부인들이 남자 의인에게 진료받기를 꺼려하여 사망자가 발생하였기 때문에 노비들 가운데 15세 전후의 동녀 십여명을 뽑아 맥경과 침구치료법을 가르쳐 부인들의 질병을 치료할 수 있게 하였다. 세종 때(1433년)에 향약집성방(鄕藥集成方) 85권을 편찬하여 자국산의 향약으로 자국의 풍토에 적합한 치료법을 개발할 수 있는 민족의학의 기틀을 마련하였다. 또한 세종 때(1445년)에 의방류취(醫方類聚) 365권이 완성되었는데, 이것은 중국의 의학서적들과 고려 때부터 전래되어온 향약의서를 우리나라 실정에 적합하도록 체계적으로 정리하여 질병퇴치에 크게 기여하였다. 이러한 학문적 토대 위에 허준이 동의보감(東醫寶鑑)을 편찬하고, 고종 때(1893년)에 이제마가 동의수세보원(東醫壽世保元)을 저술하여 독자적인 지위를 구축할 수 있었다. 이제마는 기존의 이론과는 전혀 새로운 체질이론을 도입하여 각 체질에 따른 독특한 병리현상을 설명하고 각각의 치료방법을 제시하였는데, 이를 사상체질의학이라고 부른다. 동의(東醫)라고 칭한 것은 우리 의학이 중국의학과 대등하다는 것을 의미하며, 이러한 자주적인 정신을 이어받아 한의학(漢醫學)을 우리 고유의 한의학(韓醫學)으로 개칭하기에 이르렀다.

2-2) 서양의학 도입 이후

(가) 1884년 이후

1884년 갑신정변과 함께 서양의학이 도입되어 1885년에 미국인 의사 알렌의 건의로 기존의 혜민국과 활인서를 폐지하고, 광혜원(廣惠院)을 설립하여 서양의료를 담당하게 되면서 점차 변화를 가져오게 되었다. 대한제국 광무 3년(1899년)에 칙령으로 관립의 학교제를 공포하고 신의학 교육이 시작되었으며, 종두 보급의 선도자인 지석영이 초대 교장으로 임명되었다. 1905년 을사보호조약이 체결되면서 한의학은 모든 관용의료에서 배제되고 의료행정은 서양의료 일방체제로 변모하게 되었다. 위생업무는 경찰국에서 관장하고 각 기관 병원과 경찰의(警察醫)를 일본 의사들로 대치함으로써 우리나라 의료행정은 일본의 서양의료체계로 바뀌게 되었다. 이에 한의학을 재건하기 위하여 동제의학교(同濟醫學校)를 설립하고 한의교육을 시작하였으나 3년 만에 폐교되었다.

(나) 1910년 이후

1910년 일제강점 이후 우리나라 의학은 세브란스의학교를 중심으로 한 미국 의학과 일본에서 건너온 일본 의학으로 대별할 수 있다. 일본 의학은 식민지 통치를 위한 정책의 일환으로 일본인 거류민 보호를 위하여 실시되었고, 그 내용도 의료사업에 한정되어서 의학 발전을 위한 교육은 거의 없었다. 의료행정은 총독부 경부총감부에 위생과를 두어 위생사무 전반을 관장하도록 하였기 때문에 보건행정은 경찰행정으로 일원화되었다.

해방 전 우리나라 공중보건사업은 환경위생, 감염병 예방 등 좁은 의미에 주력하여 왔으나 1945년 광복과 함께 남한에서는 미국의 영향으로 공중보건 정의가 급격하게 확산되었다. 남한에 주둔한 미군은 1945년 9월 위생국을 설치하고, 총독부의 경무국 위생과는 폐지하였다. 10월에는 위생국이 보건후생국으로 개칭되었고, 11월에는 각 도에 보건후생부가 설치되었다. 1946년 3월에 보건후생국이 보건후생부가 되었으며, 10월에 도보건후생부가 도보건후생국으로 변경되었다. 미군정 시대의 보건후생부는 어느 부보다도 규모, 인원, 예산이 막대하였다. 과거 경찰에서 관장하던 위생사무도 보건후생부와 도보건후생국으로 이양되어 완전한 보건행정체계를 갖추었다.

(다) 1948년 이후

1948년 대한민국 정부가 수립된 이후 정부조직법에 따라 보건후생부를 사회부의 1개 국으로 축소시켜 보건행정은 후퇴의 길을 걷다가 1949년 3월 정부조직법이 개정되면서 보건부가 의정, 약정, 방영의 3국을 갖춘 조직으로 독립하게 되었다. 그 후 1955년 2월에 정부조직법이 다시 개정되면서 보건부와 사회부가 통합되어 보건사회부가 되었다.

1952년부터 결핵사업을 전국적으로 추진하였고, 1954년 전염병 예방법을 제정하였으며, 1956년 보건소법을 최초로 제정하여 방역 등 전염병 관리사업을 추진하였으나 보건소가 설립되지 못 한 채 있다가 1962년 보건소법의 개정으로 도시에는 인구 10만명당 1개씩, 농촌은 군단위에 1개의 보건소를 설치하여 공중보건사업을 본격적으로 실시하였다. 한편, 1969년부터는 읍면에 보건지소를 설치하였다. 1962년 제1차 경제개발 5개년 계획을 시작하면서 가족계획은 국책사업으로 추진하였는데, 1961년 민간단체로 한국가족계획협회가 창립되어 전국 어머니회가 조직되어 가족계획사업에 참여하였다. 이것이 우리나라에서 민간단체가 보건사업에 참여한 시초라고 할 수 있다.

(라) 1970년 이후

국가의 보건계획 및 보건정책의 수립에 기여할 목적으로 1976년 4월에 한국보건개발연구원을 설립하고, 간호사를 단기 교육시켜 보건진료원으로 활용하는 방안에 대한 시범사업을 실시하였다. 1978년에는 농촌 보건의료 문제를 해결하기 위하여 국민의료를 위한 특별조치법을 제정하여 군의관 및 치과군의관 요원 인력의 일부를 공중보건의 및 치과공중보건의로 농어촌 지역 보건소와 보건지소에 배치하였다. 1980년 12월에는 농어촌 보건의료를 위한 특별조치법을 제정하여 시범사업을 거친 보건진료원 제도를 전국적으로 확대하였다. 1977년부터 영세민을 위한 의료보호사업을 시작하였고, 이어서 1종 의료보험이 개시되어 우리나라 의료보장제도가 출발하였으며, 1989년 7월 1일 전국민의료보험이 실시되었다. 한편, 한방보험급여서비스는 1984년 청주시와 청원군에서 시범사업을 실시한 이후 1987년부터 보험급여를 실시하기 시작하였다.

(마) 1995년 이후

전국민의료보험 실시 이후에 여러 문제가 발생하여 1998년 10월에는 227개의 지역의료보험조합을 통합하여 공교공단에서 관리하게 되었으며, 2000년 7월에는 명칭도 의료보험을 건강보험으로 바꾸고, 139개 직장조합도 모두 통합하여 국민건강보험공단을 설립하여 운영 기관을 단일화 하였다. 그러나 지역가입자와 직장가입자 간의 보험료 부과체계를 단일화시키지 못하여 재정통합이 미루어지다가 2003년 7월 보험재정을 완전히 통합하였다.

1995년에 국민건강증진법이 제정되고, 보건소법이 지역보건법으로 개정되면서 질병치료 중심에서 건강증진 및 질병예방 중심으로 정부의 보건정책에 변화가 생겼다. 국가 정책 방향을 위한 국민건강증진종합계획이 최초로 수립된 것은 2002년이었다. 그런데 건강증진부담금이 354원으로 인상되고 건강증진에 대한 수요가 증가하여 보건복지부는 발표된 계획을 수정 · 보완하여 2006년에 새국민건강증진종합계획 2010을 발표하였다. 또한, 2011년 보건복지부는 제3차 국민건강증진종합계획 2020을 수립하였다. 한편, 보건소의 건강증진사업은 1998년부터 시범적으로 운영되기 시작하여 2005년에 전국으로 확대되었다. 사업 명칭은 2005년 건강생활실천사업으로 시작해서 2008년 지역특화 건강행태개선사업, 2012년 건강생활실천 통합서비스사업으로 변경되었으며, 2013년부터는 통합건강증진사업으로 진행되고 있다.

한편, 고령이나 노인성 질환으로 혼자서 일상생활 수행이 어려운 노인 등에게 신체활동 또는 가사지원 등의 서비스를 제공하는 노인장기요양보험이 2008년 7월부터 시행되어 기존의 노인복지서비스와는 다른 수준의 서비스를 제공하고 있다.

CHAPTER 02 건강의 이해

학습목표

- 세계보건기구 헌장에 제시된 건강정의를 설명할 수 있다.
- 던(Dunn)의 건강-불건강 연속선을 설명할 수 있다.
- 건강권과 관련된 국내외 선언, 규약, 법령 등에 대해서 설명할 수 있다.
- 리벨과 크락(Leavell & Clark)의 질병의 자연사 과정을 설명할 수 있다.
- 여러 건강모형의 특성을 비교하여 설명할 수 있다.

01 건강의 정의

건강을 바라보는 관점은 역사적으로 계속해서 변화되어 왔다. 20세기 이후에도 건강을 질병이 없는 상태로 보는 의학적 관점에서부터 기능 수행능력이 완전한 상태라고 보는 보건학적 관점, 최근에는 삶의 질을 향상시키고 소득 증가를 유도하는 자본재로 보는 보건경제학적 관점까지 소개되고 있다.

그런데, 건강의 정의는 건강관리 및 보건정책 방향에 중요한 영향을 미치기 때문에 중요한 의미를 갖는다. 건강을 질병 중심으로 접근할 경우에는 환자와 건강인을 구분하고 환자를 건강관리의 주된 대상으로 삼고 보건의료 전문가 중심으로 진행된다. 그러나 건강을 기능 수행능력으로 접근할 경우에는 모든 사람들이 이상적인 건강상태로 나아가기 위하여 스스로 노력해야 한다. 비록 의학적으로 질병이 없는 상태라고 하더라도 이상적인 건강상태를 위하여 일상적으로 노력하여야 한다. 따라서 건강증진을 위한 노력은 특정 전문가의 영역이 될 수 없고, 모든 사람들이 건강관리에 관심을 갖고 노력해야 한다. 한편, 건강을 자본재로 접근할 경우에는 건강에 대한 지출을 투자로 보고 건강투자를 미래의 성장 동력으로 인식하며, 보건의료체계를 치료에서 예방과 건강증진 중심으로 전환해야 한다는 점을 강조한다. 보건의료 분야에서 논의되는 건강의 정의를 정확히 이해하기 위해서, 관련된 여러 내용을 살펴보기로 한다.

1) 세계보건기구의 건강 정의

세계보건기구(WHO)는 건강에 대하여 보다 과학적이고 체계적인 정의를 제시하였다. 세계보건기구가 1948년 4월 7일 창립되면서 9개 항목으로 구성된 헌장을 공포하였는데, 첫 번째 항목에 건강의 정의가 규정되어 있다.

세계보건기구는 "건강은 단순히 질병이나 상해가 없다는 것에 끝나지 않고 신체적, 정신적, 사회적으로 안녕한 상태를 말한다(Health is a state of complete physical, mental and social well-being and not merely the absence of disease or infirmity)"라고 하였다. 여기에 제시된 신체적, 정신적, 사회적 건강의 내용을 구체적으로 살펴보면 다음과 같다.

1-1) 신체적 건강

신체적(physical) 건강은 치료를 받아야 할 질병이 없고 신체의 외형과 기능이 어느 수준보다 나은 상태를 의미한다. 각종 임상검사를 통하여 생물학적, 생리학적 수준에서 이상이 없는 상태를 일컫는다. 그런데 이상 유무를 결정하는 기준이 일반적인 통계 표현이므로 각 개인별 특성이 충분히 반영되지 못하는 단점이 있다.

1-2) 정신적 건강

정신적(mental) 건강의 범위는 인간관계, 가정생활, 직장생활, 사회생활에 있어서 감정관계에 관한 각종 문제와 행동과 관련되는 모든 문제가 포함된다. 신체적인 질병은 통증이 있다든지 신체적 기능장애가 온다든지 때로는 생명까지 잃게 된다. 이와 달리 정신적인 질병은 사회에 적응하는 능력이 저하되는 것이다. 타인과 협조하면서 정상적으로 살아가지 못하는 상태를 의미한다.

1-3) 사회적 건강

사회적(social) 건강은 각자가 맡은 역할을 충실히 수행하면서 사회생활을 할 수 있는 수준을 의미한다. 개인은 각자에게 부여된 사회적 지위가 있는데 그가 속한 사회의 일반적인 가치기준이나 규범에 따라 역할을 수행하는 것이다. 사회가 복잡하면 할수록 개인에 기대되는 역할도 복잡해진다. 오늘날은 가정, 직장, 학교, 지역사회, 단체 등에서 한사람이 동시에 많은 지위를 맡고 있는데 맡겨진 역할을 무난히 수행할 수 있도록 적응해 나가는 것을 사회적 건강이라고 한다.

세계보건기구의 헌장에 제시된 건강의 정의는 건강이 신체적, 정신적, 사회적 요인들이 복합적으로 관련되어 있다는 점과 건강은 생활의 정의로 이해되어야 한다는 점을 강조한다. 건강의 생활정의란 건강인과 환자의 구분 기준이 일상생활을 할 수 있느냐 여부가 된다. 예를 들어, 신체적 질병으로 일상적인 개인의 역할을 수행하지 못하고 가정에서 요양하거나 병원에 입원한 경우는 환자로 분류되지만, 비록 신체적인 질병을 가지고 있더라도 일상생활을 어려움 없이 할 수 있다면 건강인으로 분류되는 것이다.

한편, 건강에 대한 세계보건기구의 정의는 그 동안 계속적으로 논의되었고 그 범위도 여러 측면으로 확대되었다. 1957년에는 유전적으로나 환경적으로 주어진 조건하에서 적절한 생체 기능을 나타내고 있는 상태로 건강을 정의하였으며, 1974년에는 건강의 질적인 측면을 강조하였다. 그 이후 학계에서 총체적 건강정의가 대두되어 1998년 세계보건기구 총회에서는 영적 안녕을 기존의 건강 정의에 추가하였다.

2) 건강–불건강 연속선

오늘날 건강관리의 기초가 되는 건강 정의는 1959년 던(Halbert L. Dunn, 1896–1975)이 제시한 건강–불건강 연속선(health–illness continuum)이라고 할 수 있다. 던(Dunn)은 건강은 유동적으로 변화하는 상태이기 때문에 인간의 건강상태는 최고 평안함(peak wellness)에서부터 죽음 직전의 최저 건강(extreme poor health)까지 변화하는 것으로 설명한다. 인간이 매일의 생활에서 효율적으로 대처하고 기능하는 것을 건강상태라고 한다면, 적절히 대처하지 못하거나 통합하지 못하는 것을 불건강 상태라고 할 수 있으며, 인체가 완전히 회복 불가능한 장애를 받으면 사망하게 된다.

그림 1-1 건강–불건강 연속선

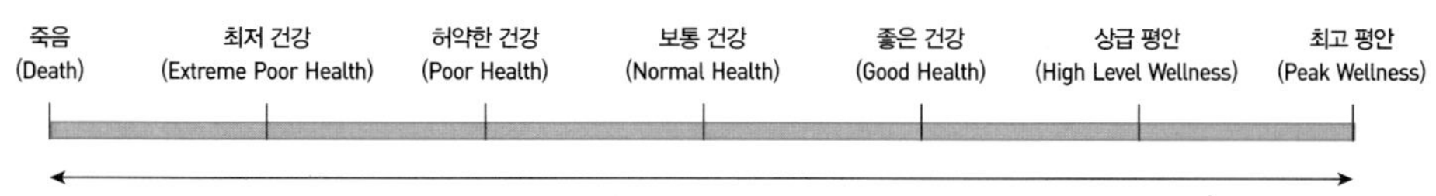

던(Dunn)에 의하면 건강은 최적 건강(optimal health)상태가 가장 기초가 되는 정의이다. 모든 사람들은 자신에게 가능한 안녕상태, 다시 말하면, 최적의 기능상태를 가지고 있는 것이다. 신체적, 정신적, 사회적으로 완전한 안녕상태를 성취한 사람은 아주 드물며 자신이 도달할 수 있는 수준의 안녕상태를 서로 다르게 가지게 된다. 따라서 사소한 몇 가지의 건강문제를 가지고 있다고 하더라도 건강하게 일상생활을 유지할 수 있는 것이다.

3) 건강권

고대 및 중세 시기에는 질병을 천벌로 생각하고 운명론적으로 받아들였다. 과학의 발달로 질병의 원인이 밝혀지면서 최근에는 건강관리의 책임을 어떻게 볼 것이냐에 관심이 집중되고 있다. 개인이 아무리 노력해도 건강을 유지하기 어려운 측면이 있고, 개인이 전적으로 건강관리를 책임지기에는 건강에 영향을 미치는 요인들이 복잡하기 때문이다. 이런 이유로 오늘날에는 기본권리로서 건강 정의가 강조되고, 건강형평성(health equality)과 보건의료서비스 형평에 대한 요구와 주장이 활발하게 이루어지고 있다.

국제적으로 건강권을 명시한 대표적인 사례는 세계보건기구 헌장(1946)과 세계인권선언문(1948)이다. 세계보건기구 헌장에서는 건강권을 "달성 가능한 최고 수준의 건강을 향유하는 것은 인종, 종교, 정치적 입장, 경제적 · 사회적 조건에 상관없이 모든 인류의 기본적 권리 중의 하나이다"라고 명시하고 있다. 세계인권선언문(제25조)에서는 "모든 사람이 자신과 가족의 건강과 안녕에 적합한 생활수준을 누릴 권리를 가진다"고 밝히며 건강권을 보편적인 인권의 하나로 삼고 있다.

국내의 경우에는 건강권과 관련된 법률 조항은 헌법 제36조와 보건의료기본법 제10조이며, 보건의료기본법에서는 구체적으로 건강권이라는 단어가 명시되어 있다. 2004년 7월 대한병원협회와 보건의료산업노조가 채택 합의한 환자권리장전에서는 건강권을 인격권, 차별금지, 최선의 의료를 제공받을 권리, 선택의 자유, 알권리 등으로 규정하고 있다.

한편, 유엔(UN)의 경제적, 사회적 및 문화적 권리에 관한 위원회(The Committee on Economic, Social and Cultural Rights)에서 건강권은 자유(freedoms)와 권리(entitlements) 모두를 포함한다고 규정(일반논평 제14호, 2000년)하고, 이용가능성(availability), 접근성(accessibility), 수용성(acceptability), 질(quality) 등 건강권의 4가지 핵심 요소를 제시하였다. 건강권에서 자유는 개인의 건강을 결정할 수 있는 권리, 성 및 생식보건의 자유, 동의를 통한 의학적 치료를 받을 자유를 포함하며, 권리는 모든 사람이 최고 수준의 건강을 향유하기 위해 보건의료 이용을 받을 수 있는 권리를 의미한다.

표 1-3 건강권의 4가지 핵심 요소

구성	세부 내용
이용가능성	• 보건의료 시설, 재화, 서비스는 국가 내에서 충분한 양으로 접근이 가능해야 함 • 병의원, 보건의료전문가, 필수 의약품뿐만 아니라 안전한 식수 및 적절한 위생시설 등 건강결정요인까지 포함
접근성	• 모든 사람들이 접근할 수 있어야 하며 특히, 취약계층에 어떠한 차별도 없어야함 • 물리적 접근, 경제적 접근, 정보에 대한 접근성을 포함
수용성	• 비밀보장에 대한 권리를 포함한 의료윤리를 존중해야 하고 문화, 지역, 성에 대해 고려해야 함 • 건강정보는 개인이나 집단이 수용할 수 있는 방식으로 지역의 언어로 제공되어야 함
질	• 보건의료 시설, 재화, 서비스는 과학적으로 적합하고 양질이어야 함 • 식수, 보건교육 등 모든 건강결정요인이 양질이어야 함

02 건강행동

1) 정의

건강과 관련된 행동은 건강행동과 건강위험행동으로 구분될 수 있다. 건강행동은 건강을 유지하고 증진하는데 영향을 미치는 바람직한 행동이나 습관을 말하고, 건강위험행동은 건강에 바람직하지 못한 행동을 말한다. 행동과학 및 사회심리학 분야에서 건강행동과 관련하여 많은 연구들이 수행되고 있다.

2) 질병의 자연사와 건강행동

리벨과 크락(Leavell & Clark, 1965)은 질병의 자연사 과정을 비병원성기(prepathogenesis), 초기 병원성기(early pathogenesis), 불현성 감염기(inapparent infection), 발현성 질환기(apparent infection), 회복기(recovery phase) 등 5단계로 구분하고 각각에 대응하는 건강행동을 설명하였다.

2-1) 비병원성기

병원체, 숙주 및 환경간의 상호작용에 있어서 숙주의 저항력이나 환경요인이 숙주에게 유리하게 작용하여 병원체의 숙주에 대한 자극을 억제 또는 극복할 수 있는 상태로서 건강이 유지되고 있는 기간이다.

2-2) 초기 병원성기

병원체의 자극이 시작되는 질병전기(疾病前期)로 숙주의 면역강화로 인하여 질병에 대한 저항력이 요구되는 기간이다.

2-3) 불현성 감염기

병원체의 자극에 대한 숙주의 반응이 시작되는 조기의 병적인 변화기로 감염병의 경우는 잠복기에 해당되고 비감염성 질환의 경우는 자각증상이 없는 초기단계가 된다.

2-4) 발현성 질환기

임상적인 증상이 나타나는 시기로 해부학적 또는 기능적 변화가 있으며, 이에 대한 적절한 치료가 필요한 시기이다.

2-5) 회복기

재활 단계로 회복기에 있는 환자에게 질병으로 인한 신체적, 정신적인 후유증을 최소화시키고 잔여기능을 최대한으로 재생시켜 활용하도록 도와주는 단계이다.

표 1-4 질병의 자연사와 건강행동

구분	비병원성기	초기 병원성기	불현성 감염기	발현성 질환기	회복기
과정	병원체, 숙주, 환경의 상호작용	병원체의 자극 형성	숙주의 병적 변화	임상질환	회복
건강행동	• 환경위생개선 • 건강증진활동	• 특수예방 • 예방접종	• 조기진단 • 조기치료	• 악화방지 • 장애방지를 위한 진단과 치료	• 재활 • 사회복귀
예방수준	1차예방		2차예방		3차예방

3) 질병예방 행동

3-1) 1차예방

1차예방(primary prevention)은 질병이 발생하지 않은 시점에서 질병발생 자체를 억제하는 서비스이다. 건강한 개인에게 질병이나 특정한 건강문제가 발생하기 전에 예방하거나 만일 발생하더라도 그 정도를 약하게 하는 것으로 진정한 의미의 예방이다. 1차예방은 건강증진과 특수 예방서비스로 구성된다. 건강증진은 질병의 발생과 무관하게 보다 적극적이며 능동적으로 건강상태를 유지하고 증진하려는 활동이고, 특수 예방서비스는 예방접종과 같이 특정한 질병의 예방을 목적으로 한다. 건강증진은 전문가의 도움없이 일반인들이 자발적으로 수행하는 경우가 대부분이었는데, 최근에는 전문가들이 특정한 건강위험요인을 가진 대상자에게 운동프로그램, 영양프로그램 등의 서비스를 제공하고 있다.

3-2) 2차예방

2차예방(secondary prevention)은 조기발견과 조기치료의 단계로 질병이 발생한 후에 질병의 진행을 막고 질병으로 인해 심각한 장애가 남지 않도록 하기 위해서 제공되는 서비스이다. 질병을 조기에 발견하기 위한 건강검진 뿐만 아니라 증상이 나타난 후에 이루어지는 모든 진단과 치료서비스가 포함된다. 2차예방은 질병의 발전을 지연시켜 중증으로 되는 것을 예방하여 고통, 후유증, 비용 등을 줄이는데 도움을 준다.

3-3) 3차예방

3차예방(tertiary prevention)은 질병이 치료된 후에 제공되는 서비스로 재활 및 사회복귀 단계에 해당된다. 질병으로 인해 신체적, 정신적 장애가 남아 정상적인 활동이 어려운 경우에 이를 정상적으로 되돌리기 위해서 제공되는 모든 서비스이다. 만일 장애가 생겼을 경우에는 재활활동을 통하여 사회복귀를 실시하는 의학적 재활과 직업적 재활을 실시하게 된다.

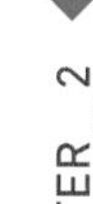

표 1-5 예방수준별 서비스 내용

구분	1차예방	2차예방	3차예방
서비스 내용	• 보건교육 • 금연상담 • 개인위생관리 • 예방접종 • 영양섭취 • 안전사고예방	• 건강검진 • 조기진단 • 조기치료 • 악화 및 장애방지를 위한 진단과 치료	• 의학적 재활 • 사회적 재활 • 의료기관 및 지역사회 시설 제공 • 고용서비스 제공

03 건강결정요인과 건강모형

건강의 정의는 추상적인 건강의 범위와 내용이 무엇이라는 것은 알려주지만, 건강상태가 어떻게 결정되는지를 명확히 설명하지는 못한다. 건강상태에 영향을 미치는 요인이 중요한 이유는 건강관리 방법과 관련되기 때문이다. 건강상태와 관련된 요인들을 효과적으로 관리하면 건강을 향상시키고 질병을 예방할 수 있기 때문이다. 건강상태에 영향을 미치는 요인과 관련하여 건강결정요인(determinants of health)과 건강모형(health model) 정의가 활용된다.

1) 건강결정요인

1-1) 정의

건강결정요인은 개인이나 집단의 건강상태에 영향을 미치는 모든 요소를 총칭한다. 건강결정요인은 개인과 인구집단의 건강상태의 변화를 설명하고 예측하는데 도움을 주고, 어떤 개인이나 집단이 건강하거나 혹은 건강하지 못한 이유를 설명하는데 도움을 준다. 건강결정요인은 건강에 긍정적 또는 부정적 영향을 미치며, 대부분의 요인들은 그 연관되는 효과가 전적으로 있거나 전혀 없는 것(all or nothing)이 아니라 폭로되는 시간에 따라 점진적으로 증가 또는 감소한다.

건강결정요인에 대한 내용은 공중보건학의 발전 과정에서도 나타나고 있는데, 그리스의 히포크라테스(Hippocrates)는 인간의 건강은 생활양식, 기후, 지형, 공기상태, 음식 등 포괄적인 환경요인에 영향을 받는다고 생각하였다. 1860년 프랑스의 파스퇴르(Pasteur)가 질병은 미생물에 기인한다고 주장하고, 독일의 코흐(Koch)가 병인학(etiology)의 정의를 도입하면서 건강결정요인의 관심은 환경에서 생물학적 요인으로 변화되어 치료의학이 발전되기 시작하였다. 그러다가 건강에 대한 치료의학의 영향에 대해서 의문이 제기되고, 매큐언과 로우(McKeown & Lowe, 1974)가 인류의 사망률 감소에 위생 및 영양 개선 등과 같은 사회적 발전이 대부분을 차지하고 의료의 역할은 매우 적었다는 결과를 발표하면서 건강결정요인을 포괄적으로 이해하게 되었다.

1-2) 건강결정요인에 대한 다양한 접근

전통적으로 신체적 건강은 생물학적, 환경적 요인으로 결정된다고 생각하였는데, 최근에는 사회적, 행동적 요인으로 범위가 넓어지고 있다. 특히 치료중심의 건강관리

정의에서 예방중심의 건강관리 정의로 변화하면서 질병발생 원인이 사회문화적 요인으로 확대되고 있다. 이러한 건강결정요인의 변화에 결정적으로 기여한 것이 1974년 캐나다에서 발간된 라론드 보고서(Lalonde report)이다.

라론드 보고서에서는 건강에 영향을 미치는 요인을 건강의 장(health field)이라는 용어로 설명하는데, 건강결정요인을 생활습관(life style), 환경(environment), 생물학적 특성(human biology), 보건의료체계(health care system)로 구분하였다. 건강장 이론의 핵심은 질병과 보건의료서비스만의 관계로 바라보던 시각을 질병의 발생에 관여하는 다양한 요인들의 상호관계 속에서 건강을 이해하도록 변화시켰다. 라론드 보고서는 건강결정요인을 확대하여 의료에 대한 의존을 감소시키고, 건강에 대한 자기 책임감의 중요성을 강조하였을 뿐만 아니라 복합적이고 포괄적인 보건정책의 필요성을 강조하였다.

세계보건기구(2010)는 건강을 결정하는 사회적 요인들에 관심을 건강증진 범위를 보건뿐 아니라 사회경제 분야로 확대하였다. 사회적 결정요인(social determinants)은 건강에 영향을 미치는 사회적 환경과 제도를 의미하며, 주거, 소득, 고용, 교육 등과 같은 사회경제적 상태, 사회적 형평성, 물리적 및 사회적 환경, 네트워크와 사회적 지지 등을 포함한다. 세계보건기구는 건강결정요인을 사회경제적 환경, 물리적 환경, 개인적 특성과 행동 등으로 크게 구분하였다.

2) 건강모형

2-1) 생의학적 모형

(가) 의미

의료인은 물론이거니와 일반인의 의식에 지배적인 영향력을 행사하고 있는 건강모형은 생의학적 모형(biomedical model)이다. 생의학적 모형은 건강과 질병을 이분법적으로 구분하여 질병이 없는 상태를 건강한 상태로 본다. 생의학적 모형에서는 인구집단을 질병이 없는 사람과 질병이 있는 사람으로 나눈다. 생의학적 모형은 데카르트와 뉴튼 이후 서양의 과학을 지배해온 기계론적, 경험론적 사상이 의학 분야에 적용되어 발전한 것이다.

의학사전에 정의된 질병은 "전신 혹은 신체의 일부분을 침해하여 특정 증상을 발현케 하는 불편한 상태이며, 이 상태의 원인, 병리 그리고 예후는 잘 알려진 것일 수도 있고 전혀 모를 수도 있다"라고 되어 있다. 질병은 어떤 개체가 당면하는 외부자극이나 압박에 알맞도록 대처하는 적응의 실패로 신체의 어느 부분의 기능이나 구조에 장애를 초래한 상태로 정의할 수 있다.

(나) 세부 내용

생의학적 모형에서 질병이 발생하는 이유는 질병의 원인균이나 인체의 정상 기능에 필요한 특정 인자(호르몬 등)의 과부족 때문이다. 특정 원인균이나 생리학적 요인은 특정 질환을 일으키는 것으로 가정된다. 그리고 과학의 발전을 통해 특정원인을 발견하고 그 관리방법을 개발하게 되면 질병을 극복할 수 있게 된다는 것이다. 생의학적 모형은 일체의 건강과 질병 현상을 생물학적인 것으로 환원시켜 버리며, 병인을 규명함에 있어서는 생물학적인 관심 영역 내에서 기계론적인 설명틀을 적용하여 실증주의적, 가치중립적 입장에서 인과관계를 증명할 것을 요구한다. 생의학적 모형의 주요 내용을 살펴보면 다음과 같다.

① 질병관

생의학적 모형의 기초를 이루는 생물학에서는 질병을 측정이 가능한 생물학적 변이의 기준으로부터 멀리 벗어난 상태, 즉 일탈된 상태로 규정한다. 생물학에서 확고히 수립된 기계론적 생명관은 인체는 각 부분으로 분해될 수 있는 생물학적 메카니즘의 기능 장애이며 의사의 역할은 이 특수 메카니즘의 기능장애를 교정하기 위하여 물리적 또는 화학적으로 조정하는 것이다. 결국 생의학에서는 인체를 기계적 구조로 이해하며, 질병은 이 기계의 고장으로 분자와 세포 수준의 형태학적, 생화학적인 변화로 간주하는 환원주의적인 질병관을 갖는다.

② 병인론

질병은 특정 세균이나 화학물질 등 단일한 원인에 의하여 발생된다고 본다. 질병을 설명할 때 명확한 증상에 기초한 초기 분류단계에서 여러 증상을 통한 재구성 단계를 거쳐 끝으로 특정병인과 병리에 질병을 연결시킴으로써 완벽한 설명을 할 수 있다고 본다. 이러한 질병과정을 끝까지 파악해야만 질병에 대한 이해가 진전되었다고 본다.

이러한 생의학적 관념은 파스퇴르나 코흐에 의하여 발전된 특정 질병은 특정한 병원 미생물이 인체에 침투함으로써 발생한다고 보는 특정 병인론에 기초를 두고 있다. 따라서 질병의 치료과정은 특정 병원체를 없애는 것이며 예방보다는 약물이나 국소적인 치료방법을 중시한다.

③ 질병의 보편성

모든 질병이 인류에게 보편적인 어떤 형태로 나타난다고 본다. 질병의 증상과 과정은 역사적으로나 문화적으로 서로 다른 사회에서 동일하게 발견되는 것으로 가정한다. 이러한 가정은 질병을 생물학적 준거에 의하여 판단하는 일반적 원리에서 그대로 유추해서 이해할 수 있다.

④ **의학의 과학적 중립성**

의사들은 과학적 방법의 합리성을 채택하고 있을 뿐만이 아니라 과학자로서의 윤리기준인 객관성과 중립성이 실제 치료과정에서 유지하기 어렵다해도 의사들은 임상적 업적을 평가하는데 과학을 기준으로 한다는 것을 강조한다. 이러한 과학성의 주장은 때로 사회의 정치적, 경제적, 문화적인 세력이 의료에 간섭하는 것을 반대하는 이유로 사용되기도 한다. 질병과정의 복잡한 생물학적인 변화에 대한 치료기술을 지니고 있는 의사만이 건강문제를 해결할 수 있는 능력을 지녔다고 본다. 결국 의학의 사회문화적 맥락은 고려되지 않는다.

2-2) 생태학적 모형

(가) 의미

생태학적 모형(ecological model)에서 질병은 단일 요인에 의해 발생하지 않으며, 여러 가지 복합적인 요인들의 상호작용으로 발생한다. 질병은 인간을 포함하는 생태계 각 구성요소들 간의 상호작용의 결과가 인간에게 나타난 것이라고 본다. 건강과 질병은 병원체, 인간, 환경의 상호작용에 의하여 결정되게 된다. 이 세 가지 요인이 평형상태를 이룰 때는 건강을 유지하게 되고 균형이 깨질 때는 불건강하게 되는데, 가장 중요한 것은 환경적 요인이다.

생태학적 모형에 의하면 병원체가 우세하거나 환경이 병원체에 유리하게 작용하게 되면 평형상태가 깨어져 질병이 발생하게 되며, 반대로 인간의 면역력이 증가하거나 환경이 인간에게 유리하게 작용하게 되면 건강이 증진된다.

그림 1-2 생태학적 모형

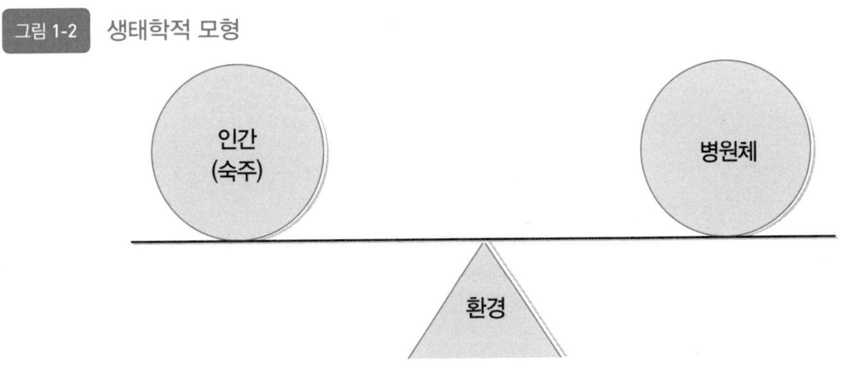

(나) 기본 요인

생태학적 모형의 기본 요인은 병원체, 인간, 환경 등 3가지이다. 건강과 질병은 병원체, 인간, 환경의 상호작용에 의하여 결정된다는 관점이다. 기본 요인의 구체적인 내용은 다음과 같다.

① **병원체**

병원체는 질병발생에 핵심적인 역할을 하는 부분이다. 여러 종류의 병원체가 있으나 생물병원체가 인간 집단 내 질병발생의 빈도 및 건강에 가장 큰 영향을 미친다. 이와 같은 생물학적 인자로는 미생물, 즉 박테리아, 바이러스, 리케치아, 원충류, 기생충, 곰팡이 등이 있다. 한편, 물리적 인자로 외상이나 화상, 고산병, 잠함병과 같은 기압과 관계된 질환, 각종 중독과 중금속 오염, 방사선에 의한 질환, 각종 사고에 의한 물질적인 요인이 있다.

또한, 화학물질이나 약품 등 중독에 의한 화학적 인자, 그리고 영양소나 신체적 소인과 유전적 인자 등 개체의 특이성과 특히 유전적 소인으로 혈우병 및 색맹이 깊은 관계를 갖고 있으며, 질병발생에 있어서 다양한 변수로 작용한다.

② **인간**

인간요인(host factors)에는 유전적 소인, 과거의 환경폭로, 성격, 사회계급, 개인 또는 집단의 습관, 심리적 · 생물학적 특성 등이 포함된다. 인간요인과 관련된 것은 개체적 특성과 병인(agent)에 대한 감수성이다.

병인과 인간의 상호관계에서는 인간의 병인에 대한 감수성과 면역력, 즉 방어능력의 정도에 따라 병원체의 독성과 독소량, 침입경로나 숙주로부터 탈출 등의 상호관계가 있다. 특히, 인간의 생리적 방어기능은 피부의 반사활동과 액체성 면역과 세포성 면역, 숙주의 영양 상태에 따른 항체 생산성 기전도 영향을 미치는 요인이다. 인간의 성, 연령, 인종에 따라 감염병 양상이 다르다. 같은 문화권에서도 가족제도 및 관습에 따라 건강상태가 다르게 나타난다.

③ **환경**

환경요인(environmental factors)에는 생물학적 환경, 사회적 환경, 물리적 환경, 경제적 환경 등이 포함된다. 환경은 환경 그 자체의 문제뿐만 아니라 환경에 따른 병원체와 인간과도 깊은 관계가 있다. 앞에서 설명한 병원체나 인간도 모두 환경요소일 수 있기 때문이다. 눈으로 확인할 수 없는 환경요소 즉 관념, 가치관, 사회규범, 생활환경 등 문화권에 비친 기본적인 욕구에서 오는 인간의 다양성, 이러한 환경의 다양성이 직접 발생에 관계도 하지만 간접적으로 질병발생에 관련을 갖고 3요소에 상호관계가 다양한 변수로서 깊이 관여하고 있다.

이외에도 기후, 지형, 직업, 주거, 인간생활과 관련된 지상, 지하 등의 물리적 환경이 있으며, 병원체가 기생 · 전파할 수 있는 생물학적 환경, 인구분포, 사회구조, 문화 및 경제 수준과 같은 사회경제적 환경이 인간의 건강상태와 깊은 관련을 갖는다.

2-3) 사회 · 생태학적 모형

(가) 의미

사회 · 생태학적 모형(social-ecological model)은 생태학적 모형에 대한 수정 방안으로 모리스(Morris, 1975)가 제시하였다. 생태학적 모형에서 중요시 하던 병원체를 개인 행동요인으로 대체하여 인간의 건강유지를 위하여 의료서비스가 제공되어야 한다는 주장을 수정하였다. 사회학자나 심리학자들이 이 모형에 많은 관심을 갖는다.

그림 1-3 사회 · 생태학적 모형

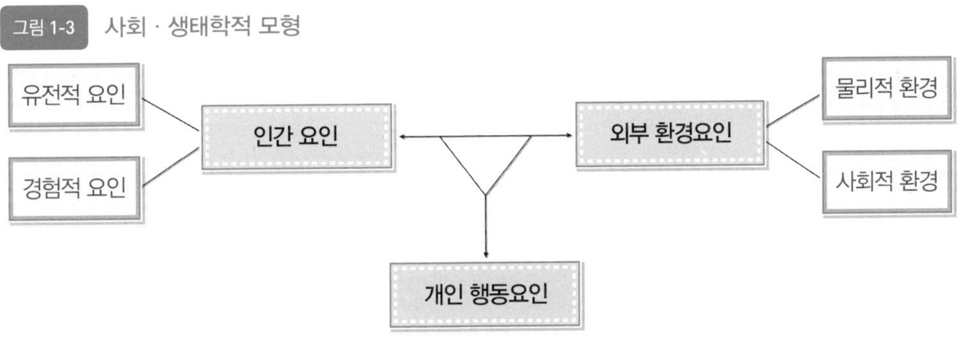

(나) 기본요인

사회 · 생태학적 모형은 개인의 사회적, 심리학적, 행동적 요인을 중요시 한다. 기본요인은 인간요인, 외부 환경요인, 개인 행동요인 등으로 구성된다. 구체적인 내용은 다음과 같다.

① **인간요인**

인간요인(host factors)은 내적요인(intrinsic factors)이라고도 하는데 선천적, 유전적 요인과 후천적, 경험적 요인이 해당된다. 인간요인은 질병에 대한 감수성(susceptibility)과 관련된다.

② **외부 환경요인**

외부 환경요인(external environmental factors)은 외적요인(extrinsic factors)이라고도 하는데 생물학적, 사회적, 물리적 환경요인이 해당된다. 생물학적 환경에는 병원체, 질병을 전파시키는 매개곤충 등이 포함되며 사회적 환경에는 인구밀도, 직업, 사회적 관습, 경제상태 등이 포함된다. 물리적 환경에는 계절의 변화, 기후, 실내외 환경 등이 해당된다.

③ **개인 행동요인**

개인 행동요인(personal behavior factors)은 질병발생이나 건강에 개인의 행동적 요인을 중요시 한다. 사회·생태학적 모형의 가장 큰 특징이다. 질병발생을 예방하고 건강을 증진시키기 위해서 건강한 생활습관을 형성하는 것을 중요하게 생각한다.

2-4) 전체론적 모형

(가) 의미

전체론적 모형(holistic model)은 전인적 모형이라고도 하는데, 세계보건기구에서 정의한 건강 정의와 관련된다. 건강과 질병을 단순히 이분법적으로 파악하지 않고 건강과 질병의 정도에 따라 연속선상에 있는 것으로 파악한다. 건강은 사회 및 내부 상태 체계가 역동적인 균형을 이룬 상태를 의미한다. 따라서 질병은 개인의 적응력이 감퇴하거나 조화가 깨질 때 발생하는 것으로 본다. 치료의 목적은 단순히 질병을 제거하는 것만이 아니라 개인이 더 나은 건강을 성취할 수 있도록 건강을 증진시키고, 자기건강관리 능력을 향상시키는 넓은 정의로 이해된다.

그림 1-4 전체론적 모형

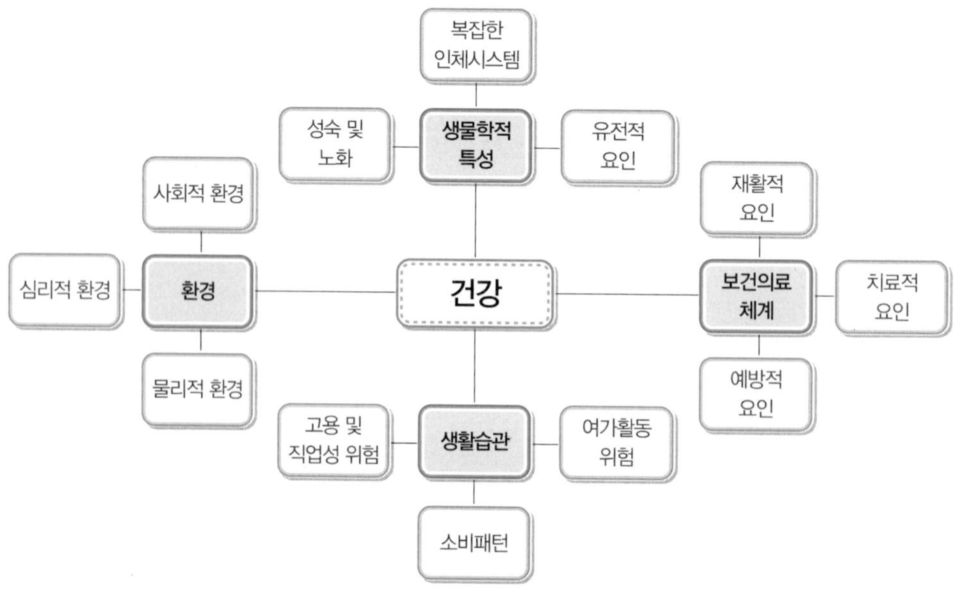

(나) 기본 요인

전체론적 모형의 대표적인 학자인 브룸(Blum, 1974)과 라론드(Lalonde, 1974)는 건강에 영향을 미치는 요인으로 환경, 생활습관, 생물학적 특성, 보건의료체계를 제시하였다. 브룸과 라론드의 차이는 브룸은 건강에 영향을 미치는 요인 간의 중요도에 차이를 두었으나 라론드는 각 요인에 동일한 비중을 두었다. 구성요인의 구체적인 내용은 다음과 같다.

① **환경**

인간을 둘러싼 생활환경은 질병 발생에 중요한 영향을 미친다. 개인 주변에 있는 모든 내 · 외적 환경은 건강과 질병에 직 · 간접으로 영향을 주기 때문에 환경에는 물리적, 사회적, 심리적 환경이 모두 포함된다.

② **생활습관**

생활습관에 따라 개인의 건강상태는 달라질 수 있다. 질병과 위험에 노출되는 것은 자기 자신의 책임이 상당부분 있으며 여가 활동, 소비패턴, 식습관 등은 개인의 건강에 큰 영향을 미친다.

③ **생물학적 특성**

개인의 신체적 특성은 질병발생에 영향을 미친다. 유전적 소인 등과 같은 내적 요인은 질병발생에 영향을 미치는 중요한 요인의 하나이다. 각 개인의 생물학적 특성에 따라 질병에 대한 감수성은 차이가 있다.

④ **보건의료체계**

국가나 지역사회의 보건의료체계 운영관리 상태에 따라 건강은 다른 양상을 나타낸다. 보건의료체계는 포괄적인 정의로 예방적 요소, 치료적 요소, 재활적 요소를 포함한다. 보건의료체계는 전체론적 모형이 다른 모형과 차이를 보이는 부분이다.

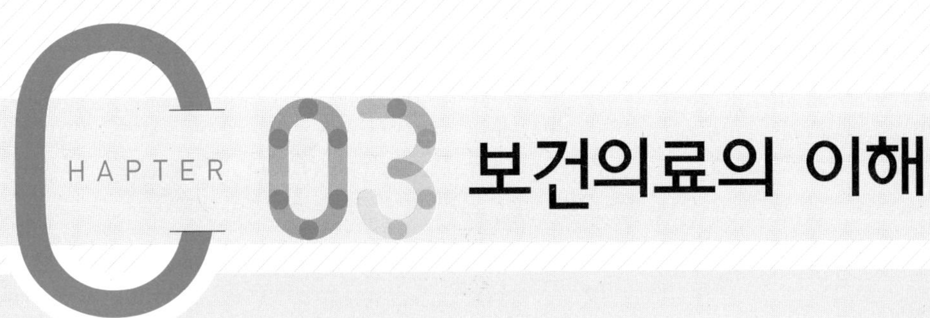

CHAPTER 03 보건의료의 이해

학습목표

- 의료와 보건의료의 차이점을 설명할 수 있다.
- 보건의료서비스의 특성을 설명할 수 있다.
- 일차보건의료의 접근방법과 사업내용을 설명할 수 있다.
- 보건의료체계의 구성요소를 설명할 수 있다.
- 우리나라 의료전달체계를 설명할 수 있다.

01 포괄적 보건의료

1) 보건의료의 정의

의료(medical care)는 의학을 인간에게 적용하는 실천적 기술이고, 의학(medicine)은 인간의 생명현상을 자연과학적으로 규명하는 학문이다. 의료는 인간 개체나 신체의 일부 기관을 대상으로 하는 자연과학적 접근에 의한 의학의 적용이라고 할 수 있다.

의학의 영역도 시대적 요구에 따라 치료의학에서 예방의학, 재활의학, 건강증진에 목표를 두는 학문으로 그 범위를 넓혀 왔고, 의료 활동도 인간 개체를 대상으로 하는 좁은 의미의 의료 개념에서 지역사회 전체 주민을 대상으로 하는 보건의료(health care) 개념으로 변화되었다. 의료가 자연과학적 접근에 의한 활동이 중심을 이룬다면, 보건의료는 사회과학적 접근이 추가된 활동이다. 보건의료의 주된 관심은 질병이 아니라 건강이며, 건강과 관련된 여러 현상을 이해하고 이를 관리하기 위한 모든 활동을 대상으로 한다. 그 대상도 환자뿐만 아니라 건강한 사람을 포함하는 지역사회 전체 주민이 된다.

표 1-6 의료와 보건의료의 비교

	의료	보건의료
용어	medical care	health care
관심	질병치료	건강관리
주요 내용	임상검사, 진단, 처방, 진료(의료서비스)	건강생활, 1차 · 2차 · 3차 예방(포괄적 서비스)
대상	환자	지역사회 주민

2) 의료서비스 유형

질병의 종류 및 질병의 진행 정도에 따라 그 질병을 진단하고 치료하는데 필요한 의료기술의 복잡성이 다른데 세 가지로 유형화할 수 있다. 의료서비스를 분류하는 것은 복잡성에 따라 의료를 생산하는 비용에 차이가 있기 때문이며, 적절하게 의료자원을 배분하려는 것이다.

2-1) 1차 의료서비스

1차 의료서비스는 지역사회에서 발생하는 흔한 질병을 해결하고, 보다 복잡한 의료서비스가 필요한 환자를 선별하여 해당 서비스를 제공하는 의료기관으로 환자를 의뢰하는 기능을 담당한다. 흔한 질병의 치료 외에도 예방접종, 보건교육, 단순한 외상의 치료, 정상적인 임신의 산전관리와 분만 등이 포함된다.

2-2) 2차 의료서비스

2차 의료서비스는 1차 의료서비스의 수준에서 해결하기 어려운 환자 중에서 지역사회 단위에 설립될 수 있는 수준의 의료기관이 감당할 수 있는 서비스를 말한다. 1차 의료서비스와 비교하여 보다 전문적인 인력과 보조 인력이 필요하며, 입원시설이나 보다 복잡한 장비가 있어야 제공될 수 있는 의료서비스이다. 예를 들어, 정상적인 분만은 1차 의료서비스이지만 제왕절개 분만술은 2차 의료서비스가 된다.

2-3) 3차 의료서비스

3차 의료서비스는 2차 의료서비스로 해결할 수 없는 질병에 대한 서비스이다. 특정 의료영역에 대해서 보다 전문적인 훈련을 받은 전문의들이 팀을 이루어 제공되며, 특수한 시설과 장비가 필요하다. 3차 의료서비스를 필요로 하는 대상자는 적지만 서비스를 생산하기 위한 인적자원과 물적 자원을 갖추는데 많은 비용이 필요하다. 우리나라의 경우 대부분의 3차 의료서비스는 의과대학 부속 병원들이 담당하고 있다.

3) 포괄적 보건의료의 정의

과거의 의료사업은 예방이 중심이 되는 보건사업과 병원이 중심이 되는 치료사업으로 구별하였으나 최근에는 새로운 보건의료사업의 정의가 정립되었다. 오늘날 보건의료제공체계는 복합적이고 포괄적인 성격을 지니고 있으며, 모든 보건의료 분야가 참여해서 이루어지기 때문에 1 · 2 · 3차 보건의료서비스가 함께 고려되어야 한다.

치료의학의 발전만으로는 건강을 확보하는 것이 불가능하다는 인식 때문에 치료의학과 예방의학이 조화를 이루는 포괄적 의료(comprehensive medical care) 정의가 주장되어 왔지만, 최근에는 질병의 치료뿐만 아니라 예방, 재활, 건강증진 등 모든 건강관리를 포함하는 포괄적 보건의료(comprehensive health care)가 강조되고 있다.

그림 1-5 포괄적 보건의료의 내용

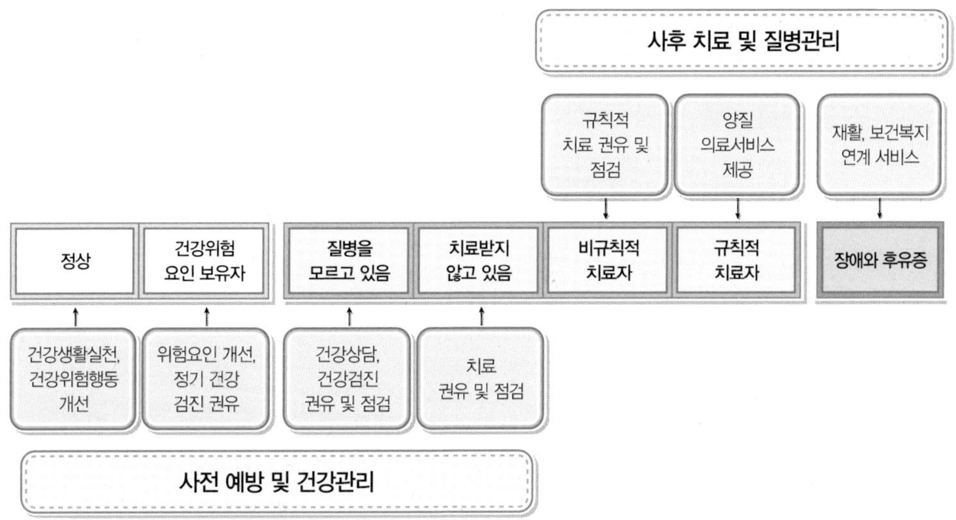

02 보건의료서비스의 특성

오늘날 기본권적 인권의 하나로 간주되고 있는 보건의료서비스는 다음과 같은 특성을 지니고 있어서 보건의료의 시장실패(market failure)로 이어지고, 정부가 보건의료에 개입하는 직접적인 이유가 된다. 보건의료서비스의 구체적인 특성은 다음과 같다.

1) 정보와 지식의 비대칭성

일반인이 질병을 갖게 될 때에 그것이 어떤 종류의 질병이며 어떤 치료를 받아야 하는가에 대한 지식이 의료공급자에게 편중되어 있다. 따라서 소비자(환자)는 제공되는 서비스의 종류나 범위를 선택할 때에 보건의료인에게 크게 의존할 수밖에 없다.

이러한 정보나 지식의 비대칭성 때문에 의사는 환자의 대리인 역할을 담당하게 된다. 의사가 환자의 이익을 대변하기보다는 주로 의사 자신의 이익을 대변하게 될 때에 의료윤리 문제가 제기된다. 또한, 소비자의 무지는 의사가 환자의 의료수요를 유발하는 의사유인 수요(physician-induced demand)의 직접적 원인이 되기도 한다. 최근에는 각종 인터넷 등 정보매체의 발달로 소비자들이 다양한 정보를 갖게 되어 과거와 비교하면 정보와 지식의 비대칭성은 많이 완화되었다. 그러나 일반 상품의 구매 과정에서 발생하는 공급자와 소비자의 관계를 비교하면 여전히 비대칭성은 크다고 할 수 있다.

2) 수요의 불확실성 및 불규칙성

언제 어떤 질병이 발생할 지 알 수 없는 것이 보통이며 일단 질병이 발생하면 때로는 막대한 비용을 치료에 투입하게 된다. 보건의료서비스는 다른 재화나 서비스와는 달리 그 시기를 놓치면 동일한 서비스를 받아도 효력이 크게 감소한다. 그리고 보건의료에는 생명위급에 대처한다는 긴급성이 수반되지만 이를 대체할 수 있는 서비스는 거의 없다. 이러한 수요의 불확실성과 불규칙성에 집단적으로 대응하기 위하여 건강보험을 갖게 되며, 보험을 통하여 불확실한 큰 손실을 현재의 확실한 작은 손실로 대체하게 되는 것이다.

3) 치료의 불확실성

수요의 불확실성과 함께 보건의료 부문에 존재하는 치료의 불확실성은 일반 국민이 질병에 조직적이고 체계적으로 대비하도록 유도한다. 치료의 불확실성 때문에 쉽게 치료를 결정하지 못하기도 하고, 양질의 의료서비스에 대한 요구가 발생한다. 질적으로 높은 수준의 의료를 제공하기 위해서는 의학적 적정성과 사회적 적정성을 갖추어야 한다. 의학적 적정성을 위해서는 의료제공자가 전문적 능력을 갖추고 있어야 하며, 사회적 적정성을 위해서는 국가나 사회가 일정한 수준의 질을 보장할 수 있는 사회적 통제기전을 가지고 있어야 한다.

4) 생산의 독점성

다른 재화와는 달리 보건의료서비스는 그 생산권이 한정된 면허권자에게만 주어지기 때문에 생산부문에 독점권이 형성되어 있다. 인간의 생명을 다루는 서비스이기 때문에 일정수준 이상의 자격과 훈련을 습득한 사람들만이 서비스 제공을 할 수 있게 하는 것이 의료인력 면허제의 본질이다. 이러한 면허제에 입각한 공급자 자격의 제한은 법이 인정한 독점이기 때문에 법적 독점이라고 하며 보건의료 부문에 경쟁이 존재하기 어려운 제도적 원인이 된다.

5) 공익성

국민 누구나 생존에 필요한 최소한의 보건의료서비스를 향유할 권리가 있으며, 헌법에 명시된 건강권이 이를 뒷받침하고 있다. 보건의료서비스는 소비함으로써 국민 개개인뿐만이 아니라 국가 전체에도 장기적인 이익을 가져다주기 때문에 국가의 책임하에 기본적인 서비스의 제공이 이루어져야 한다. 대부분의 보건의료산업이 영리적 동기를 가지지 않기 때문에 보건의료는 준공공재로 취급된다. 따라서 의료인에게는 영업세가 부과되지 않으며, 비영리의료기관은 과세대상에서 제외되는 경우가 많다. 이러한 이유로 보건의료 부문에 대한 국가개입의 당위성이 존재하며 보건의료서비스의 생산, 소비, 분배를 막연히 시장경제에만 맡길 수 없는 이유가 된다.

6) 외부효과

외부효과는 각 개인의 자의적 행동이 타인에게 미치는 긍정적 또는 부정적 결과이다. 질병은 본인 외에도 주변의 사람들에게 영향을 미친다. 예를 들어, 감염성질환인 경우 본인이 예방접종이나 치료를 통하여 면역이 되었을 경우에는 주위의 다른 사람들이 병에 걸릴 확률이 줄어들게 된다.

외부효과 때문에 보건의료서비스의 생산 및 소비는 순수하게 시장기능에만 맡겨 놓을 수가 없다. 만일 보건의료서비스가 민간시장에 의하여 전담되는 경우에는 서비스의 공급자들은 수익성이 큰 2차 및 3차서비스의 제공에 치중하고, 수익성이 적은 1차서비스나 예방서비스를 등한시하여 질병으로 인한 고통의 증대뿐만 아니라 건강유지에 필요한 의료비 증가를 초래할 수 있다. 이러한 현상은 소비자에게도 마찬가지이다. 정부가 적극적으로 개입하여 예방접종이나 기타 예방서비스를 제공하지 않을 때에는 당장 병에 걸리지 않은 소비자들은 예방접종 등을 선호하지 않게 된다.

03 일차보건의료

1977년 세계보건기구(WHO) 총회에서 "2000년까지 지구상의 모든 인구의 건강권을 보장해야 한다(Health for all by the year 2000)"라는 인류의 건강목표 실천을 결의하였다. 1978년 알마아타(Alma-Ata)에서 개최된 세계보건기구 회의에서 모든 국가는 건강을 인간의 기본권으로 규정하고 국가 간, 계층 간에 존재하는 건강수준에 있어서의 불평등을 해소하기 위하여 일차보건의료(primary health care; PHC)라는 새로운 전략을 채택하여 노력할 것을 권고하였다.

1) 정의

일차보건의료 정의는 보건서비스의 기존 접근에 대한 재검토와 점차적으로 발전된 아이디어로부터 생겨났다. 일차보건의료는 생활공간이든 작업장이든 개인, 가족, 지역사회가 보건의료체계에 처음으로 접하는 관문으로서의 역할을 수행하여 지속적인 보건의료과정의 가장 일차적인 구성요소가 된다. 또한, 생의학적 모형과 그에 따른 구조와 실천을 건강과 보건의료 제공의 일부로서 포함한다. 그러나 일차보건의료는 단순히 1차진료만을 의미하는 것이 아니라 제도적, 기술적으로는 개인, 가족 및 지역사회를 위한 건강증진, 예방, 치료 및 재활 등의 서비스를 모두 포함하는 포괄적 보건의료를 의미한다. 그 목적은 일반적인 보건의료보다 훨씬 광범위하여 정치적, 사회적 권리로서의 건강을 구현하기 위한 원리와 수단을 포함한다.

일차보건의료가 치료의학과 내용적으로 구분되는 것은 건강을 증진시키는데 필요한 필수적인 기본서비스의 제공을 강조하는 점이다. 보편적인 질병과 재해에 대한 적절한 치료 뿐만 아니라 예방보건서비스, 환경관리, 필수 의약품의 공급 등이 포함된다. 이러한 방식이 채택된 것은 전문화된 의료보다는 이러한 기본서비스가 건강증진에 보다 효과적이며, 전문화된 의료는 그 혜택이 소수에게만 돌아가고 이를 위하여 너무 많은 지역사회 자원이 사용되고 있다는 문제의식에서 출발한 것이다.

일차보건의료로 해결될 수 있는 건강문제는 현재 인구가 가지고 있는 건강문제의 80% 이상이라고 본다. 그러므로 일차보건의료사업이 성공하면 국민의 건강문제 중 80%가 저렴한 가격으로 쉽게 이용 가능하고 받아들일 수 있는 방법으로 해결이 가능하게 된다.

2) 철학

일차보건의료의 철학이 중요한 이유는 보건서비스의 기본방향을 제시하기 때문이다. 일차보건의료는 다음의 4가지 가치관에 근거를 두고 있다.

첫째, 건강은 인간의 기본 권리인 동시에 그 건강을 보존하고 유지해야 하는 인간의 기본의무와 책임이기도 하다. 건강에 대한 기본 인권을 보호하기 위해서는 효과적인 보건서비스 전달체계를 고안해야 한다.

둘째, 건강은 근본적으로 자원의 분배와 가용과 관계된다. 자원에는 보건자원 뿐만 아니라 교육, 상수공급 등의 사회 · 경제적 자원을 포함한다. 따라서 건강을 위해서 평등한 기회가 부여되어야 한다. 그러므로 일차보건의료는 형평에 관여하며, 형평성을 보장하기 위하여 보건 및 사회가용자원의 공정한 배분을 고려하여야 한다. 특히, 건강요구가 가장 큰 대상에 대해서 특별한 고려가 필요하다.

셋째, 건강은 사회, 문화, 경제 및 생물학적, 환경적 요인들의 영향을 받아 나타나는 종합적인 결과이다. 그러므로 건강에 영향을 미치는 모든 요인들에 대한 관리가 고려되어야 한다.

넷째, 건강 향상을 위해서는 개인, 가족 및 지역사회의 일원으로서 개입과 참여가 필수적으로 요구되며, 건강한 행동을 채택하고 건강한 환경을 보장하는데 필요한 각자의 활동을 자발적으로 수행할 수 있어야 한다. 일차보건의료에 있어서는 지역사회 참여와 개입이 궁극적으로 개인이나 지역사회의 자립을 목적으로 하는 것이기 때문에 그 기여가 보다 광범위하게 이루어진다. 그렇기 때문에 건강을 보존하고 유지하는 개인이나 집단적 책임은 일차보건의료의 기본적 가치가 된다.

3) 접근방법

일차보건의료의 접근방법은 일차보건의료의 8개 필수 서비스 전달을 위한 기본 틀을 마련해 준다. 세계보건기구(WHO)는 일차보건의료의 출현배경과 철학을 기초로 일차보건의료의 접근방법에 대해서 다음의 네 가지를 제시하였다.

첫째, 쉽게 이용 가능해야 한다. 지역적, 지리적, 경제적, 사회적 등으로 일차보건의료를 이용하는 데 차별이 있어서는 안 된다는 것이다. 일차보건의료는 모든 인간에게 평등하고 쉽게 이용가능 하도록 사업이 전개되어야 한다.

둘째, 지역사회가 쉽게 받아들일 수 있는 방법이 제공되어야 한다. 그 지역사회의 주민들이 편안하게 받아들일 수 있는 건강문제 해결접근을 일차보건의료에서 연구하여 사업방법으로 활용해야 한다. 일차보건의료는 지역사회의 기본적인 건강요구에 기초를 두고 일차적으로 조치를 하는 것이므로 이미 지역사회에서 활용하고 있던 조치를 분석하여야 한다.

셋째, 지역사회의 적극적인 참여에 의해서 사업이 이루어져야 한다. 일차보건의료를 제공하는 사람과 지역사회가 대등한 관계로 일차보건의료사업의 동업자가 되는 것이다. 전통적으로 시행해 오던 보건의료는 보건의료전문가가 능동적으로 지역사회 주민들에게 보건의료를 제공하는 것으로 지역사회 주민은 수동적 자세였다. 그러나 일차보건의료사업은 지역사회가 적극적으로 참여하여 사업요구 파악, 계획, 실행, 평가가 이루어져야 한다.

넷째, 지역사회의 지불능력에 맞는 보건의료 수가로 사업이 제공되어야 한다. 지역사회 주민이 일차보건의료를 이용하는데 경제적으로 부담을 느끼지 않는 범위에서 의료수가를 결정해야 하며 이 결정은 지역사회에서 이루어져야 한다.

4) 사업내용

알마아타 선언은 일차보건의료의 사업으로 8가지 필수영역을 제시하였다. 이것은 기본적인 건강문제를 일차적으로 조치할 수 있는 내용들이다. 사업내용을 보면 국민들의 기본적인 건강요구를 충족시키기 위한 일차적인 조치라는 것을 알 수 있다. 이후에 한 영역(심신장애자의 재활)이 추가되어 일차보건의료의 필수사업 영역은 다음과 같다.

- 주요 보건문제와 그 예방 및 관리방법에 대한 교육
- 식량공급의 촉진과 적절한 영양의 증진
- 안전한 식수의 공급과 기본적 위생
- 가족계획을 포함한 모자보건

- 주요 감염병에 대한 예방접종
- 지방병의 예방과 관리
- 흔히 볼 수 있는 질병과 외상의 적절한 치료
- 필수 의약품의 공급
- 심신장애자의 재활(추가)

04 보건의료체계

1) 정의

보건의료체계는 국가 또는 사회가 그 구성원의 건강수준을 향상시키기 위하여 마련한 보건의료사업에 관한 모든 사회제도와 구조를 말한다. 좁게는 보건의료서비스의 생산, 소비, 분배 등과 관련되는 법률과 조직을 의미하지만, 넓게는 국민의 의료이용과 관련된 일체의 체제와 관행을 포괄적으로 의미한다. 보건의료체계는 보건의료서비스, 보건조직, 보건기획의 3가지 변수를 내용으로 정의될 수 있다. 보건의료서비스는 병·의원 및 보건기관 등 서비스를 제공하는 제도를 총칭하므로 인력과 시설의 양과 질, 배분상태, 물리적 접근성 등을 포함한다. 보건조직은 보건자원이 생산되고 분배되는 과정을 총칭하며, 보건기획은 보건자원의 배분과 통제뿐만 아니라 총괄적인 조정 및 미래지향적 개발을 포함한다. 보건의료체계라는 용어는 건강에 대한 사회적 책임이 증가하기 시작하면서 국민의 건강증진을 위하여 국가나 사회가 지니고 있는 자원과 기능을 배분하기 시작하면서 성장되어온 개념이다.

우리나라에서 보건의료체계는 보건의료제도와 같은 의미로 사용되고 있으며, 국가보건의료체계(national health system), 보건의료전달체계(healthcare delivery system), 지역사회보건체계(district health system)로도 불려진다. 그런데 앞에서 보건의료체계와 보건의료제도가 같은 의미로 사용된다고 했는데, 체계와 제도의 두 정의는 엄밀한 의미에서는 구분된다. 체계는 제도보다 광의의 의미를 갖으며, 사회적 행동을 질서에 따라 일어나도록 하는 조정과 통합에 관한 포괄적인 질서라고 할 수 있다. 이와 달리 제도는 기본적인 욕구를 중심으로 조직된 복합적인 구조 또는 일련의 가치를 중심으로 발달된 실행과 사회적 역할의 조직된 기전(mechanism)이라고 할 수 있다. 구조적인 측면에서 볼 때, 보건의료체계는 거대한 사회체계의 한 부분을 이루고 있는 하위체계이다. 따라서 한 나라의 보건의료체계는 그 나라의 정치, 경제, 사회의 구조적 산물이다. 결국 각 나라마다 보건의료체계에 차이가 있는 것은 나라마다 정치, 경제, 사회제도에 차이가 있다는 것과 동일하다. 이러한 이유로 나라마다 보건의료제도의 유형에 따라 보건의료체계에는 차이가 존재한다.

2) 목표

보건의료체계 운영의 목표는 의료서비스를 필요로 하는 모든 사람에게 동등한 양과 질의 의료서비스를 제공하는 것이다. 그러나 이러한 목표는 달성하기가 쉽지 않다. 왜냐하면, 의료서비스의 접근성에는 지리적, 사회적, 경제적으로 차이가 발생할 수밖에 없는데, 서비스의 양과 질을 동등하게 하는 것이 간단하지 않기 때문이다. 다시 말해서, 거의 무한정의 보건의료자원을 보유하고 있거나 수요와 공급측면에서의 근본적인 개혁이 있어야만 이 목표는 달성될 수 있는 것이다. 결국, 주어진 가용자원의 범위 내에서 주민의 경제적 부담을 최소화시키면서 국민 건강이 최고조에 도달할 수 있도록 하는 것이 보건의료체계의 목표가 될 수 있다. 그러나 주민 부담의 최소화와 국민 건강의 최고조는 상호 역관계에 놓이게 된다. 그러므로 현실적인 해결책은 가용자원 내에서 기대되는 만족할 만한 수준의 국민 건강을 가장 효율적으로 달성하는 것이다.

3) 구성요소

국가의 보건의료체계는 그 사회의 기본적인 목표 및 가치체계, 과학, 법적 요인 등을 포함하는 모든 사회환경의 영향을 받으면서 점진적으로 형성된 역사적 산물로 볼 수 있다. 그러나 반대로 보건의료체계 역시 사회를 구성하는 여타 다른 하위체계에 영향을 미치게 되므로 모든 사회환경과 보건의료체계는 끊임없이 상호작용을 하게 된다. 이러한 체계(system)적인 관점에서 보건의료체계를 이해하면 보건의료체계 역시 여러 하위체계로 구성되어 있으며, 이들 하위체계 상호 간에도 유기적인 상호작용이 있으리라는 것을 짐작할 수 있다.

보건의료체계 구성요소를 설명하는 대표적인 모형은 클레츠코브스키(Kleczkowski, 1984) 등이 제안한 것으로 보건자원의 개발(development of health resources), 자원의 조직화(organized arrangement of resources), 보건의료서비스의 제공(delivery of health care), 경제적 지원(economic support), 관리(management) 5개 주요 요소로 구성되어 있다.

그림 1-6 보건의료체계 하부구조의 주요 구성요소

출처 : B.M. Kleczkowski, M.I. Roemer, A. Werff, National health systems and their reorientation towards health for all, guidance for policy making, WHO, 1984.

3-1) 보건자원의 개발

보건자원은 보건의료체계가 그 기능을 수행하기 위해서 필요한 생산요소를 말한다. 인력, 시설, 장비 및 물품, 지식이 4개의 기본 범주에 해당되며, 보건자원의 개발은 보건사업의 기반이 된다는 점에서 매우 중요하다.

인력은 보건의료서비스를 생산하는 사람들의 집합으로 의사, 간호사, 약사, 보건기사, 행정요원 등이 해당된다. 이러한 인력이 기능의 수행을 위해 활동하는 공간이 시설이며 병원, 의원, 보건소, 보건지소, 보건진료소, 조산원, 약국 등이 해당된다. 인력과 시설을 통해 보건의료체계의 기능을 수행하는데 필요한 물자에는 보건의료장비, 약품 기타 소모품과 재료가 모두 포함된다. 아울러 각 인력이 필요한 기능을 수행하는데 필요한 지식도 보건자원에 포함된다. 지식은 건강과 질병에 관련된 것으로 포괄적 보건의료서비스 향상을 위하여 과학적이고 새로운 내용이 계속해서 도입되어야 한다.

3-2) 자원의 조직화

자원의 조직화는 보건자원을 체계적으로 배열하는 기능이다. 보건자원이 서비스를 산출하기 위해서는 관련된 자원들이 기능적 연관성에 따라 구조적으로 묶여야 한다. 이러한 활동에는 목적 달성을 위해 세분화된 단위를 결정하고 각 단위에 책임과 권한을 부여하는 활동, 세분화된 단위들이 서로 통합되어서 총체적 목적 달성을 위해 일할 수 있는 의사소통의 경로를 만들어 내는 활동 등이 있다. 조직화된 배분은 보건자원을 상호 효과적 관계를 유지하는 데 필수적이며, 개별 환자나 지역사회 집단이 보건의료제공 기전(mechanism)을 통하여 보건자원에 접촉하기 위해서 필요하다. 한편, 보건자원의 주요 집단화 또는 조직화된 배열은 5개 범주(국가보건기관, 건강보험사업, 정부기관, 비정부기관, 독립된 민간시설)로 구분될 수 있다.

자원의 조직화는 보건의료서비스의 직접적 생산주체인 보건의료기관의 조직화와 국가의 보건의료제공체계 전체를 대상으로 한 조직화로 구분할 수 있다. 보건의료기관의 조직화 사례로는 병원을 개원할 경우에 행정 및 보고체계, 책임과 업무 권한의 설정, 의사소통 경로 등을 설정하는 것이 있으며, 국가의 보건자원을 조직화하는 역할은 중앙 정부가 담당하게 된다.

3-3) 보건의료서비스의 제공

보건의료서비스의 제공은 다양한 서비스가 생산되는 과정이다. 조직화된 보건의료자원을 통해 보건의료와 관련된 요구가 충족되는 과정이라 할 수 있다. 제공되는 서비스에는 1, 2, 3차 보건의료서비스가 모두 포함된다. 국민들의 요구에 부합하기 위해서는 포괄적 보건의료서비스가 지속적으로 보장되어야 한다. 서비스 제공체계는 보건의료자원의 조직화와 관련된다.

3-4) 경제적 지원

보건의료체계가 제대로 기능하기 위해서는 다양한 지원요소들이 필요하지만, 이들 지원요소들 가운데 가장 중요한 지원요소가 경제적 지원이다. 보건자원의 개발, 자원의 조직화, 보건의료서비스의 제공 등에는 필수적으로 비용이 발생한다. 그 기능과 역할을 제대로 수행하기 위해서는 경제적 지원이 필요하다. 모든 국가는 보건의료 부문에 필요한 재정을 지원하기 위하여 별도의 지원체계를 갖고 있는데, 세계보건기구는 재원의 성격에 따라 공공재원(예 중앙행정기관, 건강보험기구 등), 조직화된 민간기관(예 자선단체, 민간의료보험), 지역사회의 기부, 외국의 원조, 개인 가계(예 의료이용 시 직접 지불), 기타 재원(예 복권, 기부금 등) 등으로 구분하고 있다.

3-5) 관리

국가보건체계의 관리는 해당 국가의 정치 및 경제 체제에 따라 다르게 나타난다. 보건의료체계를 운영할 때에 관리에서 고려해야 할 3가지 요소는 지도력(leadership), 의사결정(decision making), 법규 및 규정(regulation)이다. 3가지 요소에 대한 구체적인 내용을 살펴보면, 관리자는 얼마나 민주화되어 있느냐, 의사결정 과정에서 소비자 및 구성원의 참여가 얼마나 이루어지고 상향식으로 의사가 전달되느냐, 규제(예 면허제, 보건의료기관의 인가, 의약품에 대한 통제 등)가 시대에 따라 융통성 있게 얼마나 잘 조정되느냐 하는 것이다.

4) 보건의료체계의 유형

뢰머(Roemer, 1991)는 보건의료체계를 일인당 국민총생산을 기준으로 한 경제수준과 보건의료 시장에 대한 정부의 개입 정도에 따라 세계 각국의 보건의료체계를 구분하였다. 우선 시장에 대한 정부 개입 정도를 기준으로 자유기업형, 복지지향형, 포괄서비스형, 사회주의형의 4가지로 분류하였다.

표 1-7 뢰머의 보건의료체계 유형

경제수준	보건의료정책(시장에 대한 개입 정도)			
	자유기업형	복지지향형	포괄서비스형	사회주의형
부유한 국가	미국	독일, 캐나다, 일본	영국, 뉴질랜드, 노르웨이, 스웨덴	(구, 소련), (구, 체코공화국)
개발도상국	태국, 남아프리카공화국	브라질, 말레이시아,이집트	이스라엘, 니카라구아	쿠바, 북한
저개발국	가나, 방글라데시, 네팔	인도, 미얀마	스리랑카, 탄자니아	중국, 베트남
자원 풍요		리비아, 가봉	쿠웨이트, 사우디아라비아	

출처: Milton I. Roemer, National health systems of the world. Oxford University Press, 1991.

4-1) 자유기업형

자유기업형은 자원의 배분과 생산에 있어서 시장에 대한 의존이 가장 큰 형태로 이 제도가 실시되는 국가에서는 보건의료비가 개인적으로 조달되는 것이 가장 큰 특징이다. 또한, 보건의료전문직에 대한 면허나 자격 인정을 전문직 단체에서 관장하는 것이 일반적이고, 민간의료보험제도가 활성화되어 있다. 미국이 대표적이며, 우리나라는 전국민건강보험 실시 이전에는 이 유형에 속하였으나, 현재는 복지지향형으로 이행한 상태로 볼 수 있다.

4-2) 복지지향형

복지지향형 국가에서는 사회보험이나 조세로 보건의료서비스를 제공한다. 의사들은 개원할 수 있고 진료비는 제3자 지불기구로부터 지급받는다. 의료공급이 민간중심으로 되어 있지만, 사회보험을 통해 의료공급자에 대한 정부의 개입이 비교적 강한 편이다. 사회보험이 중심이지만 민간의료보험이 보완적으로 발달해 있고, 의료의 질은 높은 편이지만 국민의료비의 증가 추이가 높은 편이다. 이 유형의 가장 큰 특징은 정부 세출에서 보건의료비가 차지하는 비중이 크다는 것이다.

4-3) 포괄서비스형

포괄서비스형 국가에서는 조세를 재원으로 중앙정부 또는 지방정부가 보건의료서비스의 제공을 책임을 지고 있다. 병원급 보건의료기관을 정부나 지방자치단체가 관할하며 보건기관도 사회보험기구와는 무관하다. 진단과 치료 중심으로 의료서비스를 제공하는 것뿐만 아니라 지역사회 중심의 질병예방과 건강증진에서 치료, 재활까지 포괄적 보건의료서비스를 제공한다.

4-4) 사회주의형

사회주의형에서는 국가가 보건의료서비스에 대한 모든 책임을 진다. 보건의료서비스는 교육, 주택, 사회복지서비스, 고용 등과 마찬가지로 국가의 책임 하에서 사회 전체 구성원에게 일정한 원칙에 따라 분배된다. 사유재산을 인정하지 않는 체제이기 때문에 모든 보건 의료인은 국가에 고용되어 있으며, 보건의료 시설은 국유화되어 있다. 이런 이유로 자유기업형이나 공적부조에 의존하는 국가보다 보건인력이나 시설자원이 풍부하다.

5) 의료전달체계

5-1) 의미

최근에는 의료전달체계(medical delivery system) 개념이 의료제공체계로 이해되고 있다. 그동안 우리나라에서는 의료후송체계(medical referral system) 또는 환자후송체계로 잘못 사용되기도 하였다. 의료전달체계는 의료체계와 의료자원을 효율적으로 운영하여 의료서비스를 필요로 하는 사람에게 필요한 시기에 적정한 장소에서 적정한 의료를 이용할 수 있도록 하는 제도이다. 따라서 의료전달체계는 적정 의료자원의 개발 및 생산, 의료 접근성의 향상, 가용자원의 효율적 운영과 관련된다고 볼 수 있다.

의료전달체계의 3가지 구성 내용을 구체적으로 살펴보면, 적정 의료자원의 개발 및 생산은 의료인력 및 시설 등의 의료자원을 양적, 질적으로 적정하게 개발하고 생산하는 것과 관련된 여러 내용을 포함한다. 의료 접근성의 향상은 의료를 필요로 하는 모든 사람에게 의료서비스를 제공할 수 있도록 지리적, 경제적, 시간적 접근성을 높여주기 위한 노력이 포함된다. 가용자원의 효율적 운영은 유한한 의료자원을 필요한 모든 사람들에게 제공하기 위해서는 단계적이고 체계적으로 접근해야 하고, 이 과정에서 최소한의 투자로 최대한의 효과를 얻을 수 있도록 하는 것이다.

5-2) 의료전달체계의 접근 방법

의료전달체계의 접근 방법은 의료의 지역화를 고려하여 의료자원의 개발 및 배치 계획을 세우고, 의료기관별로 의료자원의 기능 분담과 역할을 정립하며, 아울러 환자 후송체계를 유기적으로 확립하는 것이다. 접근 방법으로서 지역화와 단계화를 구체적으로 살펴보면 아래와 같다.

(가) 지역화

보건의료서비스는 보건의료시설이 있는 곳에서 이용될 수밖에 없고 이 때문에 의료자원의 균형 있는 지역적 분포는 서비스 제공의 형평성(equity)을 확보하는데 매우 중요한 결정요인이 된다.

① 의도적으로 형성한 진료권

중앙 또는 지방정부가 의료시설을 배치하고 소재 지역에 의료서비스를 제공하는 책임을 부여한 것이다. 해당 의료기관이 책임을 지는 지역적 범위가 비교적 명확하다. 뉴질랜드, 스웨덴 등이 의도적으로 형성한 진료권(catchment area) 형태에 해당된다.

② 자연적으로 형성된 진료권

자유롭게 설립된 의료기관들이 상호경쟁을 하면서 의료서비스의 시장을 점유하여 자연스럽게 지역적 범위를 형성하게 된다. 일본, 미국 등이 자연적으로 형성된 진료권(service area) 형태에 해당된다. 한편, 우리나라는 기본적으로 자연적으로 형성된 진료권 형태이나 건강보험제도를 통하여 환자의 흐름을 규제하는 독특한 방식을 갖고 있고, 전국 시 · 군 · 구에 설치되어 있는 보건소는 의도적으로 형성한 진료권 성격을 갖고 있다.

(나) 단계화

보건의료서비스의 단계화는 앞에서 설명한 지역화 정의와 동시에 연결될 때에 효과적으로 작동될 수 있다. 따라서 단계화는 전국적으로 단계별 자원이 고르게 분포하지 않으면 성립될 수 없다.

① 소진료권과 기본 보건의료기관

주민들은 1차 의료서비스처럼 간단한 서비스는 거주지와 가까운 곳에서 제공받기를 원한다. 공급자 입장에서도 비교적 단순한 시설로 제공이 가능하기 때문에 진료권 인구가 적더라도 경제적으로 타당성이 있어 광범위한 분포가 가능하다. 우리나라의 경우는 읍 · 면 · 동이 소진료권(locality)에 해당된다고 볼 수 있다.

② 중진료권과 첫 번째 의뢰

중진료권(district)은 지역병원이 해당되며, 대략 5-50만 정도의 진료권 인구를 대상으로 한다. 내과, 외과, 산부인과, 소아과 등의 전문과목 개설과 이를 뒷받침할 수 있는 시설과 장비가 필요하다. 소진료권의 기본 보건의료기관(basic health service unit)에서 해결하지 못한 문제들을 첫 번째로 의뢰(first referral level)받게 된다. 우리나라의 경우는 시 · 군 · 구가 중진료권에 해당된다고 볼 수 있다.

③ 대진료권과 두 번째 의뢰

대진료권(region)은 지방병원이 해당되며, 대략 50-500만 정도의 진료권 인구를 대상으로 한다. 다양한 전문과목이 개설되어 있어야 하고, 희귀성질환을 제외하고 모든 질병을 치료할 수 있어야 한다.

5-3) 우리나라 의료전달체계 현황

(가) 경과 과정

우리나라의 경우 1920년대 영국에서 제기된 의료지역화 정의로부터 영향을 받아 1970년대에 보건의료제공체계에 관심을 갖기 시작하였다. 1984년 환자의뢰 시범사업을 실시하고 1989년 전국민의료보험제도와 함께 시작되었다. 이때의 의료전달체계는 전국을 행정구역과 생활권에 따라 8개 대진료권과 142개 중진료권으로 구분하였다. 이와 함께 의료기관을 1차, 2차, 3차 진료기관으로 분류하여 의료기관 간의 기능을 분담하였다. 이렇게 하여 환자들이 근거리의 의료기관을 이용하고 단순한 기술수준의 진료능력을 갖춘 기관에서부터 의료이용을 시작하여 필요에 따라 복합적 기술수준의 기관으로 옮겨가도록 하였다.

그러나 1995년 지역 간 공급 불균형에 따른 불평등을 해소하기 위한 규제개혁 차원에서 대진료권 구분이 없어지고, 1998년 공 · 교의료보험과 지역의료보험이 통합되면서 중진료권의 구분도 없어져 의료이용의 지역화 추진은 중단되었다. 그 이후 지금까지 의료기관 종별 기능과 역할이 명확하게 구분되지 않고 있다. 이런 이유로 병상 및 고가의료장비 보유경쟁, 비효율적인 진료현상, 대형병원으로 환자 쏠림현상, 지역 간 의료자원의 불균형 등이 심화되고 있다.

(나) 법적 근거

우리나라 의료전달체계는 의료법과 국민건강보험법에 근거하고 있다. 의료기관의 종류와 기능은 의료법에 규정되어 있는데, 의료기관은 의원급과 병원급(종합병원 포함)으로 구분되고 병원급에서 상급종합병원을 따로 구분하고 있다. 주된 기능은 의원급은 외래환자, 병원급은 입원환자, 상급종합병원은 중증질환자를 대상으로 한다. 그러나 의료법에 규정된 의료기관의 종별 구분과 기능은 선언적 역할만 담당하고 있는 실정이다.

표 1-8 의료기관 종별 특성

종별 구분		대 상	기 준
의원급		주로 외래 환자	30병상 미만
병원급	병원	주로 입원 환자	30병상 이상
	종합병원	7개(300병상 이하), 9개(300병상 초과) 이상 진료과목 설치	100병상 이상
상급종합병원		중증질환에 대하여 난이도가 높은 의료를 전문적으로 하는 종합병원	종합병원 중 복지부 장관 지정

한편, 의료이용체계와 관련된 내용은 2000년 제정된 국민건강보험법에 규정되어 있는데, 이 법에서는 건강보험 급여를 2단계로 구분하고 있다. 상급종합병원 이용에서는

의원, 병원(종합병원 포함)의 의사소견이 기재된 건강진단 · 검사결과서 또는 요양급여의뢰서를 제출해야 급여를 지급받을 수 있다. 다만, 국민건강보험 요양급여의 기준에 관한 규칙 제2조 3항에서 응급, 분만, 치과, 가정의학과 등 7가지 예외 경로를 인정하고 있다. 그러나 본인이 비용을 부담하는 경우에는 이용단계에 제한을 두고 있지 않다. 요양급여 절차에 따르지 않고 요양기관을 이용한 경우에는 그 비용총액을 본인이 부담하도록 하고 있다. 다만, 단계적인 의료기관 이용을 유도하기 위해서 의료기관 종별 가산율 및 환자 본인부담률의 진료비 차등제도를 실시하고 있다. 종별가산율은 의원 15%, 병원 20%, 종합병원 25%, 상급종합병원 30%이며, 환자 본인부담률은 의원 30%, 병원 35~40%, 종합병원 45~50%, 상급종합병원 60%이다. 의료기관 이용에 대한 제한은 환자 본인부담률에서만 차이가 있을 뿐 다른 제재는 없는 것이다.

역학과 질병관리

CONTENTS

CHAPTER 01

역학

학습목표

- 역학의 정의 및 종류를 설명할 수 있다.
- 질병발생의 역학적 원인과 관련된 모형을 설명할 수 있다.
- 타당도와 신뢰도에 대해서 설명할 수 있다.
- 단면연구, 환자–대조군 연구, 코호트 연구에 대해서 설명할 수 있다.
- 교차비, 비교위험도, 기여위험도를 설명할 수 있다.

01 역학의 이해

1) 역학의 정의

역학(epidemiology)은 의학의 한 분야로 질병발생의 원인을 밝히는 학문이다. 역학의 기초가 되는 두 가지 가정(assumption)은 첫째, 인간의 질병은 우연히 발생하는 것이 아니며, 둘째 인간의 질병에는 원인적 요인과 예방적 요인이 복합적으로 작용하며 이들 요인은 체계적인 조사를 통하여 찾아낼 수 있다는 것이다.

오늘날 역학은 인구집단을 직접적인 연구대상으로, 집단에서 발생하는 모든 건강과 질병 현상의 빈도, 분포 그리고 이와 원인적으로 관련되는 결정요인 등을 규명하여 질병예방과 건강증진을 위한 효율적인 방법을 개발하는 학문으로 정의될 수 있다. 역학이 임상의학과 다른 점은 임상의학이 환자를 대상으로 하는 것과 달리 역학은 환자뿐만 아니라 지역사회의 모든 구성원 즉, 건강인도 대상에 포함한다는 것이다.

2) 역학의 발전 과정

역학은 감염병이 창궐하던 시대에 이를 예방하고 관리할 목적으로 발달되어 온 학문으로 1930년대까지도 역학의 주된 연구대상은 감염병이었다. 그러나 질병양상이 변화됨에 따라 역학의 대상도 급성감염병에서 만성감염병 및 비감염성질환 등 모든 질병으로 확대되었고, 질병뿐 만 아니라 사회적 병리현상까지도 그 대상으로 하고 생리적 상태 또는 건강 자체를 대상으로 한다.

역학이 현재와 같은 학문으로 정립된 것은 질병발생의 원인이 주변 환경에 있다는 환경병인론의 정립, 생명현상을 집단적 및 계량적으로 다루는 통계학적 방법론의 발전, 건강과 질병 현상에 인과적으로 관여하는 요인을 귀납적 및 논리적 사고에 의하여 밝힐 수 있다는 믿음이 서로 융합되어 이루어졌다. 다음의 두 가지 연구결과는 역학적 연구방법의 발전에 크게 기여한 대표적인 사례이다.

사례 1

영국의 그랜트(John Graunt)는 1662년 '사망표에 의한 관찰'이라는 논문에서 인간의 사망을 계량적으로 파악하여 그 일반성을 제시하였다. 그의 논문은 1603~1658년 동안의 런던시의 사망신고서 자료를 수집해서 출생과 사망에 어떤 규칙성이 있다는 것을 제시하였다.

이는 두 가지 측면에서 큰 의미를 갖는다. 첫째는 생물체의 생명현상에도 일반성이 존재한다는 사실이었다. 그 이전까지의 생각은 무생물의 물리적 또는 화학적 현상에만 어떤 원리나 일반성이 있고, 생물체의 생명현상은 개별적으로 유일한 사건이라고 생각하였다. 둘째는 개별의 생명현상을 집단적으로 관찰하고 이를 계량화하여 정리 · 분석하면 일정한 규칙성이나 일반성의 파악이 가능하다는 것이었다. 그랜트의 업적은 보건통계의 시조가 되고 있으며, 인구집단을 관찰대상으로 하여 생명현상에 대한 과학적 지식을 찾는 방법론의 출발점이 되었다.

사례 2

영국의 스노우(John Snow)는 1855년 당시 런던에서 대유행을 일으켰던 콜레라의 유행 양상을 유럽 지역의 유행과 비교하였다. 그는 기존 자료를 분석하여 콜레라가 오염된 물을 통하여 전파될 것이라는 가설을 수립하고, 매우 조직적이고 논리적으로 콜레라의 유행 양상을 관찰하여 특정 상수원이 유행의 근원지라는 결론을 얻고 해당 상수원을 폐쇄하여 콜레라 유행을 종식시켰다. 스노우의 역학조사 결과에 근거하여 런던에서는 1857년부터 식수에 여과처리를 시작하게 되었다.

3) 역학의 역할

역학은 지역사회에서 질병이 발생, 분포하는 요인을 규명하고, 각 질병이 가지고 있는 특유의 자연사(natural history of disease)를 고려하여 각 시기에 적합한 예방계획을 수립하는데 도움을 주는 학문이다. 따라서 역학은 예방의학과 공중보건학의 기초 분야가 된다. 그런데 질병의 원인 및 자연사를 안다는 것은 효과적인 치료계획 수립에도 도움을 주기 때문에 오늘날에는 임상의학에서도 역학을 활용하고 있다. 역학의 주요한 역할 및 활용분야는 다음과 같다.

3-1) 질병발생의 원인 규명

역학의 가장 중요한 역할이다. 질병발생에 영향을 준 요인과 관련 요인 간의 상호관계를 밝힌다. 사건의 자연사와 발생 양상에서 기술된 자료를 근거로 가설을 설정하고, 이 가설을 설명하기 위한 실험적 또는 분석적 연구를 실시하여 원인 혹은 유행기전을 찾아내게 된다. 이 결과를 근거로 질병의 예방대책을 수립하게 된다.

3-2) 질병발생과 유행의 감시

역학은 질병의 양적 변동이나 유행상태를 관찰하고 감시하여 지역사회의 질병 상황 파악, 문제점 발견, 관리대책 수립, 결과의 평가 등을 수행한다. 질병발생과 유행의 감시에는 법정감염병 신고자료, 국 · 공립연구소 검사자료, 병원의무기록, 현장조사자료 등이 활용된다.

3-3) 질병의 자연사 기술

질병을 정확히 이해하기 위해서는 질병이 발생하여 끝날 때까지의 모든 경과(자연사)에 관한 내용을 관찰하고 기술해야 한다. 질병의 임상적 특성, 검사결과, 임상경과 등의 자연사에 관한 자료는 진단기준 뿐만 아니라 예후의 추정에도 도움이 된다. 질병의 특성이나 유행형태를 알기 위해서는 질병의 자연사를 정확히 알고 있어야 한다.

3-4) 보건사업의 기획 및 평가 자료 제공

역학은 보건정책 또는 행정수행에 필요한 기획 및 평가 자료를 제공한다. 의료시설이나 보건자원 분배 등을 계획할 때에는 질병의 발생빈도 및 특성이 고려되어야 한다. 이때에 역학으로부터 필요한 자료를 제공받게 된다. 질병원인과 양상에 관한 지식의 생산과 축적은 한정된 여건 속에서 보건사업을 효율적으로 계획하고 수행하는데 필요하다.

3-5) 임상분야에 활용

역학은 인구집단을 대상으로 하기 때문에 대부분의 자연과학 분야와는 달리 실험적 조작이 윤리적으로나 도덕적으로 허용되지 않는다. 이러한 특수성은 새로운 연구방법을 발전시키는 계기가 되었다. 대조군의 설정, 비교치료군의 설정, 결과측정의 눈가림법 적용 등은 모두 역학에서 개발된 방법으로 오늘날 임상의학에서 많이 이용되고 있다. 역학적 지식은 환자의 치료효과 판정 및 실험설계에 크게 기여하고 있다.

4) 역학의 분류

4-1) 연구방법에 따른 구분

(가) 기술역학

기술역학(descriptive epidemiology)은 어떤 구체적인 사실을 증명하는 것이 아니라 그대로의 상황을 파악하여 기술한다. 인구집단 내의 사람(person), 장소(place), 시간(time)에 따른 질병상태, 사망 등의 규모와 분포를 파악하여 원인에 대한 가설을 얻기 위해 수행된다. 기술역학의 연구결과는 질병의 원인에 대한 단서를 제공하여 분석연구에 검증할 가설을 제공하기도 한다. 기술역학에서 다루는 가장 중요한 분야는 인구집단에서 발생하는 질병에 대하여 그 발생에서 종결까지의 자연사를 서술하는 것이다.

(나) 분석역학

분석역학(analytical epidemiology)은 '어떻게 질병이 발생하는가?', '그것은 왜 지속되는가?' 등과 같은 질문에 대답하기 위하여 가설을 세우고 분석한다. 분석역학은 기술역학의 결정인자를 근거로 질병발생 요인들에 대하여 어떤 가설을 설정하고, 실제로 얻은 관측 자료를 분석하여 그 해답을 찾는다. 분석역학은 연구를 시작하기 전에 이미 명확한 가설이 수립되어 있으며, 관찰적 분석역학과 실험적 분석역학으로 구분된다.

① 관찰적 분석역학

관찰적 분석역학(observational analytical epidemiology)은 자연상태에서 어떤 사람이 노출되고 어떤 사람이 노출되지 않았는지와 어떤 사람에게 질병이 발생하고 어떤 사

람에게 질병이 발생하지 않았는지를 조사하는 것이다. 관찰적 분석역학에는 단면연구, 환자-대조군 연구, 코호트 연구가 있다.

② **실험적 분석역학**

실험적 분석역학(experimental analytical epidemiology)은 연구자가 개별 환자 혹은 특정 지역사회의 구성원에게 인위적으로 개입한 후에 특정 질병에 대한 치료법의 효능(efficacy) 혹은 관리 및 예방에 대한 조치의 효과를 알아보는 것이다. 연구자의 중재(intervention)가 개입된다는 점에서 관찰적 분석역학과 차이가 있다.

일반적으로 실험적 분석역학은 소요 비용이 크고 진행에 어려움이 많기 때문에 관찰적 분석역학을 통해서 얻어진 특정한 가설을 마지막으로 검정하고자 할 때에 진행된다. 한편, 실험적 분석역학은 임상시험(clinical trial)과 지역사회시험(community trial)으로 구분된다.

4-2) 세부 내용별 역학 분야

(가) 이론역학

이론역학(theoretical epidemiology)은 질병발생 양상에 관한 모형을 설정하고, 실제로 나타난 결과와 수식화된 이론을 분석하여 그 타당성을 검증하거나 요인들의 상호관계를 수리적으로 규명하는 3단계 역학이다. 감염병 발생이나 유행을 예측하는데 활용될 수 있다.

(나) 작전역학

작전역학(operational epidemiology)은 보건사업의 계획, 실행, 사업의 효율성 및 사업 수행 후의 결과를 평가한다. 보건사업 효과에 대한 평가방법론으로 보건사업의 효과뿐 만 아니라 운영과정 및 투자에 대한 생산성을 평가하고 사업의 성패를 결정하는 요인까지 규명한다. 작전역학은 옴란(Omran)이 제시하였으며, 보건사업의 향상을 목적으로 한다.

(다) 유전역학

유전역학(genetic epidemiology)은 인구집단에서 질병이 발생하는데 유전적 요인과 유전-환경 상호작용이 어떻게 관여하는지를 밝히는 분야이다. 유전학과 역학의 원리를 접목한 분야로 노출(exposure)에 해당하는 부분이 유전적 요인이 된다는 점에서 기존의 역학과 차이가 있다. 인구집단에서 환경요인에 노출되었다고 모든 사람에게 질병이 발생하지 않는데, 질병을 예방하기 위해서는 환경요인이 질병발생에 어떻게 관여하는지 뿐만 아니라 유전적 요인과 유전적 감수성 및 환경요인의 상호작용을 함께 고려해야만 한다.

(라) 분자역학

분자역학(molecular epidemiology)은 분자와 세포 수준의 생체지표(biomarker)를 이용한 분야로 실험실 유전학과 분자생물학이 급속히 발전하면서 가능해졌다. 분자역학 연구를 통해 노출과 질병발생 간의 연관성을 분자 수준에서 좀 더 정확히 파악할 수 있고, 위험요인과 질병발생 간의 상호작용을 확인할 수 있다. 코호트연구에서 추적기간을 단축시킬 수 있다는 장점이 있지만, 생체지표들을 역학연구에 적절히 이용하고 정확하게 해석하기 위해서는 대규모 인구집단에서 생체지표들을 검정하는 것이 선행되어야 한다.

(마) 약물역학

검증결과 없이 각종 약물을 질병치료에 사용하다가 1960년대부터 약물의 효과와 안전성을 과학적으로 검증하기 시작하였다. 약물역학(pharmacoepidemiology)은 역학과 임상약리학을 접목한 학문으로 인구집단에서 약물사용으로 인해 생기는 유해 빈도를 파악하고, 약물 복용과 질병발생 여부의 연관성을 규명한다. 약물역학 연구에서는 설명변수는 약물이고 결과변수는 약물의 부작용이나 질병이 된다. 시판 전에는 약물유해반응을 충분히 관찰하기 어렵기 때문에 주로 시판 허가를 받은 약물을 대상으로 약물역학 연구가 수행되고 있다. 우리나라에서는 2012년에 약사법 제68조를 근거로 한국의약품안전관리원이 설립되어 약물역학과 관련된 업무를 담당하고 있다.

02 질병발생의 역학적 요인

여러 명이 같은 음식을 먹고도 식중독에 걸린 사람과 그렇지 않은 사람이 있다. 이처럼 일부 사람만 식중독이 발생한 것은 음식에 포함된 식중독균 외에 균이 증식할 수 있는 적당한 환경, 숙주의 연령과 방어력 등 많은 요인이 작용하기 때문이다. 이런 결과는 질병은 여러 가지 복합적인 요인들의 상호작용에 의해서 발생한다는 것을 의미한다. 질병발생에 영향을 미치는 역학적 요인은 생태학적 모형, 수레바퀴 모형, 원인망 모형 등으로 설명되는데, 구체적인 내용은 다음과 같다.

1) 생태학적 모형

생태학적 모형(ecological model)은 지렛대 모형(lever theory)이라고도 하며, 병원체, 숙주, 환경의 3요소 간의 상호관계에서 질병이 발생한다고 본다. 이 책의 건강모형에서 구체적으로 설명하였는데, 병원체 요인만으로 질병이 발생하지 않고 3요소 간에 어떤 관계가 형성되느냐에 따라 결정된다고 본다.

그림 2-1 질병발생의 생태학적 모형

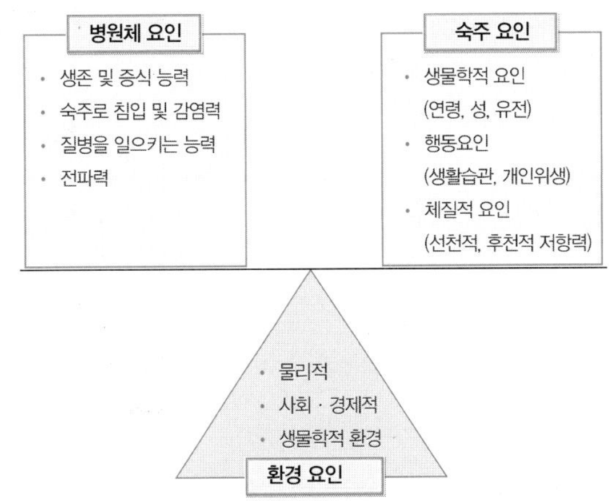

골든(Gordon)은 질병 또는 유행의 발생을 환경이란 저울받침대, 병원체와 숙주를 양쪽 끝의 저울추로 비유하여 설명하였다. 이들 3요소는 생태학적으로 동적인 평형을 이루고 있는데, 이것이 깨어지면 질병이 된다. 평형이 깨질 수 있는 상황은 환경이 변하거나, 병원체의 침투력이 높아지거나, 숙주의 면역상태가 변화하는 것이다. 이 모형은 단일병인론(single cause-effect)인 미생물병인론(germ theory)에 바탕을 두고 있어 감염병이나 감염병 유행기전을 설명하는데는 매우 적합하다. 그러나 만성질환과 같이 다원인론(multiple causes)에는 적합하지 않다.

2) 수레바퀴 모형

수레바퀴 모형(wheel model)은 질병발생을 숙주요인과 환경요인으로 설명하고 병원체 요인은 제외한다. 숙주를 수레바퀴의 통으로 하고 이를 환경이 둘러싸고 있는데, 숙주는 다시 유전적 소인을 핵으로 하고 행동요인이 둘러싸고 있는 모양이다.

질병발생은 숙주를 둘러싸고 있는 환경요인(생물학적 환경, 물리적 환경, 사회적 환경)과 숙주의 내적 요인(행동, 유전)의 상호작용에 의해서 발생된다고 본다. 질병의 종류에 따라 숙주요인과 환경요인의 영향력에 차이가 발생하게 된다.

그림 2-2 질병발생의 수레바퀴 모형

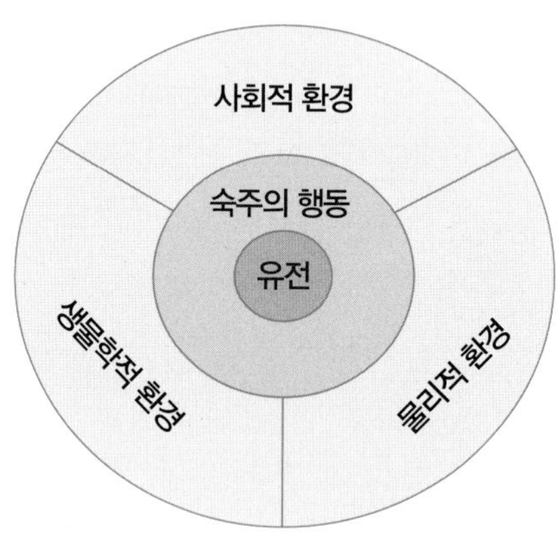

3) 원인망 모형

원인망 모형(web of causation)은 맥마혼(MacMahon, 1970) 등에 의해 구상되었으며, 질병발생의 요인이 어느 특정한 요인에 의해서 이루어지는 것이 아니라 다원적 요인이 선행되는 여러 가지 요인들과 복잡한 상호관계로 얽혀져 발생된다고 본다.

질병발생 원인을 두 가지로 구분하고 이들이 얽혀 있는 상호관계를 거미줄과 같은 형상으로 표현한다. 두 가지의 질병발생원인은 그것이 없어서는 결코 질병이 발생되지 않는 제1차 원인(primary cause)과 1차 원인과 상호작용하여 질병을 발생하게 하는 기여요인(contributing factor)으로 구분한다. 원인망 모형은 병원체가 우리 몸에 침입했다 하더라도 반드시 질병이 발생하는 것은 아니라는 사실을 설명한다. 또한, 질병이 있는 사람 모두에게 공통적으로 발견되는 요인이 드물다는 현상도 설명한다.

03 역학의 기초 개념

1) 질병발생의 원인

원인과 결과 관계를 밝히는 것은 모든 과학 분야에서 추구하는 주요 내용의 하나이다. 그러나 어느 분야에서도 아직까지 명확한 인과관계 법칙이나 원리는 없다. 질병발생의 원인도 같은 사정이다. 예를 들어, 결핵균이 몸에 있다고 모두 결핵이 발병하는 것은 아니기 때문에 결핵의 원인이 결핵균이라는 생각은 결핵 발병의 필요조건 하나를 충족시키는 필요원인 하나만을 지칭한 것이다. 질병발생의 인과관계를 규정하는 확정적인 정설은 없다. 과거 감염병의 원인균을 규정하는 소위 코흐(Koch)의 가정(postulates)이 있으나, 이는 극히 일부 세균에 국한되어 적용할 수 있었던 방법이다. 역학적 관점에서 질병발생 원인은 확률론에 바탕을 둔 실용주의적 입장(activity theory of causation)을 따르고 있다.

역학에서 질병발생의 원인은 질병 발생확률을 증가시키는 상황을 만드는 요인(factor)으로 이들 중 하나 혹은 그 이상을 제거하였을 때에 질병발생 확률이 감소하게 된다. 역학에서는 이러한 요인들을 원인이라기보다는 위험요인(risk factors) 또는 방어요인(preventive factors)이라고 부른다. 역학에서 질병의 원인은 질병발생 또는 질병유행을 예방할 수 있는 수단을 의미하게 된다. 여기에 나타난 역학의 특징은 첫째, 질병의 발생여부를 확률적으로 해석한다는 것이고, 둘째, 원인이라고 생각되는 요인은 인위적인 조작이 가능하여야 한다는 것이다.

2) 가설의 수립방법

가설(hypothesis)은 일시적으로 유효한 설명으로 여러 가지 형태의 방법으로 검증이 필요한 추측을 말한다. 일반적으로 역학에서 가설 내용은 '인간의 건강과 질병, 그리고 사망양상에 영향을 주거나 결정하는 요인은 무엇이다'라는 것이 된다. 검증할 만한 가설은 보건의료전문가들이 현장에서 관찰 또는 직관에 의해 얻어지는 경우가 많은데, 체계적으로 가설을 수립하는 방법은 다음과 같다.

첫째, 차이점에 근거하는 방법(method of difference)이다. 두 상황 간에 질병 발생률이 크게 차이가 난다면, 그 차이점이 바로 해당 사건의 원인일 가능성이 있다. 예를 들어, 같은 지역의 청소년에서 운동을 규칙적으로 실천하는 경우와 그렇지 않은 경우에 비만율에 차이가 발생한다면, 운동이 비만 발생과 관계가 있을 것이라는 가설을 세울 수 있을 것이다.

둘째, 공통점에 근거하는 방법(method of agreement)이다. 질병 발생률이 높은 여러 상황 사이에 동일한 요소가 존재한다면, 이 요소가 질병 발생에 관여할 것이라고 생각하는 방법이다. 예를 들어, 어느 동네에서 식중독에 걸린 대부분의 사람들이 특정한 집에서 음식을 대접받았다고 한다면, 그 집 음식이 식중독 원인이라는 가설을 세울 수 있을 것이다.

셋째, 동시 변화에 근거하는 방법(method of concomitant variation)이다. 요인 보유율과 질병 발생률이 비례하여 변화할 경우에 이 요인이 질병의 원인일 것이라고 생각하는 방법이다. 예를 들어, 흡연기간이 길수록 폐암사망률이 높아진다면 흡연은 폐암의 강력한 원인후보가 될 수 있다.

넷째, 유사점에 근거하는 방법(method of analogy)이다. 새로운 질병의 증상, 전파방법 등이 이미 알려져 있는 질병의 특성과 비슷할 경우에는 유사 또는 동일한 질병이라고 유추할 수 있다. 예를 들어, 환자를 정밀검사를 하는 과정에서 1개월 전 학회에 보고된 사례와 증상이 비슷하다는 것을 알게 되었다면, 해당 질병이라는 가설을 세울 수 있을 것이다.

3) 원인적 연관성

원인이란 독립된 단일 정의라기보다는 결과라는 정의와 짝지어져 두 사상(event) 간에는 시간상의 관계를 지닌다. 시간적으로 앞선 사상은 뒤이어 발생한 사상(결과)의 원인이 된다. 그러나 실제로는 전혀 상관이 없음에도 두 사상이 우연히 시간적으로 연속하여 발생하는 경우도 있기 때문에 사상 간의 인과관계가 늘 쉽게 확정되는 것은 아니다. 따라서 어떤 두 사상 간에 관련성이 있음을 인정하려면, 일단 발생의 확률에 근거를 두어 여러 번 반복된 관찰에서 동일한 관계가 성립되는지를 살펴서 우연한 발생과 실재하는 인과관계를 구별하여야 한다. 그러나 확률적으로 관련성이 있더라도 이 관련성이 과연 원인과 결과적인 것인가 하는 것은 별개의 문제가 된다. 그 이유는 아무리 통계적 연관성(statistical association)을 보이는 두 사상도 더 세밀히 파고 들어가면 극히 일부분만이 원인적 연관성(causal association)으로 확인되는 경우가 많기 때문이다. 맥마혼(MacMahon)은 원인적 연관성이란 한 개 사상의 양과 질이 변화됨에 따라 다른 한 개 사상의 양과 질도 변화하는 두 사상 간의 관계라고 하였다.

역학에서 원인적 추론(causal inference)이란 관찰에 근거하여 질병 발생과 위험요인들과의 관계에 대한 이론(theory)을 논리적으로 개발하는 것이다. 어떤 요인이 질병 발생의 위험요인이라고 추론하는 것은 매우 복잡한 과정으로서 많은 불확실성이 내재되어 있다. 따라서 특정 요인과 결과 사이의 원인적 연관성 여부를 판단할 때에는 어떤 판정기준이 필요하게 된다. 역학에서 인과관계를 판정하는 일반적인 기준은 다음과 같다.

3-1) 시간적 선후관계

시간적 선후관계(temporal relationship)는 원인으로 고려되는 사상이 결과로 고려되는 사상보다 시간적으로 선행하여 작용하거나 존재하는 것이다. 이는 만성질환과 같이 원인이 작용한 후 그 결과가 나타날 때까지의 기간이 길어, 아무리 두 사상 간의 시간적 순서를 판정하기 어려울 때라도 충족되어야 한다. 최소한의 경우 원인으로 추정되는 사상이 결과에 선행되었을 가능성이라도 있어야만 한다.

3-2) 관련성의 강도

반복된 관찰에서 두 사상 사이에 우연히 서로 관련될 수 있는 확률(p값)이 통계적으로 적으면 적을수록 원인적 연관성은 강한 것이다. 관련성의 강도(strength of association)는 비교위험도로 측정하며, 관련성의 강도가 높을수록 그 관련성은 인과관계일 가능성이 높다. 그런데, 관련성의 강도가 낮다고 해서 인과성이 없는 것이 아니라 확률적으로 가능성이 낮다는 의미이다.

3-3) 관련성의 일관성

만약 어떤 관련성이 원인적 관련성이라면 다른 지역 또는 다른 집단에서 실행된 다양한 형태의 연구에서도 같은 경향의 관련성을 보일 것이다. 또한, 같은 연구 내에서 소집단별로 분석할 때에도 특별한 이유가 있는 경우 외에는 같은 경향을 보일 것이다. 이러한 현상을 관련성의 일관성(consistency of association)이라고 한다.

3-4) 관련성의 특이성

한 요인이 여러 다른 질병과 동시에 관련성을 보인다면, 인과관계의 가능성은 낮아진다. 반대로 특정 질병에만 관련성을 보이고 다른 질병과는 그렇지 않다면, 특이성(specificity)이 높아 인과관계의 가능성이 높다. 또한, 한 질병에 관련성을 보이는 요인들이 많으면 많을수록 관련성의 특이도가 떨어져 인과관계의 가능성도 낮다. 그런데, 만성질환의 경우에는 특이성을 보이는 경우가 매우 드물다.

3-5) 용량-반응 관계

질병 발생률은 요인에 대한 폭로의 양이나 기간에 따라 상관성이 있어야 한다. 질병원에 대한 노출정도가 증가함에 따라 질병의 발생률 또는 유병률이 증가하면 원인적 관련성이 있을 가능성이 높다. 용량-반응(dose-response)관계는 노출량과 질병과의 인과적 관계를 설명하는 강력한 증거가 되는데, 추정되는 원인이 증가함에 따라 그 결과인 질병발생의 빈도에서 증가 또는 감소를 확인할 수 있을 때에는 원인적 연관성을 가질 가능성이 커진다.

3-6) 기존 지식과의 일치

추정된 위험요인이 기존 지식이나 소견과 일치할수록 원인적 연관성이 있을 가능성은 커진다. 기존 질병의 자연사나 생물학적 특성과 일치할수록 인과관계가 인정되기 쉽다. 그러나 연관성의 강도가 높다고 하더라도 해당 질병의 발병과정 또는 자연사 등에 관한 기존 지식과 부합되지 않는다면, 인과관계가 있을 가능성은 낮아진다. 그런데, 새로운 질병의 경우 기존 지식으로 설명할 수 없는 요인들이 많기 때문에 기존 지식과 부합되지 않을 수 있다는 점을 고려해야 한다.

4) 타당도

4-1) 의미

타당도(validity)는 진단이나 측정방법이 측정하고자 하는 질병이나 사건의 유무를 얼마나 정확하게 판정하는가에 대한 능력을 의미한다. 따라서 타당도는 알고자 하는 것을 바르게 파악한 정도를 말하며, 정확도(accuracy)와 동일한 의미로 사용된다. 연구 타당도(study validity)는 내적 타당도(internal validity)와 외적 타당도(external validity)로 구분된다.

4-2) 내적 타당도

내적 타당도는 실제로 자료를 수집한 대상(표본)으로부터 얻은 결과를 원래 이 결과를 적용하고자 하였던 대상에 추론할 때의 타당도를 말한다. 예를 들어, A 지역의 청소년 비만 원인을 알아보고자 할 때 10,000명을 전수 조사하기 어려워 10%인 1,000명을 표본추출하여 설문조사하였다. 그런데 조사과정에서 조사 거부자가 발생하여 실제로 800명의 자료만 수집되었다. 이 경우 800명을 대상으로 얻은 결과를 10,000명에게 추론하고자 할 때 관여하는 타당도가 내적 타당도이다. 이번 사례의 경우 정보바이어스와 혼란바이어스가 게재되지 않았다고 하더라도 당초 예정된 자료를 모두 수집하지 못 하였기 때문에 선택바이어스가 게재되어 그 만큼 내적 타당도가 낮아진다.

내적 타당도는 연구가 잘 계획되었는지(연구설계의 타당도)와 연구대상의 선정과정, 연구가 잘 수행되었는지(연구수행의 타당도), 연구결과를 제대로 분석하고 해석하였는지(자료 분석 및 해석의 타당도)에 의해 결정된다. 따라서 연구수행의 전 과정에 바이어스가 적을수록, 그 연구의 내적 타당도가 높아진다.

4-3) 외적 타당도

외적 타당도은 조사를 통하여 파악한 결과를 다른 경우에도 일반화할 수 있느냐의 문제이다. 특정한 상황에서 조사한 결과를 다른 집단, 다른 시기, 다른 상황에 일반화시킬 수 있는 범위를 말한다. 앞의 내적 타당도에서 제시한 A 지역 결과를 B 지역의 청소년들에게 적용하고자 할 때에 적용되는 타당도가 외적 타당도이다. 내적 타당도가 없는 연구에 대해서는 외적 타당도는 성립되지 않기 때문에 내적 타당도는 외적 타당도의 전제조건이라고 할 수 있다.

4-4) 진단검사의 타당도

진단검사의 타당도는 질병이 있는 사람과 없는 사람을 구분하는 능력을 의미한다. 진단은 질병이 있느냐 또는 없느냐 하는 것을 판정하는 일인데, 어떤 진단검사법을 사용하든지 분류바이어스가 게재될 가능성이 존재하기 때문에 판정은 항상 옳을 수가 없다. 진단의 타당도를 평가하는 두 지표에는 민감도(sensitivity)와 특이도(specificity)가 있다. 민감도는 질병이 있는 사람을 질병이 있다(양성)고 판정할 수 있는 능력이고, 특이도는 질병이 없는 사람을 음성으로 판단할 수 있는 능력이다. 진단검사의 타당도는 민감도와 특이도에 의하여 결정되는데, 이 두가지가 모두 높을 때에 타당도가 높은 것이다.

- 민감도 = 진단결과가 양성으로 나타난 질병이 있는 환자/질병이 있는 환자
- 특이도 = 진단결과가 음성으로 나타난 질병이 없는 사람/질병이 없는 사람

한편, 진단검사의 타당도를 보여주는 또 다른 지표로 위양성률(false-negative rate)과 위음성률(false-positive rate)이 있다. 위음성률은 질병이 있는 사람이 검사결과 음성으로 나타나는 경우이며, 위양성률은 질병이 없는 사람이 검사결과 양성으로 나타나는 경우를 말한다.

- 위음성률 = 진단결과가 음성으로 나타난 질병이 있는 환자/질병이 있는 환자
  = 1−민감도
- 위양성률 = 진단결과가 양성으로 나타난 질병이 없는 사람/질병이 없는 사람
  = 1−특이도

표 2-1 진단검사법의 타당도

		질병유무		계
		있음	없음	
검사결과	양성	a	b	a+b
	음성	c	d	c+d
계		a+c	b+d	a+b+c+d

- 민감도 $= \dfrac{a}{a+c}$
- 특이도 $= \dfrac{d}{b+d}$
- 위음성률 $= \dfrac{c}{a+c}$
- 위양성률 $= \dfrac{b}{b+d}$

5) 신뢰도와 타당도의 관계

신뢰도(reliability)는 같은 대상을 반복 측정하는 경우 일치하는 값을 얻을 수 있는 정도이다. 진단, 측정 시기, 사람 등의 조건에 따라 결과가 일관되게 나타나는 능력이다. 신뢰도는 검사가 반복되었을 때 비슷한 검사결과가 얻어지는지를 의미하는 정의기 때문에 재현성(reproducibility) 또는 반복성(repeatability)과도 동일한 의미로 사용된다.

신뢰도는 타당도의 전제조건이라 할 수 있으며, 재현가능성이 있는 방법을 개발하고 그 적용과정에서 검사자에 따른 변이(variability)를 없애는 것이 무엇보다도 중요하다. 측정에서 신뢰도와 타당도를 동시에 확보한다는 것은 매우 중요한 문제이다. 그러나 실제로 측정을 수행하는 과정에서는 이 두 가지 측면에 대한 강조들 사이에서 갈등하게 될 수도 있다. 타당도를 강조하다 보면 신뢰도가 약해질 수 있고, 신뢰도를 강화하기 위한 노력들은 타당도를 저해하는 결과를 초래할 수 있기 때문이다. 신뢰도와 타당도가 모두 높은 측정방법과 척도가 가장 바람직하다. 신뢰도와 타당도가 높은 척도를 새롭게

작성한다는 것은 간단한 일이 아니며, 노력과 비용이 필요하다. 그런데 신뢰도를 높이기 위하여 노력하면 타당도도 높아지는 것이 보통이므로 신뢰도와 타당도는 일반적으로 연계되어 변화한다. 타당도와 신뢰도의 관계를 그림으로 설명하면 다음과 같다.

6) 지표 산출방법

그림 2-3 타당도와 신뢰도의 관계

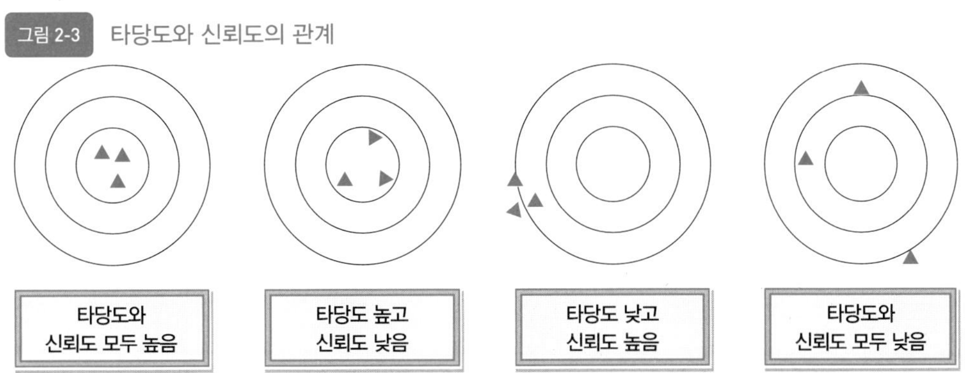

건강 또는 질병과 관련된 사건들을 표현하는 일반적인 보건지표들은 분자와 분모로 구성된다. 분자와 분모의 관계를 나타내는 보건지표들 중에서 가장 대표적인 것은 비(ratio), 분율(proportion), 율(rate)이다. 역학에서는 인구집단에서 발생하는 질병, 불구, 사망 등의 규모를 측정하는 지표를 많이 활용하는데, 이와 관련된 빈도 측정(frequency measures) 지표들은 이 책의 보건통계(보건지표 영역) 분야에서 자세히 다루고 있다. 따라서 여기에서는 비, 분율, 율의 산출방법을 알아보도록 한다.

6-1) 비

비(ratio)는 한 측정값을 다른 측정값으로 나누어 A : B 또는 $\frac{B}{A}$의 형태로 나타내는 지수이다. 따라서 0에서 부터 무한대의 값을 가질 수 있다. 이 지수의 특성은 분자가 분모 에 포함되지 않는다는 점에서 구성비 또는 율과 구분된다. 출생 성비가 비(ratio)의 속성을 갖는 대표적인 지표이다. 비교위험도, 교차비 등이 여기에 해당한다.

사례

성비 = 남아 출생아 수/여아 출생아 수 = 110/100 = 1.1

6-2) 분율

분율(proportion, 상대빈도, 비율, 구성비)은 전체 대상 중에서 특정 속성을 갖는 세부집단의 상대적 비중으로 $\frac{A}{(A+B)}$ 공식으로 계산된다. 분율은 항상 분자가 분모에 포함되며, 그 값은 0에서 1(확률로는 0에서 100%) 사이에 위치한다. 앞에서 살펴본 성비를 분율로 변형시킨다면, 남아 백분율은 52.4%가 된다.

사례

남아 백분율 = 남아 출생아수/(남아 출생아수 + 여아 출생아수)
= 110/(110+100) × 100 = 52.4%

6-3) 율

율(rate)은 한 측정값(흔히 시간)이 한 단위(unit) 변화하는 동안 다른 측정값의 순간적 변화량(instantaneous change)을 말하며, A / (A + B) × 시간으로 산출된다. 그런데 순간적 변화량을 매 순간마다 측정하기는 어렵기 때문에 일반적으로는 총 변화량을 총 시간수로 나눈 평균율(average rate)을 사용한다. 흔히 분율과 혼동하여 사용되고 있으나 시간이란 차원이 포함된다는 점이 뚜렷이 다른 점이다. 율에 시간의 정의가 포함되었다는 것은 율이 변화의 속도와 관련이 있다는 것을 의미한다. 율은 단위에 반드시 시간이 포함되며 0에서부터 무한대의 값을 가질 수 있다.

사례

2015년 남아 출생률 = 남아 출생아수/2015년 전체 출생아수 × 1,000
= 110/210 × 1,000 = 524명/출생아 1,000명당

7) 율의 표준화

조율(crude rate)은 일정 기간 동안 전체 인구집단에서 발생한 사건(출생, 사망, 질병 등)에 기초하기 때문에 인구집단 내의 소집단들이 매우 다른 보건지표를 나타내고 있다고 하더라도 이를 표현하지 못한다. 그러므로 두 집단의 보건지표를 비교할 때에 조율의 한계점을 극복하면서도 전체 집단을 한 값으로 나타낼 수 있는 지표가 필요하게 된다. 이러한 율을 보정율(adjusted rate) 또는 표준화율(standardized rate)이라고 한다.

표준화율은 인구구조의 영향을 조정한 후에 하나의 값으로 측정한 율이다. 질병 위험(risk of disease)에 영향을 줄 수 있는 특성이 서로 다른 두 집단의 질병 위험을 비교하기 위하여 서로 다른 특성의 영향을 조정한 율이다. 표준화율은 실제로 측정된 값이 아닌 허구의 값으로서 율의 상대적 규모를 비교하는 목적으로 사용되며, 어떤 표

준인구를 사용하느냐에 따라 표준화율의 크기가 달라진다. 인구구조의 영향을 조정하는 방법에는 직접법(direct method)과 간접법(indirect method)이 있다.

7-1) 직접법

직접법은 표준인구(standard population)를 선택하여 이 표준인구가 나타내는 연령분포를 비교하고자 하는 군들의 연령별 보건지표에 적용시키는 방법이다. 표준인구의 설정은 매우 임의적(arbitrary)이다. 예를 들어, 서울시와 경상북도를 비교할 때에 우리나라 전체 인구를 표준인구로 선택할 수도 있고, 부산시 인구를 표준인구로 할 수도 있다. 표준인구가 달라지면 두 군의 보정하려는 보건지표의 값은 달라진다. 그러나 두 군의 인구구성과 표준인구의 인구구성이 아주 큰 차이가 있는 경우를 제외하고는 순위가 달라지는 일은 거의 없다.

7-2) 간접법

직접법은 표준인구의 인구구조와 비교하려는 집단의 특수율에 대한 정보가 있을 때에 가능한 방법이다. 그런데 우리가 자료를 다루다 보면 집단의 조율은 알지만 특수율을 모르는 경우나 특수율을 산출한 인구수가 너무 적어서 자료를 신뢰하기 어려운 경우가 있다. 이런 경우에 간접법이 사용된다. 간접법은 표준인구의 특수율을 비교하려는 두 집단의 인구구조에 적용하는 방법이다. 예를 들어, 두 집단의 사망률을 비교할 경우 표준인구의 연령별 사망률을 두 집단의 인구구조에 적용하여 사망자 수를 산출할 수 있다.

05 역학 연구방법

역학연구의 범위는 특정 건강문제가 누구에게, 어디서, 언제 발생했는지의 분포를 서술하는 기술역학 연구와 특정 건강문제의 원인과 결정요인 및 중재효과를 규명하는 분석역학으로 분류할 수 있다. 분석역학 연구는 현상을 연구자가 있는 그대로 관찰하여 분석하는 관찰연구와 연구자가 실험적인 중재를 투입하여 그 효과를 분석하는 실험연구로 구분된다. 분석연구는 일반적으로 연구자가 검증하고자 하는 가설을 갖고 연구를 시작하기 때문에 가설검증 연구라고 한다.

한편, 기술연구는 대상자들로부터 어떤 건강문제가 발생하여 얼마나 분포되어 있는지를 기술하는 것이므로 이 연구결과로부터 더 구체적인 역학연구를 위한 가설을 얻을 수 있다. 그래서 기술연구를 가설설정 연구라고도 한다.

1) 기술연구

기술연구(descriptive study)는 건강문제의 발생 및 분포에 대해 사람, 장소, 시간의 특성별로 기술하는 것이다. 이런 기술연구 결과로부터 건강문제의 발생과 관련된 가설을 설정하게 된다. 기술연구에서는 무엇이 문제이고, 그 빈도는 어떠한가, 누가 포함되어 있고, 어디서 발생했는가 등과 같은 질문을 하게 된다.

그림 2-4 역학 연구방법의 분류

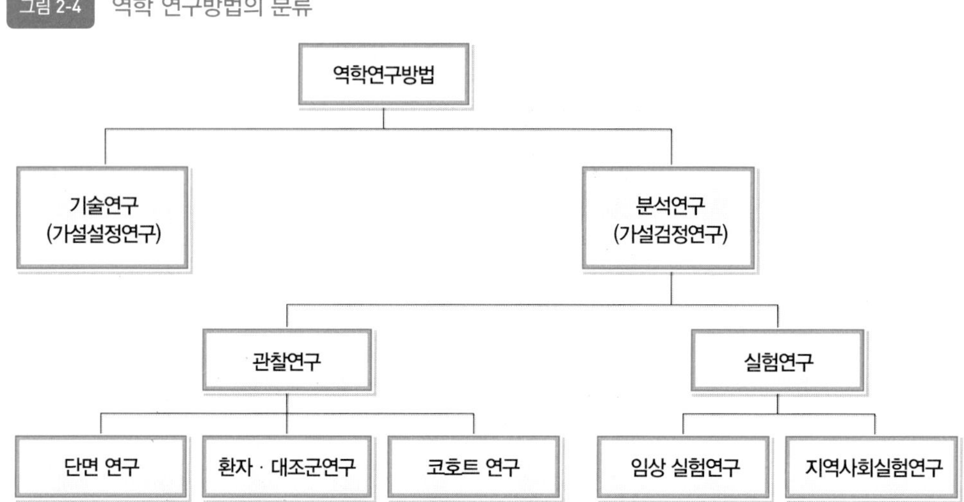

역학적 방법을 이용하여 건강 혹은 질병상태를 파악하는 첫 번째 단계는 그 특징과 누가, 언제, 어디서 등의 요소를 파악하는 것이다. 모든 정보를 수집한 후에는 모든 사실들을 기술하는 것이 두 번째 단계이다. 기술연구에서 다루는 요소의 내용을 구체적으로 살펴보면 다음과 같다.

1-1) 누가

질병이 발생한 사람의 인적 특성을 알면 그 지역에 발생한 보건문제를 명확하게 할 수 있고, 문제의 원인을 규명하기 수월해 진다. 인적 특성에 따라 자료를 기술할 경우 선천적 요인(나이, 성별), 후천적 요인(영양상태, 면역상태), 사회 · 경제적 요인(교육, 직업, 경제상태)에 따라 분석한다.

1-2) 어디서

건강문제의 분포를 기술할 때 중요한 것은 어디에서 건강문제의 발생이 많았는지를 지역에 따라 기술하는 것이다. 사람들이 살고 일하는 장소는 그들이 어떤 건강문제와 질병으로 고생하게 될지를 결정하는 중요한 요소이다. 지역적 특성에 따라 유행하는 질병의 종류가 다르기 때문이다.

1-3) 언제

건강문제들이 언제 가장 심각한지, 새로운 증례의 발생이 언제 가장 많은지를 아는 것이 중요하다. 이와 같은 사항들을 파악하기 위해서는 증례, 사고 등을 매일 또는 1주, 1개월 간격으로 정리해 두는 것이 좋으며, 이를 각각의 증례에 따라 구분해야 한다. 질병발생을 시간별로 분석하는 것으로 미래의 질병발생을 예측하거나 보건사업의 효과를 평가하고 질병의 증가와 감소에 작용하는 요인을 파악하는데 이용된다.

2) 분석연구

분석연구는 기술연구에서 도출된 가설을 검정하며, 관찰연구와 실험연구로 구분된다. 관찰연구는 건강문제의 원인을 규명하기 위하여 있는 현상을 그대로 관찰과 조사표를 이용하여 자료를 수집하고 분석하는 연구방법이다. 실험연구는 연구자가 건강문제를 해결하기 위한 목적을 가지고 의도적으로 특정 중재효과를 실험하는 연구방법이다.

2-1) 관찰연구

관찰연구의 목적은 건강문제의 원인을 규명하는 것이다. 단면연구, 환자-대조군 연구, 코호트 연구 등으로 분류할 수 있다. 이들 연구방법의 차이는 건강문제의 발생과 특정 요인과의 관계에 대한 시간적 차이이다. 단면연구는 건강문제의 유무와 위험요인의 유무를 동시에 조사하지만, 환자-대조군 연구와 코호트 연구는 건강문제와 위험요인을 조사하는데 시간적 차이가 있다. 환자-대조군 연구는 현재 건강문제가 있는 사람(환자군)과 없는 사람(대조군) 간에 과거에 특정 위험요인에 노출된 경험의 차이가 있는지를 조사한다. 이와 달리 코호트 연구는 현재의 특정 위험요인을 갖고 있는 사람들과 갖고 있지 않은 사람들을 대상으로 선정하여 미래에 특정 건강문제의 발생에 어떤 차이가 있는지를 조사한다.

그림 2-5 관찰연구 방법의 비교

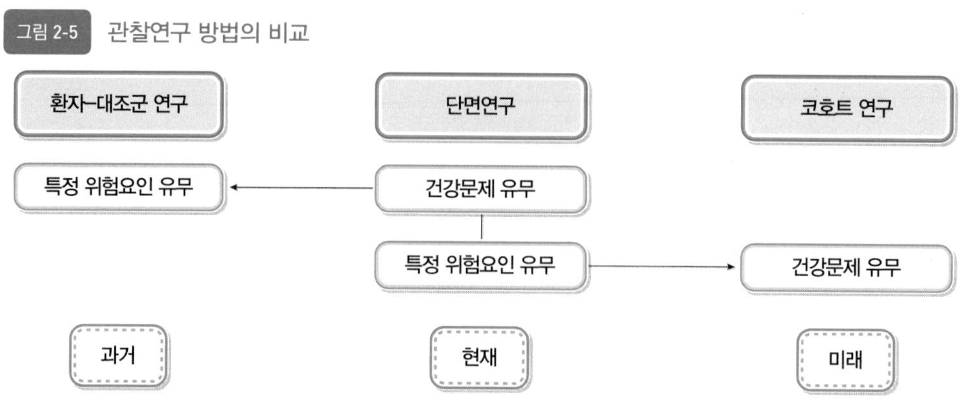

(가) 단면연구

단면연구(cross sectional study)는 특정 건강문제의 유무와 이 건강문제의 원인으로 의심되는 위험요인을 동시에 조사한 연구이다. 단면연구의 가장 일반적인 목적이 어떤 요인의 유병률을 파악하기 위한 연구가 많아 유병률 조사(prevalence study)라고도 한다. 단면연구는 특정 위험요인이 건강문제의 원인인지를 알아보기 위하여 시도되는 것으로, 관찰이나 조사표를 이용하여 동시에 조사하므로 짧은 시간에 쉽게 할 수 있다. 예를 들어, 운동과 비만과의 관계를 조사하기 위하여 조사표를 이용하여 40세 이상의 남자 성인 1,000명을 대상으로 운동과 비만 유무를 동시에 조사한 경우는 단면 연구에 해당된다. 이 연구에서 유의해야 할 점은 건강문제와 위험요인이 유의한 상관관계가 있는 것으로 나온 결과를 위험요인이 건강문제의 원인이라고 확정해서는 안 된다는 것이다. 우리나라에서 대표적인 단면연구는 국민건강영양조사와 지역사회 건강조사이다.

단면연구의 장점은 ①시행하기가 쉽다, ②단기간에 할 수 있어 경제적이다, ③어떤 사실을 찾거나 가설검증에 도움이 된다. 단점은 ①빈도가 낮은 질병이나 이환기간이 짧은 질병에는 적합하지 않다, ②상관관계는 알 수 있지만 인과관계를 규명하지는 못한다, ③현재와 과거사항을 주로 다루기 때문에 예측력은 낮다.

(나) 환자-대조군 연구

환자-대조군 연구(case-control study)는 단면연구보다는 건강문제와 위험요인과의 관계를 더 잘 설명할 수 있다. 환자-대조군 연구는 건강문제가 있는 사람(환자군)과 없는 사람(대조군)을 확인한 후에 이들이 과거에 특정 위험요인에 어느 정도 폭로되었는지를 조사하여 위험요인이 건강문제 발생의 원인이 되었는지를 확인한다.

환자-대조군 연구는 비교적 간단하게 수행할 수 있어서 만성질환이나 희귀한 건강문제의 원인을 규명하기 위하여 많이 사용되는 연구방법이다. 환자군과 대조군이 과거에 특정 위험요인에 어느 정도 폭로되었는지를 추적하기 때문에 후향적 연구라고도 한다. 환자-대조군 연구는 특정 건강문제를 갖고 있는 환자군을 먼저 선정한 후에 그 건강문제를 갖고 있지 않은 대조군을 선정한다. 이때에 대조군은 환자군과 같은 성별과 비슷한 연령인 사람들을 선정하여 건강문제에 성별과 연령이 미치는 영향을 통제해야 한다.

환자-대조군 연구의 장점은 ① 연구가 쉽고, 비용이 적게 든다, ② 적은 대상자로도 연구가 가능하다, ③ 발생이 적은 경우도 연구가 가능하다, ④ 연구결과를 빠른 기간에 알 수 있다. 단점은 ① 대조군 선정이 어렵다, ② 과거의 정보가 연구에 활용되기 때문에 편견이 발생할 수 있다.

그림 2-6 환자-대조군 연구과정

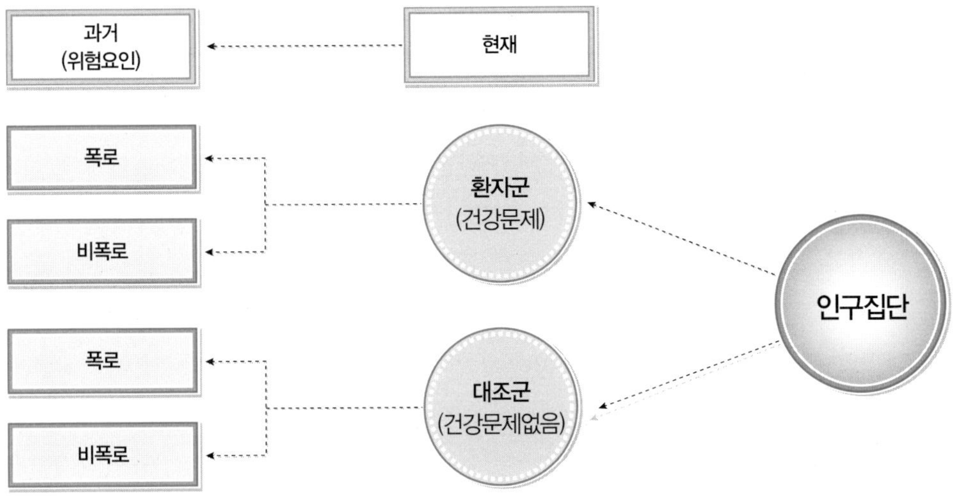

환자-대조군 연구의 자료를 분석하기 위해서는 교차비(odds ratio; OR)를 계산한다. 교차비는 건강문제와 위험요인과의 관계를 나타낸 표에서 a와 d를 곱한 값을 b와 c를 곱한 값으로 나누어서 계산한다.

표 2-2 교차비

종별 구분		환자군	대조군	계
위험요인	폭로	a	b	a+b
	비폭로	c	d	c+d
계		a+c	b+d	a+b+c+d

$$감염력 = \frac{\frac{a}{c}}{\frac{b}{d}} = \frac{ad}{bc}$$

교차비가 1인 경우는 환자군이 위험요인에 폭로된 경우나 대조군이 위험요인에 폭로된 경우가 같다는 뜻이다. 따라서 교차비가 1에 가까울수록 환자군과 대조군의 위험요인 폭로 경우가 비슷하다는 의미가 된다. 즉, 위험요인이 건강문제의 원인이 되었다고 말하기가 어렵다는 뜻이다. 교차비가 클수록 환자군의 위험요인 폭로 경우가 대조군의 위험요인 폭로보다 크다는 뜻이므로 위험요인으로 인하여 건강문제가 발생하였다는 강한 증거가 된다. 예를 들어, 교차비가 3인 경우의 의미는 환자군에서 위험요인에 폭로된 경우가 대조군에서 위험요인에 폭로된 경우보다 3배 높다는 의미이다.

(다) **코호트 연구**

코호트 연구(cohort study)는 환자-대조군 연구보다 건강문제와 위험요인과의 인과관계를 더욱 명확히 연구할 수 있다. 코호트 연구에서 코호트(cohort)란 동일한 특성을 갖고 있는 그룹을 의미한다. 코호트 연구는 건강문제를 갖고 있지 않은 건강한 사람들을 특정 위험요인에 폭로된 집단과 비폭로 집단으로 나누고 일정기간 동안 추적관찰하여 건강문제의 발생여부를 조사하는 연구방법이다. 이러한 연구의 속성으로 인해 전향성 연구(prospective study), 발생률 연구(incidence study), 추적연구(follow-up study)라고도 한다.

그림 2-7 코호트 연구과정

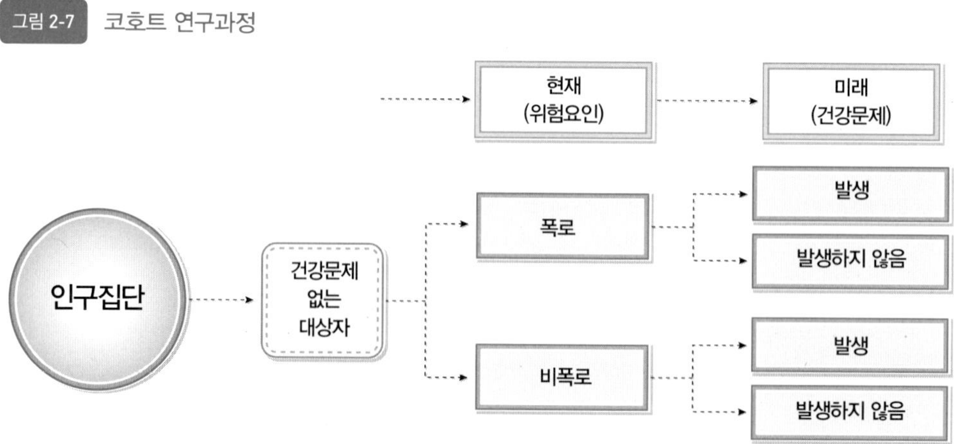

코호트 연구의 장점은 ① 신뢰도가 높은 자료를 얻을 수 있다, ② 한 번에 여러 가설을 검증할 수 있다, ③ 질병발생의 위험률을 직접 구할 수 있다. 단점은 ① 시간, 노력, 비용이 많이 든다, ② 발생률이 낮은 질병에는 적합하지 않다, ③ 연구대상자가 조사사실을 알게 되어 조사에 영향을 줄 수 있다, ④ 연구대상자가 중간에 탈락할 수 있다.

코호트 연구의 자료를 분석하기 위하여 비교위험도(relative ratio ; RR) 혹은 상대위험도를 계산한다. 비교위험도는 위험요인에 폭로된 집단(a+b)에서 건강문제가 발생한 수(a)를 위험요인에 비폭로된 집단(c+d)에서 건강문제가 발생한 수(c)로 나눈 값이다.

표 2-3 비교위험도

		건강문제		계
		유	무	
위험요인	폭로	a	b	a+b
	비폭로	c	d	c+d
계		a+c	b+d	a+b+c+d

$$\text{비교위험도(RR)} = \frac{\frac{a}{(a+b)}}{\frac{c}{(c+d)}} = \frac{a(c+d)}{c(a+b)}$$

비교위험도(상대위험도)가 1이라는 것은 위험요인에 폭로된 사람 중에서 건강문제가 발생할 비율이나 비폭로 사람 중에서 건강문제가 발생할 비율이 같다는 의미이다. 비교위험도가 1보다 클수록 위험요인에 폭로된 집단의 건강문제 발생비율이 폭로되지 않은 집단의 건강문제 발생비율 보다 크다는 것이므로 위험요인이 건강문제의 원인이라고 결론을 내리게 된다.

한편, 기여위험도(attributable risk)는 귀속위험도라고도 하며 위험요인이 질병 발생에 얼마나 기여했는지를 나타낸다. 원인으로 의심되는 위험요인에 폭로된 집단의 질병발생률에서 폭로되지 않은 집단의 질병발생률을 뺀 것이다. 이 차이는 특정 요인에 폭로됨으로써 질병에 걸린 비율이며, 이 특정 요인을 제거할 경우에 얼마나 질병을 감소시킬 수 있는지를 예측할 수 있게 한다.

기여위험도 = 폭로집단 발생률 − 비폭로집단 발생률

2-2) 실험연구

실험연구는 유해인자를 의도적으로 중재한 후에 대상자의 건강문제가 어떻게 변화되었는지를 측정하는 것이다. 전체 연구대상자 중에서 연구자가 적용하는 연구대상자 선정기준에 따라 연구에 참여 가능한 자와 불가능한 자를 구분한 후에 참여 가능자를 대상으로 연구 참여를 권유하고 참여를 희망하는 자가 연구참여자가 된다. 연구참여자는 무작위로 실험군과 대조군으로 분류하고 실험군에 중재 프로그램을 적용한 후에 중재효과를 실험군과 대조군의 차이로 비교분석한다.

실험연구는 연구대상자에 따라 임상 실험연구와 지역사회 실험연구로 구분한다. 임상 실험연구는 환자나 건강한 개인들을 대상으로 새로운 치료법 또는 예방법의 효과를 분석하는 연구이다. 지역사회 실험연구에서는 연구의 단위가 개인이 아니라 지역사회가 된다.

그림 2-8 실험연구 진행과정

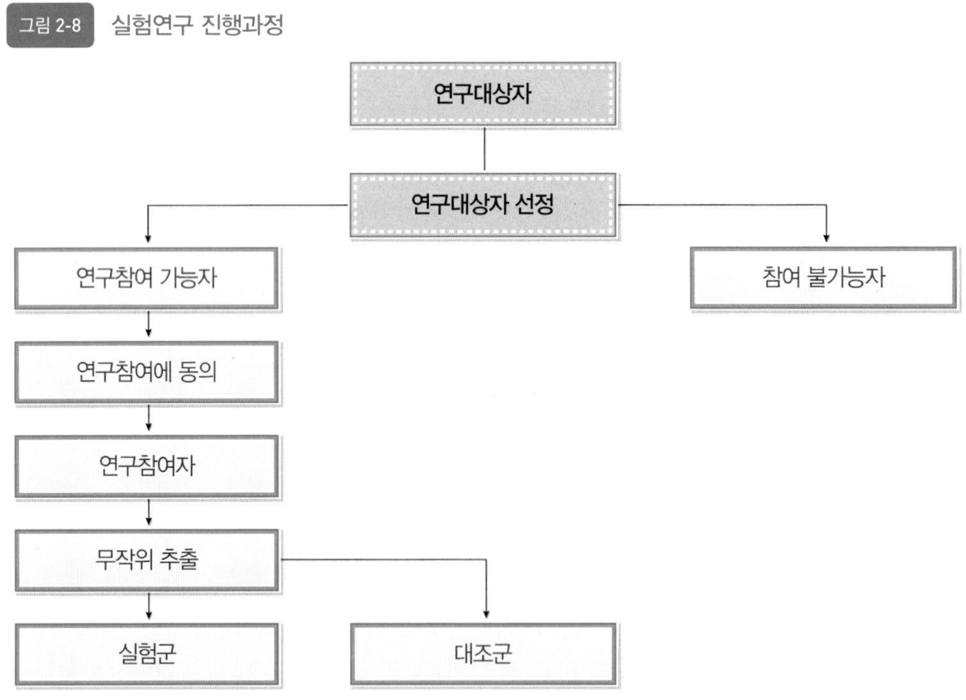

CHAPTER 05 감염병 관리

학습목표

- 감염병의 정의와 감염병의 생성과정을 설명할 수 있다.
- 동물병원소와 면역의 종류에 대해서 설명할 수 있다.
- 감염병 예방과 관리 방법을 설명할 수 있다.
- 법정감염병의 종류를 구체적으로 설명할 수 있다.
- 법정감염병의 신고 및 보고체계를 설명할 수 있다.

01 감염병의 정의

감염(infection)은 숙주의 조직에 감염성 병원체가 존재하여 증식하는 상태로, 국소 세포 손상을 초래하거나 하나 이상의 독소를 분비하고 항체-항원 반응을 유발하는 과정이다. 감염과정은 감염성 병원체, 감수성 있는 숙주와 환경 간의 상호작용에 의해서 진행된다. 감염되었음에도 불구하고 증상이 전혀 나타나지 않는 경우를 불현성 감염(inapparent infection)이라고 하고, 증상이 나타나는 경우를 현성 감염(apparent infection)이라 한다. 숙주가 감염으로 손상되어 질병 증상 및 증후가 나타날 때에 감염병(infectious disease)이라고 한다.

감염병은 세균, 바이러스, 진균, 기생충과 같은 여러 병원체가 숙주의 몸 안에 들어가 증식하여 일으키는 질환이다. 병원체에 의한 감염은 음식의 섭취, 호흡에 의한 병원체의 흡입, 다른 사람과의 접촉 등 다양한 경로를 통해서 발생한다. 흔히 감염병과 전염병(communicable diseases)이 동의어로 사용되지만, 전염병은 한 사람(또는 동물)에서 다른 사람(또는 동물)으로 전파되는 감염병이다. 전염병은 일정한 전염원으로부터 짧은 시간에 주변으로 쉽게 옮아간다. 그러나 모든 감염병이 전염성이 있다고 할 수는 없다.

대부분의 미생물은 인체에 들어와도 큰 해를 끼치지 못한다. 병원체가 침범하면 신체의 면역체계가 작동하며 대부분의 경우 발병 이전에 퇴치된다. 그러나 여러 가지 이유로 면역체계가 약화되어 있거나 병원체의 독성이 강한 경우, 또는 대량의 병원체에 노출된 경우 인체의 면역체계가 제 기능을 못하게 되고 감염 증상을 보이게 된다.

02 감염병의 유행 요인

감염병이 유행하려면 감염원, 감염경로, 감수성인 숙주가 있어야 한다. 이를 감염병 유행의 3대 요인이라 한다.

1) 감염원

감염원(source of infection)은 감염을 일으킬 수 있는 병원체를 가지고 있어서 감수성 있는 숙주에게 병원체를 감염시킬 수 있는 근원이 되는 병원소와 오염식품 등을 의미한다.

2) 감염경로

감염경로(route of transmission)는 감염원에서 감수성이 있는 숙주에게 병원체가 운반되는 과정이다. 감염경로는 직접전파와 간접전파로 구분된다.

3) 숙주의 감수성

감수성은 침입한 병원체에 대항하여 감염이나 발병을 저지할 수 없는 상태를 말한다. 숙주의 감수성이 높을 경우에는 감염병이 유행하게 되지만 면역성이 높으면 감염병의 유행은 어렵게 된다.

03 감염병의 생성과정

감염병 발생에는 병원체, 병원소, 병원소로부터 병원체의 탈출, 전파, 새로운 숙주로의 침입, 숙주의 감수성(저항력) 등의 6개 요소가 고리로 연결되어 작용한다. 이를 감염고리(chain of infection)라고 하며, 6개 요소 중에서 어느 한 부분이 끊어지면 새로운 감염은 발생하지 않는다. 각 요소들의 구체적인 내용은 다음과 같다.

그림 2-9 감염병의 생성과정(감염고리)

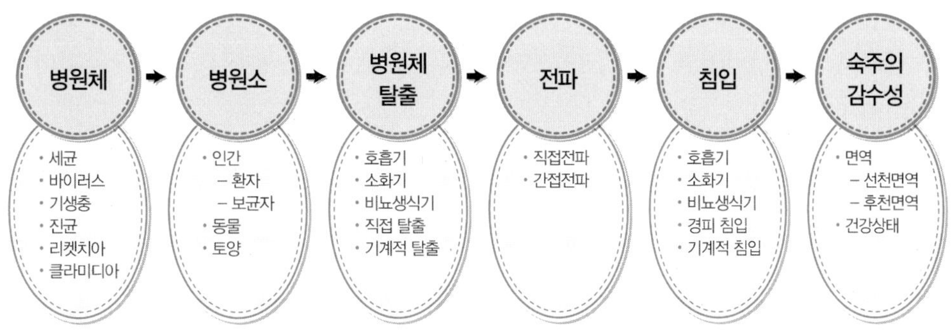

1) 병원체

1-1) 병원체의 종류

병원체(infectious agent)는 감염이나 감염병을 일으킬 수 있는 유기체로 세균, 바이러스, 기생충, 진균, 리케치아, 클라미디아 등이 포함된다. 병원체의 구체적인 내용은 다음과 같다.

(가) 세균

세균(bacteria)은 육안으로는 관찰할 수 없는 미소한 생물로 주변 어디에서 흔히 존재한다. 세균은 형태에 따라 막대 모양의 간균(bacillus), 원형의 구균(cocus), S자형의 나선균(spirillum) 등으로 구분되며, 장티푸스, 디프테리아, 결핵, 폐렴, 콜레라 등의 질병을 일으킨다.

(나) 바이러스

바이러스(virus)는 가장 작은 미생물로 전자현미경을 사용하지 않으면 볼 수 없다. 생존에 필요한 물질로 핵산과 소수의 단백질만을 가지고 있어 숙주에 의존하여 살아간다. 바이러스가 일으키는 질병에는 홍역, 폴리오, 유행성 이하선염, 일본뇌염, 광견병, 후천성면역결핍증, 간염 등이 있다.

(다) 기생충

기생충(parasite)은 동물성 기생체로 원충류(protozoa)와 기생동물(metazoa)이 있다. 원충류는 단세포로 중간숙주에 의해서 전파되고 면역이 생기는 일이 드물다. 말라리아가 대표적인 질병이다. 한편, 기생동물은 숙주의 몸속에서 영양분을 섭취하고, 육안으로 볼 수 있다. 회충, 촌충, 흡충 등이 있다.

(라) 진균

진균(fungi)은 광합성이나 운동성이 없는 생물로 단단한 세포벽을 가지고 있다. 무좀, 진균증 등의 피부병을 일으킨다.

(마) 리케치아

리케치아(rickettsia)는 세균과 바이러스의 중간 크기로 살아있는 세포 안에서만 기생하는 특성으로 세균과 구분된다. 또한, 화학요법제에 감수성이 있다는 점이 바이러스와 다르다. 발진티푸스, 발진열, 츠츠가무시증 등의 질병을 일으킨다.

(바) 클라미디아

클라미디아(chlamydia)는 리케치아와 같이 진핵생물의 세포내에서만 증식하는 기생체이다. 리케치아와 다른 점은 절지동물에 의한 매개를 필수로 하지 않고 균체계 내에 에너지 생산계를 갖지 않는다는 것이다. 트라코마, 피스타코시스(앵무새병)등의 질병을 일으킨다.

1-2) 병원체와 인간의 상호작용

병원체와 인간과의 상호작용을 통해 나타나는 현상으로 감염력, 병원력, 독력, 면역력 등이 있다. 구체적인 내용은 다음과 같다.

(가) 감염력

감염력(infectivity)은 병원체가 숙주에 침범하여 증식하는 능력이다. 감염력은 침입경로, 병원체의 병원소, 숙주 감수성에 따라 달라진다.

$$\text{감염력} = \frac{\text{감염자 수}}{\text{위험에 노출된 감수성자 수}}$$

(나) 병원력

병원력(pathogenicity)은 병원체가 감염된 숙주에게 현성질병을 일으킬 수 있는 능력이다. 질병을 일으키는 미생물의 잠재력은 체세포를 침입하고 파괴하는 능력, 독소를 생산하는 능력, 면역반응을 일으키는 능력에 따라 다르다.

$$병원력 = \frac{발병자\ 수}{감염자\ 수}$$

(다) **독력**

독력(virulence)은 병원체 노출에 따르는 질병의 중증도를 나타낸다. 병원력 또는 질병 가능성의 양적 측정치라고 할 수 있다. 치명률은 독력 측정치의 대표적인 지표이다.

$$독력 = \frac{(중증환자\ 수 + 사망자\ 수)}{발병자\ 수}$$

(라) **면역력**

면역력(immunogenicity)은 병원체가 숙주 내에서 특정 면역체를 생성하는 능력이다. 홍역바이러스와 같은 일부 감염에서는 일생 동안 지속되는 면역체를 생성하지만, 이질균은 재감염이 일어날 수 있다.

2) 병원소

병원소(reservoir)는 병원체가 생존을 계속하여 증식하고 다른 숙주에게 전파될 수 있는 상태로 저장되는 장소이다. 병원소는 궁극적인 감염원이며, 크게 인간병원소, 동물병원소, 토양 등으로 구분된다.

2-1) 인간병원소

(가) **현성 감염자**

현성 감염자는 병원체에 감염되어 자각적 또는 타각적으로 임상증상이 있는 사람으로 흔히 환자라고 한다. 환자 본인이나 타인이 질병에 이환되어 있는 것을 인지하고 있으므로 관리가 쉽다.

(나) **불현성 감염자**

불현성 감염자는 병원성 미생물이 증식하지만 임상증상이 나타나지 않아 미생물학이나 면역학적 방법에 의해서만 발견이 가능하다. 따라서 본인이나 타인이 환자라는 것을 간과하게 된다. 불현성 감염자는 감염되었다는 사실이 외부로 나타나지 않고 활동력도 건강한 사람과 차이가 없기 때문에 전염기회가 크다.

(다) 보균자

보균자(carrier)는 자각적으로나 타각적으로 임상증상이 없는 병원체 보유자로 감염원으로 작용한다. 보균자는 현성 감염자보다도 역학적으로 중요한 병원소가 되므로 무증상자와 함께 중요한 감염병 관리 대상이 된다.

보균자를 감염병 관리에서 중요하게 다루는 이유는 첫째, 활동에 제한이 없어 감염시킬 수 있는 영역이 넓으며, 둘째, 본인이나 타인이 경계하지 않으므로 전파의 기회가 많고, 셋째, 역학상 보균자수는 현성 환자수보다 많기 때문이다.

2-2) 동물병원소

사람에게 감염을 일으키는 감염병은 대부분이 인간병원소를 필요로 하는데, 척추동물 간에 전파되는 질병이 우연히 사람에게 감염을 일으키게 된다. 동물이 병원소가 되면서 인간에게도 감염을 일으키는 경우를 인수공통감염병(zoonosis)이라 한다. 가축은 어느 정도 감염여부의 파악과 관리가 가능하지만, 야생동물의 경우는 감염여부의 파악과 관리가 매우 어렵다. 세계보건기구는 인수공통감염병으로 200여종을 지정하고 있으며, 우리나라는 32종을 법정감염병으로 지정하고 있다.

표 2-4 동물병원소와 감염병

동물	감염병
소	결핵, 탄저, 광우병, 살모넬라증, 브루셀라증
말	탄저, 유행성뇌염, 살모넬라증
양	탄저, 살모넬라증, 큐(Q)열
개	공수병, 톡소프라스마증
쥐	페스트, 살모넬라증, 렙토스피라증, 츠츠가무시증, 유행성출혈열
돼지	일본뇌염, 구제역, 탄저, 렙토스피라증, 살모넬라증
고양이	살모넬라증, 톡소프라스마증

2-3) 토양

무생물이면서 병원소 역할을 한다. 특히, 진균류의 병원소로 작용하여 파상풍, 탄저, 렙토스피라증을 일으킨다.

3) 병원소로부터 병원체의 탈출

병원소로부터 병원체의 탈출로는 병원체의 종류 또는 숙주의 기생부위에 따라 다르며, 다음과 같이 분류할 수 있다.

3-1) 호흡기계 탈출

호흡기계 탈출은 코, 비강, 기도, 기관지, 폐 등에서 증식한 병원체가 외호흡을 통해서 나가는 것이다. 주로 대화, 기침, 재채기를 통해 전파된다. 폐결핵, 폐렴, 백일해, 홍역, 수두, 천연두 등이 여기에 해당된다.

3-2) 소화기계 탈출

소화기계 탈출은 위장관을 통해서 나가는 것이다. 소화기계 감염병이나 기생충 질환의 경우에 분변이나 구토물을 통해서 병원체가 체외로 배출되기도 한다. 이질, 콜레라, 장티푸스, 파라티푸스, 폴리오 등이 여기에 해당된다.

3-3) 비뇨생식기계 탈출

비뇨생식기계 탈출은 주로 소변이나 성기 분비물을 통해서 나가는 것이다.

3-4) 개방병소로 직접 탈출

개방병소로 직접 탈출은 신체 표면의 농양, 피부병 등이 상처부위에서 병원체가 직접 나가는 것이다. 한센병이 여기에 해당된다.

3-5) 기계적 탈출

기계적 탈출은 흡혈성 곤충에 의한 탈출과 주사기를 통해서 나가는 것이다. 발진열, 발진티푸스, 말라리아 등이 여기에 해당된다.

4) 전파

병원소로부터 탈출한 병원체는 다른 숙주를 감염시켜야만 성장 및 증식이 가능하다. 탈출한 병원체는 새로운 숙주에 도달하기 위하여 독특한 방법을 사용한다. 병원체의 전파(transmission) 형태는 크게 직접전파와 간접전파로 구분된다.

4-1) 직접전파

직접전파는 감염성 병원체가 병원소로부터 나와 다른 감수성 숙주로 침입할 때에 키스, 성교 등의 신체적 접촉과 재채기, 기침 등을 통해서 직접적으로 감염이 발생하는 것이다. 신체의 일부가 직접 토양에 접촉해서 발생하는 파상풍, 탄저, 렙토스피라증 등도 직접전파라고 할 수 있다.

4-2) 간접전파

간접전파는 매개체에 의해서 일어난다. 간접전파에는 활성매개체에 의한 것, 비활성매개체에 의한 것, 공기매개 전파 등이 포함된다. 구체적인 내용은 다음과 같다.

(가) 활성매개체 전파

활성매개체는 감염성 매개체의 보균자로 흔히 동물이나 모기와 같은 절지동물이다. 따라서 활성매개체 전파는 생물을 매개로 전파되는 것이다. 절지동물에 의한 전파는 기계적 전파와 생물학적 전파로 구분된다. 파리 같은 곤충은 미생물이 묻은 발이나 주둥이로 음식물이나 물위에 앉아서 미생물을 전파하게 되는데, 이를 기계적 전파라고 한다. 기계적 전파는 매개곤충이 단순히 기계적으로 병원체를 운반하는 것으로 매개곤충 내에서 병원체의 증식은 일어나지 않는다.

표 2-5 활성매개체와 감염병

매개체	감 염 병
파리	장티푸스, 파라티푸스, 세균성 이질, 콜레라, 폴리오
모기	말라리아, 사상충증, 일본뇌염, 황열, 뎅기열
벼룩	발진열, 페스트
이	발진티푸스, 재귀열
물고기	간흡충증

한편, 모기는 사람을 물어서 체액 속으로 말라리아, 기생충과 같은 유기체를 운반하게 되는데, 이를 생물학적 전파라고 한다. 생물학적 전파는 병원체가 매개곤충 내에서 성장이나 증식을 한 뒤 전파되는 것으로 매개곤충이 전파과정에 중요한 역할을 담당한다.

(나) 비활성매개체 전파

비활성매개체는 감염성 유기체에 오염된 물질이나 물체를 말한다. 따라서 비활성매개체 전파는 무생물을 매개로 전파되는 것이다. 식품(소화기계 감염병)이나 물(수인성 감염병)과 같이 섭취를 하는 것과 장난감, 행주, 그릇, 침구류 등과 같이 매개체 자체는 숙주의 내부로 들어가지 않고 병원체를 운반하는 수단으로서만 작용하는 개달물(fomites)이 있다. 넓은 의미에서 공기도 비활성매개체 전파에 속하지만 공기전파의 중요성 및 관리상의 특성으로 별도로 구분한다.

(다) 공기매개 전파

공기매개 전파는 공기 내에 떠다니는 입자가 분산 미생물을 포함하여 만들어지는 비말핵(droplet nuclei)을 통한 전파이다. 비말핵은 감염된 숙주에서 분산되어 나온 비말에서 수분이 증발되어 만들어진 입자이다. 재채기 또는 5분 정도의 대화를 하면 공기 중으로 3천개 이상의 비말핵이 방출된다. 비말핵은 건조한 공기중에서도 부유한 상태로 있을 수 있으며, 입자가 매우 작아서 쉽게 폐로 흡입될 수 있다. 일단 기도까지 도달하면 증식이 일어나고 감염이 시작된다. 폐결핵은 비말핵에서 전파되는 대표적인 질병이다.

5) 새로운 숙주로의 침입

병원체의 침입구는 병원체의 탈출구와 대체로 일치하여 소화기계 감염병은 경구적 침입을 하며, 호흡기계 감염병은 호흡기계로 침입하고, 매개 곤충이나 주사기 등에 의한 기계적 침입이 있다. 또한, 성병처럼 점막이나 상처부위를 통한 경피 침입이 있다.

한편, 호흡기를 통한 병원체의 침입은 병원소로부터 배출되는 미세한 비말이나 비말핵을 흡입하여 이루어지는데, 때로는 음식물과 함께 입으로 들어간 병원체가 호흡기관으로 침입하기도 한다. 위장관을 통한 병원체의 침입은 오염된 음식물을 섭취하여 이루어지는 것이 보통이나 흡입된 병원체가 위장관으로 들어오는 경우도 있다.

6) 숙주의 감수성

숙주내의 병원체가 침입하였다고 해서 모두 감염이 되거나 발병하는 것은 아니고, 숙주의 저항력이 감염이나 발병에 영향을 미친다. 저항력에는 특정한 병원체에 국한되지 않고 전반적인 저항력을 의미하는 비특이적인 저항력과 특정한 병원체에 대한 저항력인 특이적 저항력이 있다. 특이적 저항력을 면역이라고 한다. 한편, 저항력에 상대되는 용어로 감수성이 있다. 저항력이 높으면 감수성이 낮고, 저항력이 낮으면 감수성이 높다.

6-1) 감수성

감수성(susceptibility)은 숙주에 침입한 병원체의 감염이나 발병을 막을 수 없는 상태이다. 인간은 감염으로부터 보호될 수 있는 다양한 정상방어기전을 가지고 있는데, 이 정상적인 방어기전이 깨어지면 감염에 대한 감수성이 증가한다.

6-2) 면역

면역(immunity)은 어떤 특정한 감염균에 대하여 자기 몸을 방어하고, 임상적인 증상을 없애거나 가볍게 하는 능력이다. 면역은 선천면역과 후천면역으로 크게 나눈다. 후천면역(acquired immunity)은 능동면역(active immunity)과 수동면역(passive immunity)으로 구분되며, 능동면역은 자연능동면역과 인공능동면역으로 나누어지고, 수동면역은 자연수동면역과 인공수동면역으로 나누어진다. 구체적인 내용은 다음과 같다.

그림 2-10 면역의 종류

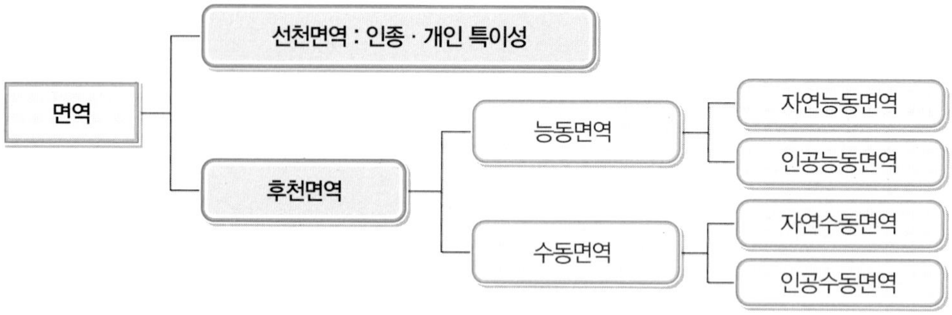

- 면역
  - 선천면역 : 인종 · 개인 특이성
  - 후천면역
    - 능동면역
      - 자연능동면역
      - 인공능동면역
    - 수동면역
      - 자연수동면역
      - 인공수동면역

(가) 선천면역

선천면역(natural immunity)은 숙주가 선천적으로 갖고 있는 저항력이다. 선천면역에는 종속저항력, 인종저항력, 저항력의 개인 차이가 있는데 이것을 자기방어력이라고 한다.

(나) **후천면역**

후천면역(acquired immunity)은 어떤 질병에 이환된 후나 예방접종 등에 의해서 후천적으로 형성되는 면역을 말한다. 후천면역은 능동면역과 수동면역으로 구분된다.

① **능동면역**

능동면역(active immunity)은 숙주 스스로가 면역체를 형성하여 면역을 지니게 되는 것으로 항원(antigen)을 주어서 항체(antibody)를 산출시키는 것이다. 능동면역은 자연능동면역과 인공능동면역으로 나누어진다.

㉮ 자연능동면역

자연능동면역(natural active immunity)은 각종 질환에 이환된 후에 자연적으로 형성되는 면역이다. 면역의 지속기간은 질환의 종류에 따라 다른데, 영구면역이 되는 경우도 있고 지속기간이 아주 짧은 경우도 있다. 영구면역이 잘 안 되는 경우의 질환을 화학요법으로 치료한 경우에는 그 면역력이 길게 유지되지 못한다.

표 2-6 자연능동면역이 되는 질병

면역기간	질 병
영구면역 형성이 잘 되는 것	콜레라, 장티푸스, 홍역, 일본뇌염, 폴리오
이환되어도 약한 면역만 형성되는 것	디프테리아, 폐렴, 세균성 이질
감염면역만 형성되는 것	매독, 임질, 말라리아

㉯ 인공능동면역

인공능동면역(artificial active immunity)은 인위적으로 항원을 체내에 투입하여 항체를 생성되도록 하는 방법이다. 생균백신(living vaccine), 사균백신(killed vaccine), 순화독소(toxoid) 등을 사용하는 예방접종으로 얻어지는 면역이다.

표 2-7 인공능동면역과 질병

방 법	질 병
생균백신	홍역, 결핵, 폴리오, 탄저, 두창, 공수병
사균백신	장티푸스, 콜레라, 백일해, 일본뇌염, 발진티푸스
순화독소	디프테리아, 파상풍

② **수동면역**

수동면역(passive immunity)은 다른 사람이나 동물이 가지고 있는 항체(antibody)를 투여하여 일시적으로 면역을 보유하게 하는 것이다. 능동면역 보다 면역효력이 빨리 나타나지만 효력 지속시간은 짧다. 수동면역은 자연수동면역과 인공수동면역으로 나누어진다.

① 자연수동면역

자연수동면역은 자연적으로 항체를 받아서 얻는 면역이다. 태아가 모체로부터 태반을 통해서 항체를 받거나 수유를 통해서 항체를 얻는 면역을 말한다.

② 인공수동면역

인공수동면역은 인위적으로 항체를 주사하여 얻는 면역이다. 인공제제(γ-globuline 또는 anti-toxin 등)를 인체에 투입하여, 잠정적으로 질병에 대한 방어를 할 수 있도록 하는 것을 말한다.

04 감염병의 예방과 관리

감염병의 예방과 관리는 감염병의 생성과정 6개 요소 중에서 어느 한 요소만을 제거하여도 가능하다. 감염고리(chain of infection) 중에서 어느 한 부분을 끊으면 되는 것이다. 그러나 어느 요소를 차단할 것인가는 감염병의 종류와 성격에 따라 결정되어야 한다. 감염병의 예방과 관리에 대한 방법은 크게 전파 차단, 면역증강, 환자조치 등으로 구분된다. 구체적인 내용은 다음과 같다.

1) 전파 차단

1-1) 병원소의 제거

동물병원소로 되어 있는 인수공통감염병은 감염된 동물을 제거하여 감염병의 전파를 차단할 수 있으며, 인간이 병원소인 감염병은 외과적인 수술이나 약물요법으로 환자나 보균자를 치료하도록 한다. 적절한 치료를 시작하면 완전히 치유되기 전이라도 감염력이 감소하여 감염병의 전파를 막을 수 있다.

1-2) 병원소의 검역과 격리

해외에서 유입되지 않으면 질병이 발생하지 않는 외래 감염병은 근본적으로 병원체의 유입을 차단하는 것이다. 이 방법의 가장 중요한 것은 검역(quarantine)을 철저히 하는 것이다. 검역은 전염병 유행지역의 입국자에 대하여 감염병 감염이 의심되는 사람의 강제격리로서 건강격리라고도 하며, 일반적으로 그 전염병의 최장 잠복기간을 격리 또는 감시기간으로 한다. 잠복기(incubation period)란 어떤 균에 감염되었을 때 자각적이든 타각적이든 증상이 나타날 때까지의 기간을 말하며 이를 근거로 건강격리 기간을 결정한다.

격리(isolation)는 현재 이환중인 개방성 환자에 대하여 전염력이 있는 동안 일반인과의 접촉을 금지하는 것으로 불현성 감염이 현성 감염보다 더 많은 질병이나 세대기가 잠복기보다 짧아 환자로 알려져 격리하기 전에 이미 많은 사람에게 전염시켰을 경우에는 효력이 없다.

1-3) 환경위생관리

환경위생관리는 환경조건을 개선하여 전파를 차단하는 것이다. 식품관리, 상하수도 관리, 구충 · 구서 등 매개동물 관리, 소독 등이 해당된다. 그러나 모든 감염병이 환경개선으로 효과를 볼 수 있는 것은 아니기 때문에 관리하고자 하는 질병의 특성을 고려하여야 한다.

2) 숙주의 면역 증강

숙주의 감수성이 높을 때는 질병에 걸리게 되므로 예방접종을 통하여 숙주의 저항력을 높이게 된다. 질병에 대한 숙주의 면역을 증강하기 위하여 보통 인공능동면역을 사용하지만, 단기효과를 위해서 면역혈청이나 감마글로불린(γ–globulin)을 접종하기도 한다. 그리고 영양관리, 적절한 운동, 충분한 수면 등도 저항력 증강을 위해서 필요하다.

3) 환자에 대한 조치

감염병 관리에 노력을 하더라도 예방되지 못하고 질병에 이환되는 환자가 발생하게 된다. 질병이 발생하였을 때는 피해가 최소화되도록 노력해야 한다. 조기진단과 조기치료로 질병의 경과를 가볍게 하고 2차 전파가 되지 않도록 환자에 대한 추구관리를 철저히 하여야 한다.

05 법정감염병 관리

1) 법정감염병의 정의

법정감염병은 공중보건학적으로 관리할 필요가 있어 법으로 규정하여 관리하는 질병이다. 사회적 파급력이 큰 감염병에 걸린 환자를 격리 또는 수용하고 적절한 방역 조치를 해야 할 필요성이 있는 감염병을 법으로 정하여 놓고, 환자가 발생하였을 때 의무적으로 신고하도록 하고 있다.

2) 법정감염병의 종류

법정감염병은 제1군감염병부터 제5군감염병, 지정감염병, 세계보건기구 감시대상 감염병, 생물테러감염병, 성매개감염병, 인수공통감염병, 의료관련감염병 등으로 구성되어 있다. 제1군부터 제3군까지의 감염병 종류는 '감염병의 예방 및 관리에 관한 법률'에 구체적으로 명시되어 있고, 제4군 및 제5군은 보건복지부령으로 정하도록 되어 있다.

2-1) 제1군감염병

제1군감염병은 마시는 물 또는 식품을 매개로 발생하고 집단 발생의 우려가 커서 발생 또는 유행 즉시 방역대책을 수립하여야 하는 질병이다. 콜레라, 장티푸스, 파라티푸스, 세균성 이질, 장출혈성대장균감염증, A형간염 등이 해당된다.

2-2) 제2군감염병

제2군감염병은 예방접종을 통하여 예방 및 관리가 가능하여 국가예방접종사업의 대상이 되는 질병이다. 디프테리아, 백일해, 파상풍, 홍역, 유행성 이하선염, 풍진, 폴리오, B형 간염, 일본뇌염, 수두 등이 해당된다.

2-3) 제3군감염병

제3군감염병은 간헐적으로 유행할 가능성이 있어 계속 그 발생을 감시하고 방역대책의 수립이 필요한 질병이다. 말라리아, 결핵, 한센병, 성홍열, 수막구균성수막염, 레지오넬라증, 비브리오패혈증, 발진티푸스, 발진열, 츠츠가무시증, 렙토스피라증, 브루셀라증, 탄저, 공수병, 신증후군출혈열, 인플루엔자, 후천성면역결핍증, 매독, 크로이츠펠트-야콥병 및 변종크로이츠펠트-야콥병 등이 해당된다.

2-4) 제4군감염병

제4군감염병은 국내에서 새롭게 발생하였거나 발생할 우려가 있는 감염병 또는 국내 유입이 우려되는 해외 유행 감염병으로서 보건복지부령으로 정하는 감염병이다. 페스트, 황열, 뎅기열, 바이러스성 출혈열, 두창, 보툴리눔독소증, 중증 급성호흡기증후군(SARS), 조류인플루엔자 인체감염증, 신종인플루엔자, 야토병, 큐열, 웨스트나일열, 신종감염병증후군, 라임병, 진드기매개뇌염, 유비저, 치쿤구니야열, 중동호흡기증후군(메르스) 등이 해당된다.

2-5) 제5군감염병

제5군감염병은 기생충에 감염되어 발생하는 감염병으로서 정기적인 조사를 통한 감시가 필요하여 보건복지부령으로 정하는 감염병이다. 회충증, 편충증, 요충증, 간흡충증, 폐흡충증, 장흡충증 등이 해당된다.

2-6) 지정감염병

지정감염병은 제1군감염병부터 제5군감염병까지의 감염병 외에 유행 여부를 조사하기 위하여 감시활동이 필요하여 보건복지부장관이 지정(16종)하는 감염병이다.

2-7) 세계보건기구 감시대상 감염병

세계보건기구 감시대상 감염병은 세계보건기구가 국제공중보건의 비상사태에 대비하기 위하여 감시대상으로 정한 질환으로서 보건복지부장관이 고시(9종)하는 감염병이다. 두창, 폴리오, 신종인플루엔자, 중증급성호흡기증후군(SARS), 콜레라, 폐렴형 페스트, 황열, 바이러스성 출혈열, 웨스트나일열 등이 해당된다.

2-8) 생물테러감염병

생물테러감염병은 고의 또는 테러 등을 목적으로 이용된 병원체에 의하여 발생된 감염병 중 보건복지부장관이 고시(8종)하는 감염병이다. 탄저, 보툴리눔독소증, 페스트, 마버그열, 에볼라열, 라싸열, 두창, 야토병 등이 해당된다.

2-9) 성매개감염병

성매개감염병은 성 접촉을 통하여 전파되는 감염병 중 보건복지부장관이 고시(6종)

하는 감염병이다. 매독, 임질, 클라미디아, 연성하감, 성기단순포진, 첨규콘딜롬 등이 해당된다.

2-10) 인수공통감염병

인수공통감염병은 동물과 사람 간에 서로 전파되는 병원체에 의하여 발생되는 감염병 중 보건복지부장관이 고시(10종)하는 감염병이다. 장출혈성대장균감염증, 일본뇌염, 브루셀라증, 탄저, 공수병, 조류인플루엔자 인체감염증, 중증급성호흡기증후군(SARS), 변종크로이츠펠트-야콥병(CJD), 큐열, 결핵 등이 해당된다.

2-11) 의료관련감염병

의료관련감염병은 환자나 임산부 등이 의료행위를 적용받는 과정에서 발생한 감염병으로서 감시활동이 필요하여 보건복지부장관이 고시(6종)하는 감염병이다.

표 2-8 법정감염병의 종류

구분	감염병
제1군	콜레라, 장티푸스, 파라티푸스, 세균성 이질, 장출혈성대장균감염증, A형간염
제2군	디프테리아, 백일해, 파상풍, 홍역, 유행성 이하선염, 풍진, 폴리오, B형 간염, 일본뇌염, 수두
제3군	말라리아, 결핵, 한센병, 성홍열, 수막구균성수막염, 레지오넬라증, 비브리오패혈증, 발진티푸스, 발진열, 츠츠가무시증, 렙토스피라증, 브루셀라증, 탄저, 공수병, 신증후군출혈열, 인플루엔자, 후천성면역결핍증, 매독, 크로이츠펠트-야콥병 및 변종크로이츠펠트-야콥병
제4군	페스트, 황열, 뎅기열, 바이러스성 출혈열, 두창, 보툴리눔독소증, 중증급성호흡기 증후군(SARS), 조류인플루엔자 인체감염증, 신종인플루엔자, 야토병, 큐열, 웨스트나일열, 신종감염병증후군, 라임병, 진드기매개뇌염, 유비저, 치쿤구니야열, 중동호흡기증후군
제5군	회충증, 편충증, 요충증, 간흡충증, 폐흡충증, 장흡충증

3) 신고 및 보고체계

감염병환자는 감염병의 병원체가 인체에 침입하여 증상을 나타내는 사람으로 의사 또는 한의사의 진단이나 보건복지부령으로 정하는 기관의 실험실 검사를 통하여 확인된 사람이다.

의사나 한의사는 ① 감염병환자 등을 진단하거나 그 사체를 검안한 경우, ② 예방접종 후 이상반응자를 진단하거나 그 사체를 검안한 경우, ③ 감염병환자 등이 제1군감염병부터 제4군감염병까지에 해당하는 감염병으로 사망한 경우 등의 사실이 있으면 소속 의료기관의 장에게 보고하여야 한다. 다만, 의료기관에 소속되지 아니한 의사 또는 한의사는 그 사실을 관할 보건소장에게 신고하여야 한다.

한편, 보고를 받은 의료기관의 장은 제1군감염병부터 제4군감염병까지는 지체 없이, 제5군감염병 및 지정감염병은 7일 이내에 관할 보건소장에게 신고하여야 한다. 신고 받은 자료는 보건소에서 감염병감시정보시스템에 등록하며, 시 · 도를 경유하여 질병관리본부에 보고된다.

CHAPTER 06

급 · 만성 감염병

학습목표

- 소화기계 감염병을 설명할 수 있다.
- 호흡기계 감염병을 설명할 수 있다.
- 절지동물매개 감염병을 설명할 수 있다.
- 동물매개 감염병을 설명할 수 있다.
- 만성감염병의 종류 및 역학적 특성을 설명할 수 있다.

01 감염병의 종류

감염병은 크게 급성 및 만성감염병으로 구분된다. 급성감염병은 감염과 발병 및 경과가 빠른 질환이다. 만성감염병은 병균이 옮은 뒤 잠복기가 길고, 증상이 천천히 나타나면서 몸의 각 기관으로 침범하여 쉽게 완쾌되지 않는 질환이다. 급성감염병은 발생률이 높고 유병률이 낮으며, 만성감염병은 발생률이 낮고 유병률은 높다.

02 급성감염병

1) 소화기계 감염병

소화기계 감염병은 환자나 보균자의 대변으로 배설된 병원체가 음식물이나 물에 오염되어 경구로 침입하여 감염이 이루어지는 수인성 감염병이다. 경구로 침입되는 감염병은 장티푸스, 콜레라, 세균성 이질, 폴리오, 파라티푸스 등이 있다.

1-1) 장티푸스

장티푸스(typhoid fever)는 우리나라 여름철에 발생하는 대표적인 수인성 감염병이다. 제1군 법정감염병이며 오염된 음식물 및 물을 통하거나 파리, 바퀴 등의 곤충매개로 전파된다. 잠복기는 1~3주 전후이고 감염부위는 장의 림프조직, 담낭, 신장 등이다. 질병 후에는 일반적으로 영속면역을 얻지만 화학요법으로 치료된 자는 영속면역을 얻기가 힘들며, 인공능동면역은 사균백신이 이용된다.

예방방법은 전염원 대책(환자 및 보균자 색출 및 격리 등 환자관리), 전염경로 대책(분뇨, 물, 음식물, 파리 등 환경관리), 감수성 숙주 대책(예방접종의 철저와 보건교육 강화) 등을 고려할 수 있다.

1-2) 콜레라

콜레라(cholera)는 심한 위장장애와 전신증상을 호소하는 제1군 법정감염병이다. 발병이 빠르고 구토, 설사, 탈수, 허탈 등의 증세를 일으킨다. 전염원은 대변 및 토사물에 의한 오염수, 오염 음식물 및 오염 식기 등이다. 주로 분변이나 토사물로 배출된 병원체가 오염수 및 오염 음식물로 전파되며, 잠복기는 보통 12~48시간이지만 최장 5일인 경우도 있다. 질병 후에는 수년간의 면역이 인정되는데 사균백신에 의한 인공능동면역도 유효하다.

예방방법은 철저한 검역관리가 가장 중요하지만 국내 침입 후에는 환자의 신속한 보고 및 격리가 중요하다. 철저한 환경적 소독과 환자를 중심으로 식기, 식품, 분변관리를 철저히 해야 한다.

1-3) 세균성 이질

세균성 이질(bacillary dysentery)은 제1군 법정감염병이며, 심한 경우는 대장 점막에 궤양성 병변을 일으켜서 발열, 점액성 혈변을 일으킨다. 오염수 및 오염 음식물이 전염원이며 분변으로 탈출하여 파리나 불결한 손을 통하여 음식물 등으로 경구 침입된다. 잠복기간은 2~7일이다. 예방방법은 장티푸스와 같은 관리가 필요하며, 예방접종은 실시되지 않는다.

1-4) 폴리오

폴리오(poliomyelitis)는 소아마비라고도 하는데, 소아에게 주로 발생하여 중추신경계 손상에 의한 영구적인 마비를 일으키는 제2군 법정감염병이다. 호흡기계 분비물, 분변 등을 통해서 탈출, 오염 음식물로 경구적으로 침입된다. 미감염자는 연령에 관계없이 감염되지만 일반적으로 소아기에 면역을 획득하며, 잠복기는 1~3주 전후이다.

예방방법은 예방접종을 철저히 하는 것이며, 기본접종은 생후 2개월부터 2개월 간격으로 3회 실시한다. 추가접종은 18개월에 실시한다.

1-5) 파라티푸스

파라티푸스(paratyphoid fever)는 제1군 법정감염병이며, 우리나라에서는 A형보다 B형의 유행이 많고 C형은 거의 없다. 파라티푸스는 임상적으로나 병리학적으로 장티푸스와 흡사하며, 전파양식이나 관리방법도 장티푸스의 경우와 같으나 경과기간이 짧은 것이 특징이다. 검사실 소견으로만 장티푸스와 구별이 가능하다.

2) 호흡기계 감염병

호흡기계로 침입되는 감염병은 환자나 보균자의 객담, 콧물, 담화나 재채기 등으로 배출되어 전파된다. 비말감염은 상대방과 이야기할 때에는 1m, 재채기를 할 때에는 3m 범위까지 영향을 줄 수 있다. 공기로 전파되는 호흡기계 감염병에는 디프테리아, 백일해, 인플루엔자, 홍역, 두창, 결핵 등이 있다.

2-1) 디프테리아

디프테리아(diphtheria)는 제2군 법정전염병으로 보균자에 의한 감염이 많은 감염병이다. 환자나 보균자의 콧물, 인후 분비물, 기침 또는 피부의 상처를 통하여 직접 전파된다. 모체로부터 받은 면역은 생후 수개월간이며 그 이후는 감수성을 지니게 된다. 질병 후에는 일반적으로 약한 면역을 얻게 된다. 예방방법은 환자의 격리 및 소독이 필요하며, 예방접종은 폴리오와 같은 간격으로 접종한다.

2-2) 백일해

백일해(pertussis)는 제2군 법정전염병으로 9세 이하에 많이 발생한다. 예방접종에 의한 관리가 효과적이다. 호흡기계를 통한 비말감염으로 전파되며 환자의 객담에 오염된 먼지에 의한 간접전파도 가능하다. 잠복기는 1주 정도이다. 생후 수개월간은 자연 수동면역력이 있으나 그 후의 감수성은 전반적이며 질병 후에는 영구면역을 얻는다. 예방방법은 예방접종을 철저히 하는 것이다.

2-3) 홍역

홍역(measles)은 가장 많이 발생하는 감염병으로 제2군 법정감염병이다. 홍역은 1~5년 간격으로 많이 발생한다. 일반적으로 1~2세에 많이 감염이 된다. 열과 전신에 발진이 생기는 급성감염병이며 병발증으로 이염(耳炎), 폐렴(肺炎)의 2차감염이 문제되기도 한다.

신생아는 모체로부터 받는 면역으로서 잠시 저항력을 가지나 선천적 면역은 없으며, 질병 후에는 영구면역을 갖는다. 예방방법은 예방접종이 최선이다. 특히 기본접종은 물론 추가접종을 철저히 시행하는 것이 중요하다.

2-4) 천연두

천연두(small pox)는 두창이라고도 하며, 1980년 세계보건기구(WHO)는 전 세계적으로 근절되었다고 선언함에 따라 우리나라 법정감염병 및 검역질병에서 제외되었다.

천연두는 열, 전신발진, 구진(丘疹), 수포진(水泡疹), 소농포(小膿疱)가 생기는 급성감염병으로 질병 후에는 피부손상에 의한 녹두알 크기의 흉이 남는다.

2-5) 유행성이하선염

이하선염(mumps)는 볼거리라고도 하며 제2군 법정감염병이다. 이하선(귀밑샘)을 침범하여 종창, 오한, 미열, 두통 등이 지속되다가 이하선이나 고환, 난소, 젖샘 등에 발병하는 급성감염병으로 생식선의 감염에 주의가 필요하다. 예방방법은 환자의 격리가 필요하며 환자의 분비물에 오염된 물건을 소독하는 것이다. 예방접종도 효과가 크다.

2-6) 풍진

풍진(rubella)은 제2군 법정감염병으로 임신 초기에 이환되면 태아에게 영향을 주어 기형아를 분만하는 경우도 있으므로 주의가 필요하다. 잠복기간은 2~3주이며 열과 발진이 있을 때에는 유행성 이하선염과 마찬가지로 환자의 격리와 예방접종(MMR)이 실시되어야 한다.

2-7) 인플루엔자

인플루엔자(influenza)는 유행성 감기라고도 하며, 바이러스에 의해서 발병하는 급성 호흡기 감염병으로 매년 겨울철마다 세계인구의 5-10% 정도가 이환될 만큼 감염력이 매우 강하다. 급작스런 고열, 오한, 인후통, 기침, 근육통의 증세를 보이며 통상 7일 이내의 이환기간을 갖는다. 인플루엔자 예방관리 방법으로 인구집단을 대상으로 적극적으로 사용하는 것은 예방접종이다. 그런데, 인플루엔자 바이러스는 매년 유행하는 균주가 다르므로 매년 유행할 균주를 미리 예측해서 백신을 생산하기 때문에 새로운 유형의 바이러스가 유행할 경우에는 예방접종의 효과가 떨어진다. 인플루엔자 예방접종의 목적은 인플루엔자로 인해서 합병증과 사망률이 증가하는 취약계층에 대해서 이를 예방하는 것이다. 따라서 인플루엔자에 걸려도 합병증이 거의 생기지 않는 건강한 성인은 우선 접종대상자가 아니다.

역사적으로 1580년 인플루엔자 대유행이 기록된 이후에 1918년 스페인 독감(H1N1), 1957년 아시아 독감(H2N2), 1968년 홍콩독감(H3N2), 2009년 북미에서 시작된 인플루엔자 A(H1N1, 신종플루 바이러스) 등이 대규모로 발생하였다.

2-8) 중증급성호흡기증후군

중증급성호흡기증후군(severe acute respiratory syndrome, SARS)은 2003년 2월 세계보건기구에 첫 보고 된 이후 불과 수개월 만에 전 세계 30여개 국가로 확산되었고, 2003년 7월 유행이 일단락되기까지 세계적으로 막대한 경제적 손실과 심리적 공황상태를 야기하였다. 임상적으로 급작스런 고열(38°C)과 호흡기질환 소견(기침, 호흡곤란, 저산소증)이 주 증상이며 설사와 같은 소화기 증상도 많다. 사스의 평균 잠복기는 3–7일이며 최대잠복기는 10일이다. 감염 후 무증상기에는 감염력이 없지만 위급하거나 증상이 심한 환자들(통상 증상발현 후 2번째 주)은 매우 쉽게 질병을 전파시키는 것으로 알려져 있다.

사스(SARS)는 병원이 유행을 증폭시키는 장소가 되기 때문에 평소에 병원감염을 예방할 수 있도록 해야 한다. 이를 위해서는 의료인도 환자를 볼 때는 N95마스크와 고글을 포함한 각종 개인보호구를 착용하는 것이 필요하다.

3) 절지동물 매개 감염병

절지동물에 의해서 인간에게 전파되는 질병과 매개곤충은 페스트(벼룩), 발진티푸스(이), 일본뇌염(모기), 발진열(벼룩), 말라리아(모기), 사상충증(모기), 양충병(진드기), 황열(모기), 유행성출혈열(진드기) 등이 있다.

3-1) 페스트

페스트(pest)는 쥐벼룩에 의해서 쥐에서 쥐로 전파되며, 쥐벼룩이 흡혈시 위(胃)로부터 페스트균을 토출해서 사람에 전파시킨다. 제4군 법정감염병이며 검역질병으로서 외래전염병이다. 림프선종 또는 폐렴을 일으키는 급성 전염병으로 패혈증을 일으키는데 선 페스트와 폐 페스트로 분류된다. 선 페스트는 사람에서 사람으로 전파되지 않으나 폐 페스트는 사람에서 사람으로 직접 전파되며, 특히 비말감염이 주요 원인이다. 예방방법은 벼룩 구제와 철저한 검역활동이 중요하다. 예방접종도 효과가 크다.

3-2) 발진티푸스

발진티푸스(epidemic typhus)는 이(louse)의 장내에서 증식된 병원체가 배설물로 탈출되어, 상처로 찰입(擦入)되거나 먼지를 통하여 호흡기계로 감염된다. 증상은 발열, 근육통, 전신신경 증상, 발진 등으로 제3군 법정감염병이다. 질병 후에는 면역력이 형성된다. 예방방법은 발생보고의 신속, 격리, 소독, 이의 구제 등이 이루어져야 한다.

3-3) 말라리아

말라리아(malaria)는 학질로 불리기도 하는데 모기가 매개 전파한다. 모기는 인체 내에서는 무성생식을 모기체 내에서는 유성생식을 하기 때문에 모기가 종말숙주이고 인간은 중간숙주가 된다. 제3군 법정감염병으로 적도를 중심으로 아프리카 지역, 중·남미지역 및 아시아 남부 지역에 주로 유행된다. 예방방법은 모기에 물리지 않도록 하는 것이다.

3-4) 일본뇌염

일본뇌염(Japanese encephalitis)은 작은 빨간집 모기(*Culex tritaeniorhyncus*)에 의해 전파되는 바이러스 감염질환으로 인수공통감염병이다. 감염자 1,000명 중 1~2명만이 임상증상을 나타내는 현성 감염자이고 대부분이 불현성 감염자로 질병 후에는 면역이 형성된다. 현재 제2군 법정감염병이지만 우리나라는 일본뇌염 백신이 도입된 이후는 연간 10명 이하로 발생하여 거의 퇴치수준에 이르고 있다.

3-5) 유행성출혈열

유행성출혈열(epidemic hemorrhagic fever)은 신증후군출혈열이라고 부르는데, 들쥐의 배설물과 들쥐에 기생하는 좀진드기가 전파한다. 제3군 법정감염병으로 고열, 결막 충혈, 구토 등의 증상을 보인다. 우리나라에서는 경기도 북부 및 강원도에서 늦봄(5~6월)과 늦가을(10~12월)에 많이 발생한다. 예방방법은 들쥐 배설물에 접촉하거나 진드기에 감염되지 않도록 노숙이나 풀밭에서 피부를 노출시키지 않아야 한다. 예방접종도 효과가 크다.

3-6) 츠츠가무시증

츠츠가무시증은 털진드기의 유충이 사람을 물어서 걸리게 되며 고열, 오한 등의 증상이 있다가 전신 피부에 홍반이 생기는 급성감염병이다. 제3군 법정감염병으로 4~7월과 10~12월 사이에 많이 발생한다. 예방방법은 산림지역, 목초지 등에서 피부노출을 피한다. 밭에서 일할 때는 긴 옷을 입고 야외활동 후에는 옷에 묻은 먼지를 털고 목욕을 한다.

4) 동물 매개 감염병

4-1) 공수병

공수병(rabis)은 광견병이라고 하며 감염된 동물에 물렸을 때에 감염된다. 제3군 법정전염병으로 잠복기는 보통 2~8주이며 근육마비 및 혼수로 거의 100% 사망한다. 정확한 치료법이 없는 질병이다. 예방방법은 개에 대한 예방접종을 실시하고 야생견의 도살 및 동물 수입시 검역을 철저히 하는 것이다.

4-2) 탄저

탄저(anthrax)는 가축은 오염된 사료를 통해 경구감염이 되고, 사람은 피부와 기도로 감염된다. 인수공통감염병으로 제3군 법정감염병이다. 사람은 자연면역이 되지 않지만 개, 고양이, 조류는 상당한 면역력이 있다. 예방방법은 감염동물의 도살처분 및 가축과 접촉하는 직업을 가진 사람들의 위생적인 가축 취급이 필요하다.

4-3) 렙토스피라증

렙토스피라증(leptospirosis)은 감염된 들쥐의 배설물을 통해 배출되고 논 또는 밭에서 증식된 후에 사람의 피부상처를 통해서 감염된다. 초기 증상은 고열과 오한, 근육통과 두통, 구토증 등 감기증세가 있다가 경과되면 황달증과 폐출혈 등 급성적으로 진행되며, 신부전으로 사망할 수 있다. 우리나라에서는 9~10월에 많이 발생하는 제3군 법정감염병이다. 예방방법은 논과 밭 등에서 작업할 때는 피부를 보호하고, 작업 후에도 손발을 깨끗이 씻어야 한다.

03 만성감염병

1) 결핵

1-1) 정의

결핵(tuberculosis)은 1882년 독일의 세균학자 로버트 코흐(Robert Koch)가 결핵의 병원체인 결핵균(mycobacterium tuberculosis)을 발견하여 세상에 알려지게 되었다. 결핵은 결핵균에 의한 감염 때문에 발생하며, 현재까지 알려진 활동성 결핵 발생의 원인으로는 1년 이내의 최근 감염, 흉부 X선상 섬유화된 병변의 존재, 에이즈, 규폐증, 만성 신부전 및 투석, 당뇨, 면역 억제제 투여, 위장 절제술 등의 수술력, 특정 장기이식 시기, 영양실조 및 심한 저체중 등이 있다.

주로 폐결핵 환자로부터 나온 미세한 침방울 혹은 비말핵(droplet nuclei)에 의해 직접 감염된다. 그러나 감염된다고 하여 모두 결핵에 걸리는 것은 아니며 대개 접촉자의 30% 정도가 감염되고 감염된 사람의 10%정도가 결핵 환자가 된다. 발병하는 사람들의 50%는 감염 후 1~2년 안에 발병하고 나머지 50%는 면역력이 감소하는 특정한 시기에 발병하게 된다.

표 2-9 OECD 국가의 결핵 현황 비교 (단위 : 인구 10만명 당)

구 분	한국	일본	미국	멕시코	터키	폴란드
사망률	90	21	4	17	29	24
발생률	8.3	1.4	1이하	1이하	3.2	1.9

출처: WHO, Global Tuberculosis control 2011.

1-2) 증상

폐결핵 증상은 호흡기와 관련된 증상과 호흡기 이외의 전신 증상으로 나타난다. 호흡기 증상으로는 기침이 가장 흔하며 객담(가래) 혹은 혈담(피섞인 가래)이 동반되는 경우가 있다. 혈담은 객혈(피를 토하는 것)로 나타나기도 하는데, 초기보다는 대체로 병이 진행된 경우에 나타난다. 병이 진행되어 폐의 손상이 심해지면 호흡곤란이 나타나고 흉막이나 심막을 침범하였을 때는 흉통을 호소하기도 한다.

전신 증상으로는 발열, 야간 발한, 쇠약감, 신경과민, 식욕부진, 소화불량, 집중력 소실 등과 같은 비특이적인 증상이 나타날 수 있다. 특히, 식욕부진은 환자의 체중감소를 야기할 수 있다. 일반적으로 성인 폐결핵 환자의 흔한 초기 증상으로는 잦은 기침, 객혈, 발열, 전신적인 무력감과 미열, 체중감소 등이 있다.

1-3) 예방방법

결핵관리에서 중요한 것은 비씨지(BCG) 예방접종과 환자의 조기발견, 치료이다. 결핵은 일반적으로 항 결핵제만 꾸준히 잘 복용하면 완치가 가능한 질환이다. 그러나, 완치의 여부와 무관하게 결핵에 의해 감염된 폐에는 다양한 형태로 그 후유증이 남게 된다. 따라서 결핵은 예방접종이 중요하다. 결핵균에 감염되기 전에 비씨지를 접종을 하면 그렇지 않은 경우보다 발병률이 1/5로 줄어드는데, 이 효과는 10년 이상 지속된다. 가능한 한 출생 후 1개월 이내에 비씨지를 접종하는 것이 필요하다. 결핵의 전파를 차단하기 위해서 환자나 접촉자가 마스크를 착용할 수 있으나 비말핵을 차단하는 데는 효과가 제한적이기 때문에 실내 공기를 자주 순환시키고 자외선(햇빛)에 노출될 수 있도록 하는 것이 필요하다. 한편, 우리나라는 2000년부터 결핵감시체계를 도입하여 발생률 등을 파악하고 있다.

2) 한센병

한센병(leprosy)은 치료받지 않은 환자에게서 배출된 나균에 오래 동안 접촉한 경우에 발병한다. 나균은 피부 또는 호흡기를 통하여 체내로 들어오지만 대부분의 사람들은 나균에 대한 저항을 갖고 있기 때문에 쉽게 병에 걸리지 않는다. 과거에는 나병(癩病)이라고 하였으며, 제3군 법정감염병이다.

오늘날에는 나균을 배출하는 환자도 약을 1회 만 복용하여도 체내에 있는 나균의 99.99%가 감염력을 상실한다. 따라서 한센병은 격리가 필요한 질환이 아니며, 성적인 접촉과 임신을 통해서도 감염되지 않는다. 현재는 전 세계적으로 24개국을 제외한 나머지 지역에서 연간 1만 명당 1건 미만으로 발생하는 드문 질환이다.

3) 성병

성 접촉에 의하여 감염되는 성병(sexually transmitted infection; STI)은 크게 세균성(치유가능)과 바이러스성(치유불가능)으로 구분된다. 바이러스성 성병의 중요성은 치유가 불가능할 뿐만 아니라 많은 경우 자각증상이 없어서 감염인도 모르는 사이 계속 타인에게 전파된다는 점이다. 대표적인 바이러스성 성병인 HIV(에이즈 바이러스)의 경우 증상이 전혀 없으며 치료가 어려워 치명적인 결과를 야기할 수 있다.

성병 보균자의 경우는 남에게 병을 줄 뿐 자신은 증상이 없기 때문에 치료받을 기회도 없다. 여성의 경우에는 증상을 못 느끼는 경우가 80%정도 된다. 성병은 본인이 잘 모르는 경우가 많을 수 있다. 자각증상이 있는 경우는 겉으로 보아서 이상을 알 수 있으나, 증상이 없는 경우는 미리 검진을 받아보지 않는 한 잘 모를 수 있다.

3-1) 매독

매독(syphilis)은 성교할 때에 상대방의 성기를 통해서 감염되는 경우가 보통이지만 때로는 키스를 통해서도 감염된다. 감염자와 성행위 후 3주쯤 될 때에 성기나 입술에 딱딱한 종기가 생긴다. 그런데, 통증도 없고 얼마 지나면 종기가 없어지므로 병이 완쾌된 것으로 생각하기 쉽다. 그러나 이것은 병균이 몸 속 깊이 파고 들어가 있는 것이기 때문에 며칠 후에 더 심한 증세가 나타난다.

제2기 매독증세는 치료를 받지 않고 방치했을 경우에 궤양이 사라진 후 일주일에서 6개월의 기간을 가지고 다시 시작한다. 이때에 나타나는 주요 증상은 손바닥이나 발바닥에 약간 붉거나 분홍색의 발진이 돋고 열이 오르거나 목의 통증, 두통, 관절의 통증, 체중감소, 탈모 등이 나타난다. 이러한 증세는 3~6개월 동안 지속되는데, 이 기간 동안에 사라지고 나타나는 증상이 반복된다. 잠재기에는 아무런 증상이 없으나 세균은 각 기관을 침투하여 뇌, 척추, 혈관, 뼈를 감염시킨다. 잠재기를 지나 제3기로 접어든다. 이때에는 뇌와 척추의 손상으로 정신이상이 오거나 눈이 멀고 생명을 잃게 된다.

매독검진은 보통 혈액검사로 이루어지는데, 여성의 경우에는 자궁경부와 질에 발생한 궤양이 통증이 없으므로 주의 깊게 진찰하지 않으면 발견을 못하게 된다. 여성이 매독에 감염되어 임신하면 태아에 감염되어 골격과 치아의 이상을 가져오고 여러 질병을 유발하게 된다.

3-2) 임질

임질(gonorrhea)은 성기접촉, 오랄 섹스, 키스, 항문성교 등 모든 성 접촉에 의해서 감염된다. 남성의 증상은 음경의 끝부분 요도를 통하여 노란색의 분비물이 나오며, 빈뇨현상이 나타나고 이러한 증세는 요도의 감염에 의한 요도염으로 진전된다. 치료를 받지 않을 경우에는 전립선 및 음낭에 전염되며 심한 통증과 고열을 유발하고, 심한 경우에는 불임이 된다.

남성의 경우는 증세가 분명하여 바로 치료가 가능하지만 여성은 50% 이상이 아무런 증상을 느끼지 못하기 때문에 치료에 어려움이 있다. 임질균에 감염되었을 때에 나타나는 증상은 질 분비가 많아지고 외부 성기에 자극을 느끼며 방뇨를 할 때에 통증을 느끼게 된다. 치료하지 않으면 골반감염증으로 진전되며 여성 불임의 원인이 될 수 있다.

4) 후천성 면역결핍증

4-1) 정의

에이즈(Acquired Immune Deficiency Syndrome; AIDS)의 우리말의 정식명칭은 후천성면역결핍증(後天性免疫缺乏症)이다. 후천성이란 선천성과 대비되는 말로 유전성이 아니라는 뜻이며, 면역결핍증은 인체 내의 방어기능을 담당하는 면역세포를 파괴하여 면역기능이 떨어진 상태를 말한다. 즉, 에이즈란 면역기능이 저하되어 건강한 인체 내에서는 활동이 억제되어 병을 유발하지 못하던 세균, 곰팡이, 바이러스, 기생충 등이 병원체로 재활하거나 새로운 균이 외부로부터 침입 및 증식하여 발병하는 모든 증상들을 총칭한다.

한편, HIV 감염인은 HIV가 인체 내에 침투, T림프구 내에 자리잡고 있지만 일정한 면역지수를 유지하여 신체상 뚜렷한 증상이 없고 아직은 건강한 사람을 말한다. 한편, 에이즈 환자는 HIV에 감염된 후 오랜 기간이 지난 후 면역지수가 떨어져 각종 기회감염에 노출되어 발병한 사람을 말한다.

4-2) 감염경로

에이즈 감염을 일으킬 수 있는 위험한 행위는 동성과 성접촉, 이성과 문란한 성접촉, 주사기 공동사용 등이라 할 수 있다. 에이즈 바이러스는 감염인의 혈액, 정액, 질

분비물에 있기 때문에 감염인과 성행위를 통해서 가장 많이 전파된다. 감염된 혈액을 수혈 받거나 혈액 제제를 사용하는 경우, 감염자와 주사기를 공동으로 사용하는 경우도 위험하다. 또한, 감염된 여성이 임신을 하거나 모유를 통하여 감염될 수 있다.

그러나 일상생활에서는 안전하다. HIV는 몸 밖으로 나오면 오래 살 지 못하기 때문이다. 공기나 물을 통해서 감염되지 않기 때문에 일상생활에서는 안전하다. 에이즈 감염인이나 환자와 악수하는 행위, 목욕탕 및 수영장을 함께 사용하는 행위, 함께 식사하는 행위 등을 통해서는 감염되지 않는다. 또한, 모기나 벌레를 통해서는 감염되지 않는다.

4-3) 증상

HIV 감염증은 만성이기 때문에 시간이 지남에 따라 거의 모든 감염인은 에이즈로 진행된다. 감염된 후 1~2년 내에 발병하는 사람도 있지만 감염인의 50% 정도가 에이즈로 발병하는데 약 10년 정도 걸리고, 15년 후에는 약 75% 정도가 발병을 경험하게 된다. 발병은 감염된 후에 시간이 경과함에 따라 일률적으로 정해지는 것이 아니고 T림프구 수, 치료 여부, 다른 미생물의 감염이나 영양 등 여러 가지 복합적 요인에 따라 결정된다. 에이즈 증상에 따라 감염기간을 급성감염기, 무증상기, 발병기 등으로 구분한다.

4-4) 예방방법

에이즈(AIDS)는 1981년 미국에서 처음 발견되었다. 1983년에 병원체를 발견하였으며, 1986년에 HIV로 부르기로 하였다. 세계보건기구(WHO)는 1988년 1월 런던 선언을 채택하고, 12월 1일을 세계 에이즈(AIDS)의 날로 지정하였다. 에이즈 유행 확산을 막기 위하여 1996년부터는 국제기구가 공동으로 참여하는 유엔에이즈(UNAIDS)가 유엔경제사회이사회 직속으로 만들어졌다. 에이즈가 만연한 국가에서는 예방을 위하여 콘돔사용을 강력히 추천하고 있다.

우리나라에서는 1987년에 후천성면역결핍증 예방법을 제정하여 환자의 조기발견체제를 구축하여 전파방지에 노력하고 있다. 1993년 12월에 제2종 법정감염병으로 고시하여 환자의 신고 및 보고와 필요시 강제 건강진단을 시행할 수 있는 법적 근거를 마련하였다. 현재는 제3군 법정감염병으로 관리하고 있다.

5) 간염

5-1) 정의

간염(hepatitis)은 간세포 및 간 조직에 염증이 생기는 질환이다. 주요 원인은 바이러스, 알코올, 여러 약물 및 자가 면역 등이다. 간염은 지속 기간에 따라 급성과 만성으로 구분되며, 6개월 이상 지속하는 경우를 만성 간염이라고 한다. 만성 간염은 간경변증을 유발하며 점차 간부전으로 진행하게 된다. 간염은 바이러스 유형에 따라 다양하게 구분되며, 여기에서는 A · B · C형 간염(hepatitis A · B · C)을 살펴보도록 한다.

5-2) 원인

A형간염은 바이러스에 감염된 환자와 접촉한 경우에 감염된다. 대부분의 경우 감염자의 대변에 오염된 물이나 음식 등을 섭취하면서 경구를 통해 감염된다. B형 및 C형간염은 바이러스에 감염된 혈액 등 체액에 의해 감염된다. 아기가 태어날 때 B형간염이 있는 어머니로부터 전염될 수 있으며(수직감염), 수혈, 혈액을 이용한 의약품, 성접촉, 오염된 주사기의 재사용, 피어싱, 문신을 새기는 과정 등에서 감염될 수 있다. C형간염은 한번 감염되면 대부분이 만성 C형간염으로 진행되며, 간경변증 및 간암이 발생하여 사망에 이를 수도 있다.

5-3) 예방방법

A형간염을 예방하기 위해서는 개인위생 관리가 가장 중요하다. A형간염에는 예방백신이 있다. 보통 한 번 접종한 후에 백신의 종류에 따라 추가 접종을 실시하여 95% 이상의 간염 예방 효과를 얻을 수 있다. B형간염에서 가장 중요한 것은 예방접종이다. 특히 B형 간염이 있는 산모가 아기를 출산하는 경우에는 출산 전 반드시 B형간염 백신과 면역글로불린을 투여 받아 신생아가 B형간염에 걸리지 않도록 해야 한다. 우리나라는 B형간염이 많이 발생하는 지역이기 때문에 예방접종을 해야 한다.

한편, C형간염은 B형간염과 달리 아직 백신이 개발되어 있지 않고 면역글로불린도 없다. 따라서 주사기와 침은 반드시 1회용을 사용하며, 문신, 피어싱 등을 할 때 위생에 주의해야 하며, 혈액에 오염될 수 있는 물건(면도기, 칫솔, 손톱깍기 등)을 사용할 때에도 특별히 조심해야 한다.

CHAPTER 07

만성질환 관리

학습목표

- 만성질환의 정의를 설명할 수 있다.
- 만성질환을 감염성질환을 비교하여 설명할 수 있다.
- 지역사회 만성질환관리 모형을 설명할 수 있다.
- 고혈압, 당뇨병, 대사증후군에 대해서 설명할 수 있다.
- 흡연과 음주가 만성질환에 미치는 영향을 설명할 수 있다.

01 만성질환관리의 이해

1) 만성질환의 정의

만성질환(chronic disease)은 호전과 악화를 반복하면서 결국 점점 나빠지는 방향으로 진행되고, 연령이 많아지면서 그 유병률이 증가하며 기능장애를 동반하는 질병이다. 미국의 국민건강조사에서는 만성질환을 질병의 종류에 관계없이 발병 후 3개월이 넘어도 낫지 않는 질병 또는 실제 이환 기간에 관계없이 질병의 자연사적 특성에 따라 처음부터 만성병으로 분류해 놓은 34가지 질환으로 정의하고 있다.

만성질환은 그 특성상 개인의 건강행동 변화로 예방이 가능하고, 건강 취약계층에 많이 발생하며, 장기요양의 필요로 가정 파탄의 원인이 될 수도 있어 사회적 부담이 크고, 사회적으로 노동력 손실의 원인이 되기도 하므로 국가적으로 관리할 필요성이 크다. 또한, 만성질환으로 인한 사망의 비중이 점차 증가하고 있고, 생활양식의 변화와 노인인구의 증가로 만성질환자가 지속적으로 증가하고 있으며, 의학발전에 따라 생명연장으로 국민의료비를 증가시키는 요인이 되기도 한다.

2) 만성질환의 특성

생활수준이 향상되고 보건의료의 발전으로 국민보건이 향상되어 평균수명이 크게 향상되었다. 환경이 개선되어 과거에 많았던 각종 감염병은 감소되고 있는 반면에 노인인구의 증가와 더불어 만성질환은 크게 증가하고 있다. 오늘날 건강문제는 생물학적 요인에 의해서 발생하는 감염성질환 보다는 사회, 경제, 문화 및 심리적 요인에 의하여 발생하는 만성질환이 크게 증가하고 있다. 세계보건기구(2003)에서는 고혈압, 고콜레스테롤혈증, 비만, 신체활동 부족, 과일과 야채섭취 부족, 음주, 흡연을 만성질환의 주요 위험요인으로 제시하고 있다. 만성질환의 특성은 다음과 같다.

첫째, 직접적인 원인이 존재하지 않는다. 감염병은 원인균이 있으며, 물리적인 환경에 의한 것은 직접적인 요인이 규명될 수 있다. 그러나 대부분의 만성질환은 하나의 직접적인 원인이 되는 요인이 없고, 이를 진단할 수 있는 특수진단 방법도 없다.

둘째, 원인이 복합적이다. 만성질환은 원인과 관련되어 있는 요인들이 감염병보다 훨씬 복잡하게 얽혀 있다. 이러한 요인들은 대개 환경적인 것 뿐만 아니라 인체의 생물학적인 특성과도 관계가 있는 경우가 많다.

셋째, 잠재기간이 길다. 대부분의 만성질환은 질병이 발생하기 전 사람과 환경적인 요인이 서로 접촉하고 반응하는 상당한 기간을 필요로 한다. 원인이 되는 요소에 폭로된 뒤에 즉시로 질병에 이환된다고 하면 그 원인이 되는 요인을 쉽게 발견해 낼 수 있지만, 일반적으로 잠재기간은 수십년의 긴 기간이 소요되므로 원인적 요인을 규명하기가 쉽지 않다.

넷째, 질병발생 시점이 불분명하다. 대부분의 만성질환은 이환시점을 정확하게 알 수 없다. 증상이 나타날 때는 이미 질병이 어느 정도 진행된 이후이다. 따라서 정확한 발생률을 구하기는 어렵다.

표 2-10 만성질환과 감염성질환의 비교

구분	만성질환	감염성질환
원인체	다양한 비생물적 원인체	단일의 생물학적 원인체
폭로수준	단일 또는 다양한 원인체에 저농도로 반복적 폭로	단일 폭로로도 충분
특성	만성	급성
면역성	면역성 획득이 어려움	면역성 획득이 일반적

3) 만성질환관리 모형

만성질환이 크게 증가하면서 보건의료에서 만성질환관리는 주요 관심사가 되고 있다. 만성질환관리는 일반적인 질병관리(disease management) 정의의 하위개념이면서도 독자적인 의미를 포함하고 있다. 급성질환과 달리 만성질환에서는 무엇보다도 환자 스스로의 관리가 중요하기 때문에 만성질환자들을 대상으로 한 포괄적인 보건의료중재 및 의사소통이 필요하다.

기존의 보건의료체계는 급성질환 및 치료서비스 중심으로, 관리에서 실제 환자의 역할이 과소평가되고 있고, 산발적으로 추구관리 되며 지역사회 서비스의 중요성이 인정받지 못하고 있다. 환자의 건강상태를 유지하거나 증진시키기 위해서는 현재의 보건의료체계를 변화시켜야 할 필요성이 있다. 이와 관련하여 대표적인 것이 1990년대 중반에 맥콜연구소(MacColl institute for healthcare innovation)에 의해서 개발된 만성질환관리 모형(chronic care model)이다. 만성질환관리 모형에서 제시된 주요 요소는 다음과 같다.

첫째, 지역사회자원과의 연계이다. 효과적인 만성질환관리와 관련된 지역사회 자원과 연계가 이루어진다면, 보건의료체계의 수행은 향상될 것이다. 연계는 자원목록(directory), 의뢰체계, 공동의 프로그램 등을 통해서 형성될 수 있으며, 정부 및 지역사회 기반의 자발적 조직의 프로그램 등을 포함한 지역사회 자원은 보건의료서비스를 증가시키기 위해서 필요하다.

둘째, 보건의료기관의 특성 활용이다. 보건의료기관의 구조, 목표와 가치관에 따른 의료이용자, 보험자 및 다른 의료기관과의 관계 설정은 다른 요인들에 영향을 주게 된다. 보건의료기관은 만성질환관리가 제대로 이루어질 수 있도록 하는 환경을 창출하므로, 만성질환관리에 우선순위를 두지 않는다면 혁신이 어려울 것이다.

셋째, 자기건강관리 지원이다. 효과적 자기건강관리는 합병증, 증상 및 불구를 최소화할 수 있는 중요한 부분이다. 성공적 자기건강관리 프로그램은 문제파악, 우선순위 설정, 목표수립, 치료계획 작성 및 문제해결 등에 걸쳐서 환자와 제공자 간의 어느 정도나 협동을 하는가가 중요하기에 근거기반의 교육적 기술, 훈련, 사회심리적, 지지적 중재 등의 가용여부는 자기관리 지원구조의 전달체계에서 중요한 요소이다. 임상치료를 위한 생활요법을 실천할 수 있도록 지원하는 것이 필요한데, 건강상담, 가정방문, 24시간 콜센터, 예약확인시스템(appointment reminder system)을 통해 만성질환 대상자들이 그들의 질병을 관리할 수 있도록 지원한다.

넷째, 환자의뢰체계 설계이다. 효과적인 의료가 되려면 의사에서 다른 전문가로 책임과 역할이 분명히 이양되는 것이 필요하며, 여기에는 계획된 방문, 의료의 지속성 및 규칙적인 사후관리가 포함된다.

다섯째, 의사결정에 필요한 임상적 근거 제공이다. 효과적인 만성질환관리 프로그램은 근거기반 지침이나 프로토콜에 따라 운영된다. 이는 효과적인 제공자 교육 등에 의한 주기적 치료 및 관련된 의학전문가로부터의 투입 및 협동적 지원과 연계된다. 의사와 보건의료서비스 제공자들은 환자 질환의 관리방법에 향상을 위한 원칙에 근거를 두고 환자를 교육하고 있다. 많은 프로그램을 실행하기 위해 임상적 근거를 둔 실행 지침서를 의사에게 제공하여 보건의료서비스를 제공할 때에 일관성이 유지된다.

여섯째, 임상정보체계 구축 등이다. 환자 개개인 혹은 집단에 대해서 시의 적절한 정보를 제공하는 것은 효과적 프로그램을 위한 가장 핵심적 요소이다. 그 첫 단계는 중요한 의료요소 수행에 대한 정보를 포함하는 질병등록제(disease registry)를 마련하는 것이다. 이러한 등록정보에 접근할 수 있는 보건의료팀은 특별요구를 가진 환자와의 면담, 계획된 의료제공, 수행에 대한 환류(feedback), 알림체계(reminder system) 구축이 가능할 것이다.

그림 2-11 만성질환관리 모형

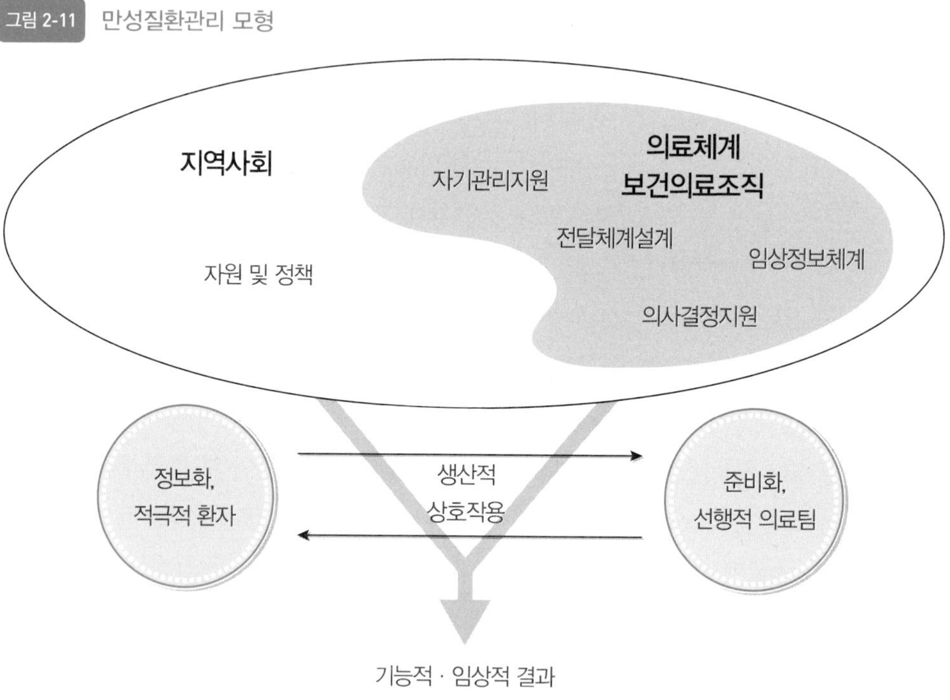

출처: Epping–Jordan et al(2004)

1) 고혈압

1-1) 정의

고혈압(hypertension)은 특히 순환기계통 질환의 원인이 되는 만성질환으로 가장 흔하면서도 관리가 잘 안 되어 유병률이 높아지고 있다. 혈압은 혈액이 혈관벽을 미는 힘으로 심장의 수축하는 운동과 혈관의 저항 양쪽 사이에서 생긴다. 혈압은 수축기 혈압(최고혈압)과 확장기 혈압(최저혈압)으로 나누어진다. 수축기 혈압은 심장이 수축하면서 혈액을 내보낼 때 혈관에 가해지는 압력이고, 확장기 혈압은 심장이 이완하면서 혈액을 받아들일 때 혈관이 받는 압력이다. 고혈압은 몸에 부담을 주는 혈압의 상태로 수축기 혈압이 140mmHg 이상이거나 이완기 혈압이 90mmHg 이상인 경우를 말한다.

고혈압은 크게 이차성과 본태성으로 분류한다. 이차성 고혈압은 원인 질환이 밝혀져 있고 이에 의해 고혈압이 발생하는 경우이고, 본태성(일차성) 고혈압은 원인 질환이 발견되지 않는 경우이다. 전체 고혈압 환자의 약 95%가 본태성 고혈압이다. 이차성 고혈압의 원인은 신장이나 혈관 이상, 부신 질환, 갑상선 질환 등이다. 이차성 고혈압은 원인 질환을 치료하면 혈압이 정상화된다. 그러나 본태성 고혈압의 원인은 정확히 모르며 관련된 위험요인으로 가족력, 흡연, 음주, 운동 부족, 비만, 짜게 먹는 식습관, 스트레스 등이 고려된다.

1-2) 진단

혈압은 변동이 있고 여러 원인으로 상승할 수 있으므로 한번 측정해서 판단하기는 어렵기 때문에 두 번 이상 측정한 혈압이 기준치(140/90mmHg)보다 높으면 고혈압으로 본다. 혈압을 정확하게 측정하기 위해서는 최소 5분 동안 안정을 취한 후 팔을 심장과 같은 높이로 하고 옷 소매가 팔을 조이지 않도록 해야 한다. 운동을 한 경우는 1~2시간이 경과한 후에 측정하고, 흡연 또는 커피 등의 카페인 음료를 마신 경우는 30분이 경과한 후에 혈압을 측정해야 한다. 자가 측정한 혈압과 진료실의 혈압은 차이가 있으므로 혈압에 의심이 생기면 반드시 의사의 진료를 받아야 한다.

표 2-11 만성질환과 감염성질환의 비교

혈압		수축기(mmHg)		이완기(mmHg)
정상		< 120	그리고	< 80
고혈압 전단계		120~139	또는	80~89
고혈압	제 1 기	140~159	또는	90~99
	제 2 기	≥ 160	또는	≥ 100

1-3) 증상

고혈압은 합병증이 없는 한 증상이 거의 없다. 그래서 고혈압을 조용한 살인자라고 한다. 뒷머리가 당긴다거나 어지럽다는 증상을 호소하는 경우도 있지만 개인에 따라 증상에 차이가 있다. 혈압이 아무리 높아도 증상이 없는 사람도 있으며, 혈압이 조금만 올라도 두통 같은 증상이 바로 나타나는 사람도 있다. 그러므로 증상에 따라 고혈압을 진단하거나 치료하는 것은 아니다.

고혈압을 치료하지 않으면 혈관 내 압력이 증가하고 동맥경화 촉진 작용으로 뇌졸중, 협심증, 심근경색증, 심장 근육 비대, 심부전 등의 심장 질환과 신부전, 신경화증 등의 신장질환 및 말초 혈관 질환, 눈 망막증 등 여러 장기에 손상을 입힐 수 있다.

1-4) 관리방법

고혈압은 완치되는 질병이 아니고 조절하는 질병이므로 지속적인 관리가 필요하다. 고혈압 치료의 최대 목표는 적정 혈압을 유지하여 고혈압으로 발생하는 장기의 손상을 막는 것이다. 따라서 약물 복용만큼 생활습관의 개선이 중요하다.

(가) 약물치료

- 고혈압이라고 해서 무조건 약을 복용할 필요는 없다.
- 자신에게 적합한 약을 먹을 때 혈압이 낮아질 수 있다.
- 인내와 끈기를 가지고 약을 복용한다.
- 혈압이 정상으로 돌아왔다고 해서 약을 중단하면 안 된다.

(나) 운동요법

- 걷기운동은 초기에는 느리게 시작하여 30분 정도 걷는 것이 좋다.
- 수영은 하루에 한 번 10~20분 동안 하는 것이 좋다.
- 발바닥 자극운동을 하루에 3~4번씩 한다.

(다) 생활요법

- 반드시 금연한다. 금연하면 1년 내에 심혈관계가 좋아진다.
- 알코올은 소량이라도 매일 마셔서는 안 된다.
- 체중을 조절한다.
- 충분한 휴식과 수면을 취하고 마음의 평안을 유지한다.
- 뜨거운 목욕이나 사우나, 또는 추운 날 외출 시 급격한 온도의 변화에 주의한다.
- 변비에 주의한다. 배변 시 힘을 줄 때 급격한 혈압상승을 초래할 수 있다.

(라) 식이요법

- 염분섭취를 줄여야 한다. 찌개류 먹는 것을 줄이고, 음식의 간을 싱겁게 한다.
- 섬유소를 많이 섭취한다. 과일, 채소, 두류, 해조류 등을 충분히 먹는다.

2) 당뇨병

2-1) 정의

당뇨병은 인슐린의 분비량이 부족하거나 정상적인 기능이 이루어지지 않아 혈액 속의 당 농도가 높아지는 대사질환의 일종이다. 인슐린은 혈액 속의 포도당을 에너지로 바꿔주기 위해 포도당을 세포 내로 보내는 일을 돕는다. 인슐린의 작용이 부족하면 포도당이 근육이나 세포에 들어가지 못하고 혈액 중에 쌓여 고혈당을 초래하고 소변으로 당이 나오게 되는 것이다.

당뇨병은 제1형과 제2형으로 구분된다. 제1형 당뇨병은 소아당뇨이라고도 불리며, 인슐린을 전혀 생산하지 못하는 것이 원인이 되어 발생하는 질환이다. 인슐린이 상대적으로 부족한 제2형 당뇨병은 식생활의 서구화에 따른 고열량, 고지방, 고단백의 식단, 운동 부족, 스트레스 등 환경적인 요인이 크게 작용한다. 특정 유전자의 결함에 의해서도 당뇨병이 생길 수 있으며, 췌장 수술, 감염, 약제에 의해서도 생길 수 있다.

표 2-12 당뇨병 종류별 특성

	제1형 당뇨병	제2형 당뇨병
인슐린 분비	소량 혹은 분비되지 않는 인슐린 결핍 상태	분비가 저하되거나, 분비되더라도 인슐린 저항성으로 인슐린 효율성이 떨어져 혈당이 조절되지 않음
원인	자가면역기전, 바이러스 감염 등에 의한 췌장 파괴	유전적 경향이 강하며, 비만, 노화, 스트레스 등 환경적 요인에 의해 발병
연령	초등학교 들어갈 무렵인 5~7세, 사춘기 시작될 무렵인 10~14세경에 주로 발생	대부분 40세 이후에 발생하며, 비만인 청소년에게서 발견되는 경우도 있음
치료	인슐린 주사가 반드시 필요하며, 식사 및 운동요법 병행	식사 및 운동요법을 통해 관리하며, 필요시 경구혈당강하제 또는 인슐린 주사를 통해 혈당을 조절
발병률	전체 당뇨병의 5% 미만	전체 당뇨병의 95% 이상

2-2) 진단

자신이 느끼는 증상만으로 혈당을 조절하는 것은 위험하며 반드시 자가 혈당 측정기를 통해서 상태를 정확히 파악해야 한다. 당뇨병은 경구당 부하 검사를 실시하여 진단한다. 공복상태에서 혈당을 측정하고, 포도당 75g을 먹고 1~2시간 후 혈당을 측정하여 아래 표와 같이 진단한다.

표 2-13 당뇨병 진단기준

(단위 : mg/dL)

공복혈당	2시간 혈당	진단
126 이상	200 이상	당뇨병
111~125 미만	141~199 미만	내당능 장애
110 이하	140 이하	정상

2-3) 증상

약한 고혈당에서는 대부분의 환자들이 증상을 느끼지 못하거나 모호해서 당뇨병이라고 생각하기 어렵다. 혈당이 많이 올라가면 갈증이 나서 물을 많이 마시게 되고, 소변량이 늘어 화장실을 자주 가게 된다. 또한 체중이 빠지게 된다.

갑자기 몸 안에서 인슐린이 부족하게 되면 급성 합병증이 생길 수 있다. 급성 합병증은 저혈당성 혼수, 케톤산증(ketoacidosis), 고삼투압 증후군(hyperosmolar syndrome)으로 즉각적인 치료가 필요하다. 적절히 치료하지 않을 경우 심한 경우 의식을 잃을 수 있고 사망에 이를 수도 있다. 만성 합병증으로는 망막병증, 신기능장애, 신경병증(저림, 통증), 심혈관계 질환의 위험이 높아지게 된다.

2-4) 관리방법

제1형 당뇨병은 인슐린 치료가 필요하다. 제2형 당뇨병은 생활습관 교정을 기본으로 하며 추가로 약물 투여가 필요할 수 있다. 먹는 약은 하루 1~3회 복용한다. 인슐린은 현재 주사약으로 나와 있으며 피하주사로 투여하는 것을 원칙으로 한다. 먹는 약에 비해서 혈당강하 효과가 더 빠르게 나타나고 먹는 약을 쓸 수 없는 환경에서도 안전하게 쓸 수 있다. 당뇨병 관리에서 중요한 것은 약물요법과 함께 운동 및 식이요법을 병행하는 것이다. 특히, 운동 및 식이요법은 가장 믿을 만하고 부작용이 없는 관리방법이다.

(가) 운동요법

- 무리하게 운동을 시작하기보다 가벼운 운동부터 천천히 시작하여 꾸준하게 한다.
- 일주일에 3일 이상 한번에 30분 이상 등에 땀이 촉촉이 날 정도로 한다.
- 빠르게 걷기, 달리기, 등산, 줄넘기, 수영, 계단 오르기 등 유산소 운동이 좋다.

(나) 식이요법

- 규칙적으로 일정량의 음식을 섭취한다.
- 영양소를 골고루 균형 있게 섭취한다.
- 섬유소가 많이 함유된 채소를 섭취한다.
- 음식을 싱겁게 먹는다.
- 지방이 많은 음식을 조금씩 먹는다.
- 당분이 많이 함유된 음식(설탕, 꿀 등), 청량음료, 술은 피한다.

3) 대사증후군

3-1) 정의

대사증후군(metabolic syndrome)은 여러 이상소견들이 복합적으로 존재하는 상태를 의미한다. 고중성지방혈증, 낮은 고밀도콜레스테롤, 고혈압 및 당뇨병을 비롯한 당대사 이상 등 각종 성인병이 복부비만과 함께 동시 다발적으로 나타나는 상태로 세계보건기구에서 1998년 대사증후군이라고 명칭하였다.

3-2) 진단

대사증후군의 진단기준은 WHO, ATP Ⅲ(National Cholesterol Education Program's Adult Treatment Panel Ⅲ report), IDF(International Diabetes Federation) 등 관련단체마다 조금씩 다른 진단기준을 제시하고 있다. 우리나라에서는 ATP Ⅲ 기준을 주로 적용하고 있는데, 진단항목 5개 중 3개 이상에 해당될 경우에 대사증후군으로 분류한다.

표 2-14 대사증후군 진단기준(ATP Ⅲ)

진단 항목	진단 수치
허리둘레	남자 ≥ 90cm, 여자 ≥ 85cm
중성지방	≥ 150 mg/dL 또는 약물치료
콜레스테롤	남자 < 40 mg/dL, 여자 < 50mg/dL 또는 약물치료
고혈압	수축기/이완기 ≥ 130/85 mmHg 또는 약물치료
고혈당	공복혈당 ≥ 100 mg/dL 또는 약물치료

3-3) 증상

대개 복부비만이 특징적이다. 이 밖에 특별한 증상은 없지만, 구성 요소 및 합병증에 따른 증상이 나타날 수 있다. 심뇌혈관질환 및 당뇨병 발생에 대사증후군이 중요한 기저질환으로 작용하고 있다. 대사증후군의 위험요인으로는 허리둘레, 비만, 음주, 흡연, 간기능 이상(alanine transferase), 저밀도콜레스테롤, 폐경, 식습관 등이 있다.

3-4) 관리방법

대사증후군을 예방 및 관리하기 위해서는 운동, 영양 등 건강생활을 실천하는 것이 중요하며, 대사증후군을 초기에 발견하여 진행을 예방하고 가능한 경우 정상상태로 되돌리는 것이다. 우리나라에서는 대사증후군관리와 관련하여 2007년부터 시작된 생애전환기 건강진단사업에서 만 40세와 66세 성인에게 개인별 건강위험평가(health risk appraisal)와 생활습관평가를 실시하여 흡연, 운동, 영양, 음주 비만 등의 요인에 대한 생활습관개선을 정보를 제공하고 있다. 대사증후군에 대한 가장 중요한 관리는 체지방 특히 내장지방을 줄이는 것이다. 이를 위해서는 적절한 식사 조절 및 규칙적이고 꾸준한 운동을 실천하는 것이다.

4) 뇌졸중

4-1) 정의

뇌졸중은 뇌의 일부분에 충분한 양의 혈액이 공급되지 못해 세포조직이 손상될 때 발생된다. 뇌졸중의 가장 흔한 원인은 작은 피 덩어리가 혈관을 차단하는 것이다. 뇌졸중은 뇌혈관이 막혀서 발생하는 뇌경색(허혈성 뇌졸중)과 뇌혈관의 파열로 인해 뇌조직 내부로 혈액이 유출되어 발생하는 뇌출혈(출혈성 뇌졸중)을 함께 일컫는 말이다. 한의학계에서는 뇌졸중을 중풍이라고 하는데, 중풍에는 서양의학에서 뇌졸중으로 분류하지 않는 질환도 포함하고 있다.

뇌경색(cerebral infarction)은 뇌조직이나 세포의 일부가 죽게 되어 회복 불가능한 상태에 이르렀을 때를 말한다. 뇌조직은 평상시에도 많은 양의 혈류를 공급받고 있다. 그런데 다양한 원인으로 인하여 뇌혈관의 관이 막히는 경우가 발생하여 뇌에 공급되는 혈액량이 감소하면 뇌조직이 기능을 제대로 하지 못하게 된다.

뇌출혈은 뇌에 출혈이 있어 생기는 모든 변화를 말하는 것으로 출혈성 뇌졸중이라고도 한다. 뇌출혈은 여러 가지 방법으로 구분하고 있으나 크게 외상에 의한 출혈과 자발성 출혈로 구분된다. 반면 뇌혈류 감소에 의해 뇌기능에 이상이 생겼지만, 적절한 치료를 통해 충분한 뇌혈류가 다시 공급되어 뇌조직의 괴사 없이 뇌기능이 회복되었을 때를 일과성 허혈성 발작(transient ischemic attack)이라고 부른다. 허혈성 뇌졸중은 뇌경색과 일과성 허혈성 발작을 모두 통틀어서 일컫는 용어이다. 허혈성 뇌졸중의 증상은 갑작스럽게 발생하는 편측마비, 안면마비, 감각이상, 발음이 어눌해지는 현상 등이 발생한다. 그러나 허혈성 뇌졸중의 증상은 폐색된 혈관이 뇌조직의 어느 부위에 혈류를 공급하고 있었는지에 따라 매우 다양하게 발생할 수 있다.

4-2) 증상

뇌졸중은 갑작스러운 신경기능의 장애로 나타난다. 뇌졸중에 흔히 나타나는 증상은 갑자기 시작된 심한 두통, 이유를 알 수 없는 어지러움증, 신체 일부의 마비, 신체 일부의 감각마비와 소실, 언어장애, 안면신경장애, 사지 및 신체의 움직임을 원활히 조절할 수 없는 상황 등이다. 한편, 대뇌 피질 연합 영역이 침범되면 치매가 나타나게 된다. 허혈성 뇌졸중의 경우 초기에는 이러한 증상들이 경미하게 일시적으로 나타났다가 사라지는 경우가 많으며, 이러한 경우 더 심한 영구적 장애를 남기는 뇌졸중이 조만간 나타날 가능성이 크다.

뇌졸중의 증상은 갑자기 나타나게 되지만 뇌혈관의 이상은 갑자기 발생하는 것이 아니다. 혈관의 병이 진행하여 혈관이 견디지 못할 정도가 되면 터지거나 막히게 되어 증상이 나타나게 된다.

4-3) 관리방법

- 고혈압을 조절해야 한다.
- 심장병을 조절하기 위하여 규칙적으로 주치의의 진료를 받는다.
- 당뇨병 환자의 경우 적절한 혈당치를 항상 유지하도록 한다.
- 금연한다.
- 콜레스테롤, 포화지방이 낮은 음식을 먹어야 한다.
- 알코올 섭취를 제한한다.
- 비만인 경우 체중조절을 한다.
- 규칙적으로 운동한다.

5) 암

5-1) 정의

암(cancer)은 세포들이 정상적인 조절기능의 통제를 벗어나서 비정상적으로 증식하면서 다른 조직으로 침범하는 질환을 말한다. 그러한 의미에서 악성신생물(악성 종양)이라고도 한다. 종양은 우리 몸 속에서 새롭게 비정상적으로 자라난 덩어리를 말하는데, 양성 종양과 악성 종양으로 구분된다. 양성 종양은 비교적 서서히 성장하며 신체 여러 부위에 확산, 전이하지 않으며 제거하여 치유시킬 수 있지만, 악성 종양은 빠른 성장과 침윤성(파고들거나 퍼져나감) 성장 및 체내 각 부위에 확산, 전이하여 생명에 위험을 초래하는 종양으로 암이 여기에 해당된다.

정확한 암의 발생원인은 아직 밝혀지지 않았으나 유전인자, 방사선, 대기오염, 흡연, 음주, 식이 등이 발암의 원인으로 알려져 있다. 최근의 연구에서는 우리 몸을 구성하고 있는 세포 속에 암유전자가 내재되어 있다는 결과가 밝혀지고 있다.

5-2) 증상

모든 암은 하나의 돌연변이 세포에서 출발한다. 한 개의 암세포가 분열을 시작하여 배수로 늘어나는데 5년가량의 시간을 거쳐 30번 정도 분열을 하게 되면, 직경이 1cm가 되고 무게는 대략 1g정도 된다. 이때까지는 특별한 증상이 없지만 종양이 점점 자라나면서 성장속도가 급속히 빨라지는데 수년 내에 10번 정도 더 분열을 하게 되면 약 1kg 정도의 종양덩어리로 자라나면서 환자를 사망에 이르게 한다. 일반적인 암의 증상은 암이 1cm 이상으로 자라난 후 주위조직이나 신경을 침범하여 통증을 일으키기도 하고 혈관을 침범하여 출혈이 생기는 경우도 있고, 더 크게 자라나 장을 폐쇄시키기도 한다.

그런데, 암은 초기에는 자각증상이 뚜렷하지 않고 체중감소와 간헐적인 통증 및 불편감 등 애매한 증상들이 대부분이다. 이런 이유로 암의 조기발견을 위해서는 정기검진이 매우 중요하다.

5-3) 관리방법

암은 개인의 건강생활실천과 정기검진을 통하여 예방하거나 조기에 발견할 수 있다. 보건복지부에서 권장하고 있는 10대 암 예방 수칙은 다음과 같다.

- 담배를 피우지 말고, 남이 피우는 담배 연기도 피하기
- 채소와 과일을 충분하게 먹고, 다채로운 식단으로 균형 잡힌 식사하기
- 음식을 짜지 않게 먹고, 탄 음식을 먹지 않기
- 술은 하루 두 잔 이내로만 마시기
- 주 5회 이상, 하루 30분 이상 땀이 날 정도로 걷거나 운동하기
- 자신의 체격에 맞는 건강 체중 유지하기
- 예방접종 지침에 따라 B형 간염 예방 접종 받기
- 성 매개 감염병에 걸리지 않도록 안전한 성생활 하기
- 발암성 물질에 노출되지 않도록 작업장에서 안전 보건 수칙 지키기
- 암 조기 검진 지침에 따라 빠짐없이 검진 받기

1) 흡연

1-1) 담배의 유해 성분

담배에는 니코틴과 타르 외에 약 4,000가지 정도의 화학적 성분이 포함되어 있다. 그 중에서 69가지 이상이 암을 유발하는 물질로 알려져 있다. 일반적으로 담배연기를 한 번 들이마실 때 약 50cc의 연기가 폐 속으로 들어가게 되는데, 이산화탄소 전량과 니코틴의 90%, 타르의 70%가 몸속으로 흡수된다. 담배의 성분 중에서 건강과 관련하여 가장 중요한 3가지 성분은 다음과 같다.

(가) 타르

담배가 우리 건강에 주는 해독의 대부분은 타르 속에 들어 있는 각종 독성물질과 발암물질에 의한 것으로 약 20여 종의 A급 발암물질이 포함되어 있다. 담배의 독특한 맛은 바로 이 타르에서 오는 것이며, 타르는 담배연기를 통하여 폐로 들어가 혈액에 스며들어 우리 몸의 모든 세포, 모든 장기에 피해를 주기도 하고, 잇몸, 기관지 등에는 직접 작용하여 표피세포 등을 파괴하거나 만성 염증을 일으키기도 한다. 담배 한 개피를 피울 때 흡입되는 타르의 양은 대개 10mg 정도이다.

(나) 일산화탄소

일산화탄소는 우리에게 연탄가스로 잘 알려진 물질이다. 담배를 피우는 것은 적은 양의 연탄가스를 맡고 있는 것과 같다. 일산화탄소는 낮은 농도에서는 증상이 없으나 농도가 높아지면 기억력 상실, 호흡곤란, 구토 등을 나타내고 60% 이상 되면 사망하게 된다. 그러므로 담배를 계속 피우게 되면 결국 혈액의 산소 운반 능력이 떨어져 만성 저산소증 현상을 일으킴으로써 모든 세포의 신진대사에 장애가 생기게 된다. 담배를 많이 피우거나 담배 연기가 자욱한 방에 오래 있으면 머리가 아프고 정신이 멍해지는 이유도 바로 일산화탄소 때문이다.

(다) 니코틴

흡연은 정신적, 육체적으로 의존을 생기게 하는데, 이는 담배 속에 들어있는 니코틴 성분 때문이다. 니코틴은 강력한 습관성 중독을 일으키기 때문에 의학적으로는 마약으로 분류된다. 니코틴 의존은 내성, 금단증상, 갈망, 끊으려는 노력의 실패, 사회적 직업적 능력의 저해 등의 증상을 보이며, 니코틴이 중단되면 우울한 기분, 불면, 불안, 두려움, 안절부절못함, 체중증가, 심박동수 감소 등의 증상이 생긴다. 담배 한 개비에는 10mg 정도의 니코틴이 들어있는데, 이 중 흡수되는 니코틴 양은 1mg 정도이지만 흡연 양상에 따라 3mg을 넘을 수도 있다. 흡연을 하면 니코틴은 빠르게 동맥 내 혈류를 통해 들어가서 뇌로 이동한다. 니코틴의 반감기는 평균 두 시간 정도이며, 흡입된 니코틴이 몸 밖으로 완전히 배출되는 데는 약 3일이 걸린다. 작은 양의 니코틴은 신경계에 작용하여 교감 및 부교감신경을 흥분시켜 쾌감을 얻게 하고, 많은 양의 니코틴은 신경을 마비시켜 환각상태에까지 이르게 한다. 말초혈관을 수축하며 맥박을 빠르게 하고 혈압을 높이며 콜레스테롤을 증가시켜 동맥경화증을 악화시킨다.

1-2) 간접흡연

(가) 2차 흡연

2차 흡연(second-hand smoke, SHS)은 직접흡연의 대응 개념으로 담배를 피우지 않는 사람이 타인이 피우는 담배연기를 간접적으로 마시게 되는 상태이다. 남이 피우는 담배연기를 마신다는 의미에서 수동적 흡연(passive smoking), 본인의 의사가 아니라 남의 흡연행동에 의해서 담배연기를 마신다는 뜻으로 무의식적 흡연(involuntary smoking), 그리고 비흡연자가 실내 환경에서 담배연기에 노출되므로 일종의 환경공해라는 취지에서 환경성 담배연기 노출(environmental tobacco smoking, ETS) 등의 용어들이 사용되고 있다.

(나) 3차 흡연

3차 흡연(third-hand smoke, THS)은 흡연자의 흡연행위로 인한 담배연기가 실내 가구, 외벽 또는 카펫, 커튼과 같은 직물에 스며들게 되어 흡연을 하고 있는 사람이 없더라도 특정 공간에서 담배연기의 위해성에 노출되는 것이다. 다수의 연구결과들은 2차 흡연(SHS) 만큼이나 3차 흡연이 건강에 해롭다는 것을 밝히고 있다. 이는 흡연 부모들이 밖에서 흡연 후 들어온다고 해도 자녀를 간접흡연으로부터 완벽하게 보호하지 못한다는 것을 의미한다. 흡연할 때 배출된 담배연기가 부모의 옷, 피부, 머리카락에 스며들어 이를 통해 자녀를 간접흡연의 위험에 노출시키기 때문이다.

1-3) 흡연으로 인한 질병

(가) 직접흡연으로 인한 질병

호흡기계 암과 췌장암, 신장암, 방광암 외에도 2014년 미국 연방의무감보고서는 간암과 대장암을 추가하였다. 또한 뇌졸중, 심근경색, 만성폐쇄성 폐질환, 고관절 골절, 노인성 황반변성, 당뇨병, 발기부전 등도 직접흡연으로 인한 질환이다.

(나) 간접흡연으로 인한 질병

간접흡연으로 인해 어린이에서는 중이염, 폐기능 이상, 영아 돌연사 증후군이 발생하고, 성인에서도 폐암, 심근경색, 저체중아 출산 등이 일어나게 된다. 2014년 미국 연방의무감보고서는 뇌졸중을 새롭게 추가하였다.

2) 음주

2-1) 알코올이 신체에 미치는 영향

술은 에탄올이라고 부르는 화학물질의 한 종류이다. 알코올은 근본적으로 독성물질이지만 에탄올만은 소량에 한해서 인체에서 흡수할 수 있다. 혈액의 알코올 양은 혈중 알코올 농도로 불리는 수치로 측정한다. 이는 혈액 속의 알코올의 백분율이다. 이 수치는 혈액 자체의 중량에 대한 혈액 속의 알코올 중량을 대비한 것이다. 우리나라에서는 혈중 알코올 농도가 0.05% 이상일 때를 음주 운전으로 규정하고 있다. 이는 소주 1–2잔이나 작은 병맥주(334mL) 1–2개를 2시간에 걸쳐 마신 후에 도달될 수 있는 수치이다. 혈액 알코올 농도별 신체에 미치는 영향은 아래와 같다.

표 2-15 혈중 알코올 농도가 인체에 미치는 영향

혈중 농도	인체에 미치는 효과
0.05%	자제력이나 운동 조절 능력의 부분적인 상실
0.1%	운동 조절 능력, 시각 능력, 판단력의 현저한 감소
0.2%	자제력, 명료한 사고 능력, 기억력의 현저한 상실
0.3%	보거나 듣고, 거리를 판단하는 능력이 거의 없어짐
0.4%	뇌가 거의 기능하지 않음, 움직일 수 없음
0.5%	신체는 혼수 상태에 빠짐, 사망에 이를 수 있음

2-2) 알코올의 장기 영향

알코올의 신체적인 만성효과는 내성과 의존성이다. 내성은 소위 주량이 증가한다는 것으로 술을 마신 후에 경험하게 되는 여러 가지 효과를 계속 얻으려면 알코올의 양이 늘어나야 하는 것을 말한다. 한 잔이면 취하던 사람이 어느 정도 기간이 지난 후에는 똑같은 정도로 취하려면 두 잔을 마셔야 되는 것을 의미한다. 이러한 식으로 알코올에 대한 내성이 강화되다보면 결국은 알코올에 의존하게 된다. 알코올에 대한 의존을 흔히 알코올 중독이라고 한다. 알코올 의존은 갑자기 알코올을 끊을 경우 금단증상이 나타나게 된다. 금단증상이란 신체에 어느 정도의 알코올이 남아 있지 않으면 '손을 떨거나', '진땀을 흘리거나', '헛것을 보는 것'과 같은 증상을 겪는 것을 말한다.

2-3) 음주와 만성질환

지나친 음주는 알코올 중독뿐만 아니라 구강, 식도, 간장, 췌장 등 신체의 소화기관에 강한 자극을 주어 탈수 내지는 염증을 일으키고 세포 조직의 복구 기능을 떨어뜨린다. 암, 만성 간질환, 위장 질환, 뇌신경계 질환 등은 음주와 관련된 대표적인 만성질환으로 구체적인 내용은 다음과 같다.

(가) 암

구강암과 식도암의 경우는 음주량과 암의 발생 빈도가 정비례한다. 우리가 술을 마시면 가장 먼저 접촉하는 신체 부위가 구강과 식도이다. 간이나 다른 조직에 비해 구강 및 식도에는 유해산소를 중화시킬 수 있는 여러 가지 항산화제나 복구에 관여 효소들이 적어서 암이 쉽게 발생할 수 있다. 알코올 도수가 높은 소주, 위스키, 고량주 등을 물에 희석하지 않고 오랫동안 마시면 구강 점막이나 식도를 싸고 있는 표피층(상피층)에 강한 자극을 주고 이러한 과정에서 발생하는 화합물들이 돌연변이를 일으키고 암으로 진행될 수 있다.

(나) 만성 간질환

간은 우리 몸에서 가장 큰 장기로서, 필요로 하는 각종 영양분의 대사는 물론 뇌에 필요한 에너지를 공급하고, 독성물질들을 해독시키는 기능을 한다. 알코올을 자주 지나치게 마시게 되면 알코올성 지방간이 생기고, 심하면 알코올성 간염이나 간의 섬유화가 일어난다. 더 심하게 되면 알코올성 간경화증으로 발전된다. 알코올성 간염이나 간경화증의 경우 음주 후에 바로 나타나지 않고 오랜 기간 과음 후에 나타나는 이유는 간세포 특유의 재생능력으로 간세포가 죽어도 일부는 다시 살아나고 또 아픈지 모르고 지나치기 때문이다.

(다) 위장 질환

술은 구강과 식도를 통해서 위장에 도달하는데 일부(20~30%)는 위에서 흡수되고, 나머지 대부분은 소장 및 대장에서 흡수된다. 심한 스트레스나 불규칙적인 식사, 위산과다로 위에 염증이 있는 상태에서 음주를 계속하면 위장의 정상 기능에 나쁜 영향을 미쳐서 위염이나 위궤양으로 진전된다.

(라) 뇌신경계 질환

술을 조금 마시면 처음에는 중추 및 말초신경이 흥분되고 위산 분비가 촉진된다. 또한 도파민(dopamine)이라는 신경 전달물질이 분비되어 기분이 좋아지게 된다. 그러나 술을 과음하거나 장기간 남용 또는 과용하면 뇌세포 파괴를 촉진시켜 우리 뇌의 기능을 억제 시킨다. 이에 따라 기억 또는 사고능력 모두 떨어지고 술을 장기간 복용하면 뇌의 정상 구조에 영향을 주어 알코올성 치매를 일으킨다.

III

환경관리

CONTENTS

CHAPTER 08

환경보건

학습목표

- 기후 및 온열조건에 대해서 설명할 수 있다.
- 공기와 상수에 대해서 설명할 수 있다.
- 하수처리 방법을 설명할 수 있다.
- 폐기물 처리방법을 설명할 수 있다.
- 위생해충의 각각 특성과 소독에 대해서 설명할 수 있다.

01 환경보건의 이해

1) 환경의 정의

환경(environment)은 인간을 포함한 지구상의 생물체에 영향을 미치는 모든 요소이다. 인간을 중심으로 생각하면 환경은 인간의 건강이나 삶에 직 · 간접적으로 영향을 미치는 모든 요소라고 할 수 있다. 인간을 둘러싸고 있는 환경요인은 많기 때문에 일반적으로 자연환경과 인위적 환경으로 구분한다.

자연 환경은 공기, 물, 토지 등이 복합적으로 이루어 내는 물리적 환경과 인간 주위의 각종 생물체가 이루는 생물학적 환경으로 구성되어 있다. 인위적 환경은 인간이 주어진 자연환경에 적응하기 위하여 만들어 낸 인공적 요소인 주택, 의복, 위생시설 등과 정치, 경제, 교육 등의 사회 · 경제적 환경으로 구성되어 있다.

2) 환경보건학의 정의

2-1) 환경위생

위생이란 영어 용어는 sanitation과 hygiene이 혼용되고 있는데, sanitation은 공중위생에 hygiene은 개인위생에 관심을 두는 의미로 사용되고 있다. 따라서 환경위생을 environmental sanitation 또는 environmental hygiene라고 한다. 우리 인간이 환경을 개선하고자 하는 노력과 질병으로부터 건강을 유지하려는 노력은 인간의 역사와 함께 시작되었다. 이것이 환경위생과 공중보건 발전의 기초가 되어 왔다.

세계보건기구의 환경위생전문위원회는 "환경위생이란 인간의 신체발육과 건강 및 생존에 유해한 영향을 미치거나 또는 영향을 미칠 수 있는 모든 환경요소를 관리하는 것"이라고 규정하였다. 따라서 환경위생학은 사회·경제적 환경을 제외한 환경의 여러 요인들과 인간의 건강과의 관계를 다루는 학문이라 할 수 있다. 그러나 환경위생학이 위생적인 측면보다는 환경과 인간집단의 건강과의 관계를 주로 연구하기 때문에 최근에는 환경위생학보다는 환경보건학(environmental health)이라는 용어를 많이 사용하고 있다.

2-2) 환경보건학

환경보건학(environmental health)은 인간과 환경의 관계에서 인간을 중심으로한 보건문제를 연구하는 학문이다. 즉, 환경공학적 기술을 적용하여 생활환경을 개선하여 인간의 건강을 증진시키는 학문이라 할 수 있다. 환경보건학의 연구 분야는 크게 두 가지로 구분할 수 있다. 첫째, 인체의 신체발육과 건강유지에 영향을 미치는 유해한 환경인자를 학문적으로 연구하는 분야로 생리학, 환경의학 등이 해당된다. 둘째, 어떤 유해한 환경인자들을 인위적으로 통제하거나 관리하는 분야로 환경공학이 해당된다.

과거의 환경보건학은 자연 환경이 인체에 미치는 영향과 의복, 주거, 위해곤충 등을 대상으로 개인위생을 주로 다루었다. 그러나 최근에는 개인을 비롯하여 지역사회, 국가, 세계를 대상으로 발생되는 각종 환경문제까지 범위를 넓히고 있다.

02 기후

1) 기후의 정의

기후(climate)는 일정한 지역에서 장기간에 걸쳐 나타나는 대기현상의 평균적인 상태이다. 기상(meteorological phenomena)은 시시각각 변화하는 순간적인 대기현상(바람, 비, 구름, 눈 등)이지만 기후는 장기간의 대기현상을 종합한 것이다. 어떤 지역의 하루 동안의 기상상태는 일기(weather)라고 한다.

기후변동의 원인은 태양에너지 자체의 변동, 태양거리와 관련된 변동, 행성에 의한 것, 지구자전의 변화에 기인하는 것, 환경오염으로 인한 인위적인 변화 등 다양하다. 어느 지점의 기후는 각종 요소에 의해 구성되어 있는데, 이것을 기후요소라고 한다.

기후요소에는 기온, 기습, 기류, 기압, 바람, 강수량, 일조시간, 일사량 등이 있는데, 이중에서 기온, 기습, 기류를 기후의 3요소라고 한다.

2) 기단

기단(air mass)은 성질이 일정하고 거대한 공기덩어리로 주로 넓은 대륙 위나 해양 위에서 발생한다. 우리나라에 영향을 주는 기단으로는 시베리아기단(한랭건조), 오호츠크해기단(한랭다습), 북태평양기단(고온다습), 양쯔강기단(온난건조), 적도기단(고온다습) 등이 있다. 각 기단마다 특성이 있으므로, 어느 기단이 지배적인가에 따라 날씨를 예측할 수 있다.

3) 기후형

기후형(climatic type)은 기후요소와 기후인자의 상호작용으로 결정되는 기후의 성질을 분류한 것이다. 일반적으로 기후형에는 대륙성기후, 해양성기후, 사막기후, 산악기후 등이 포함된다. 구체적인 내용은 다음과 같다.

3-1) 대륙성기후

대륙성기후(continental climate)의 대표적인 특성은 기온의 연교차와 일교차가 해양에 비하여 매우 크다는 것이다. 기온이 빨리 상승하고 급속히 냉각한다. 그리고 겨울에는 일반적으로 고기압이 발달하여 맑은 날이 많고 바람이 약한데 반하여, 여름에는 기압이 낮아서 비가 많이 내린다. 대륙성기후의 영향을 받는 지역은 겨울이 되면 극도로 공기가 건조하고 습도가 저하되어 체감적으로는 습한 지방보다 추위를 더 심하게 느낀다.

3-2) 해양성기후

해양성기후(ocean climate)는 해양의 영향을 강하게 받는 온화한 기후이다. 해양성기후는 기온의 연교차와 일교차가 적으며 연중 온도가 높다. 바다의 영향을 받아 연중 습도가 높으며 구름과 강수량도 많은 기후로 대양과 섬에 잘 나타난다.

해상에는 지형의 영향이 없기 때문에 풍속이 강하며 비교적 규칙적인 바람이 분다. 해양성 기후는 육지와 해수와의 열용량의 차이, 해면으로부터의 증발, 바닷물 속으로의 태양열의 전달 등이 원인이다.

3-3) 사막기후

사막기후(desert climate)는 주로 내륙의 아열대고기압에서 발달하는 건조한 기후이다. 대륙성기후에 속하는 극단적인 기후형이라고 할 수 있다. 연중 강수량이 적어 식물이 거의 존재하지 않는 매우 건조한 기후이다. 강수량보다 증발량이 더 많으며, 일사가 매우 강한데다 지표가 노출되고 수증기의 양이 적으므로 밤과 낮의 기온 일교차가 크다.

3-4) 산악기후

산악기후(mountains climate)는 고산지방의 기후이다. 산악기후는 모래먼지가 적고 공기는 청정하며 일사량과 자외선량이 크다. 기온의 일변화와 연변화가 작고, 수증기량은 적으나 상대습도가 커서 구름, 안개가 잘 생기고 풍속이 강하다.

4) 기후대

기후대(climatic zone)는 지구상에서 기후가 대체적으로 비슷한 지역을 위도와 평행하게 나눈 지역을 말한다. 위도에 따라서 고위도부터 차례로 한대(polar zone), 온대(temperate zone), 열대(tropical zone)로 구분한다.

한대는 지구상에서 가장 추운 지대로 최난월 평균 기온이 10℃ 이하의 지역에 해당한다. 온대는 중위도에 해당하며, 기후가 따뜻하고 적당한 우량에 여름과 겨울의 구별이 뚜렷하다. 열대는 월평균기온이 20℃이상으로 보통 적도를 사이로 남북 양회귀선의 지대를 가리킨다.

03 온열조건

인간은 체내에서 열을 생산하고 체외로 열을 방출하면서 체온을 조절하는 항온동물이다. 체온조절에 영향을 미치는 외부환경 조건으로는 기온, 기습, 기류, 복사열 등이 있는데, 이를 온열요소(thermal element)라고 한다. 이들에 의해서 형성된 종합적인 상태를 온열조건(thermal condition)이라 한다.

1) 기온

기온(air temperature)은 지표면으로부터 1.5m 정도의 높이에 있는 대기의 온도를 말한다. 지표면 부근의 기온측정은 흔히 수은온도계를 이용한다. 건구온도는 풍속이나 습도에 영향을 받지 않지만, 습구온도는 온도, 습도, 기류의 종합작용에 의한 것으로 쾌적상태에서는 건구온도보다 3°C 정도가 낮다. 기온은 지면으로부터 약 10km 정도까지는 높이가 증가함에 따라 100m마다 약 0.5~0.6°C의 비율로 낮아지는데, 이와 같은 온도의 수직분포를 나타내는 범위를 대류권이라고 한다.

하루 중의 최저기온은 일출 전 30분이며 최고기온은 오후 2시경이다. 하루 중에 최고기온과 최저기온의 차이를 일교차라고 하며, 연중 최고기온과 최저기온의 차이를 연교차라고 한다. 일교차는 내륙지역은 해안지역 보다 크다. 연교차는 열대지방은 작고, 한대지방은 크다. 한편, 실내의 적정온도는 용도에 따라 차이가 있는데, 거실은 18±2°C, 침실은 15±1°C, 병실은 21±2°C이다. 기온은 섭씨(°C)와 화씨(°F)로 표시하며 각 단위 간의 환산은 다음과 같다.

$$°C = (°F-32) \times \frac{5}{9}$$

$$°F = (°C \times \frac{9}{5}) + 32$$

2) 기습

기습(air humidity)은 일정온도의 공기 중에 포함된 수증기의 비율이다. 기습은 낮에는 태양열을 흡수하여 대지의 과열을 방지하고, 밤에는 지열의 복사를 방지하여 기후를 완화시키는 작용을 한다. 수증기의 양은 위도와 고도가 높을수록 감소하여 2,000m의 높이에서는 지상의 약 1/2이 된다. 공기 중에 함유될 수 있는 수증기량은 기온의 상승에 따라 증가되기 때문에 절대습도의 많고 적음이 공기의 건습과 일치하지 않는 경우가 많다. 따라서 습도를 나타낼 때에는 공기의 건습정도를 나타내는 비교습도를 이용하게 된다.

인체에 쾌적한 습도는 40~70%의 범위로 기온에 따라 다르다. 15°C에서는 70~80%, 18~20°C에서는 60~70%, 24°C 이상에서는 40~60%가 적절하다. 실내의 습도가 너무 건조하면 호흡기계 질병이 발생하고, 너무 습하면 피부질환이 발생하기 쉽기 때문에 건조한 시기나 겨울철 실내에서는 인공적인 가습이 필요하며, 우기에는 습기를 제거하는 것이 필요하다.

3) 기류

기류(air current)는 공기의 흐름이다. 바람은 수평방향의 공기 흐름만을 의미하지만, 기류는 수평방향과 수직방향의 모든 공기 흐름을 의미한다. 찬공기는 밀도가 크고 더운 공기는 밀도가 작다. 태양복사에너지에 의한 공기의 가열은 결국 위도에 따른 온도차를 나타내게 된다. 이런 이유로 대류현상이 일어나게 되고 공기의 흐름이 발생되게 된다.

기류의 크기는 풍속으로 보통 m/sec, 또는 cm/sec로 나타낸다. 사람이 느낄 수 있는 기류의 하한계 범위는 0.5m/sec으로 그 이하를 불감기류라 하고, 0.1m/sec 이하를 무풍이라 한다. 쾌적한 기류는 실내에서 0.2~0.3m/sec 정도이며, 실외에서는 1.0m/sec 정도이다.

4) 복사열

복사열(radiant heat)은 열복사로 방출된 전자파가 물체에 흡수되어 물체를 데울 경우의 에너지를 말한다. 복사는 대류나 전도와 같은 현상을 거치지 않고 열이 직접 전달되었기 때문에 열의 전달이 순간적으로 일어난다. 복사열의 측정에는 흑구온도계가 사용된다.

복사열은 적외선에 의한 열이며, 태양에너지의 약 50%는 적외선이다. 복사열은 절대영도 이상의 모든 물체의 표면에서 방출되므로 실제로는 인간이 살고 있는 곳의 주위에는 언제나 복사열을 내는 발열체가 있다. 그러므로 태양의 직사광선을 받거나 난로와 같은 발열체 주위에 있을 때에는 실제 기온보다 더 큰 온감을 느끼게 된다. 이런 열의 전달 형태가 복사이다. 복사열의 영향은 거리의 제곱에 비례하여 감소된다. 그러므로 일정한 거리에 떨어진 곳에서는 물체의 의한 복사열의 영향이 무시될 수 있다. 인체의 열복사는 주위온도와 피부온도가 같을 때에는 일어나지 않지만 주위온도가 낮으면 체열의 방산이 커진다.

5) 온열지수

기온, 기습, 기류, 복사열 등의 온열인자는 상호복합적으로 작용하기 때문에 온열조건의 종합작용을 파악하는 것이 중요하다. 각각의 온열조건이 복합적인 작용으로 만들어지는 값을 온열지수(thermal index)라고 한다. 감각온도, 쾌감대, 불쾌지수 등이 대표적인 온열지수이다.

5-1) 감각온도

감각온도(effective temperature; ET)는 사람이 느끼는 환경온도로 실효온도라고도 한다. 사람이 느끼는 환경온도는 반드시 그때의 기온과 일치하지는 않는다. 이것은 습도와 기류가 영향을 주기 때문이다. 야글루(Yaglou)와 밀러(Miller)가 기온, 습도, 기류를 조합하여 사람의 감각을 기초로 해서 고안한 것이 감각온도이다. 습도 100%와 무풍 상태의 기온을 감각온도의 기준으로 한다. 실험에 의한 건 · 습구온도와 풍속의 측정치로부터 구해진 감각온도 도표를 이용하여 실제의 감각온도를 산출하게 된다. 감각온도 도표에는 인체가 가장 쾌적하게 느낄 수 있는 온도, 습도, 풍속의 어떤 일정 범위를 쾌감대로 나타낸다.

5-2) 쾌감대

쾌감대(comfort zone)는 인체에 가장 쾌적하게 느껴지는 온도, 습도, 풍속에 의하여 정해지는 어떤 일정한 범위를 말한다. 감각온도(effective temperature)에 있어서 기분 좋게 느끼는 온도를 쾌감대라 하고 그 중앙치를 쾌감선이라 한다. 쾌감대는 작업, 의복, 습관 등에 따라서 차이가 있으며 개인차도 있다. 동양인들은 서양인들에 비하여 쾌감대가 저온 쪽으로 기운 것으로 알려져 있다. 일반적으로 성인이 옷을 입은 상태에서 쾌감을 느낄 수 있는 상태는 17~18℃의 온도, 60~65%의 습도, 0.5m/sec 이하의 불감기류이다.

5-3) 불쾌지수

불쾌지수(discomfortable index; DI)는 날씨에 따라 사람이 느끼는 불쾌감의 정도를 기온과 습도를 이용하여 나타내는 수치로 온습도지수라고도 한다. 이 지수는 복사열이나 기류의 영향이 포함되어 있지 않아 감각온도와 차이가 있을 수 있는 단점이 있어 주로 실내에 적용된다. 특히 여름철 실내의 무더위 기준으로 사용된다. 불쾌지수를 산출하는 공식은 다음과 같다.

$$DI = (\text{건구온도}°C + \text{습구온도}°C) \times 0.72 + 40.6$$
$$DI = (\text{건구온도}°F + \text{습구온도}°F) \times 0.4 + 15$$

불쾌지수는 1959년 6월에 미국 기상대가 처음 사용하였고, 우리나라에서는 1964년에 도입되었다. 불쾌지수가 70~75인 경우에는 약 10%, 75~80인 경우에는 약 50%, 80 이상인 경우에는 대부분의 사람이 불쾌감을 느끼는 것으로 알려져 있다. 그러나 태양복사나 바람 조건은 포함되지 않고 기온과 습도만을 고려하기 때문에 여름철 무더위의 기준으로 사용하기에는 한계가 있다.

공기는 지상으로부터 약 1,000km 상공까지의 대기층을 형성하고 있는 혼합가스를 말한다. 지상에서 11~12km 이내의 대기층이 대류권(trophosphere)이고, 12km 이상의 대기층은 성층권(stratosphere)인 동시에 오존층(ozone)이다. 주로 해발 10km내의 공기는 99% 전후가 질소와 산소로 구성되어 있으며, 다른 화학성분이 1%를 차지하고 있다.

04 공기

1) 공기의 구성

1-1) 질소

질소(N_2)는 공기 중의 약 78%를 차지하고 있으며, 호흡할 때에 단순히 기도를 출입할 뿐이며 생리적인 작용을 하지 않는 불활성 기체이다. 정상기압(지구표면은 대략 1기압)에서는 인체에 직접적인 피해를 주지 않지만, 고기압이나 급격한 기압강하가 있을 때에는 인체에 심각한 영향을 미칠 수 있다.

질소는 고기압 상태에서는 중추신경계 마취작용을 하게 되며, 고기압에서 저기압으로 갑자기 복귀할 때에는 잠함병(caisson disease)이 발생한다. 잠함병은 감압병이라고도 하는데, 고압상태로부터 급속히 감압할 때는 체액 중에 용해되어 있던 질소가 기체가 되면서 기포를 형성하여 모세혈관에 혈전 현상을 일으킨다. 수면 아래의 압력은 수심이 10m 깊어질 때 마다 1기압씩 증가하여 잠수를 하게 되면 고기압 상태에 노출되게 된다. 잠수를 하다가 수면으로 나오게 되면 고기압에서 저기압으로 감압이 급격하게 변화하게 되는데, 이때에 조직 중에 있던 질소는 완전히 체외로 배출되지 못하고 기포상태로 혈관이나 조직에 남게 되어 혈액순환을 저해하거나 조직을 압박하여 울혈, 부종, 출혈, 동통 등의 신체장애를 유발한다. 이런 이유로 잠수 활동을 오랜 시간할 수 없다.

1-2) 산소

(가) 산소 작용

호흡을 통해서 몸으로 들어온 산소(O_2)는 혈중의 헤모글로빈(Hb)과 결합하여 HbO_2로서 각 세포조직에 운반되어 체내 물질연소에 사용된다. 산소는 공기의 약 21%

를 차지하고 있다. 성인은 안정상태에서 호흡을 통해서 흡입하는 산소량의 4~5%를 소비한다. 인체는 산소의 감소 또는 증가에 대한 저항력이 있어 인간이 감당할 수 있는 산소의 변동범위는 15~50%인 것으로 알려져 있다.

(나) 저산소증

저산소증(hypoxia)은 호흡기능의 장애로 숨쉬기가 곤란하여 체내 산소 분압이 떨어진 상태이다. 산소 운반량의 감소는 조직의 저산소증을 초래하며, 조직의 세포를 파괴할 뿐 아니라 인체의 활동을 정지시킬 수도 있다. 산소가 11~12%가 되면 위험성이 있고, 7% 이하가 되면 사망한다.

저산소증은 특히 중추신경계 영역의 변화를 일으키며, 급성 저산소증의 경우 판단력 장애, 운동 실조 등의 증상을 유발할 수 있다. 고산병의 경우 저산소증으로 뇌혈관 확장에 따른 이차적 두통과 위장관 증상, 어지러움, 불면증, 피로감, 졸림 등의 증상을 나타낸다. 또한, 폐부종이나 뇌부종을 초래하며 저산소증이 심해지면 결국은 호흡곤란에 의해 사망하게 된다.

(다) 산소중독

산소중독(oxygen poison)은 지나치게 많은 산소를 함유한 기체를 호흡하여 일으키는 증세이다. 산소의 부분압이 0.6대기압 이상인 기체를 장시간 호흡하면 중독의 위험이 생기며, 1.6대기압이면 점점 중독이 빨리 오고, 2대기압의 경우 약 30분 정도 지나면 산소중독을 일으키기 시작한다. 증세는 근육의 경련, 멀미, 현기증, 시야가 좁아짐, 호흡곤란, 발작 등이 발생한다.

표 3-1 산소 농도에 따른 인체 증상

농도(%)	증 상
14~15	호흡수 증가, 맥박 증가, 중노동 곤란
10~11	호흡곤란, 최면, 작업 동작 지장
7	안면 창백, 정신착란, 감각둔화, 질식, 혼수
6	근육반응실조, 지각 손실
4	1분 이내 졸도

1-3) 이산화탄소

이산화탄소(CO_2)는 탄소를 포함하고 있는 물질이 타거나 발효할 때, 동물이 호흡할 때에 발생한다. 무색, 무취, 무자극성 기체로 공기 중의 비율은 0.03%이다. 성인이 호흡할 때에 1시간에 약 20L의 이산화탄소를 배출한다. 공기 중의 이산화탄소 농도가 높으면 인체의 위해할 수 있어서 3% 이상에서 불쾌감이 오고, 6% 이상에서는 호흡횟수가 현저히 증가하며, 8%에서 호흡곤란, 10%에서 의식을 상실하고 사망하게 된다. 일반적으로 이산화탄소는 실내공기의 전반적인 오탁정도를 잘 나타내므로 실내공기 오염지표로 이용된다.

표 3-2 이산화탄소 농도에 따른 인체 증상

농 도(%)	증 상
2.5까지	1시간 호흡에 영향이 없음
3.0	호흡 심도 증가
4.0	중압감, 두통, 혈압상승, 실신
6	호흡 급속히 증가, 호흡 곤란
8~10	호흡 정지, 사망

2) 실내공기 오염

현대인은 실내에서 지내는 시간이 점점 증가되고 있다. 주택 뿐만 아니라 사무실, 작업장, 상가, 지하 시설물, 자동차를 비롯한 교통기관 등 많은 시간을 실내에서 생활하면서 실내오염의 문제가 대두되기 시작하였다. 실내공기의 오염현상은 오염원과 오염물질에 따라 다양하게 나타난다. 또 오염물질의 특성상 다양한 물리적, 화학적 및 생물학적 요인이 있다. 실제로 연료, 담배연기, 먼지, 포름알데히드 등의 휘발성 유기화합물, 석면, 라돈, 미생물, 진드기와 해충 등 수없이 많다. 이들이 복합적으로 작용하게 되면 실내공기를 더욱 악화시킬 수 있다. 연료에 따라 일산화질소, 이산화질소, 이산화탄소, 일산화탄소, 이산화항 등의 가스와 무기입자, 탄화수소와 같은 유기입자, 중금속 등을 배출할 수 있다. 담배연기는 가장 흔한 실내오염원이다. 여기에서는 실내오염으로 군집독과 일산화탄소 중독에 대해서 살펴보도록 한다.

2-1) 군집독

밀폐된 공간에 많은 사람이 모여 장시간 있게 되면 실내에 있는 사람에게 생리적으로 좋지 않은 영향을 미칠 수 있다. 대표적인 현상으로 불쾌감, 권태감, 두통, 구토, 현기증 등을 일으키고 때로는 졸도하게 되는데, 이와 같은 생리적 이상을 군집독(crowd poisoning)이라고 한다. 군집독은 여름철 만원 상태의 극장에 환기시설이 없을 때나 겨울철 밀폐된 실내에 다수인이 밀집되어 있을 때에 잘 발생한다. 군집독을 일으킬 수 있는 요인은 취기, 온도, 습도, 연소가스, 공기이온, 먼지 등이다. 그러므로 군집독의 예방으로 가장 중요한 것은 환기이다.

2-2) 일산화탄소 중독

일산화탄소(CO)는 무색, 무미, 무취의 기체이며, 비중이 공기와 거의 같아 혼합되기 쉽고 확산성과 침투성이 강하다. 물체가 불완전 연소할 때 많이 발생한다. 일산화탄소는 헤모글로빈(Hb)과의 결합능력(친화성)이 산소에 비해 200~300배나 강한 것으로 알려져 있다. 일산화탄소가 호흡을 통하여 인체에 흡입되어 혈액으로 들어가게 되면 HbO_2의 형성을 방해하고 헤모글로빈과 결합하여 HbCO을 형성하게 된다. 그 결과로 헤모글로빈의 산소 결합능력을 빼앗아 혈중 산소의 농도를 저하시키고, 조직세포에 공급할 산소공급의 부족을 초래하여 산소결핍증을 일으키는 일산화탄소 중독 현상을 보인다.

장기간 일산화탄소를 흡입할 때에 조직은 산소가 부족하며, 이 경우에 많은 산소를 필요로 하는 운동중추가 가장 빨리 영향을 받는다. 중추신경계는 산소부족에 민감하므로 기능의 저하, 두통, 현기증, 의식상실 등을 일으킨다. 만성일산화탄소 중독시에는 건망증, 두통 등을 보인다. 한편, 일산화탄소가 실내공기의 0.05~0.1%만 차지해도 중독이 일어날 수 있다. 실내공기에서 일산화탄소의 허용한계는 0.01%이다.

05 상수

1) 물과 건강

물은 생활용수, 공업용수, 농업용수 등으로 이용될 뿐만 아니라 생물체가 정상적인 생리기능을 하며 생명을 유지하는데 필수적인 요소이다. 특히, 우리 인체의 60~70%는 수분으로 구성되어 있다. 물은 인체 내에서 음식물의 소화, 운반, 영양분의 흡수, 운동, 노폐물의 배설, 호흡, 순환, 체온조절 등의 생리작용을 한다. 이러한 기능을 유지하기 위하여 성인의 경우 하루에 2~3L의 물이 필요하다. 인체에 있는 수분의 10~15%가 상실되면 생리적 이상이 오고 20% 이상 상실되면 생명이 위험하다.

1-1) 수인성 감염병

물은 사람에게 많은 질병이나 건강상 위해를 주기도 한다. 이는 물속에 병원성 미생물, 기생충, 독성물질 등이 존재하거나 또는 오염되어 발생하는 현상이다. 물을 매개로 감염되는 질병을 수인성 감염병(water borne infection)이라고 한다. 관련 병원체에 오염된 물을 마셔 발생하기 때문에 경구감염병(oral infection)이라고도 한다. 수인성 감염병은 주로 병원성 세균, 바이러스, 원생동물 및 기생충 등에 의하여 발생된다. 수인성 감염병은 장티푸스, 파라티푸스, 세균성 이질, 콜레라, 유행성 간염 등이 대표적이며, 다음과 같은 특성이 있다.

- 같은 상수원을 사용하는 지역의 모든 인구에서 발생한다.
- 집단적으로 발생하고 감염 속도가 빨라 발생지역이 넓게 분포한다.
- 소화기계통의 통증이나 설사 증상이 집단적으로 발생한다.
- 계절의 영향은 받지 않으나 온도가 높을수록 병원체의 활동이 활발하므로 여름철에 발생이 많다.
- 잠복기가 길고, 치사율 및 2차 감염률은 낮으며 상수원 사용을 중단하면 발병률은 빨리 감소한다.

1-2) 먹는 물의 수질관리

(가) 수질기준

물은 인간의 건강에 직접적인 영향을 미치기 때문에 먹는 물에 대한 관리는 중요하다. 우리나라는 1995년 먹는물관리법을 제정하여 환경부장관은 먹는 물의 수질기준을 정하도록 하고 있으며, 환경부와 시 · 도지사는 먹는 물에 대한 수질검사를 지속적으로 실시하도록 규정하고 있다. 또한, 환경부령으로 먹는 물의 수질기준 및 검사횟수 등을 규정하고 있다.

먹는 물의 수질기준으로서 규정하고 있는 물질의 종류와 규제기준은 국가마다 수질상태에 따라 차이가 있는데, 미국은 85종류, 영국과 프랑스는 58종류, 호주 44종류를 규정하고 있으며, 세계보건기구(WHO)는 121종류의 수질기준 항목으로 권장하고 있다. 우리나라는 55종류를 기준항목으로 규정하고 있다. 먹는물수질기준법은 수질기준과 함께 성분별로 정량한계와 시험결과 유효숫자표기 기준도 규정하고 있는데, 검출량이 정량한계 미만일 때는 불검출로 표기하도록 규정하고 있다.

(나) 수돗물 검사주기와 검사항목

수돗물의 수질검사는 정수장에서 일일검사, 주간검사, 월간검사 등으로 구분하여 실시하고, 수도전(hydrant)에서는 월간검사를 실시한다. 간이상수도는 분기별 검사를 실시하고, 공공시설의 먹는 물 검사는 분기별 검사와 연간검사를 실시한다. 검사항목별 검사주기는 다음과 같다.

- 일일검사(6개) : 색도, 탁도, 냄새, 맛, pH, 잔류염소
- 주간검사(6개) : 대장균군, 일반세균, 암모니아성 질소, 질산성 질소, 과망간산칼륨 소비량, 증발잔유물
- 월간검사(55개) : 먹는 물 수질기준 55개 모든 항목
- 수도전의 월간검사(3개) : 일반세균, 대장균군, 잔류염소

1-3) 상수도

상수도(waterworks)는 수도라고 하는데, 파이프에 의하여 음료수를 공급하는 것이다. 상수도는 화학적, 세균학적으로 안전한 물을 공급하기 위한 것이므로 가정용 상수는 불쾌한 맛이나 냄새가 나면 안 된다.

(가) 상수원

사람이 먹거나 생활에 쓰는 물은 깨끗하고 냄새가 나지 않으며 건강에 유해한 물질이나 병원성 미생물을 함유하지 않아야 한다. 먹는 물의 수원으로는 천수, 지표수, 지하수 등을 이용할 수 있다. 구체적인 내용은 다음과 같다.

① 천수

천수는 빗물, 눈, 우박 등의 강우이다. 최초에는 순수한 물이지만 지상으로 강하하면서 각종 세균, 먼지 등을 함유하게 되어 깨끗한 물은 아니다. 특히, 최근에는 산성비와 황사비가 문제가 되고 있다.

② **지표수**

지표수에는 하천수와 호소수가 포함되며 천수, 지질 및 지하수 함유물질을 포함하고 있고, 가장 오염되기 쉬운 물이다. 하천수는 어느 정도의 흐름이 있어 수질변화가 심하며, 호수 및 저수지는 거의 유동이 없어 수심의 중간부분은 수질이 좋은 반면에 수면이나 심층부는 수질이 나쁘다. 지표수는 급수원으로 가장 많이 이용된다.

③ **지하수**

지하수는 빗물이나 지표수가 지하로 침투한 물로 수온이 낮고 미생물과 유기물이 적으며 탁도가 낮아 좋지만 경도가 높다. 지하수는 천층수, 심층수, 용천수, 복류수 등으로 구분된다. 지하수를 취수하기 위해서는 우물을 사용한다.

(나) 상수도의 구성

일반적으로 상수원수가 상수도를 거쳐 소비자에게 전달되는 과정은 다음과 같다.

그림 3-1 상수도 구성

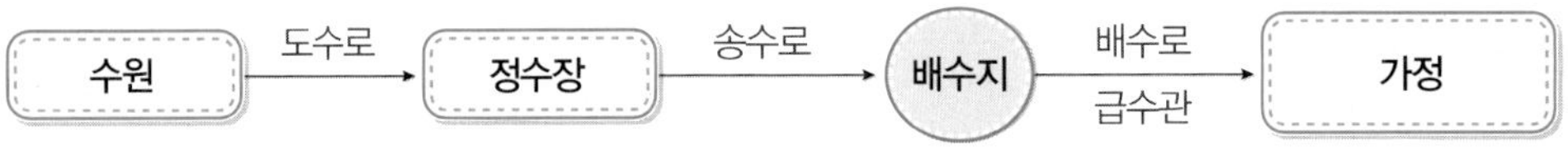

수원 —(도수로)→ 정수장 —(송수로)→ 배수지 —(배수로/급수관)→ 가정

① **도수 및 송수 시설**

도수는 상수원에서 취수한 물을 정수장까지 보내는 시설이며, 송수는 정수장에서 처리된 물을 배수지까지 공급하는 시설이다. 도수시설에는 수원에서 취수한 원수 내의 모래제거를 위한 침사지가 설치되기도 하고, 송수는 정수한 물을 운반해야 하므로 오염관리가 철저히 이루어진다. 도수와 송수를 위한 수로에는 개수로와 관수로가 있다. 개수로는 동력없이 자연유하식과 중력식이며, 관수로는 펌프를 이용하는 가압식이다.

② **배수시설**

배수시설은 정수된 물을 배수지로부터 배수관망 말단까지 보내는 시설이다. 상수도 시설 중에서 소비자가 원하는 시간에 원하는 장소에서 필요한 물을 사용할 수 있도록 하는 시설로 상수도 시설 중에서 비용이 가장 많이 소요된다. 수돗물의 수질을 양호하기 위해서는 급배수 관로의 관리가 중요하다. 이를 위해서는 정기적인 관세척, 잔류염소 농도의 관리 및 수돗물의 정기적인 검사가 필요하다.

③ **급수시설**

급수시설은 배수관에서 분기되어 각 소비자의 수도꼭지에 이르는 각종 급수용구이다.

급수시설에는 급수관, 양수기, 급수시설 밸브, 수도꼭지 등이 있다. 다른 수도시설과 달리 공사비를 수요자가 부담한다. 급수방식은 직결식과 탱크식이 주로 이용되는데, 직결식은 배수관에 직접 급수관을 연결하는 방법이고, 탱크식은 고층건물 등에서 배수관의 물을 건물옥상이나 지하에 설치한 집수탱크에 저장한 후에 급수하는 방식이다. 그런데 탱크식의 경우 저수조에 물이 일정시간 저장되기 때문에 새로운 수질관리의 문제가 제기된다.

(다) **상수처리**

물이 자연적으로 정화되는 현상을 자정작용(self purification)이라 한다. 이는 수중의 오염물질이나 불순물이 공기와의 접촉을 통하여 또는 물리적, 화학적 및 생물학적 작용을 통하여 분해되거나 안정화되는 현상이다. 물의 자정작용에는 희석작용, 침전작용, 자외선, 산화작용, 생물의 식균작용 등이 있다.

그러나 먹는 물은 철저한 관리가 필요하기 때문에 인공적 정수법을 거치게 된다. 인공적 정수법은 일반적으로 침전, 여과, 소독의 순서로 실시된다. 수원의 종류와 목적에 따라 생물제거법, 제철법, 제망간법 등의 특수정수법이 실시되기도 한다. 구체적인 내용은 다음과 같다.

① **침전**

침전은 물보다 비중이 큰 고형물을 침강시키는 조작이다. 침전법에는 보통침전과 약품침전이 있다. 보통침전은 탁도가 비교적 낮은 물에 대하여 침전지에서 유속을 느리게 하거나 정지시켜 부유물을 침전시키는 방법이다. 보통침전법은 시간이 많이 소요되어 완속침전법이라고도 한다. 한편, 약품침전은 미세입자나 용존물질을 제거하기 위하여 응집제를 주입하여 불용성 응집물인 플록(flock)을 형성하게 하여 침전효과를 높이는 방법이다. 약품침전은 침전시간이 짧으므로 대도시에서 주로 이용된다.

② **여과**

여과(filtration)는 유동성이 있는 고체와 액체혼합물을 다공성(prosity) 여과재를 지나게 하여 고체는 여과재의 표면이나 내부에 퇴적시키고, 액체는 투과시켜 양자를 분리시키는 방법이다. 여과재는 여러 종류가 사용되나 많은 양의 상수원을 처리하는 정수장에서는 주로 모래를 사용한다. 모래를 사용하는 여과지에는 완속모래여과와 급속모래여과가 있다.

① 완속모래여과

완속모래여과(slow sandfilter)는 수질이 약품침전을 하지 않아도 될 만큼 낮은 탁도를 가진 물에 적용하며 여과속도가 매우 낮다. 여과작용이 주로 모래층 표면에서 이루어지므로 수두손실이 증가되어 여과기능이 떨어지면 모래층 표면을 1~2cm 정도 제거하고 새로운 모래로 바꾸어 주면 된다. 완속모래여과는 수질이 양호한 원수를 적용할 경우에는 부유입자, 박테리아, 냄새, 철, 망간 등까지 제거할 수 있으나 넓은 부지가 필요하므로 시공비가 많이 소요된다.

② 급속모래여과

급속모래여과(rapid sandfilter)는 오염된 원수를 침전 또는 응집처리 후에 침전되지 않은 응결물이나 불순물을 제거하는 방법으로 여과속도를 완속여과보다 40배 정도 빠르게 한다. 정수장에서 가장 일반적으로 사용하는 방법이다. 완속여과보다 큰 모래를 사용하며, 여과막이 빨리 두터워지기 때문에 보통 하루에 1~2회 열류 세척을 한다. 급속모래여과는 수원의 탁도, 색도가 높을 때에 적합하다.

③ 소독

침전이나 여과 과정을 거치면서 세균은 대부분 제거할 수 있으나 병원성 미생물이 잔류할 가능성이 있기 때문에 화학적 처리방법에 의한 소독(disinfection)이 필요하다. 원수가 깨끗한 경우에 침전과 여과는 생략할 수 있으나 소독은 생략할 수 없다. 물의 소독에는 열, 자외선, 화학약품, 이온교환, pH 변화 등 여러 방법이 이용된다. 상수소독에는 주로 염소소독이 사용되는데, 최근에는 우리나라의 일부 도시에서는 오존소독도 활용하고 있다.

① 염소소독

우리나라는 공중위생법에서 음용수의 소독제는 염소제인 액화염소, 표백분, 이산화염소를 살균소독제로 사용하도록 규정하고 있다. 음용수의 수질기준 등에 관한 규칙에서는 수도 또는 공동우물이나 간이급수시설에 의해서 공급되는 음용수는 수도전이나 음용 직전의 유리잔류염소농도를 0.2mg/L 이상 유지하도록 규정하고 있다. 그러나 병원미생물에 오염되었거나 오염될 우려가 있는 경우는 0.4mg/L(결합형 잔류염소 0.8mg/L) 이상으로 규정하고 있다.

염소소독은 강한 소독력, 우수한 잔류효과, 간편한 조작방법, 저렴한 비용 등의 장점이 있어 광범위하게 사용되고 있으나 냄새가 강하고 트리할로메탄(trihalomethane; THM)이라는 독성물질이 형성되는 단점이 있다.

② 오존소독

오존은 무색의 독특한 냄새를 가진 기체로 강력한 산화력을 가지고 있어 외국에서는 오래 전부터 정수처리장에서 사용하였다. 특히, 오존은 기체이므로 살균 후 수중에 잔존하지 않아 냄새가 없는 청정한 살균제이다. 그러나 오존은 일반적인 자연 환경에서는 합성되지 않는 물질로 특수한 장비를 통해서 생성되므로 제조 원가가 높고 잔류효과가 없어 미생물이 부활할 수 있다.

06 하수

하수(sewage)는 사람의 생활과정에 발생하는 액상폐기물과 우수의 총칭이다. 하수에는 생활하수(취사, 세탁, 목욕, 수세변소 등), 산업폐수, 분뇨 및 축산폐수, 천수 등이 포함된다. 하수를 그대로 방류하면 악취 발생, 병원 미생물 및 쥐 · 곤충 번식 등으로 보건위생 문제를 발생시키고 하천이나 해양을 오염시켜 수산자원에도 나쁜 영향을 미치게 된다. 따라서 하수의 위생적 관리는 매우 중요하다.

1) 하수도

하수도는 하수를 운반하는 시설로 합류식(combined system), 분류식(separate system), 혼합식(mixed system) 등으로 구분된다. 합류식은 모든 하수를 하수처리장으로 운반하는 것이고, 분류식은 공장 및 가정 용수 등은 하수처리장을 거치도록 하고 천수는 별도로 공공수역으로 운반하도록 되어 있는 구조이다. 한편, 혼합식은 천수와 가정용수 등의 일부를 함께 운반하는 하수도이다.

하수처리의 목적은 우수의 신속한 배제와 오수의 적절한 처리를 통해 침수방지 및 수질오염을 예방하는 것이다. 이런 하수처리를 위해서 하수관을 통하여 하수를 신속히 배제하고 하수처리장에서 처리하여 방류시켜야 하는데 이와 관련된 시설이 하수도라고 할 수 있다.

2) 하수처리 방법

하수처리 방법은 처리하려는 폐수의 성질과 처리 후의 수질기준에 따라 달라진다. 하수를 처리하는 방법은 크게 물리적 처리, 화학적 처리, 생물학적 처리 등으로 구분할 수 있다.

물리적 처리는 크기, 비중 등과 같이 물리적 특성을 이용하여 처리하는 방법으로 스크린(screen), 침전, 부상 등이 있다. 화학적 처리는 화학약품을 사용하여 불순물을 제거하는 방법으로 응집침전, 소독, 산화, 환원 등이 있다. 생물학적 처리는 미생물을 이용하여 처리하는 방법으로 용존상태의 유기물이나 무기물을 침전 가능한 미생물로 변화시켜 제거하는 방법으로 활성슬러지법, 살수여상법, 혐기성 처리 등이 있다.

한편, 하수처리는 하수처리 과정에 따라 예비처리, 본처리, 오니처리 등의 순서로 진행된다. 구체적인 내용은 다음과 같다.

그림 3-2 하수처리 방법

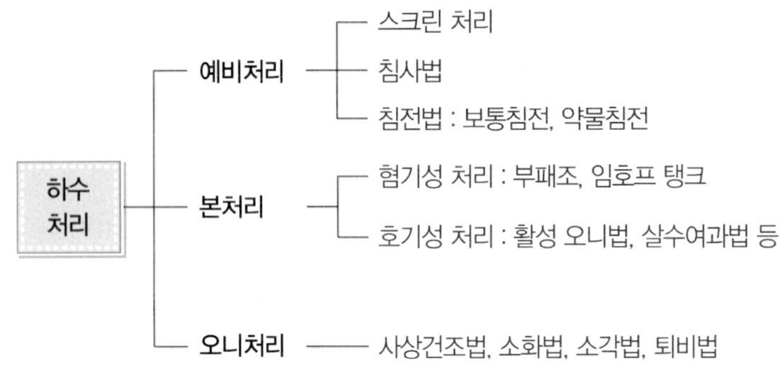

2-1) 예비처리

예비처리에는 스크린 처리, 침사법, 침전법 등이 포함된다. 스크린 처리는 하수 유입구에 제진망(screen)을 설치하여 부유물이나 고형물을 제거하는 방법이고, 침사법은 침사지(grit chamber)로 유속을 감속시켜 토사 등의 비중이 큰 물질을 침전시키는 방법이다. 침전법에는 보통침전(plain sedimentation) 및 약품침전(chemical sedimention)의 방법이 있다.

2-2) 본처리

하수의 1차 처리에서는 주로 하수 중의 입자 성분을 제거하고, 2차 처리에서는 대개 용해성 유기물질을 생물학적 처리법으로 산화시킨다. 여기에는 호기성 처리법과 혐기성 처리법이 있다. 호기성 처리법에는 활성슬러지법, 살수여상법, 산화지법 등이 있다. 혐기성 처리법에는 소화법과 부패조 등이 있다.

(가) 호기성 처리법

호기성 처리법(aerobic disposal)는 산소를 공급하여 호기성 균에 의하여 처리하는 방식으로 이산화탄소의 발생이 많다.

① **활성슬러지법**

활성슬러지(오니)법은 하수의 생물학적 처리법 중 가장 진보된 방식이다. 제1차 침전지를 거쳐 나온 하수에 활성슬러지를 가하고 충분한 공기를 공급하여 호기성 미생물의 활동에 의하여 유기물을 산화시키는 방법이다. 활성슬러지법 운전 시에 가장 중요한 것은 용존산소 농도조절이다. 활성슬러지법은 경제적이며, 처리 면적이 적어도 가능하지만 고도로 숙련된 기술이 필요하다.

그림 3-3 활성슬러지법 처리과정

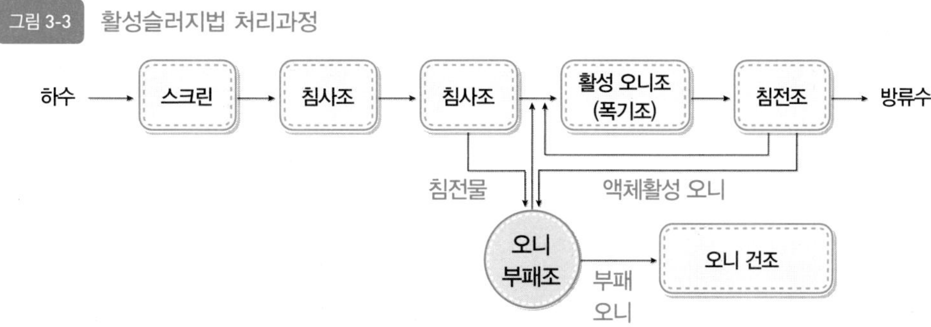

② **살수여상법**

살수여상법(trickling filter)은 하류방향으로 흐르는 폐수가 고정된 여재표면에 형성된 미생물 막과 접촉하여 부유물질은 흡착되어 제거되고 용존성 유기물은 미생물에 의해 분해되어 제거되는 방법이다. 살수여상법은 호기성이지만 여재표면만 호기성이고 내부는 혐기성 상태이다. 운전 및 유지관리가 용이하고 산소를 공급할 때에 에너지를 공급할 필요가 없어 경제적이다. 그러나 온도에 민감하고 냄새가 발생할 수 있으며 결빙, 파리번식 등의 유지관리가 어렵다. 또한, 넓은 부지가 필요하기 때문에 설치비가 많이 든다.

③ **산화지법**

산화지법은 물의 생물학적, 화학적, 물리적 자정작용을 이용한 처리방법이다. 산화지법의 원리는 호기성 균이 유기물을 분해하고, 조류는 이들 유기물과 햇빛을 이용하여 광합성을 하여 산소를 방출한다. 세균은 방출된 산소를 이용하여 유기물을 분해한다. 순환연결고리를 형성하여 폐수를 처리하는 방법이다.

(나) 혐기성 처리법

혐기성 처리법(anaerobic disposal)은 산업폐수 등에 함유된 고농도의 유기물을 혐기성 미생물에 의해 분해하는 것이다. 혐기성 처리법은 호기성 처리법에 비해 유기물의 제거율이 다소 낮기는 하지만 산소를 공급할 필요가 없다. 슬러지 발생량이 적으며 처리부산물로 메탄 등을 얻을 수 있는 장점이 있다.

① 부패조

부패조(septic tank)는 단순한 탱크로 하수의 부유물인 부사(scum)를 형성하여 무산소 상태를 만들어 혐기성균의 분해작용을 촉진시켜 처리하는 방법이다. 부사를 뚫고 올라온 가스로 냄새가 나는 것이 단점이다. 부패조는 주택, 학교, 상가 등의 정화조로 주로 이용되고 있으며 침전과 소화가 동시에 진행된다.

② 임호프 탱크

임호프 탱크(imhoff tank)는 부패조의 결점을 보완하여 침전실과 오니 소화실로 나누어 처리되도록 한 것이다. 가스 출구에서는 검은 거품이 생기고 불쾌한 냄새가 발생한다. 소규모의 하수처리에 이용된다.

2-3) 오니처리

오니처리(sludge disposal)는 하수처리 과정의 마지막 단계로 육상투기, 해양투기, 소각, 퇴비화, 사상건조법, 소화법 등이 이용된다. 사상건조법은 모래 위에 말려서 이용하는 방법이고, 소화법은 소화탱크에 넣어서 혐기성 부패를 일으키게 하여 오니 중의 유기물을 분해 안정화시키고, 병원미생물을 사멸시키는 방법이다. 충분히 소화된 오니는 사상건조법과 마찬가지로 건조시켜서 비료로 사용할 수 있다. 소화법은 가장 발전된 오니처리 방법이라 할 수 있다.

07 폐기물

1) 폐기물의 분류

폐기물(waste disposal)은 인간의 활동에서 배출되는 효용가치가 낮은 물질이다. 우리나라 폐기물관리법에서는 "폐기물이란 쓰레기, 소각재, 오니, 폐유, 폐산, 폐알칼리, 동물의 사체 등으로써 인간의 생활이나 사업활동에 필요하지 아니하게 된 물질을 말한다"라고 규정하고 있다.

폐기물은 크게 생활폐기물, 사업장폐기물, 지정폐기물, 감염성폐기물 등으로 구분할 수 있는데, 구체적인 내용은 다음과 같다.

- 생활폐기물은 사업장폐기물 외의 폐기물이다.
- 사업장폐기물은 대기환경보전법 · 수질환경보전법 또는 소음 · 진동규제법의 규정에 의하여 배출시설을 설치 · 운영하는 사업장에서 발생되는 폐기물이다.
- 지정폐기물은 사업장폐기물중 폐유 · 폐산 등 주변환경을 오염시킬 수 있거나 감염성폐기물 등 인체에 위해를 줄 수 있는 유해한 물질이다.
- 감염성폐기물은 지정폐기물중 인체조직 등 적출물, 탈지면, 실험동물의 사체 등 의료기관이나 시험 · 검사기관 등에서 배출되는 인체에 위해를 줄 수 있는 물질이다.

2) 폐기물 처리방법

2-1) 위생적 매립

위생적 매립(sanitary landfill)은 저지대에 쓰레기를 버린 후 복토하는 방법이다. 매립 경사는 30°의 경사가 좋으며 반드시 복토를 실시하여야 한다. 매립하는 진개의 두께는 1~2m 이상이 되면 통기가 불량하게 되고 혐기성 부패가 계속된다. 매립 후는 20cm 이상의 두께로 복토를 하는 것이 좋다.

처리 비용이 적게 들고 처리방법이 쉬우며 매립 후 토지를 이용할 수 있다는 장점이 있다. 그러나 매립지의 확보가 필요하고, 매립과정에서 발생하는 악취나 쥐와 해충 등에 의한 생활환경의 악화나 지하수의 오염과 같은 환경오염이 발생할 수 있다. 매립지는 흙 또는 돌로 포장하여 도로, 운동장으로 사용하거나 농장으로 사용할 수 있다.

2-2) 소각

소각(incineration)은 고온의 대형 소각로에서 태우는 방법이다. 주로 가연성 쓰레기 처분에 이용된다. 합리적으로 운영되면 미생물을 완전히 멸균시키므로 가장 위생적인 방법이다. 그러나 소각로를 건설하고 유지해야 하는 문제가 있고 화재의 위험성, 대기오염물질 배출 등이 문제가 될 수 있다.

소각법에는 현지소각법과 소각로소각법이 있다. 현지소각법은 학교, 공장, 아파트, 상가, 병원 등에서 간이소각로나 소각장에서 바로 폐기물을 소각하는 방법으로 화재의 위험성이나 대기오염의 원인 과 같은 문제가 있다. 소각로소각법은 가장 위생적인 방법이지만 대기오염의 원인이 되는 단점이 있다.

2-3) 퇴비

퇴비화(composting)는 유기성 쓰레기를 미생물에 의하여 분해시키는 방법이다. 유기물질이 대개 호기성 세균의 활동에 의하여 발효가 일어나며, 발효과정에서는 60~70°C의 발열이 생겨서 병원미생물이나 기생충을 사멸시킬 수도 있다. 농촌이나 농촌 주변의 도시에서는 4~5개월 발효시켜서 퇴비로 이용하고 있는데, 최근 고속퇴비화 시설이 설비되어 2~3일이면 좋은 비료를 얻을 수 있다.

2-4) 재활용

폐기물량이 급증하고 있지만 기존의 폐기물 처리방법으로는 한계가 있어 폐기물의 발생을 원천적으로 줄이는 방법에 관심이 집중되고 있다. 또한, 발생된 폐기물을 재활용하여 한정된 자원을 절약하며 환경악화를 방지할 수 있다.

08 위생해충

1) 위생해충의 정의

위생해충은 사람의 건강에 피해를 주는 곤충군을 말한다. 주로 절지동물이 해당되며 일부의 설치류도 포함된다. 위생해충이 사람에게 주는 건강피해의 형태는 질병의 매개, 곤충 공포증, 피부염, 알레르기 반응, 식품오염 등이다. 우리나라에서 가장 문제가 되고 있는 것은 모기, 파리, 바퀴, 쥐 등이다.

2) 위생해충의 종류

2-1) 모기

모기(mosquitos)의 일반적으로 여름철에 많이 발생하는데 유충과 번데기는 주로 수중에서 보낸다. 우리나라에 서식하는 모기의 종류는 50종 이상으로 알려져 있다. 그 중에서 질병 매개작용을 하는 종류는 중국얼룩날개모기(*Anopheles sinensis*)가 말라리아를 매개하고, 작은빨간집모기(*Culex tritaeniorhunchus*)는 일본뇌염을 매개하며, 토코숲모기(*Aedes togoi*)는 말레사상충을 매개한다.

모기 구제방법은 발생원을 제거하는 것이 가장 중요하다. 모기는 일반적으로 정체되어 있는 수역에 산란하기 때문에 하수구, 늪, 웅덩이 물 등이 장기간 정체하지 않도록 해야 한다. 화학적 방법으로는 살충제를 분무한다.

그림 3-4 모기의 생활사

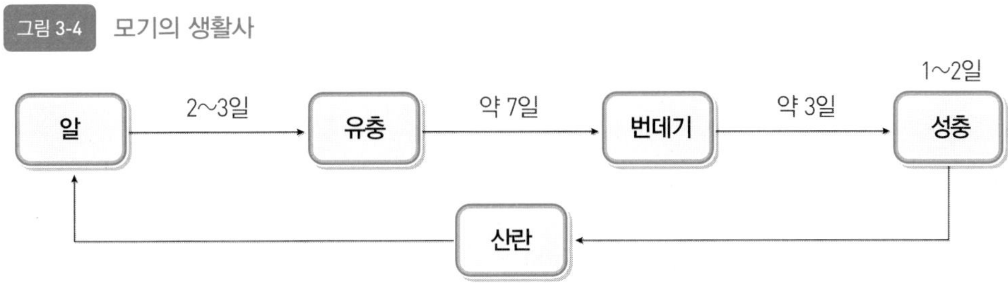

2-2) 파리

파리의 종류는 집파리(*Musca domestica*)가 가장 흔하며 큰집파리(*Musca stabulans*), 공주집파리(*Fania canicularis*), 금파리(*Lucilia caesar*), 쉬파리(*Sarcophaga sp.*), 쇠파리(*Stomoxys calciteans*) 등이 있다. 파리는 액체 상태로 음식을 흡입하므로 고형의 음식은 먹기 전에 액화시키기 위해 침을 분비한다. 파리의 침은 식품과 기구 등을 충분히 오염시킬 수 있는 정도로 세균을 가지고 있다. 결국 파리의 구토와 분변이 감염병 등 질병 전파의 원인이 되는 것이다. 파리가 전파하는 질병은 장티푸스, 파라티푸스, 이질, 콜레라, 결핵, 디프테리아 등과 회충, 편충, 요충, 촌충 등의 기생충 질환이다.

파리 구제방법은 취사실의 청결, 화장실의 관리, 쓰레기장 관리, 퇴비장 관리, 하수구의 청결 등이 필요하다. 성충구제법으로는 파리통, 파리채, 끈끈이 테이프, 살충제 분무 등이 사용된다.

그림 3-5 파리의 생활사

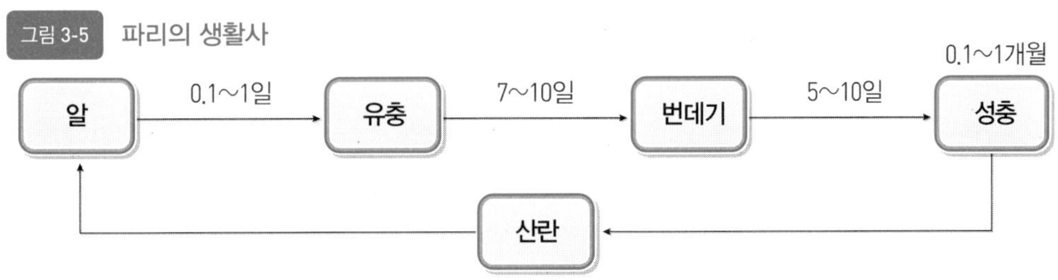

2-3) 바퀴

바퀴는 전 세계적으로 널리 분포되어 있으며, 약 4천여종인 것으로 알려져 있다. 잡식성으로 동물질, 식물질, 부패물 등 넓은 범위의 먹이를 섭취하며 군서습성이 있어 여러 마리가 군집생활을 한다. 바퀴는 병원체를 기계적 전파하는데 바퀴의 체표나 다리의 극모 등으로 병원체를 전파하거나 배설물을 통해서 병원체를 전파한다.

바퀴가 전파하는 감염병은 세균성 이질, 콜레라, 장티푸스, 유행성 간염, 폴리오 등과 기생충 질병인 회충증, 구충증, 아메바성 이질 등이다. 바퀴는 번식력이 강해서 완전 박멸하지 않으면 급속도로 번식하는데 일시적인 구제로는 효과가 없으며 지속적인 구제가 필요하다.

2-4) 쥐

쥐는 분류학상 척추동물로 먹이와 물이 있고 외부로부터 보호받을 수 있는 곳이면 어디든지 서식할 수 있다. 옥외에서는 쓰레기처리장 및 하수구 등이 주된 서식처이다. 쥐는 불빛이 비치는 개방된 곳을 피하며 야간에 활동하는 동물이다. 쥐의 이는 하루에 약 0.5mm 정도씩 자라기 때문에 딱딱한 것을 갉지 않으면 섭식활동을 할 수 없게 된다.

쥐는 여러 종류의 병원체를 보유하며, 이것이 감염병의 원인이 되기도 한다. 쥐가 매개되어 인체에 감염되는 질병은 약 20종 이상으로 알려져 있다. 또한, 쥐는 많은 종류의 기생충을 가지고 있고, 그것이 사람에게 기생하거나 감염병을 매개하기도 한다. 쥐가 매개하는 질병으로는 페스트, 렙토스피라증, 이질, 살모넬라증, 발진열, 츠츠가무시증, 유행성출혈열 등이 있다. 쥐를 구제하는 가장 효과적인 방법은 환경위생관리이다. 쥐가 서식하는 지역에서 먹이나 은신처를 없애 쥐가 생활하는데 불리하도록 환경조건을 개선하는 것이 효과적이다.

09 소독

1) 소독의 정의

소독(disinfection)은 병원성 미생물을 죽이거나 병원성을 약화시켜 감염력이나 증식력을 없애는 조작이다. 이는 비병원성 미생물은 남아 있어도 무방하다는 의미이다. 한편, 멸균(sterilization)은 강한 살균력을 작용시켜 모든 미생물을 완전히 사멸 또는 불활성화의 시키는 것이다. 미생물은 물론이거니와 포자까지도 파괴시키는 것이다. 방부(antiseptic)는 미생물의 발육과 생활작용을 저지 또는 정지시켜 부패(putrefaction)나 발효(fermentation)를 방지하는 조작이다. 따라서 그 작용을 강도 순으로 보면 멸균 > 소독 > 방부 등이라 할 수 있다.

2) 소독방법

소독법은 이학적 소독법(physical disinfection)과 화학적 소독법(chemical disinfection)으로 구분할 수 있는데, 이학적 소독방법은 물리적인 방법을 이용하는 것으로 열을 이용하는 열처리법과 자외선, 방사선, 음파를 이용하는 무가열처리법 나눈다. 한편, 화학적 소독법은 여러 가지 화학약품을 이용하여 소독하는 방법이다.

열에 의한 멸균방법에는 건열멸균법(dry heat sterilization)과 습열멸균법(moist heat sterilization)이 있다. 화학적 소독법에 사용되는 화학약품에는 석탄산(phenol), 크레졸(cresol), 승홍(mercury dichloride), 생석회(산화칼륨), 산과 알칼리, 알코올, 포르말린(formalin), 과산화수소(hydrogen peroxide), 머큐로크롬(mercurochrome), 역성비누, 약용비누 등이 있다.

3) 소독방법을 결정할 때 고려할 사항

소독방법을 결정할 때는 다음의 내용을 고려해야 한다. 첫째, 감염병의 종류와 그 특성을 파악해야 한다. 둘째, 감염병의 전파방법 즉, 직접전파인지 간접전파인지를 확인해야 한다. 셋째, 병원체의 종류와 특성을 알아야 한다. 넷째, 소독의 대상과 그 성질을 파악해야 한다.

CHAPTER 09 환경오염

학습목표

- 환경오염의 정의를 설명할 수 있다.
- 환경보전을 위한 국제사회의 노력을 설명할 수 있다.
- 대기오염 1차 및 2차 물질을 설명할 수 있다.
- 대기오염과 기상에 대해서 설명할 수 있다.
- 수질오염지표를 설명할 수 있다.

01 환경오염의 이해

1) 환경오염의 정의

환경오염(environmental pollution)은 인위적 원인으로 공기, 물, 토양 등이 오염되어 건강, 재산, 경제적 피해와 자연 환경의 악화를 초래하는 생활방해(nuisance)를 의미한다. 환경오염은 여러 가지의 복합적인 요인에 의하여 자연 환경의 구조와 기능이 파괴되는 것이다. 환경오염은 인간의 활동에 의하여 발생한 오염물질로 인해 환경의 질이 저하되는 현상이다.

환경은 자정작용(확산, 희석, 흡수, 침전 등)으로 스스로 오염물을 제거 및 감소시키기도 하지만, 현대사회에서는 환경의 자정능력 이상의 오염물질이 발생되면서 환경오염이 심화되고 있다. 이러한 문제들은 인구증가, 도시집중화, 산업발달과 환경자원의 고갈, 개발과 환경파괴의 상충, 환경보전에 대한 의식결여 등 많은 요인들과 관련된다. 환경오염에 의한 피해는 사람뿐만 아니라, 동물, 식물, 토양, 재산 등에 영향을 미친다. 그런데, 환경의 파괴는 순식간에 일어나지만 환경의 회복은 일시에 효과를 거두기 어려운 만큼 파괴와 오염을 최소화하는 동시에 꾸준한 환경보전 노력이 필요하다. 환경보전은 환경오염 및 환경훼손으로부터 환경을 보호하고 오염되거나 훼손된 환경을 개선함과 동시에 쾌적한 환경의 상태를 유지 · 조성하기 위한 행위를 말한다.

2) 환경오염의 원인

환경오염이 사회문제로 제기되기 시작한 것은 산업혁명 이후 부터라고 할 수 있지만 특히 20세기 후반부터 심각한 국제문제로 제기되기 시작하였다. 지구환경이 악화되고 있는 것은 지구환경의 부하 능력을 고려하지 않은 산업의 확충과 지구의 수용 능력을 초과하는 폭발적 인구증가에 기인한다. 인구의 급격한 증가는 식량부족, 물부족, 환경의 파괴를 가속화되고 있으며, 삶의 질을 높여 가고자 하는 인간의 끝없는 욕망이 산업화를 가속화시켜 인간 환경을 회복 불능의 상태로 파괴시켜가고 있다.

지구환경 악화의 직접적 원인은 화석연료의 사용 증가와 유독 폐기물의 배출 증가라고 할 수 있다. 산업사회가 시작되면서 화석연료의 사용이 증가하였으며, 이로 인해 황산화물질, 질소산화물, 탄화물질 등의 배출이 증가하여 대기오염이 가속화되고 각종 유독유해물질의 폐수 및 폐기물질의 증가는 하천과 토양의 오염을 심화시키기 시작했다. 20세기 후반부터 시작된 지구의 주요 환경문제는 오존층 파괴, 지구의 온난화, 산성비 및 사막화, 산림 감소, 생물 종의 감소 및 생태계의 파괴, 하천의 수질 악화 및 수자원의 고갈, 토양 및 지하수의 오염, 핵 물질 등 유해 폐기물질의 국제간 이동, 해양오염 등이다.

02 환경보전을 위한 노력

1) 우리나라

환경보전은 환경오염으로부터 환경을 보전하고 오염된 환경을 개선함과 동시에 쾌적한 상태의 환경을 유지 · 조성하기 위한 활동을 말한다. 우리나라의 환경문제를 담당하는 정부조직은 1967년 보건사회부 환경위생과 공해계로 처음 출발하여 환경청과 환경처로 발전하였고, 1995년 환경부로 승격하여 오늘에 이르고 있다.

또한, 각종 환경오염으로부터 환경을 보전하고 국민건강을 향상시키기 위하여 1977년 환경보전법을 제정하였다. 그러나 단독법만으로는 환경문제를 해결하는데 한계가 있다고 판단하여 1991년 환경보전법을 폐지하고, 환경정책기본법으로 대체되었다. 환경정책기본법을 개정하는 시기에 맞추어 대기, 수질, 소음, 진동 등 각 분야별로 환경관련법을 제정하면서 개별법주의로 운영되고 있다. 현재는 대기환경보전법, 수질및수생태계보전에관한법률, 소음 · 진동관리법, 폐기물관리법, 악취방지법, 토양환경보전법, 유해화학물질관리법, 지속가능발전법, 하수도법, 수도법, 먹는물관리법 등의 법률이 운영되고 있다.

2) 국제사회

20세기에 들어서면서 산업의 급진적 발전이 물질문명의 혜택을 받을 수 있게 하였지만, 지구환경의 악화는 더욱더 심화되어 가고 있어 이를 극복하기 위한 국제적 노력도 지속되고 있다. 1972년 스웨덴 스톡홀름에서 세계 최초의 인간환경회의를 개최하고, 인간환경을 보호하고 개선하는 것은 인류의 복지와 경제발전의 가장 중요한 과제라는 인간환경선언과 함께 오직 하나 뿐인 지구(the only one earth)라는 절박한 슬로건을 채택하였으며, 이를 실현해 갈 유엔 환경계획의 설립을 권고하는 결의안을 채택하였다.

인간환경선언의 4대원칙은 다음과 같다. 첫째, 인간은 좋은 환경에서 쾌적한 생활을 영위할 기본적 권리가 있다. 둘째, 현재와 미래에 있어서 공기, 물 등의 자연생태계를 포함하여 지구의 천연자원이 적절히 계획 · 관리되어야 한다. 셋째, 유해물질의 배출 등으로 생태계가 회복될 수 없는 상태가 되어서는 안 된다. 넷째, 경제개발, 사회개발, 도시화 등의 모든 계획은 환경의 보호와 향상을 고려하여 진행되어야 한다.

국제적인 노력을 위하여 1973년 유엔(UN) 산하에 국제기구인 유엔환경계획(UNEP)을 설치하여 유엔의 환경정책 수립, 지구환경 감시, 환경관련 국제협력, 환경관련지식 발전 등 환경문제 해결의 주도적 역할을 담당하도록 하였다. 1992년 6월 브라질 리우데자네이루에서 환경과 개발에 관한 유엔회의(UNCED, Earth Summit)가 개최되었다. 178개국 대표가 참가하였으며 리우회의에서는 21세기를 향한 지구인의 행동강령인 리우선언과 의제 21을 채택하고 기후변화협약, 생물다양성 협약 등도 채택하였다. 리우선언의 기본이념은 환경적으로 건전하고, 지속 가능한 개발(environmentally sound and sustainable development)에 두었다.

한편, 리우선언 및 의제 21과 함께 채택된 기후변화협약의 목적은 이산화탄소를 비롯한 온실가스의 배출을 제한하여 지구온난화에 따른 이상기후 현상을 예방하기 위함이다. 이 협약의 준수를 위해 1997년 당사국총회에서 교토의정서를 채택하였다. 교토의정서에서는 온실가스 배출량을 1990년 대비 5.2% 감축하되 각 국가별로 차별화하였다. 2015년 프랑스 파리에서 열린 제21차 유엔 기후변화협약 당사국총회(COP21)에서 신기후체제 대응 방안이 담긴 '파리 협정'(Paris Agreement)을 채택하였다. 파리 협정은 2020년 만료 예정인 기존 교토의정서 체제를 대체하게 된다. 협정이 발효되면 선진국과 개도국 모두 온실가스 감축목표를 자발적으로 정해서 제출하고, 5년 마다 이행 상황을 검증받게 된다.

03 대기오염

1) 대기오염의 정의

대기오염(air pollution)은 정상적인 상태의 공기 중에 존재하지 않던 물질이 발생하거나 존재하는 물질의 농도가 증가된 상태를 말한다. 대기오염물질은 발생원으로부터 직접 배출되는 1차 오염물질과 1차 오염물질이 대기 중에서 반응하여 새롭게 생성한 2차 오염물질로 나눌 수 있는데, 1차 오염물질이 환경에 미치는 영향은 2차 오염물질보다는 심하지 않다.

세계보건기구에서는 대기오염을 "옥외의 대기 중에 오염물질이 혼입되어 그 양, 질, 농도, 지속시간이 상호작용하여 다수의 지역주민에게 불쾌감을 일으키거나, 건강에 위해를 끼치며, 인류의 생활이나 식물의 성장을 방해하는 상태"라고 규정하였다.

2) 대기오염물질

대기오염물질은 그 원인에 따라 자연오염물질과 인공오염물질로 분류할 수 있다. 자연오염물질은 화산, 황사 등으로 인한 오염물질로 인간이 관리하는 것이 거의 불가능하기 때문에 일반적으로 대기오염 물질에서 제외된다.

한편, 인공오염물질은 1차 오염물질(primary pollutant)과 2차 오염물질(secondary pollutant)로 구분된다. 1차 오염물질은 발생원에서 직접 대기로 방출되는 것으로 일산화탄소(CO), 황산화물(SOx), 질소산화물(NOx), 탄화수소(HC) 등의 가스상 물질과 비산재나 분진, 매연 등의 입자상 물질(particulate pollutant) 등이 있다. 2차 오염물질은 1차 오염물질이 대기 중에서 화학적인 반응을 일으킬 때 생기는 광화학 산화물인 오존(O_3), 알데히드(aldehyde), PAN(peroxyacetyl nitrate), 스모그(smog) 등이 있다. 구체적인 내용은 다음과 같다.

2-1) 1차 오염물질

(가) 입자상 물질

입자상 물질(particulate matter; PM)은 고체나 액체의 0.001~500μm(마이크로미터) 미세한 입자이다. 직경이 10μm이상인 경우에는 중력에 의해서 침강이 가능하므로 호흡기를 통하여 인체에 쉽게 침투하지 못한다. 인체에 피해를 가장 많이 줄 수 있는 입자의 입경은 0.5~5.0μm의 입자들이다. 먼지(dust), 매연(smoke) 및 검댕(sool), 연무(mist), 훈연(fume), 박무(haze) 등이 대표적이다.

① 분진

분진(dust)은 대기나 배기가스 중에 장시간 부유하는 미세한 고체나 액체의 입자상 물질이다. 분진 중에서 10μm(마이크로미터) 이상의 크기를 가지며 비교적 무거워서 침강하기 쉬운 것을 강하분진(fallen dust)이라고 하고, 입자가 10μm이하의 크기로 가벼워서 가라앉지 않고 장시간 공기 중에 부유하는 것을 부유분진(suspended dust)이라 한다. 크기가 0.25~5μm의 입자는 폐포에 도달하게 되고, 1μm의 경우는 폐포에 침착하여 배출이 되지 않는다.

② 매연

매연(smoke)은 연료가 연소할 때에 완전히 타지 않고 남는 고체물질이다. 매연은 1μm 이하 크기의 탄소입자를 말하며, 검댕(sool)은 1μm이상의 크기를 갖는 유리탄소 및 타르(tar) 물질이 응결된 탄소입자의 집합체이다.

③ 비산재

비산재(fly ash)는 연료가 연소할 때에 발생하는 굴뚝 연기 내의 미세한 재 입자로 불완전 연소한 연료를 함유할 수 있다. 알갱이 상태의 입자들은 크기가 다양하지만 인체에는 0.5μm 크기의 먼지가 폐포에 침착되어 진폐증을 일으킨다.

④ 연무

연무(mist)는 가스나 증기의 응축에 의하여 생성된 대략 2~200μm크기의 입자상 물질로 매연이나 가스상 물질보다 입자의 크기가 크다. 기상학적으로 강하될 수 있는 비교적 큰 물방울 입자가 묽은 상태로 분산되어 있는 것을 말한다.

⑤ 훈연

훈연(fume)은 보통 광물질의 용해나 산화 등의 화학반응에서 증발한 기체분자가 대기 중에서 응축하여 생기는 0.001~1μm의 고체입자이다. 훈연은 용해된 물질이 증발되어 생기는데 뭉쳐지기도 하고 때때로 융합되기도 한다.

⑥ 박무

박무(haze)는 크기가 1μm보다 작고 많은 입자가 대기 중에 떠 있어 시야를 방해하는 입자상 물질이다. 박무는 수분, 오염물질, 먼지 등으로 구성되어 있다.

(나) 가스상 물질

가스상 물질(gas pollutant)은 연료가 연소, 합성, 분해될 때에 발생하거나 물리적 성질에 의해서 발생되는 기체상의 물질이다. 상온의 공기 중에 액체나 고체의 물질이

기화된 상태로 존재한다. 황산화물(SOx), 질소산화물(NOx), 일산화탄소(CO), 탄화수소(HC) 등이 대표적이다.

① 황산화물

황산화물(SOx) 중에서 가장 많은 양을 차지하고 있는 이산화황(SO_2)은 물에 잘 녹는 무색의 자극성이 있는 불연성 가스로 대기 중에서 산화된 후에 수분과 결합하여 황산이 된다. 황산화물의 인위적 배출원은 석탄 및 석유의 연소과정과 경유를 사용하는 자동차 및 정유공장 등이다. 황산화물은 질소산화물과 함께 산성비의 주요 원인이 되며, 금속구조물을 부식시킨다. 인체에 미치는 영향은 불쾌한 자극성 냄새, 생리적 장애, 압박감, 폐렴, 기관지염, 천식, 폐기종 등이 나타난다.

② 질소산화물

질소산화물(NOx)은 연소과정에서 배출되는 중요한 대기오염물질로 그 발생원은 탄소나 황과는 달리 연료에서 유래되는 것이 아니고 가솔린이나 디젤엔진 같은 고온, 고압의 연소실에서 연소가 진행될 때에 대기 중의 질소와 산소가 결합하여 발생한다. 광화학 반응에 의한 2차 오염물질을 발생시키고 산성비의 원인이 된다. 인체에 미치는 영향은 눈과 코를 강하게 자극하고 폐쇄성 기관지염, 폐렴을 일으킨다.

③ 일산화탄소

일산화탄소(CO)는 무색, 무취, 무미의 가스로 불완전 연소에 의해서 발생한다. 주요 발생원은 화석연료와 자동차의 배기가스이다. 일산화탄소는 혈액 속의 헤모글로빈과 결합하여 혈액의 산소 운반능력을 떨어뜨리고 협심증, 시력장애, 신경, 폐기관 등의 질환을 일으킨다.

④ 탄화수소

탄화수소(HC)는 연료의 연소과정 및 공업공정에서 발생한다. 탄화수소는 대기 중의 NO와 반응하여 광화학적 산화물인 2차 오염물질을 만드는데, 2차 오염물질인 오존, PAN 등에 의하여 주로 눈, 상기도의 점막을 자극하여 폐기능을 저하시킬 수 있다. 특히 자동차 배기가스 중에는 30종 이상의 방향족 탄화수소가 있는데, 그 중에서 9종이 발암성 물질로 추측되고 있다.

2-2) 2차 오염물질

2차 오염물질은 광화학 산화물(photochemical oxidants)이라고 하는데, 오염원에서 배출된 1차 오염물질이 태양광선 중 고에너지를 가진 자외선이나 파장이 짧은 가시광선의 영향을 받아 2차적으로 생긴 물질이다. 오존(O_3), PAN류, 알데히드(aldehyde), 스모그(smog) 등이 대표적이다. 2차 오염물질에 의해서 대기 중의 산화제 농도가 높아지면 눈과 목에 통증을 일으킬 뿐만 아니라 식물에 피해를 주고 냄새가 나고 가시도가 감소하게 된다.

(가) 오존

오존(O_3)은 자동차나 공장의 배기가스 등에 함유된 질소산화물, 탄화수소류 등이 바람이 없는 상태에서 강한 태양광선으로 인해 광화학 반응을 일으켜 생성된다. 햇빛이 강하고 바람이 불지 않는 여름 날씨에 많이 발생한다. 오존의 농도는 일반 대기 중에서는 0.1~0.02ppm 정도 존재하지만 일정 기준 이상으로 높아질 경우에는 호흡기나 눈이 자극을 받아 기침이 나고 눈이 따끔거린다. 오존에 대한 반복노출은 폐에 피해를 줄 수 있는데, 가슴통증, 기침, 메스꺼움 등을 유발하고 소화에 영향을 미치며 심하면 기관지염, 심장질환, 폐기종, 천식의 악화를 가져온다.

우리나라는 일부 도시 지역을 중심으로 오존의 오염농도를 수준별로 나누어 오존 경보제를 시행하고 있다. 한 시간 동안 대기 중의 오존 평균치가 0.12ppm 이상일 때는 주의보, 0.3ppm 이상일 때는 경보, 0.5ppm 이상일 때는 중대경보를 발령하고 있다. 오존은 호흡기계 환자나 노약자에게 더욱 유해한 작용을 하기 때문에 오존주의보가 발령되면 노약자 및 호흡기 질환자는 실외운동을 자제하도록 한다. 경보가 발령되면 유치원 및 초등학교에서는 실외운동을 자제하도록 하고, 중대 경보가 발령되면 유치원 및 초등학교는 휴교를 실시하고, 해당지역의 자동차 운행을 규제하여야 한다.

(나) 질산과학화아세틸

질산과학화아세틸(peroxyacetyl nitrate; PAN)은 스모그의 광화학 반응에서 발생하는 산화물의 일종이다. 연소 배기가스, 자동차 배기가스 중의 산화질소, 탄화수소, 오존 등이 특수한 기상조건에서 광화학 반응을 일으켜 생성한다. 사람의 눈이나 목구멍을 자극하며 농작물이나 식물 등에도 피해를 미친다.

(다) 알데히드

알데히드(aldehyde)는 강한 자극성이 있는 무색의 가스이다. 인체에 미치는 영향은 중추신경에 대한 마취작용과 눈, 기도 점막에 대한 자극이 있으며, 조직에 염증을 가져오고 기침, 흉부 압박감, 식욕상실, 불면 등이 나타난다.

(라) **스모그**

스모그(smog)는 매연(smoke)과 안개(fog)의 합성어로 대기 중의 안개모양의 오염상태를 말한다. 스모그는 불완전연소의 결과로 대기 중에 광화학 반응에 의해 생성된 가스의 응축과정에서 만들어지며, 크기는 1μm보다 작다.

3) 대기의 환경기준

3-1) 대기환경기준

환경기준은 인간의 건강을 보호하고 생활환경을 보전하기 위한 바람직한 기준이다. 환경기준 설정물질과 설정기준은 오염현황, 인체에 미치는 영향 등을 고려하여 결정하게 된다. 우리나라의 대기환경기준은 환경정책기본법에서 구체적으로 규정하고 있다.

현재 대기환경기준 항목은 아황산가스(SO_2), 일산화탄소(CO), 이산화질소(NO_2), 미세먼지(PM−10), 오존(O_3), 납(Pb), 벤젠 등 7종류이다.

표 3-3 대기환경기준

항목	기준	측정방법
아황산가스(SO_2)	• 연간평균치 0.02ppm 이하 • 24시간 평균치 0.05ppm 이하 • 1시간 평균치 0.15ppm 이하	자외선형광법
일산화탄소(CO)	• 8시간 평균치 9ppm 이하 • 1시간 평균치 25ppm 이하	비분산적외선분석법
이산화질소(NO_2)	• 연간평균치 0.03ppm 이하 • 24시간 평균치 0.06ppm 이하 • 1시간 평균치 0.10ppm 이하	화학발광법
미세먼지(PM_{10})	• 연간평균치 50μg/m^2 이하 • 24시간 평균치 100μg/m^2 이하	배타선흡수법
오존(O_3)	• 8시간 평균치 0.06ppm 이하 • 1시간 평균치 0.1ppm 이하	자외선광도법
납(Pb)	연간평균치 0.5μg/m^2 이하	원자흡광광도법
벤젠	연간평균치 5μg/m^2 이하	가스크로마토그래프법

* 1시간 평균치는 999천분위수의 값이 그 기준을 초과해서는 안 되고, 8시간 및 24시간 평균치는 99백분위수의 값이 그 기준을 초과해서는 안 된다.
** 미세먼지는 입자의 크기가 10μm 이하인 먼지를 말한다.

3-2) 배출허용기준

배출허용기준(effluent quality standard)은 배출시설에서 발생하는 오염물질의 법적 허용기준을 말한다. 즉, 오염물질 배출의 최대허용치 또는 최대허용농도이다. 배출허용기준은 환경기준을 달성하기 위한 중요한 정책적 수단이 된다. 따라서 배출허용기준은 환경기준의 설정정도에 따라 달라지게 된다. 우리나라의 대기오염과 관련된 배출허용기준은 대기환경보전법에서 규정하고 있는데, 처리기술 수준 및 사회 · 경제적 여건에 따라 배출허용기준은 조금씩 변화되고 있다.

4) 대기오염과 기상

대기에 배출되는 오염물질은 자정작용에 의해 희석, 확산, 산화 등이 일어나는데 풍향, 풍속, 기온 등에 따라 영향을 받는다. 그러나 대기의 움직임이 정지되면 대기는 정체되고 그로 인하여 대기오염 물질의 농도는 증가하게 되는데 가장 큰 요인은 기온역전이며, 도시의 경우는 열섬현상이다. 구체적인 내용은 다음과 같다.

4-1) 기온역전

공기의 흐름은 수평이동과 수직이동으로 나눌 수 있다. 지상으로부터 수직 방향의 기온 변화가 대기의 안정 상태를 결정하여 오염물질 확산에 영향을 미친다. 그런데, 정상적인 경우에는 대류권에서 고도가 상승함에 따라 대기의 온도는 하강한다. 즉, 건조의 공기의 경우 100m 수직 상승할 때마다 약 1°C가 낮아진다.

그러나 특별한 경우에는 고도가 상승함에 따라 기온도 상승하여 상층부의 기온이 하층부보다 높아지게 되어 공기의 층이 반대로 된다. 이런 경우에 대기는 고도로 안정화되고 공기의 수직 확산이 일어나지 않아 대기오염이 증가하게 된다. 이를 기온역전(temperature inversion)이라고 하며, 이층을 역전층이라 한다. 기온역전의 유형으로는 복사성 역전, 침강성 역전, 전선성 역전, 이류성 역전, 지형성 역전 등이 있다.

4-2) 열섬현상

도시에서는 도로가 포장되어 복사열이 증가하고 인위적인 열생산이 있다. 또한, 대형건물과 공장 등은 불규칙한 지면을 형성하고 있다. 이러한 특징으로 자연적인 공기의 흐름이나 바람을 차단하여 도심의 온도는 변두리보다 약 5°C정도 높게 된다. 이것을 열섬현상(heat island effect)이라고 한다.

열섬현상에서는 따뜻한 공기는 상승하고 도시주위로부터 찬바람이 지표로 흐르게 된다. 이때 대기오염물질이 상승하여 먼지지붕(dust dome)을 형성하여 태양열에 의한 지표가열을 방해하게 되므로 공기의 수직이동이 감소되어 오염이 더욱 심화된다.

5) 대기오염의 영향

대기오염은 직접적으로 우리 인체에 영향을 미칠 뿐만 아니라 지구 환경과 동식물에 영향을 미친다. 구체적인 내용은 다음과 같다.

5-1) 지구 환경에 미치는 영향

(가) 지구 온난화

대기 중의 탄산가스층은 지표로부터 복사하는 적외선을 흡수하여 열의 방출을 막을 뿐만 아니라 흡수한 열을 다시 지상에 복사하여 지구의 기온을 상승시킨다. 이를 온실효과(greenhouse effect) 또는 지구 온난화(global warming)라고 한다. 19세기 말 이후 지구의 평균온도는 지역에 따라 0.3~0.6°C상승되었으며, 해수면은 10~25cm 상승된 것으로 보고되고 있다. 지구의 기온이 지속적으로 상승하고 있는 원인에 대하여 여러 의견이 있으나 가장 큰 이유로는 온실효과 가스인 이산화탄소(CO_2), 메탄(CH_4), 이산화질소(NO_2), 염화불화탄소(CFC), 오존(O_3) 등의 대기 중 농도가 증가하는 것이다. 지구온난화의 결과 기온상승과 이상기온이 생겨나고, 해면의 수위상승과 저지대 수몰, 생태계의 파괴와 변화, 해면의 상승으로 육지의 감소가 예상된다. 육지의 감소로 식량생산과 거주지가 감소하는 문제도 발생한다.

한편, 폭풍우와 홍수, 폭설, 해일, 고온, 건조와 산불, 생태계의 변화 등 심각한 기상재해를 발생시키는 엘리뇨 현상의 원인도 지구 온난화와 관련된다. 일반적으로 서태평양 수온이 동태평양 수온보다 높은 것이 보통이다. 그런데 그 반대 현상이 일어나 적도 부근의 동태평양 수온이 5개월 이상 0.5°C이상 높게 지속될 때 엘리뇨 현상이 발생하게 된다.

(나) 오존층 파괴

지표면의 오존은 인간의 건강에 해로운 물질이지만 성층권(12~50km)내에 존재하는 오존층(ozonosphere)은 태양에서 방출되는 자외선을 차단하여 대류권으로 들어오지 못하도록 하는 사람과 식물의 보호막 작용을 한다. 오존층을 파괴하는 요인은 프레온

가스(CCl_2F_2)라고도 불리는 염화불화탄소(CFC)이다. 이것이 성층권에서 자외선에 의해 분해되어 염소원자를 방출하며 이것이 오존의 산소원자와 결합함으로써 오존층을 파괴하는 것으로 알려져 있다. 프레온가스는 냉장고, 에어컨, 스프레이어와 분사제나 발포제로 사용되는 기체이다.

오존층의 파괴로 자외선에 노출되면 면역기능의 약화, 피부암의 발생 및 해양 플랭크톤의 체질 변화로 해양계의 먹이사슬이 파괴된다. 또한, 기후 온난화에 영향을 미친다. 오존층 파괴를 예방하기 위하여 1985년 3월 포괄적 규정인 비엔나 협약이 체결되었고, 1987년 9월에는 오존층 파괴물질의 생산 및 소비량을 감축하기 위해 환경문제와 무역을 연계시킨 몬트리올 의정서가 채택되었다. 1992년 11월에는 가입국 회의를 통하여 규제물질의 종류 추가와 규제일정을 단축하여 선진 공업국들은 1996년부터는 염화불화탄소의 생산과 사용을 전면 중지하였다.

(다) 산성비

공기는 탄산가스가 존재하기 때문에 일반적인 빗물의 수소이온농도(pH)는 보통 5.65 정도인데, 산성비(acid rain)는 빗물의 pH가 5.6 이하일 때를 말한다. 산성비는 대기 중에 배출된 대기오염 물질(황산화물, 질소산화물, 탄소산화물 등)이 비와 화학반응을 해서 황산, 질산, 탄산 등의 강산으로 변화하여 pH가 5.6 이하로 떨어지는 현상이다. 산성비는 호수나 하천을 산성화시키므로 생태계를 파괴시키며 금속물이나 석조건물을 부식시키고 농작물이나 산림에 피해를 준다.

5-2) 인체에 미치는 영향

대기오염 물질이 인체에 미치는 피해는 오염물질의 종류와 농도, 노출시간, 개인의 감수성, 물리화학적 특성 등에 따라 다르다. 인체에 피해를 주는 대기오염 물질은 황산화물(SOx), 질소산화물(NOx), 일산화탄소(CO), 탄화수소(HC), 부유분진, 납 등이 대표적이다.

대기오염이 원인이 되는 질병은 주로 호흡기계 질환으로 만성기관지염, 기관지천식, 만성폐기종, 만성천식성 기관지염 등이 있다. 또한, 각막 및 결막염 등의 안과질환을 일으키기도 하고 폐암과 기관지암을 발생시키기도 한다. 대기오염은 일상생활에도 영향을 미쳐 시야 장애, 불쾌감, 우울증상 등을 초래한다.

5-3) 동식물에 미치는 영향

대기오염에 의한 동물의 피해는 사람과 비슷하게 나타나며, 식물은 매연이나 유해가스에 대해서 동물보다 더 민감한 것으로 알려져 있다. 분진은 가용성(soluble) 화학물질을 함유한 것 외에는 급격한 피해는 없으나 장기간 노출될 경우에 광합성 작용이나 호흡작용을 저해하여 식물성장에 나쁜 영향을 준다. 오존은 식물의 잎 끝에 검은 반점이 생기며, 성장지연을 유발한다. 식물에 대한 영향은 오염물질의 종류와 농도, 접촉시간, 식물이 종류나 품종, 온도, 습도, 광선 등의 기상조건, 생육시기 등에 따라 차이가 있다. 대체로 발육기, 햇빛이 강할 때, 습도가 높을 때에 저항력이 약한 것으로 알려져 있다.

6) 대기오염 대책

대기오염은 오염물질, 기상조건, 지형 등에 따라 차이가 있기 때문에 단일 대책으로 문제를 해결할 수는 없다. 대기오염이 발생시키는 질병을 예방하고 환경을 보전하기 위해서는 장기적인 대책이 고려되어야 한다. 대기오염 대책으로 고려되어야 할 내용은 다음과 같다.

첫째, 에너지를 가능한 적게 사용하는 방안이 강구되어야 한다. 열효율을 높이는 방법을 찾아야 하고, 오염발생이 적은 에너지원으로 대체하도록 해야 한다. 차량의 액화천연가스(LNG) 사용은 대기오염을 줄이는데 크게 기여하고 있다.

둘째, 오염방지 기술의 향상에 많은 노력과 투자가 필요하다. 오염방지 기술뿐만 아니라 오염원을 대체할 수 있는 신물질의 개발에 투자가 필요하다.

셋째, 공업개발을 하고자 하는 지역에 대해서는 환경오염 방지를 위한 사전조사가 이루어져야 한다. 그 지역의 특성에 적합한 산업의 종류, 굴뚝의 높이를 결정하여야 한다.

넷째, 대기오염방지에 대한 기준을 정하고 법적으로 규제를 정한 후에 지속적으로 지도 · 단속하여 산업체가 스스로 에너지 효율화나 오염방지 기술에 대한 필요성을 가질 수 있도록 하여야 한다.

다섯째, 오염물질을 발생시킨 자가 오염의 정화에 필요한 재정을 부담하는 오염자 비용부담 원칙(polluter's pay principle)을 더 강화해야 한다. 현재 배출허용 기준을 넘는 산업체에 대한 벌과금을 더욱 강화해야 오염물질의 배출을 줄이려는 산업체의 노력이 강화될 수 있다.

04 수질오염

수질오염은 폐기물의 양이 증가하여 물의 자정능력이 상실되는 상태이다. 자연수가 물리적 · 화학적 · 생물학적 오염으로 인하여 물의 자정능력이 없어지거나 생물체 내에 유해작용을 할 수 있는 상태를 말한다. 오염된 물은 각종 수인성 감염병의 원인이 된다.

수질오염은 홍수나 화산활동의 결과 등에 의한 자연적 원인에 의한 것과 인간의 생활이나 산업활동 등의 인위적인 원인에 의한 것이 있는데, 환경오염 문제로 다루는 수질오염은 주로 인위적인 원인에 의한 것이다. 수질오염원은 그 발생원에 따라 점오염원(point source)과 비점오염원(nonpoint source)으로 구분할 수 있다.

1) 수질오염원

1-1) 점오염원

점오염원은 한 장소 또는 좁은 구역에서 다량의 오염물질이 하천에 배출되는 것이다. 오염원이 쉽게 확인되고 자체 정화시설이나 적정한 관리를 통하여 오염원의 통제가 쉽다. 생활하수, 공장폐수, 축산폐수 등이 여기에 속한다. 구체적인 내용은 다음과 같다.

(가) 생활하수

생활하수(domestic wastewater)는 생활용수로 사용된 물이 가정 및 상업시설에서 취사, 목욕, 조리, 세탁 등의 목적으로 쓰여 하수관을 통해 배출되는 하수이다. 도시하수가 포함되며 오염물질로 다량의 무기물, 유기물, 미생물 등이 함유되어 있다.

(나) 산업폐수

산업폐수(industrial wastewater)는 해당 공장의 생산 상품에 따라 차이가 있지만 각종 유기 및 무기물질이 함유되어 있다. 각종 중금속을 비롯하여 분해가 어려운 물질이 배출된다. 특히 문제가 되는 것은 피혁폐수, 금속폐수, 섬유폐수, 채광 및 채석폐수 등이다.

(다) 축산폐수

축산폐수(animal wastewater)는 발생량은 적으나 농도가 높아 처리하지 않을 경우에 하천의 수질 악화 및 호수의 부영양화를 초래하여 상수원을 오염시키고 악취 등을 발생시킨다. 축산분뇨의 생물화학적 산소요구량(BOD)은 사람과 유사하나 미생물 분해가 어려운 유기물이 많아 화학적 산소요구량(COD)는 훨씬 크고 영양소도 다량 함유되어 있다 우리나라는 상당수의 축산 시설물들이 상수원 근처에 위치하여 축산폐수 문제가 심각한 실정이다.

1-2) 비점오염원

비점오염원은 오염원이 한 장소 또는 좁은 구역에 국한되어 있지 않고, 일정하지 않으며, 넓은 장소에 산재되어 있는 경우를 말한다. 도시지역, 농촌지역, 산림지역, 광산지역, 휴양지역 등에 산재되어 있는 오염원들이 비점오염원에 속한다. 비점오염원은 오염원 확인이 쉽지 않아 규제관리가 어렵다. 농약, 비료, 합성세제 등이 대표적이다.

2) 수질오염지표

수질오염은 수질의 물리적, 화학적, 생물학적 작용이 복합된 것으로 하나의 단일항목으로 표현하기 어렵기 때문에 물리적, 화학적, 생물학적 요소들을 종합하여 판단한다. 수질오염지표로는 용존산소(DO), 생물화학적 산소요구량(BOD), 화학적 산소요구량(COD), 부유물질(SS), 수소이온농도(pH), 대장균군 등이 주로 사용된다. 구체적인 내용은 다음과 같다.

2-1) 용존산소

용존산소(Dissolved Oxygen; DO)는 수중에 용해되어 있는 유리산소의 양을 말한다. 용존산소는 수온이 낮을수록, 기압이 높을수록 증가한다. 용존산소가 높을수록 호기적 상태가 되어 수질이 양호하며, 용존산소의 부족은 물의 오염도가 높음을 의미한다. 수중에서 어류가 생존할 수 있는 최저 용존산소는 약 5mg/L정도이다. 물의 용존산소가 부족하면 혐기성 분해에 의하여 메탄가스가 발생하고 악취가 난다.

2-2) 생물화학적 산소요구량

생물화학적 산소요구량(Biochemical Oxygen Demand; BOD)은 수중의 분해 가능한 유기물질이 호기성 미생물에 의하여 산화 분해될 때에 소비되는 산소의 양이다. 용존산소의 손실량을 측정하여 물의 오염 정도를 나타내는 방법이다.

생물화학적 산소요구량 높으면 수중에 분해 가능한 유기물질이 많다는 것을 의미하는데, 이것은 물이 많이 오염되었다는 것이다. 실제로 수중에 분해 가능한 유기물질이 많으면 용존산소의 소비량이 증가되어 혐기성 분해가 일어나기 쉽고, 일반 수중 생물을 죽이게 된다. 하천수의 경우 생물화학적 산소요구량이 1mg/L이면 1급수로 보며, 10mg/L이상이면 오염이 심한 물로 본다. 수중에서 어류가 생존하기 위한 생물화학적 산소요구량은 5mg/L이하이다.

2-3] 화학적 산소요구량

화학적 산소요구량(Chemical Oxygen Demand; COD)은 수중에 함유되어 있는 유기물질을 생물학적으로 분해 가능한 물질 뿐만 아니라 가능하지 않은 물질까지도 인위적으로 산화 분해시킬 때 소비되는 산화제의 양을 산소의 양으로 환산한 값이다. 생물화학적 산소요구량(BOD)시험이 5일 이상 걸리는 것과 달리 화학적 산소요구량(COD)은 2~3시간 이내에 신속하게 결과를 얻을 수 있다.

일반적으로 폐수의 COD는 BOD보다 높다. 이는 미생물에 의해서 분해되지 않는 유기물이 산화제에 의해서 산화되기 때문이다. 미생물에 의해서 완전 분해되고 산화제에 의해서 완전 분해되면 COD와 BOD는 같게 된다.

2-4] 부유물질

부유물질(Suspended Solid; SS)은 유기물질과 무기물질을 함유한 0.1μm~2mm의 고형물질로 물에 용해되지 않고 떠다닌다. 부유물질은 주로 점토, 미세모래입자, 음식물 찌꺼기 등으로 수중 탁도의 원인이 된다. 물속에서 부유물질이 증가하면 유기물의 부패로 용존산소(DO)를 소모하게 되고, 어패류의 아가미에 부착되어 어류를 질식시킨다. 또한, 빛의 수중 전달을 방해하거나 수중생물의 광합성에 장해를 일으킨다.

2-5] 수소이온농도

수소이온농도(pH)는 물의 산 또는 알칼리의 강도를 나타낸다. 수소이온농도는 외부로부터 산 및 알칼리성 물질이 투입되면 쉽게 변화하기 때문에 오염여부를 판단하기 쉽다. pH는 산성(pH 7 미만), 중성(pH 7), 알칼리성(pH 7이상)으로 구분되는데, 수중에서 각종 생물이 성장과 번식하기 위해서는 수소이온농도가 중성을 유지해야 한다.

2-6) 대장균군

대장균(coliform)은 사람이나 온혈동물의 장과 내장에 생존하고 있는 균으로 자연계에는 서식하지 않는다. 대장균군이 수중에 존재한다는 것은 그 물이 온혈동물의 분뇨로 오염되어 있는 것을 알려주기 때문에 수중오염의 미생물학적 지표로 활용된다. 특히, 병원균 등의 존재를 잠재적으로 나타내 주는 지표로 오래 전부터 대장균군을 사용하고 있다. 그 이유는 병원균보다 수가 많고 분석이 쉬우며, 오염되지 않은 물에는 나타나지 않기 때문이다. 대장균이 없으면 병원성 세균이 없다고 볼 수 있으므로 검출된 대장균 수는 물의 오염 상태를 나타내는 지표가 된다. 음용수의 기준은 총대장균군은 100mL에서 검출되지 않아야 한다.

3) 수질오염 현상

3-1) 하천과 해수오염

(가) 하천오염

하천에 하수나 폐수가 방류될 경우 하천의 유량에 의하여 희석될 수 있으나 하수중의 현탁물질이 침전되어 퇴적된다. 퇴적된 침전물은 항상 물과 접촉하고 있는 상태이므로, 때로는 침전물이 떠올라 수질을 급격히 오염시키고 하류로 운반되기도 한다. 또한 용존산소가 부족할 때에는 퇴적물이 부패되어 수질에 악영향을 미치게 된다. 한편, 배설물에 의한 오염으로 대장균군 등의 병원성 미생물이 검출된다면 수원으로서 안전성이 문제될 수 있다.

(나) 부영양화

부영양화(eutrophication)는 탄소(C), 질소(N), 인(P) 등과 같이 조류(algae)의 번식에 양분이 될 물질들이 저수지나 호수에 축적될 때에 일어난다. 즉, 과다한 영양분을 함유한 생활하수가 다량으로 유입되어 조류가 급속히 증식하는 현상이다. 과다하게 증식된 식물성 플랑크톤이 물의 표면을 덮어 햇빛을 차단하면 용존산소가 고갈되어 물이 썩게 된다.

부영양화를 일으키는 물질들은 자연의 산림지대의 썩은 식물, 농지에서 사용되는 비료, 축산분뇨, 사람의 분뇨, 합성세재 등으로 이런 것들이 저수지나 호수에 유입되면 조류는 이 영양소들을 섭취하여 번식하게 되며 그 결과로 호수의 부영양화가 촉진된다.

(다) 적조

적조(red tide)는 미세한 식물성 플랑크톤이 바다에 무수히 발생해서 해수가 적색을 띠는 것이다. 플랑크톤의 이상적인 대량 증식으로 물의 색을 변화시키는 바닷물의 부영양화 현상을 적조라고 한다. 적조의 발생원인은 아직 명확하게 밝혀지지 않았지만 대체로 풍부한 영양염류, 충분한 일사량, 무풍상태, 적조생물의 증식, 자극물질 등이 원인이 되는 것으로 알려져 있다.

적조는 과도하게 번식한 플랑크톤의 호흡 작용으로 수중의 용존 산소 농도를 저하시켜 어패류를 죽게 한다. 적조 조류의 일부는 독성물질을 생성하여 어패류를 대량으로 폐사시키기도 하며, 어패류에 농축되어 사람들에게 식중독을 일으키기도 한다.

3-2) 인체에 미치는 영향

오염된 물을 마실 경우에 발생할 수 있는 직접적인 인체 피해는 수인성 감염병과 기생충질환의 감염이다. 극히 미량의 오염된 어패류나 농작물을 섭취한 경우는 체외로 배설되기 때문에 사람에게 영향을 주지 않으나 계속해서 섭취하게 되면 조직세포를 손상시키게 된다. 오염된 식품의 간접적인 인체 피해는 오염물질의 종류와 특성에 따라 다르지만 수은(Hg), 카드뮴(cadnium), 비소(As), 폴리염화비페닐(PCB) 등은 축적성 질환을 일으킨다.

4) 수질오염 대책

수질오염은 생태계를 교란시킬 뿐만 아니라 그 영향이 지속되기 때문에 철저한 예방과 관리가 필요하다. 그런데, 수질오염은 다양한 원인에 의해서 발생하기 때문에 발생 원인을 고려하여 관리 대책이 고려되어야 한다. 수질오염의 발생 원인으로는 도시하수에 의한 오염이 가장 크고, 다음이 산업폐수, 천연오염으로 알려져 있다.

도시하수의 경우는 도시의 하수관망을 우수와 하수가 분리되도록 체계화하고, 하수는 폐수종말처리장에서 적정하게 처리한 후 공공수역에 방류하여야 한다. 한편, 산업폐수는 각 산업장에서 배출되는 폐수를 개별적 또는 공동적으로 적정수준까지 처리한 후 방류하도록 유도해야 한다. 천연오염은 그 상황에 따라 도시하수나 산업폐수를 처리하는 방법을 적절하게 이용하는 것이 필요하다. 이러한 개별적인 노력뿐만 아니라 중앙 정부에서는 법적으로 수질기준 및 배출허용기준을 명확히 제시하여 모든 국민들이 반드시 지키도록 유도하는 노력이 필요하다.

CHAPTER 10 식품위생

학습목표

- 식품위생의 정의와 관리 3대 요소를 설명할 수 있다.
- 식품위해요소 중점관리기준(HACCP)을 설명할 수 있다.
- 세균성 식중독을 설명할 수 있다.
- 화학성 식중독을 설명할 수 있다.
- 식품의 보존방법을 설명할 수 있다.

01 식품위생 관리

1) 식품위생의 정의

식품은 건강을 증진하는데 필수적인 요소이므로 항상 청결하고 위생적으로 관리되어야 한다. 식품위생(food hygiene)은 비위생적인 식품으로 야기될 수 있는 질병을 미리 예방하는 분야이다. 세계보건기구(WHO)의 식품위생전문위원회에서는 "식품위생이란 식품의 재배, 생산, 제조로부터 최종적으로 사람에 섭취되기까지의 모든 단계에 걸친 식품의 안전성, 건전성 및 완전무결성을 확보하기 위한 모든 필요한 수단을 말한다(Food hygiene means all measurey for ensuring the safety, wholesomeness, and soundness of food at all stages from its growth, production or manufacture until its final consumption)"라고 하였다. 세계보건기구의 정의는 식품위생의 범위를 원료의 생산으로부터 최종 소비까지를 포괄하고 있다. 한편, 우리나라 식품위생법에서는 "식품위생이란 식품, 첨가물, 기구 또는 용기, 포장을 대상으로 하는 음식에 관한 위생을 말한다"라고 규정하고 있다.

2) 식품위생 관리 3대 요소

식품위생 관리의 3대 요소는 안전성(safety), 완전 무결성(wholesomeness), 건전성(soundness)이다. 이 중에서 식품의 안정성이 가장 중요한 요소이다. 아무리 많은 영양소가 내포되었다 하더라도 안전성이 없는 식품은 식품으로서의 가치가 없기 때문이다. 안전성이 확보되고, 영양소가 적절히 함유되어 음식물로서 완전성이 확보되더라도 통상적으로 식품으로 사용되는 건전성이 확보되지 못하면 식품으로서의 가치는 상실된다.

한편, 식품표시관리제도는 식품에 관한 각종 정보(가격, 품질 및 성분, 제조일자 및 유효기간, 사용방법, 영양가 등)를 제품의 포장이나 용기에 표기하도록 하여 소비자가 쉽게 제품을 비교하여 합리적으로 선택할 수 있도록 돕는 것이다. 식품표시는 제품의 안전성과 건전성을 확인할 수 있는 1차적인 사후관리 체제라고 할 수 있다.

3) 식품위해요소 중점관리기준

식품위해요소 중점관리기준(Hazard Analysis Critical Control Point)은 해썹(HACCP)이라 부르며, 식품의 원재료 생산에서 부터 최종소비자가 섭취하기 전까지 각 단계에서 위해 물질이 해당식품에 혼입되거나 오염되는 것을 방지하기 위한 위생관리 시스템이다.

HACCP은 최종 제품을 검사하여 안전성을 확보하는 개념이 아니라 식품의 생산, 유통, 소비의 모든 과정을 통하여 지속적으로 관리하여 제품 또는 식품의 안전성을 확보하고 보증하는 예방차원의 정의이다. 따라서 HACCP은 식중독을 예방하기 위한 감시활동으로 식품의 안전성, 건전성 및 품질을 확보하기 위한 계획적 관리시스템이다. HACCP는 전 세계적으로 가장 효과적이고 효율적인 식품안전관리체계로 인정받고 있으며, 미국, 일본, 유럽연합, 국제기구 등에서도 모든 식품에 HACCP를 적용할 것을 적극 권장하고 있다.

우리나라는 1995년 12월 29일 식품위생법에 HACCP 제도를 도입하여 식품의 안전성 확보, 식품업체의 자율적이고 과학적 위생관리 방식의 정착과 국제기준 및 규격과 조화를 도모하고자 식품위생법에 위해요소 중점관리기준에 대한 조항을 신설하였다. 현재 우리나라에서는 모든 식품 품목과 축산물 작업장에서 HACCP에 적극 참여할 수 있도록 의무적용과 자율적용을 활용하고 있다.

02 식중독

1) 식중독의 정의

식중독(food poisoning)은 일종의 급성 위장장애 또는 신경장애 현상을 일으키는 중독성 질병이다. 일반적으로 음식물을 통하여 인체에 들어간 병원미생물이나 유독 · 유해한 물질에 의하여 일어나며, 위장장애 및 신경장애의 생리적 이상을 초래하는 현상을 식중독이라고 한다.

과거에는 음식물을 섭취하여서 일어나는 급성의 위장염 증상을 주로 식중독이라고 하였으나, 최근에는 식품 중에 잔류된 미량의 화학물질을 지속적으로 섭취하여 오랜 시간이 경과된 후 증상이 나타나는 만성적인 경우도 식중독의 범위에 포함시키고 있다. 또한, 원인이 불분명한 경우에도 그 증상이 음식물과 관계가 있다고 인정될 때에는 식중독으로 취급한다. 그러나 영양불량에 의한 건강장애, 식품에 혼입된 이물질에 의한 물리적 · 기계적 손상, 뜨거운 것을 섭취하여서 입은 상처 등은 식중독의 범위에 포함되지 않는다.

우리나라의 식중독 발생은 ① 급속히 집단적으로 발생하며, ② 발생지역이 국한되어 있고, ③ 여름철에 많고, ④ 연령적으로는 20대가 많으며, ⑤ 성별로는 남자가 많다는 역학적 특성이 있다.

표 3-4 식중독의 분류

분류	종류	병인물질
세균성 식중독	감염형 식중독	살모넬라균, 장염비브리오 등
	독소형 식중독	포도알균, 보툴리누스균 등
화학성 식중독	우연 또는 과실로 혼입된 유해물질에 의한 중독	농약, 수은, 카드뮴 등
	유해 착색료에 의한 중독	아우라마이네, 젠티안 바이오레트 등
	유해 방부제에 의한 중독	붕산, 포르말린 등
	유해 인공감미료에 의한 중독	둘신, 사이크라메이트 등
	기타 물질에 의한 중독	메타놀, 간수 등
	조리기구 · 포장에 의한 중독	구리, 납, 비소 등
자연독 식중독	동물성 자연독에 의한 중독	복어, 조개 등
	식물성 자연독에 의한 중독	감자, 버섯류 등

2) 식중독의 분류

식중독의 원인은 매우 다양하여 종류도 여러 가지가 있다. 원인식품에 함유되어 있는 병인물질에 의한 분류, 식중독의 발생기전에 의한 분류, 증상의 차이에 의한 분류 등이 있으나 병인물질에 따라 분류하는 방법이 가장 일반적이다. 병인물질에 따라 ① 세균성 식중독, ② 화학성 식중독, ③ 자연독 식중독 등으로 구분된다. 구체적인 내용은 다음과 같다.

2-1) 세균성 식중독

(가) 세균성 식중독과 감염병의 차이

세균성 식중독과 경구 감염병은 경구적으로 침입된다는 것은 같으나 역학적으로 다음과 같은 차이점이 있다.

- 감염병의 병원체는 주로 인체 내에서 잘 증식하고, 식중독 원인균은 주로 음식물에서 잘 증식한다.
- 경구 감염병은 섭취균량이 적어도 발병되지만, 식중독은 섭취균량이 많아야 발생한다. 예를 들어, 살모넬라(salmonella)균은 1,000만 마리 이상이 되어야 식중독을 일으킨다.
- 식중독은 감염병보다 잠복기간이 짧고 면역이 잘 형성되지 않는다.
- 세균성 식중독은 2차 감염이 거의 없고 원인식품으로 발병하는 반면에 경구 감염병은 2차 감염이 형성되어 고유숙주로부터 고유숙주로 감염된다는 점이 다르다.

표 3-5 세균성 식중독과 경구 감염병의 비교

특징 \ 질병	세균성 식중독	경구 감염병
섭취균량	다량(음식물에서 증식)	극소량(체내에서 증식)
잠복기	아주 짧음	일반적으로 장기
경과	대체로 짧음	대체로 장기
2차 감염	거의 없음	심함

(나) 종류

세균성 식중독은 세균에 의한 급성 위장염으로 다수의 생균을 경구적으로 섭취하여 발병하는 감염형과 세균이 생산한 독소에 의해서 발병하는 독소형으로 분류된다. 각 식중독의 특성은 다음과 같다.

① 감염형 식중독

감염형 식중독은 원인세균이 식품에 오염되어 증식한 것이 그 식품을 섭취할 때에 체내로 들어가 증상을 나타낸다. 잠복기는 8~24시간 정도 된다. 감염형 식중독의 임상소견과 소화기계 감염병의 임상소견은 엄격히 구별하기 곤란한 경우가 많으며, 대표적인 것으로 살모넬라, 비브리오, 노로바이러스, 병원성 대장균 식중독 등이 있다.

① 살모넬라 식중독

살모넬라증(salmonellosis)의 원인균은 30여 종이 알려져 있는데, 장염군 및 돼지콜레라균이 대표적이다. 잠복기간은 일반적으로 12~48시간으로 평균 20시간이며, 발병률은 다른 식중독균과 비교하여 높다. 균량에 따라 증상은 다르나 급격한 발열로 38~40°C에 이르며 두통, 복통, 설사, 구토를 일으키는데, 대략 2~5일이면 발열이 멈추고 1주일이면 완쾌된다.

예방은 식품위생관리를 철저히 하는 것이다. 식품의 저온보존 및 유통 및 취급과정에서 오염되지 않도록 해야 한다. 또한, 식품섭취 전에 보균자나 보균동물에 의하여 2차 오염이 일어나지 않도록 관리가 필요하다.

② 비브리오 식중독

비브리오 식중독(halophilism)은 장염 비브리오균이 원인균이다. 비브리오균은 해수세균의 일종으로 3~5% 전후의 염도에서 잘 번식하며, 10% 이상의 염도에서는 성장이 정지되는 세균이다. 잠복기는 평균 12시간 정도이다. 전형적인 급성 위장염을 일으키는데 복통, 설사, 구토가 주증상이며, 경우에 따라 혈변이 나오는 때도 있다. 원인식품은 어패류가 주가 되며, 오염 음식물을 통해서도 감염될 수 있는데 주로 7~9월에 많이 발생한다. 예방대책은 해수 세균이므로 생어패류의 생식에 유의하여야 한다.

③ 노로바이러스 식중독

노로바이러스(norovirus)는 겨울철 급성 위장염을 일으키는 식중독 원인체이다. 미국 오하이오주의 노워크(Norwalk)에서 집단 발병한 이후에 이 지역의 이름을 따서 노로바이러스라고 불려진다. 오염된 채소나 과일, 굴, 조개류 등을 통하여 감염되며, 영하 20°C 이하에서도 장기간 생존할 수 있어 동절기에 많이 발생한다. 노로바이러스 감염증에 걸리면 초기에는 열이 나고, 메스꺼움, 구토, 복통 및 설사 등의 증세가 나타난다. 평균 24~48시간 잠복기를 가지고 있기 때문에 감염되었더라도 바로 알 수가 없다. 노로바이러스는 60°C에서 30분 동안이나 가열을 해도 없어지지 않고 감염자의 입을 통해서 전염된다.

④ 병원성 대장균 식중독

사람의 대장에 항상 존재하는 대장균은 정상세균으로 식중독의 원인이 되지 않는데 일부 대장균은 유아에게 감염성 설사증이나 성인에게 급성 장염을 일으킨다. 이것을 병원성 대장균(*escherichia coli*)이라 하여 일반 대장균과 구분한다. 특히, 장출혈성 대장균(*Escherichia coli* O157)의 감염증은 높은 감염력과 치명률을 가지고 있어 조기발견을 위하여 감시체계를 운영하고 있다.

병원성 대장균의 감염증은 영 · 유아에게는 미량으로도 발생하지만 취학기 이상 아동의 경우는 상당량의 균수가 있어야 일어난다. 햄, 치즈, 소시지, 어패류, 도시락, 오염된 채소 등 여러 종류의 식품이 원인이 될 수 있으며, 수영장의 물이나 보균자가 화장실을 비위생적으로 사용할 때도 2차 감염이 가능하다. 증상은 원인 세균에 따라 차이가 있으나 공통적으로 복통과 설사가 일어난다.

② **독소형 식중독**

독소형 식중독은 세균이 음식물 중에서 증식하여 산출된 장독소나 신경독소가 발병의 원인이 된다.

① 포도알균 식중독

포도알균은 자연계에 널리 분포하고 있는 균인데, 식중독 원인균으로 병원성을 나타내는 것은 황색포도알균이다. 포도알균 식중독은 다른 세균성 식중독과 비교하면 잠복기가 매우 짧은 것이 특징으로 평균 3시간 정도이다. 증상으로 구역질, 구토, 복통 및 설사가 있으며, 특히 심한 구역질과 구토가 반드시 일어난다. 경과는 빨라서 1~3일에 회복되며, 예후도 양호한 편이다. 증상이 매우 심하지만 사망하는 경우는 거의 없다.

중요한 감염경로가 사람의 손을 통하는 것임을 고려할 때에 이 식중독을 예방하기 위해서는 식품 취급자의 개인위생이 가장 중요하다. 식품취급자가 화농성 질환이나 후두염 등에 걸렸을 때에는 조리 등의 작업에 참여하지 않도록 하며, 조리실을 청결하게 관리해야 한다.

② 보툴리누스균 식중독

보툴리누스균은 해수 및 해산 어패류를 비롯하여 육지의 토양, 호수의 물과 어류 등에 널리 분포하고 있어서 오염의 기회가 적지 않다. 일반적으로 12~36시간이나, 2~4시간에도 신경증상이 나타나는 경우가 있다. 신경계 증상이 주증상으로 복시, 동공산대, 실성, 연하곤란, 호흡곤란 등이 있으며, 신경증상 전에 구역, 구토, 복통, 설사 등의 소화계 증상이 나타나는 경우도 있다.

치명률이 높은 식중독으로 원인식품은 통조림, 소시지 등과 야채, 과일, 식육, 어류, 유제품 등이 혐기성 상태에 놓이게 되는 경우 문제가 된다. 예방대책은 식품오염의 방지가 최우선이며, 가열처리를 통하여 균의 사멸이 이루어질 수 있다. 독소 자체가 열저항성이 약한 편이므로 식품의 섭취 전에 가열이 예방에 효과적이다.

2-2) 화학성 식중독

화학성 식중독은 유해 · 유독한 화학물질이 혼입된 식품을 사람이 섭취하여 인체에 건강장애를 일으키는 것이다. 화학물질의 식품내 혼입은 첨가물 등과 같이 고의 또는 실수로 인하여 혼입되는 경우, 식품의 생산 · 제조 · 가공 · 저장 중에 본의 아니게 잔류하여 혼입되는 경우, 음식물용 기구 · 용기 · 포장 등에 의하여 혼입되는 경우 등으로 나눌 수 있다.

화학성 식중독의 경우는 독성물질에 따라 차이가 있으나 대개 체내 흡수가 빠르고 체내분포가 빨라서 중독량이 되면 해당 물질의 특수한 작용에 대한 급성 증상이 나타난다. 그러나 원인물질의 흡수가 소량이고 연속적으로 섭취되어 체내에 축척되는 경우 또는 적은 양이 미치는 작용이 누적되는 경우에는 만성중독이 일어나게 된다. 세균성 식중독이나 자연독 식중독과 달리 특별한 원인식품을 지정하기는 어려우나 주로 가공식품으로 인해서 일어나는 경우가 많다.

(가) 고의 또는 오용으로 화학물질이 혼입되는 경우

고의로 화학물질을 첨가하는 경우는 식품의 상품 및 영양적 · 관능적 가치를 높이기 위하여 허가된 첨가물을 사용하는 경우이다. 한편, 오용인 경우는 용량을 초과한 경우라 할 수 있다. 식품의 대량생산에 따라 첨가물의 사용이 불가피해진 측면이 있으나 첨가물의 유용성과 유해성에 대해서는 지속적인 관심이 필요하다.

(나) 식품의 생산·제조·가공·저장 중에 화학물질이 혼입되는 경우

식량의 증산과 보존이라는 측면에서 불가피하게 사용되는 유독물질은 살충제나 제초제 등의 각종 농약이 대표적이다. 농약의 특수성분 또는 유해성 금속이온이 농작물의 대사과정에서 내부에 잔류하여 식품에 합류된 채로 사람의 섭취에 이르게 된다. 식품 중에 잔류하는 양이 적다하더라도 인체 내에서의 축적효과를 고려할 때에 그 영향을 무시할 수는 없다.

한편, 첨가물에 의한 식중독은 사용이 허용되지 않은 유해한 불량 첨가물의 사용으로 발생하는 식중독뿐만 아니라 허용 첨가물이라고 하더라도 허용량 이상 과량사용으로 발생하는 식중독도 있다. 식품첨가물에는 산화방지제, 보존료, 살균료, 착색제, 착향제, 표백제, 팽창제, 감미료, 산미료 등으로 다양하다.

(다) 음식물용 기구·용기·포장 등에 의하여 혼입되는 경우

식품 포장지 등에서 용출되는 유해화학물질과 식품 용기나 기구 등을 통해서 혼입되는 유해 금속류 등이 식중독의 원인이 될 수 있다. 각종 식기구 및 조리용 기구로 철, 주석, 알루미늄 등을 사용하는 경우에는 비교적 위험성이 적으나 구리, 아연, 납 또는 이들의 합금을 사용한 식품용기는 위험성이 있다.

2-3) 자연독 식중독

동식물 중에는 생존하는 과정에서 정상성분으로 어떤 독성물질을 함유하는 경우가 있으며, 이것들이 사람의 건강에 위해를 나타낼 수 있다. 유독성분의 생성 또는 함량은 동 · 식물체가 생육하는 환경여건과 시기 등에 따라 다르며, 이들 독성성분에 의한 식중독은 지역적인 식습관이나 판별 잘못으로 발생되는 특징을 갖는다. 동물성 자연독은 복어와 조개류가 식물성 자연독은 버섯이나 곰팡이가 대표적이다.

(가) 동물성 자연독

① 복어 식중독

식중독의 원인 독성분은 복어의 난소, 간장, 고환, 위장 등에 많이 함유되어 있다. 이 독성분은 비단백질성 독소 중에서 가장 강하고 열에 저항이 강해서 100°C에서 4시간을 가열해도 파괴되지 않는다. 촉각, 통각, 온각 마비를 일으키고 신경중추 및 호흡중추에도 마비가 일어나 혈압이 올라가고 호흡곤란을 겪게 된다. 중독증상은 식후 30분부터 4~5시간에 나타나며, 8시간 정도 경과하면 회복하기도 하지만 심한 경우 호흡곤란으로 사망한다.

복어의 독성분은 복어의 종류에 따라 유독부위와 독력에 차이가 있다. 또한, 계절에 따라 독력에 차이가 있는데, 산란기인 12월부터 다음해 8월까지가 독소 축적이 심하다. 독이 있는 부분은 제거하여 섭취하도록 하며, 복어 요리는 반드시 자격이 있는 조리사가 해야 한다.

② 조개류 식중독

조개류 식중독의 원인물질은 먹이나 서식환경 등의 독성물질이 조개류 체내에 들어가서 축척되는 것으로 추측되고 있다. 모시조개, 바지락, 굴 등에서 발견되는 베네루핀(venerupin)은 100°C에서 1시간 가열해도 파괴되지 않는다. 발병은 입술, 혀 등의 마비로 시작하여 차차 사지가 마비되고 기립보행이 불가능해진다. 언어장애, 두통과 메스꺼움, 구토 등을 일으킨다. 식후 30분 내지 3시간의 잠복기를 거쳐서 발병하고, 경증인 경우는 24~48시간이 지나면 회복되지만 중증인 경우는 24시간 이내에 사망한다.

(나) 식물성 자연독

① 버섯 식중독

버섯은 식용버섯과 독버섯이 있는데, 구별하기가 어려워 독버섯(알광대버섯, 무당버섯, 미치광이버섯, 광대버섯 등)을 식용으로 오인하여 섭취할 경우에 식중독이 발생한다. 독버섯은 대개 외관상 색이 아름답고 선명하다. 조리과정에서 구분하는 방법은 버섯을 끓였을 때에 그 증기에 은수저를 갖다 되어 검게 변하면 유독한 것이다.

② 곰팡이 식중독

곰팡이류는 발효식품이나 양조식품의 중요한 자원으로서 이용되어 오고 있지만 어떤 곰팡이류는 식품에서 증식하는 과정에서 생성된 독소가 식중독의 원인이 되기도 한다. 곰팡이류는 식품의 표면에서 서식하는 호기성 미생물이지만 통기성이 높은 식품의 경우는 식품 내부에서 증식하여 독소를 생성한다. 곰팡이 독소는 곰팡이가 생산하는 유독성의 2차 대사산물로 사람과 동물에 질병이나 이상 생리작용을 유발하는 물질로 간장독, 신장독, 신경독 등의 중독을 일으킨다.

03 식품의 보존방법

변질(spoilage)은 식품을 자연조건에 방치하면 그 성분이 변화하여 본래의 성질을 잃게 되는 것이다. 주로 영양물, 비타민의 파괴와 향미가 손상되거나 탈수되어 식용에 부적합하게 되는 현상이다. 미생물에 의하여 단백질이 분해되어 아미노산이 되고, 다시 분해되어 amine이나 ammonia가 생성되어 악취를 발생하게 되는데, 이러한 현상을 부패(putrefaction)라고 한다. 질소성분을 함유하지 않은 유기화합물로서 당질이나 지방질도 미생물에 의해 변질을 일으키는데, 이와 같은 변질은 변패(deterioration)라고 한다.

그러나 음식물의 변질에 있어서, 부패와 변패를 엄밀히 구분할 수는 없으며, 편의상 식품을 구성하는 주성분에 따라서 육류 · 어패류 · 계란류 등 단백질이 주성분인 물질의 변질을 부패라 하고, 주류 · 버터 등의 당류나 지방질이 주성분인 물질의 변질을 변패라고 한다.

식품의 변질을 방지하기 위해 각종 보존방법이 이용되는데 미생물의 번식을 억제할 수 있는 조건으로 만들거나 미생물을 살균하여 보존하게 된다. 미생물의 번식과 관계되는 요소는 온도, 습도, 영양분, 수소이온농도 등이 중요한 요소이다. 식품을 보존하는 방법은 물리적 보존법, 화학적 보존법 및 이의 병용 처리법 등으로 구분할 수 있다.

1) 물리적 보존법

1-1) 가열법

가열법은 일종의 물리적 소독법으로 음식물 중의 미생물을 사멸시켜 보존하는 방법이다. 식품중의 효소를 파괴하여 자기소화작용을 저지하여 변질을 막는 방법이다. 일반적으로 포자를 형성하지 않는 미생물은 80°C에서 30분이면 사멸되지만, 완전멸균을 위해서는 120°C에서 20분 정도가 적당하다. 그러나 음식물의 종류에 따라서 가열처리로 음식물 고유의 향미, 비타민, 영양가 등을 손상시킬 수 있기 때문에 주의가 필요하다.

1-2) 냉장 및 냉동법

모든 생물의 발육이나 신진대사의 작용은 저온에서는 지연되거나 정지되며 효소의 화학적 작용도 늦어진다. 따라서 냉장법은 자기소화의 지연 또는 정지와 미생물 번식의 지연 또는 억제하는 방법이다. 냉장법은 0~10°C사이의 저장을 말하며, 냉동은 0°C이하의 저장을 말하는데, 10°C이하의 움저장법(과실, 채소류), 1~4°C의 냉장법(야채, 과일, 육류), 0°C이하의 냉동법(육류, 어류), 급냉법(식육, 어패류) 등의 방법이 있다. 그러나 호한세균은 냉장온도에서도 발육할 수 있어 냉장만으로 완전할 수는 없으며, 장기간의 냉장은 음식물을 변질시키게 된다.

1-3) 건조 및 탈수법

음식물을 건조하는 것은 음식물을 탈수된 상태로 만들어서 미생물의 증식을 막는데 그 목적이 있다. 수분이 40%이면 미생물의 번식은 완만해지고, 15% 정도로 건조하면 미생물의 증식을 억제하면서 음식물의 가치를 손상시키지 않는 적당한 건조라 할 수 있다. 그러나 지나친 습도의 제거나 완전탈수는 변질을 방지할 수는 있지만 음식물로서 가치를 손상시킬 수 있다.

1-4) 자외선 및 방사선 이용법

자외선의 살균작용 유효파장은 2,500~2,700Å사이에서 이루어진다. 식품을 다량으로 장기 보존하기 위해서 방사선으로 처리하기도 한다.

1-5) 기타

기타 음식물을 물리적 보존하는 방법으로 통조림법 및 밀봉법 등이 있다.

2) 화학적 보존법

2-1) 방부제 첨가법

방부제는 허용된 첨가물을 사용해야 하며, 그 사용량도 허용량을 지켜야 한다. 방부제가 갖추어야 할 요건은 독성이 없고, 미량으로 효과가 있어야 하며, 무미 · 무취여야 하고 식품에 어떤 변화가 없는 것이어야 한다.

2-2) 소금 · 설탕 절임법

음식물에 소금이나 설탕을 고농도로 첨가하면 미생물의 발육을 억제할 수 있다. 탈수작용과 염소이온의 직접적 작용 등에 의해 보존되는 방법이다. 일반적으로 10~20%의 소금, 40~50%의 설탕절임법이 이용되지만 식염내성균도 있으므로 절대적인 보존법이라 할 수는 없다.

3) 물리 · 화학적 보존법

3-1) 훈연법

훈연법(smoking method)은 주로 육류 및 어류의 보존법으로 이용된다. 대부분 소금절임에 의한 탈수작용이나 가열처리 후에 훈연하는 방법이다. 연기 속에 포름알데히드, 액시톤, 개미산 등이 있어 살균작용을 한다.

3-2) 기타

기타 물리 · 화학적 보존법으로는 조미료 또는 산의 첨가 방법 등이 있으며, 유산균을 이용하여 치즈, 발효유 등의 형태로 보존하는 생물학적 보존법도 있다.

Ⅳ 보건관리

CONTENTS

CHAPTER 11 보건행정

학습목표

- 보건행정의 특성을 설명할 수 있다.
- 귤릭(Gulick)의 POSDCoRB 과정을 설명할 수 있다.
- 조직형태별로 특성을 설명할 수 있다.
- 우리나라 중앙 및 지방 보건행정 조직을 설명할 수 있다.
- 세계보건기구의 조직, 기능, 역할을 설명할 수 있다.

01 보건행정의 이해

1) 보건행정의 정의

보건행정(health administration)은 국민이 심신의 건강을 유지하고 적극적으로 건강증진을 도모하도록 돕는 정책수립 및 집행에 관한 분야이다. 보건행정학은 보건의료 분야에 일반 행정학의 이론을 접목시킨 학문이다. 그러나 보건행정이 행정 현상인 것은 분명하지만 행정이 갖는 형식적인 내용에 치우치다보면 공중보건이 갖는 특성을 잃어버리게 되므로 보건행정에서는 공중보건의 원리와 기법이 더 강조된다.

일반적으로 보건행정을 보건의료 분야의 공공행정으로 인식하는 경향이 있는데, 보건행정을 공공보건행정으로만 한정할 수는 없다. 왜냐하면, 민간부문의 보건관리 분야 즉, 병원경영이나 의약산업의 관리에 대한 사회적 수요가 증가하게 되어 보건행정이 민간부문의 행정을 포괄하는 종합적인 경향을 보이고 있기 때문이다. 따라서 보건행정은 공공보건행정 뿐만 아니라 민간부문의 보건관리 분야도 포함한다고 보아야 한다. 보건의료 자체가 공공적 성격을 지니기 때문에 수행주체의 성격과 상관없이 공공재와 관련된 영역은 보건행정으로 볼 수 있을 것이다.

2) 보건행정의 특성

보건의료서비스는 공공재의 성격을 지니고 있기 때문에 지역과 계층을 초월하여 모든 국민에게 균등하게 공급될 수 있어야 하며, 이를 통해서 국민의 건강권이 형평성 있게 추구되어야 한다. 보건의료서비스를 관리하는 보건행정의 특성은 공공성과 사회성, 봉사성, 교육성과 조장성, 과학성과 기술성 등의 네 가지로 요약될 수 있다. 구체적인 내용은 다음과 같다.

2-1) 공공성과 사회성

보건행정은 공공복지와 집단적인 건강을 추구하기 때문에 이익추구에 몰두하는 기업경영과는 그 목적이 다르다. 보건행정 활동은 사회구성원의 건강향상을 위해서 이루어지기 때문에 사회성의 성격을 갖게 된다.

2-2) 봉사성

보건행정은 본질적으로 서비스 행정이기 때문에 봉사성의 특성을 갖는다. 국가가 사회정의에 입각하여 국민의 행복과 복지를 위해 직접 개입하여 간섭하고 봉사할 때에 보건행정은 넓은 의미에서 봉사행정의 성격을 띠게 된다.

2-3) 교육성과 조장성

보건행정은 국민의 보건향상이나 중요한 보건문제 해결을 주로 교육적 방법에 강하게 의존한다. 국가가 최대한 인권을 보호하고 국민의 자발적인 참여를 유도하는 방향으로 정책을 수립 · 시행할 때에 보건행정은 조장행정인 동시에 교육행정의 성격을 갖게 된다.

2-4) 과학성과 기술성

보건행정은 의학, 면역학, 생리학 등의 자연과학적 지식과 기술을 기반으로 행정을 수행한다.

3) 보건행정의 범위

보건행정의 전통적인 범위는 환경위생을 중심으로 한 지역사회 보건봉사와 수혜자에 대한 예방의학적 봉사였으나, 최근에는 치료의학적 봉사까지 점차적으로 범위가

확대되고 있다. 세계보건기구(WHO)와 미국공중보건협회(APHA)가 규정한 보건행정의 범위는 다음 표와 같다.

표 4-1 보건행정의 범위

세계보건기구	미국공중보건협회
보건 관련 통계의 수집 · 분석 · 보존	보건자료의 수집과 분석
공중에 대한 보건교육	보건교육과 홍보
환경보건	감독과 통제
감염병관리	환경보건서비스
모자보건	개인보건서비스 제공
의료	보건시설의 운영
보건간호	보건사업과 자원 간의 조정

02 보건행정의 관리과정

관리(administration)는 조직의 목표를 달성하기 위하여 조직 내에서 행해지는 과정의 상호작용이다. 조직의 관리기능을 최초로 제시한 페욜(Henri Fayol)은 관리의 순환과정을 계획(planning), 조직(organizing), 지휘(commanding), 조정(coordinating), 통제(controlling)로 나누어 설명하였는데, 이를 더욱 세분화하여 1937년 귤릭(Luther Halsey Gulick)은 가장 능률적인 행정원리로 최고관리자의 7가지 기능을 제시하였다. 흔히 귤릭의 포스드코르브(POSDCoRB)라고 부르는데, 기획(Planning), 조직화(Organizing), 인사(Staffing), 지휘(Directing), 조정(Coordinating), 보고(Reporting), 예산(Budgeting)으로 구성되어 있다. 보건행정의 관리과정을 귤릭이 제시한 7대 기능 중심으로 살펴보면 다음과 같다.

1) 기획

1-1) 기획의 정의

기획(planning)은 행동을 하기 전에 무엇을 어떻게 해야 하는지를 결정하는 것이고 미래를 예측하는 것이다. 기획은 미래 지향적이며, 의식적으로 최적수단을 찾고 선택하는 의사결정과정이다. 기획은 계획을 작성하는 과정이며, 계획(plan)은 기획을 통해 산출된 결과이다. 기획은 절차와 과정을 의미하고 계획은 문서화된 활동목표와 수단이다.

1-2) 기획의 특징

기획의 기본 철학은 미래 지향성, 합리성, 통제성으로 요약될 수 있다. 이러한 기획의 특징을 세부적으로 살펴보면 다음과 같다.

- 기획은 보다 나은 수단으로 목표를 달성하기 위하여 장래의 행동에 관한 결정을 준비하는 과정이다.
- 기획은 특정 목표를 달성하기 위하여 누가, 언제, 어떤 방법으로, 어느 정도의 예산으로, 어떤 활동을 할 것인가를 결정하는 것이다.
- 기획의 과정은 하나의 계획을 작성하는데 그치지 않고 그 집행결과를 평가하여 다음의 계획에 반영하는 계속적이고 순환적인 활동이다.
- 기획은 과거의 경험과 현실분석을 바탕으로 장래에 수행해야 할 행동방안을 찾는 것이다. 불확실한 미래를 대상으로 하기 때문에 과학적 근거에 따른 예측과 판단이 필요하다.
- 기획은 자료수집과 체계적이고 종합적인 분석 등 합리적인 과정을 통하여 희망하는 목표를 효율적으로 달성할 수 있는 수단을 제시하려는 활동이다.

1-3) 기획 단계

기획은 계획을 수립하고 실행할 뿐만 아니라 그 결과를 평가하여 차기 계획에 반영하는 하나의 순환과정을 형성한다. 이러한 기획과정은 몇 단계로 구분할 수 있는데, 구체적인 내용은 다음과 같다.

(가) 목표설정

목표설정은 궁극적으로 달성하려는 목적을 구체화하는 것이다. 기획의 목표는 현실에 대한 불만이나 장래에 대한 희망에서 도출되는 것이 일반적이다. 목표의 요건으로는 표방된 목표와 실제목표 사이에 차이가 없어야 하고, 목표설정에 있어서 타당성과 내적 일관성 그리고 실제적이고 현실가능성이 있어야 한다.

(나) 현황분석

현황분석을 통해서 기존의 문제점 및 예상되는 문제점, 목표를 달성하는데 관련되는 여러 요인을 규명한다. 현황분석 방법으로 가장 먼저 수행해야 할 것은 관련 정보 및 자료수집으로 통계자료집, 간행물, 연구문헌 등에 게재된 과거의 현황, 미래의 전망에 관한 전반적인 지식과 통계, 연구결과를 분석하는 것이다.

(다) 대안의 모색과 평가

기획은 미래를 대상으로 하는 정책결정인 만큼 각 대안의 장 · 단점보다는 그 대안을 선택했을 때 나타날 영향을 예측하여 비교 평가하는 것이 중요하다. 대안을 선택할 때 현실성과 합리성 외에도 효율성이 중요하다. 가능한 적은 자원을 투입하고 최대한 좋은 결과를 도출할 수 있는 대안이 이상적일 것이다. 이런 대안을 선택할 때 흔히 사용되는 관리기법으로 비용-편익 분석, 비용-효과 분석, 시뮬레이션 분석 등이 있고, 질적인 방법에는 전문가들의 의견을 수렴하기 위한 델파이 기법 등이 활용된다.

(라) 최종안 선택

최종단계는 비교 분석된 결과를 근거로 최선의 대안을 찾는 것이다. 최종의 대안을 선택하고 난 후에 그것이 합리적인 결정인지를 검증해야 한다. 기획전체의 타당성을 검토하고 선택된 대안의 실현 가능성을 확인함과 동시에 선택된 대안과 이해관계가 있는 개인이나 집단의 동의를 확보해서 전체적으로 실시하기 전에 시범적으로 실행하도록 한다.

(마) 실행과 평가

최종적으로 기획과정 속에서 수립된 계획을 집행하고 그 결과를 평가하여 환류시키는 일련의 과정을 의미한다.

2) 조직화

2-1) 조직화의 정의

조직화(organizing)는 기관의 목표를 효율적인 방법으로 달성할 수 있도록 기관의 구성 형태를 결정하고 각종 자원을 배분하고 조정하는 활동을 말한다. 기관의 목표를 달성하기 위해 인적자원과 물적자원, 예산, 정보 등 모든 자원을 단위별로 나누어 배분하고 조정하는 활동이라고 할 수 있다.

한편, 조직화는 하나의 완성된 조직(organization)과는 차이가 있다. 조직이란 조직화 과정을 거쳐 조직구조가 형성되어 체계를 갖춘 완성된 결과물을 의미한다. 따라서 조직화는 조직을 형성시켜 나가는 과정으로 조직은 조직화 과정을 통해서 만들어진 형태로 이해할 수 있다.

2-2) 조직화 단계

일반적으로 조직화의 과정은 네 단계로 나누어진다. 첫째, 기관의 목표를 달성하기 위해 조직이 해야 할 일을 확정하고, 둘째, 확정된 일을 수행하기 위해 일정한 기준에 따라서 부서나 부문으로 일을 나누고, 셋째, 나누어진 부서나 부문별로 책임이나 권한을 배분하고, 넷째, 이들이 상호 연결될 수 있도록 전체적으로 조정하는 과정을 거치게 된다.

2-3) 조직의 형태

(가) 공식조직과 비공식조직

표 4-2 공식조직과 비공식조직의 특성 비교

공식조직	비공식조직
제도적, 인위적	자연발생적, 비명문화
외면적, 가시적	내면적, 비가시적
대규모	소집단
능률의 논리, 과학적 관리론	감정의 논리, 인간관계론
전체 질서	부분 질서

① 공식조직

공식조직(formal organization)은 공적인 목표를 달성하기 위해 분업의 논리에 따라 합리적, 관료제적, 인위적으로 제도화된 조직을 의미한다. 공식조직에는 공식적 기능을 수행하는 여러 공식집단(formal group)이 존재하며, 이러한 공식집단은 전체적인 조직업무와 명백히 관련된 특정목표를 실현하거나 특정과업을 수행한다.

② 비공식조직

비공식조직(informal organization)은 현실적인 인간관계 즉, 구성원 상호간의 접촉이나 친근성을 바탕으로 자연 발생적으로 형성된 자생집단이다. 집단과 조직은 구분된다.

집단은 대면적 관계, 집단 구성원 간의 상호작용, 구성원 상호 간에 개인적인 인상이나 인지를 갖는 제한된 수의 사람들과 상호관계에 의해 이루어지는 사람들의 모임을 의미한다.

(나) 계선조직과 참모조직

① 계선조직

계선조직(line organization)은 명령 · 복종 관계가 수직적 계층구조로 이루어져 있고 조직의 목적을 직접적으로 운영하고 집행하는 부서이다. 계선조직은 권한과 책임의 한계가 명확하여 업무수행이 능률적이며 단일기관(unitary organization)으로 구성되어 정책결정이 신속히 이루어진다. 따라서 업무가 단순하고 비용이 적게 드는 조직에 적합하며 강력한 통솔력을 행사할 수 있는 장점이 있다. 그러나 계선조직은 조직의 책임이 주관적 · 독단적 조치를 취할 가능성이 있어 조직이 지나치게 경직화되기 쉬우며 특수분야에서 전문가의 지식과 경험을 활용할 수 없는 단점이 있다.

② 참모조직

참모조직(staff organization)은 막료조직이라고도 하며, 계선조직이 조직체의 전체적인 존립 목적을 원활히 수행할 수 있도록 지원하고 보조적인 서비스를 제공한다. 참모조직은 조직체의 목적달성에 간접적으로 공헌하는 부수적인 조직으로 기획, 인사, 회계, 법무, 공보, 연구 등을 수행한다.

참모조직은 조직의 책임과 통솔범위를 확대시키며 전문적인 지식과 경험을 활용함으로서 보다 합리적인 지시와 명령을 내릴 수 있다. 또한 수평적인 업무의 조정과 협조를 가능하게 하며 조직이 신축성을 띨 수 있는 장점이 있다. 이와 달리 단점으로는 조직의 복잡성으로 조직내의 알력과 불화가 생길 수 있으며, 참모는 책임을 지지 않으므로 양자가 서로 책임을 전가할 우려가 있다. 또한 의사전달의 경로를 혼란에 빠뜨릴 가능성이 있다.

(다) 현대적 조직모형

기존의 조직이론들이 갖는 결점을 보완하는 새로운 구조적 모형으로 프로젝트 조직(project organization)과 매트릭스 조직(matrix organization)이 제시되고 있다. 구체적인 내용은 다음과 같다.

① **프로젝트 조직**

프로젝트 조직(project organization)은 주어진 일정 기간에 어떤 특정 과제에 많은 기술과 자원을 집중시키기 위한 구조적 수단으로서 사용된다. 여러 분야 전문가로 구성된 프로젝트 팀은 프로젝트 책임자의 지시 하에 구성되며, 전문가 사이에 직접적인 수평관계가 강조되고 상하 의사소통은 드물다.

프로젝트 조직은 전통적인 기능 조직 구조와는 반대로 많은 융통성과 혁신적인 사고에 반응한다. 그러나 프로젝트 조직은 팀 구성원간의 역할 구분이 어렵고, 프로젝트 책임자가 새로운 접근법을 선택해야 하는 문제점이 있다.

그림 4-1 프로젝트 조직

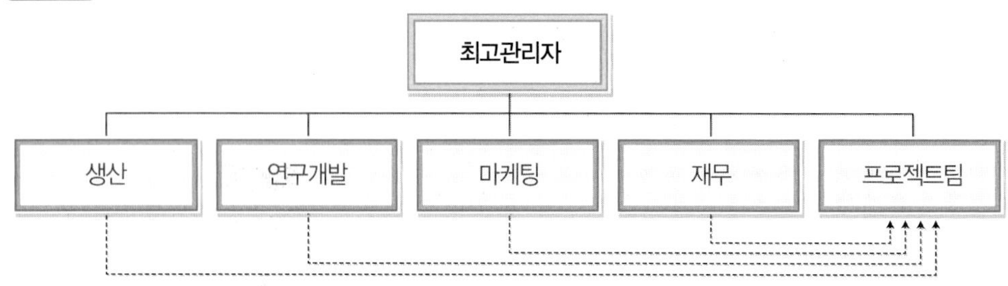

② **매트릭스 조직**

매트릭스 조직(matrix organization)은 기능적 조직과 프로젝트 조직의 가장 좋은 측면들을 합친 것으로 각 기능별, 프로젝트별로 관리자들이 있다. 매트릭스 조직구조에서의 기능적 관리자는 각 프로젝트에 전문인력을 배치하고, 그들의 전문성에 맞추어 일을 할 수 있도록 관리한다. 프로젝트 관리자는 프로젝트가 예산이나 시간 또한 특정의 프로젝트 수요에 부합되게 수행되도록 관리한다. 따라서 매트릭스 조직구조에서의 구성원은 동시에 둘 이상의 조직단위에 소속된다. 그들의 전문적 기능영역과 관련하여 특정기능 분야에 소속되는 동시에 프로젝트팀에도 소속되는 것이다. 따라서 구성원들은 기능적 관리자와 프로젝트 관리자 모두에게 보고해야 한다. 여기에서 발생하는 가장 큰 문제는 구성원이 이중의 권위라인에 속하면서 기능적 요건과 프로젝트 요건을 동시적으로 충족시켜야 하는 데 따르는 갈등이다. 하나의 프로젝트가 아니라 둘 이상의 프로젝트에 동시에 속하게 되면 이러한 갈등은 더욱 커지게 된다. 그러나 매트릭스 조직은 인력 활용에 융통성이 있어 전문적 지식이 모든 프로젝트에 똑같이 적용 가능하고, 프로젝트 간의 관리 일관성이 유지될 수 있다.

그림 4-2 매트릭스 조직

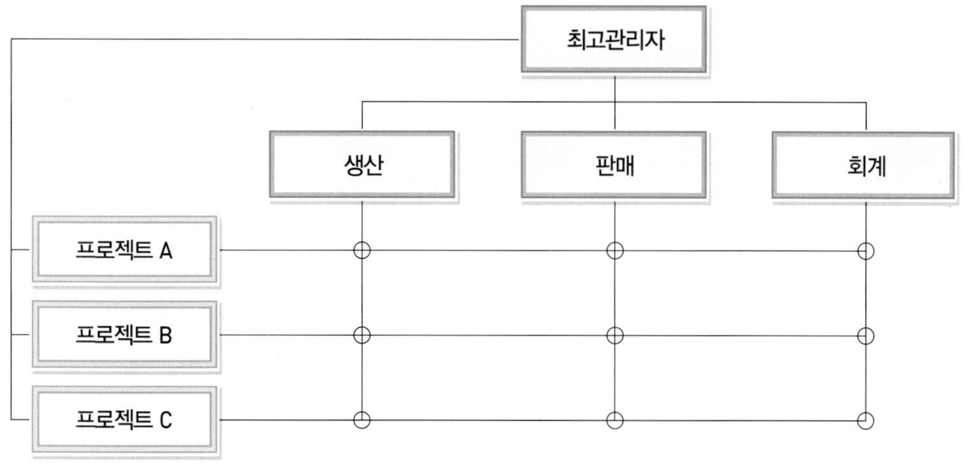

3) 인사

인사(staffing)는 조직 구성원을 소중한 자원으로 인식하여 그들의 잠재능력을 최대로 발휘할 수 있도록 분위기를 최적으로 조성하고 이를 효율적으로 활용하여 개인목표를 만족시킬 뿐만 아니라 조직목표도 달성하는 일련의 활동이다. 인사관리는 직원을 선발하고 채용하며, 배치하고 임금을 지급하는 것과 같은 단순기능에 국한된 것이 아니라 조직의 지속적인 경쟁력을 높일 수 있도록 유능한 인적자원을 개발 · 육성할 수 있는 효과적이고 효율적인 제도를 만들어 운영하는 활동이다. 조직에서 필요로 하는 인력을 확보하고 유지하며 보상하고 개발하는 것이다.

인력을 노동력으로만 활용한다면 규정과 제도를 만들고 이를 잘 지키도록 감독만 하면 되지만, 인간의 지식과 아이디어를 중요하게 생각하는 오늘날의 조직에서는 그들이 창출해 내는 지식이 중요하므로 인력에 대한 체계적 관리가 중요하다. 물론 구조적 · 제도적 분야가 잘 되어 있어야 인적자원의 역량과 기능이 충분히 발휘될 수 있지만, 인사관리보다 인간 자체에 대한 관리 측면이 점차 더 중요해지고 있다.

4) 지휘

지휘(directing)는 일정한 목적을 보다 효과적으로 실현하기 위하여 집단행동의 전체를 통솔하는 것이다. 지휘는 인간을 다루는 것이기 때문에 조직 내의 관리자와 피관리자 사이에 일어나는 인간 상호간의 관계에 대한 이해가 필요하다. 지휘기능을 원만히 수행하기 위해서는 의사소통 기술이 필요하며, 지휘과정에서 발생하는 갈등관리가 중요하다.

갈등(conflict)은 주체간의 대립적 또는 적대적 상호작용으로 충돌, 대립, 질시, 미움, 적개심의 관계이다. 갈등은 인간이 모여 있는 사회에서는 보편적인 현상으로 개인 대 개인, 개인 대 집단, 개인 대 조직, 집단 대 집단, 집단 대 조직 간에 일어날 수 있다. 조직 내에서의 갈등은 희소자원이나 업무의 불균형 배분 또는 목표, 가치 등의 차이로 일어나는 대립적 상호작용이다. 갈등이 계속 유지되면 조직에 부정적인 영향을 미칠 수 있기 때문에 갈등의 원인을 파악하여 해결하는 것이 조직의 생산성 향상이나 발전에 도움이 된다.

5) 조정

조정(coordinating)은 공동 목표를 달성하기 위하여 조직구성원의 행동이 통일되도록 질서 정연하게 배열하는 것이다. 즉, 조정이란 일정한 목표를 향하여 조직구성원의 활동이나 기능이 조화를 이루도록 결합시키는 것이다. 오늘날 조직은 전문화, 대형화되어 있기 때문에 전체적인 조화와 통일을 위하여 조정이 중요하다. 특히, 목표달성과정에서 야기되는 각종 이해관계의 조정이 필요하다.

아무리 잘 구성된 조직이라 할지라도 각 부서의 업무수행에는 많은 문제가 발생하고 조정은 불가피하다. 문제를 해결하기 위해서는 부서 간 협조하는 관계가 이루어져야 하는데, 관리자의 태도가 지배적이거나 형식적이지 않으면 조정은 효율적으로 이루어질 수 있다. 그런데, 조정은 전문화와는 상반되는 관계를 가지고 있다. 전문화가 심화될수록 조정이 어려워지고 조정을 쉽게 하려면 전문화가 제한되므로 양자의 균형있는 관계 설정이 필요하다.

6) 보고

보건사업의 효율적 관리를 위해서는 보고내용이 정확하고 성실하게 작성되어야 한다. 보고활동은 체계화된 지휘체계 내에서 운영되어야 하고, 보고과정에서 정보가 변질되지 않도록 관리되어야 한다. 보고내용을 문서로 작성한 보고서는 보고자의 주관적인 생각을 배제하고 사실과 정보를 정확하게 전달하는 수단으로 활용될 수 있다. 일반적으로 보고서는 다음의 요건을 갖추어야 한다.

첫째, 보고서는 이용자가 필요로 할 것으로 예상되는 모든 정보를 제공해야 한다.

둘째, 보고서는 정확하게 작성되어야 한다.

셋째, 보고서는 간결하고 명확하게 작성되어야 한다.

넷째, 보고서는 이용자의 입장에서 필요한 정보를 쉽게 얻을 수 있도록 정보를 전달해야 한다.

7) 예산

예산(budgeting)은 조직이 수립한 목표를 달성하기 위해 일반적으로 1년의 회계연도 중에 수행하기로 계획되어 있는 여러 사업과 관리 활동에 소요되는 자금을 화폐단위로 계수화하여 구체적으로 나타낸 계획이다. 예산회계(budget accounting)는 예산편성, 예산집행, 예산결산과 관련한 장부작성, 결산 등 모든 회계행위를 말한다. 예산은 미래에 대한 추정이고 계획인데 반하여, 회계는 실제로 발생한 내용의 기록이며 과거에 대한 사실 기록이다. 회계연도 초에 미래의 재무계획은 예산으로 관리되지만, 회계연도가 종료되면 예산을 집행한 회계정보로 남게 된다.

예산은 한정된 자원을 배분하고자 하는 정책의사결정 과정이며, 조직의 목표를 달성하기 위하여 화폐단위로 표시한 계획이다. 따라서 예산은 회계의 한 형태이며 조직의 책임자가 회계연도 동안 수행하고자 하는 내용을 자금이라는 숫자로 표현한 업무계획서라고 할 수 있다. 따라서 예산관리(budgetary planning and control)는 조직 전체의 효율성을 제고하기 위한 차원에서 예산을 편성하고, 그것을 근거로 하여 한 해 동안 조직 각 분야의 모든 활동을 종합적으로 계획, 조정, 통제하며, 예산과 실적의 차이 분석을 통하여 조직의 업적을 객관적으로 평가하는 과정이다.

03 우리나라 보건행정 조직

1) 보건행정 체계의 구성

우리나라 보건사업은 중앙정부의 책임 하에 수행되는 것과 지방자치단체의 책임 하에 수행되는 것으로 나누어 볼 수 있다. 보건사업은 지역사회가 기본단위이기 때문에 지방자치단체에서 수행하는 보건사업이 중요하지만 중앙정부의 책임 하에 보건사업을 수행해야 하는 이유도 있다. 사업의 성격과 내용에 따라 중앙정부와 지방자치단체 간에 균형 있는 사업수행이 필요하다.

보건사업을 중앙정부의 책임 하에 수행해야 하는 이유는 다음과 같다.

첫째, 감염병관리는 지역단위로 해결하기 어렵다.

둘째, 정부 각 부처 간의 조직이나 기술 및 인력의 협력 없이는 어렵다.

셋째, 보건사업의 일관성을 유지하여 업무의 중복을 피할 수 있다.

넷째, 법적 규제만으로는 사업수행이 어렵고 정부의 예산지원이 필요하다.

우리나라 보건행정은 보건복지부가 주관하고 있으나 보건의료서비스에 관한 중추적인 일선조직은 행정자치부 체계를 통해 운영되고 있는 시 · 도의 보건정책(위생)과와 시 · 군 · 구에 소재한 보건소가 있다. 보건복지부는 일반 지방 행정기구에 대한 업무상 감독권을 보유하고 있을 뿐이다. 보건행정 운영체계는 보건복지부와 행정자치부로 이원화 되어 있다. 또한, 산업보건과 관련된 근로활동 및 산업재해 등의 업무는 고용노동부에서 관장하고, 환경보건과 관련된 자연 및 생활환경 보존과 환경오염 등의 업무는 환경부에서 관장하고 있다.

그림 4-3 우리나라의 보건행정체계

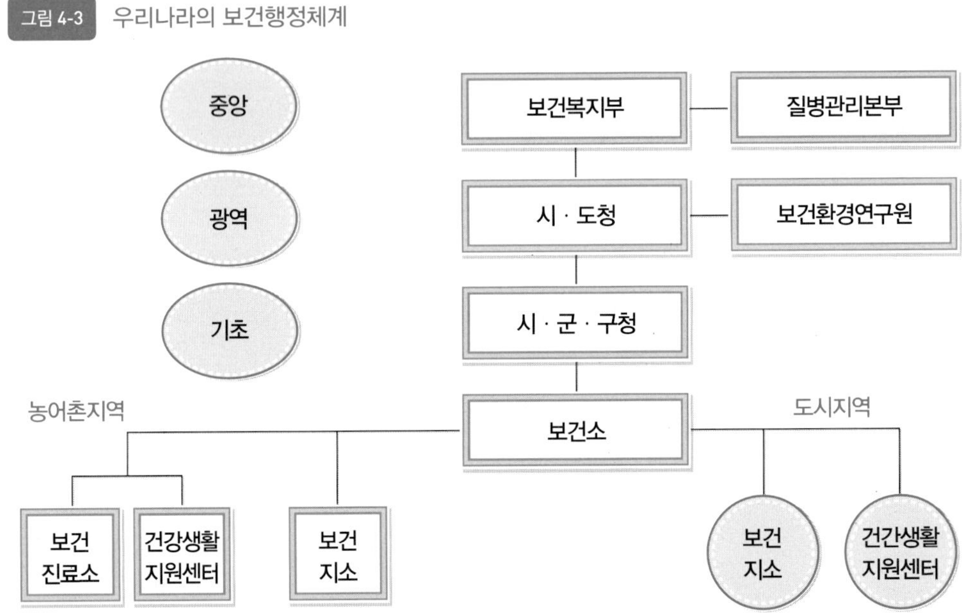

2) 중앙 보건행정 조직

보건행정의 중앙 조직은 보건복지부이다. 보건복지부의 전신은 1948년 정부수립과 함께 신설된 사회부이다. 1949년에 보건부로 신설되었다가 1955년에 보건부와 사회부를 통합해 보건사회부로 개편되었다. 1994년 12월 정부조직법 개정에 따라 보건복지부로 명칭이 변경되었다. 이후 2008년 2월 정부조직법 개정에 따라 여성가족부 일부를 흡수해 보건복지가족부로 개편되었으나, 2010년 3월에 청소년, 가족 업무를 여성부로 넘기고 다시 보건복지부로 명칭이 변경되었다.

2012년 현재 보건복지부 조직은 장관, 차관 산하에 실-국-과 체제로 구성되어 있으며, 소속기관으로 질병관리본부, 국립정신병원(5개소), 국립소록도병원, 국립재활원, 국립결핵병원(2개소), 국립망향의동산관리소, 국립검역소(13개소) 등을 두고 있다. 한편, 2013년 식품의약품안전처는 조직이 승격되면서 국무총리실 소속으로 바뀌었다.

3) 지방 보건행정 조직

지방 보건행정 조직은 우리나라 행정체계에 따라 시 · 도(광역자치단체) 및 시 · 군 · 구(기초자치단체)조직으로 구분할 수 있다.

3-1) 시 · 도 보건행정 조직

우리나라 보건행정체계에서 시 · 도 보건행정 조직이 담당하는 역할은 제한적이다. 보건행정의 일선 업무를 담당하고 있는 보건소의 보건사업 등은 보건복지부의 지도 · 감독 하에 있으며, 시 · 도 보건행정 조직이 관여하는 부분은 주로 행정적인 부분에 제한된다. 광역자치단체별로 보건행정을 담당하는 부서의 명칭, 조직의 크기, 구성, 업무내용 등에 차이가 있다.

3-2) 시 · 군 · 구 보건행정 조직

시 · 군 · 구 보건행정 조직은 1962년 보건소법 개정으로 전국의 시 · 군 · 구에 설치된 보건소가 중추적 기관이다. 보건소의 설치는 대통령령이 정하는 기준에 따라 시 · 군 · 구별로 1개소를 설치할 수 있으며, 보건소 설치는 지방자치단체 조례로 정한다. 기초자치단체장이 지역주민의 보건의료를 위하여 특히 필요하다고 인정하는 경우에는 필요한 지역에 보건소(분소)를 추가로 설치할 수 있다.

보건소장은 보건소에 1인을 두되, 의사의 면허를 가진 자 중에서 시장 · 군수 · 구청장이 임명하며, 의사의 면허를 가진 자로서 보건소장을 충원하기 곤란한 경우에는 보건의무직군 공무원을 보건소장으로 임명할 수 있다(지역보건법 시행령 제11조). 보건소, 보건지소 및 보건진료소 전체 인력정원은 자치단체의 전체 인력정원 범위 내에서 운영된다. 보건소의 하부 조직으로 읍면(보건소가 설치된 읍면 제외)에 1개소씩 설치 운영되는 보건지소와 읍면 내 의료취약지역에 설치 운영되는 보건진료소 그리고 읍 · 면 · 동 마다 1개씩 설치할 수 있는 건강생활지원센터가 있다. 보건지소, 보건진료소, 건강생활지원센터는 보건소장의 지휘와 감독을 받는다.

보건진료소는 농어촌 등 보건의료를 위한 특별조치법에 근거하며, 의사가 배치되어 있지 아니하고 계속적으로 의사의 배치가 곤란할 것으로 예상되는 의료취약지역 안에서 보건진료원으로 하여금 의료행위를 하게 하기 위하여 시장 · 군수가 설치 · 운영하는 보건의료시설이다. 보건진료 전담공무원(2013년 1월 보건진료원에서 명칭 변경)은 간호사 또는 조산사 중 대통령령이 정하는 자격을 가진 자로서 보건복지부 장관이 실시하는 24주 이상의 직무교육을 받고 배치되며, 관할 지역 내에서 제한된 범위에서의 의료행위 및 보건관련 업무를 수행한다.

보건지소와 보건진료소는 의료기관의 지역적 편중으로 인해 초래될 수 있는 의료취약 계층에 대한 기본적인 보건의료서비스를 보장하는 역할을 담당하고 있다. 2006년부터 도시지역에서도 보건지소를 시범적으로 설치하여 보건의료서비스에 요구가 높은 장애인, 만성질환자 등을 우선적인 서비스 대상으로 운영하고 있다. 한편, 2015년 11월에 지역보건법시행령을 개정하여 읍 · 면 · 동마다 건강생활지원센터를 1개소씩 설치 할 수 있도록 하였다.

3-3) 공공보건기관 설치 근거

보건소 설치는 지역보건법 제7조에 근거하여 대통령령이 정하는 기준에 따라 지방자치단체의 조례로 정하도록 되어 있다. 지역보건법 시행령 제7조에서 보건소는 시군구별로 1개소씩 설치하되 시장 · 군수 · 구청장이 지역주민의 보건의료를 위하여 특히 필요하다고 인정하는 경우에는 필요한 지역에 보건소를 추가로 설치 · 운영할 수 있도록 되어 있다.

보건지소는 지역보건법 제10조에 근거하여 설치되는데, 지방자치단체는 보건소의 업무수행을 위하여 필요하다고 인정하는 때에는 대통령령이 정하는 기준에 따라 지방자치단체의 조례로 보건소의 지소를 설치할 수 있다. 지역보건법 시행령 제8조에서 보건지소는 읍 · 면(보건소가 설치된 읍 · 면은 제외)마다 1개소씩 설치한다고 되어 있다. 다만, 시장 · 군수 · 구청장은 지역주민의 보건의료를 위하여 특히 필요하다고 인정하는 경우에는 필요한 지역에 보건지소를 설치 · 운영 하거나 수개의 보건지소를 통합하여 1개의 통합보건지소를 설치 · 운영할 수 있다.

보건진료소는 농어촌등 보건의료를 위한 특별조치법 제15조에 근거하여 설치 · 운영되고 있다. 농어촌등 보건의료를 위한 특별조치법 시행규칙 제17조 1항에서 보건진료소는 의료취약지역을 인구 500명 이상(도서지역은 300명 이상) 5천명 미만을 기준으로 구분한 하나 또는 여러 개의 리 · 동을 관할구역으로 하여 주민이 편리하게 이용할 수 있는 장소에 설치한다고 되어 있다. 다만, 군수(시장 · 구청장 포함)는 인구 500명 미만(도서지역은 300명 미만)인 의료취약지역 중 보건진료소가 필요하다고 인정되는 지역이 있는 경우에는 보건복지부장관의 승인을 받아 그 지역에 보건진료소를 설치할 수 있다.

표 4-3 공공보건기관 설치 근거 및 기준

기관별	설치근거	설치기준	비고
보건소	지역보건법	시 · 군 · 구 마다 1개소 설치	시 · 군 · 구 단위별로 1개소
보건지소	지역보건법 시행령	보건소 업무수행을 위하여 필요한 경우 설치	면단위에 1개소
보건진료소	농어촌 등 보건의료를 위한 특별조치법	500명 이상(도서지역은 300인 이상) 5천인 미만을 기준으로 편리한 장소에 설치	300인 미만 도서지역 등에 설치가 필요한 경우 복지부장관의 승인을 받아 설치

3-4) 공공보건의료기관 현황

공공보건의료기관은 공공보건의료에 관한 법률 제2조 및 같은 법 시행령 제2조에 따른 기관으로 우리나라의 공공보건의료 비중은 전체 의료기관 대비 기관수는 5.9%, 병상수는 10.4%이다. 그동안 정부는 국 · 공립 병원을 중심으로 공익적 기능(의료취약지 또는 수익성이 낮은 의료를 제공)을 수행하도록 지원해 왔으나, 민간의료기관이 전체 의료기관 중 대부분을 차지하고 있어 보건의료자원의 효율적 활용이 제한되었다. 그런데, 2013년 2월 공공의료에 관한 법률이 개정되어 공공보건의료 수행기관을 공공병원 외에 민간 의료기관까지 확대할 수 있게 되었다. 기존에 공공보건의료의 범위를 국공립병원 등 공공보건의료기관이 제공하는 서비스로 한정하던 것을 민간의료기관에 의해 제공되는 공익적 보건의료서비스까지 확대하였다. 공공의료의 정의가 시설 · 소유 중심에서 기능 중심으로 바뀌었다. 이에 따라 민간의료기관도 의료취약지 해소 등 공공보건의료 기능을 수행하는 공공보건의료 수행기관으로 지정하고, 지원할 수 있는 법적 근거가 마련되었다.

한편, 보건복지부장관은 공공보건의료 정책의 체계적 수행을 위해 5년 마다 공공보건의료 기본계획을 수립하고 관계 중앙행정기관 및 시 · 도지사는 매년 공공보건의료 기본계획에 따라 공공보건의료 시행계획을 수립해야 한다. 또한, 공공보건의료기관도 공공보건의료계획을 수립해야 한다. 의료취약지 지원은 복지부장관이 2년 마다 국민의 의료 이용 실태 및 의료자원의 분포, 지리적 접근성 등을 평가·분석하여 의료취약지를 지정·고시한다. 시·도지사는 해당 의료취약지에 대한 적정 보건의료 공급을 위해 신청을 받아 의료취약지 거점의료기관을 지정하고 시설·장비의 확충, 운영에 필요한 지원할 수 있다. 의료취약지 거점의료기관은 매년 사업계획 및 시행결과를 보고해야 한다.

표 4-4 공공보건의료기관 현황

구분	공공보건기관 (보건소등A)	공공의료기관 (B)	공공보건의료기관 (C=A+B)	민간의료기관 (D)	전체 (E=C+D)	공공/전체 (C/E)
기관수	3,466	191	3,657	58,170	61,827	5.9%
병상수	448	59,196	59,644	513,273	572,917	10.4%

* 출처 : 2012년 6월 건강보험심사평가원 요양기관 현황 자료, 국가통계포털(공공보건기관) 등
** 전체 : 의료법 제3조에 따른 의료기관(조산원제외) 및 보건소(보건의료원포함)·보건지소·보건진료소 포함
공공보건기관 : 보건소(보건의료원 포함)·보건지소·보건진료소 포함

04 보건소

1) 보건소의 역사

우리나라 최초의 보건소 조직은 1946년 10월에 서울 및 대도시에 설치된 모범보건소이다. 모범보건소가 설치된 이후 1953년에 15개의 도립보건소와 471개의 보건진료소가 설치되면서 현재 보건소의 토대를 갖추기 시작하였다.

우리나라에서 처음으로 보건소법이 제정된 것은 1956년 12월로 도지사 또는 서울시장이 보건소를 설치할 수 있도록 하였으나 보건소 조직이 구성되지 못하고 폐지되었다. 따라서 실질적인 의미의 보건소 설치는 1962년 9월에 구 보건소법을 전면 개정하여 현재와 같이 시·군·구에 보건소를 설치하도록 하였다. 보건소법은 1995년 12월에 지역보건법으로 전면 개정되었다. 보건소의 설치기준은 시·군·구 단위로 1소개씩을 두도록 하였다. 1976년 4월 보건소법 시행령 제정 때에는 20만 명을 초과하는 시·군·구에 있어서는 그 초과하는 10만 명마다 1개소의 비율로 증설할 수 있는 규정이 있었으나 증설된 경우가 없다가 1991년 10월에 이 조항이 삭제되었다. 그러나 1996년 7월 개정된 지역보건법 시행령에 의한 보건소의 설치는 시·군·별로 1개소씩

설치하되 시장, 군수, 구청장이 지역주민의 보건의료를 위하여 특별히 필요하다고 인정되는 경우에는 필요한 지역에 보건소를 추가로 설치 · 운영할 수 있도록 하고 있다.

보건소 중에서 내과, 일반외과, 산부인과, 소아과, 치과를 갖춘 보건소는 보건의료원이라는 명칭으로 보건소의 기능과 병원의 기능을 함께 하고, 보건소의 업무수행을 위하여 필요한 경우 읍 · 면마다 보건지소를 설치할 수 있도록 되어 있다. 한편, 군단위의 일부지역에 임산부 및 영유아 관리를 위하여 모자보건센터를 설치하였으나 폐지하였으며, 농어촌 주민을 위한 특별조치법에 의하여 의료취약 지역에 보건진료소를 설치하고 있다.

2) 보건소의 기능

보건소는 국가보건의료체계의 지방보건 행정조직으로 환자에 대한 개인적 접근보다는 지역사회 주민 전체를 대상으로 건강을 향상하고 보호하는 역할을 수행한다. 보건소 직제는 지방자치단체의 조례에 의하여 설치하도록 되어 있어 전국적으로 통일된 조직은 없으나 일반적으로 대도시형, 중소도시형, 농촌형으로 구분할 수 있다.

보건소 및 보건지소에는 의무 · 치무 · 약무 · 보건 · 간호 · 의료기술 · 식품위생 · 영양 · 보건통계 · 전산 등 보건의료에 관한 업무를 전담할 전문인력 등을 둔다. 보건소법이 지역보건법으로 개정되면서 광역 및 기초자치단체장으로 하여금 매 4년 마다 지역보건의료계획을 수립하고 자치단체 의회의 의결을 거쳐 보건복지부 장관에게 제출토록 하고 있다. 이러한 변화는 과거 지방자치가 실시되기 이전에 시행되던 중앙정부 주도의 보건행정에서 탈피하여 각 자치단체의 특성을 반영한 보건행정으로의 변화를 법적으로 제도화한 것이다.

지역보건의료계획의 내용은 보건의료수요 측정, 보건의료에 관한 장단기 공급대책, 인력 · 조직 · 재정 등 보건의료자원의 조달 및 관리, 보건의료의 전달체계, 지역보건의료에 관련된 통계의 수집 및 정리 등으로 지역 내 보건의료에 관한 전반적인 사항을 반영하도록 하고 있으며, 계획에 근거한 실천과 평가를 규정하고 있다. 한편, 지역보건법 제9조에 규정된 보건소의 업무는 다음과 같다.

① 국민건강증진 · 보건교육 · 구강건강 및 영양개선사업
② 감염병의 예방 · 관리 및 진료
③ 모자보건 및 가족계획사업

④ 노인보건사업
⑤ 공중위생 및 식품위생
⑥ 의료인 및 의료기관에 대한 지도 등에 관한 사항
⑦ 의료기사 · 의무기록사 및 안경사에 대한 지도 등에 관한 사항
⑧ 응급의료에 관한 사항
⑨ 농어촌 등 보건의료를 위한 특별조치법에 의한 공중보건의사 · 보건진료원 및 보건진료소에 대한 지도 등에 관한 사항
⑩ 약사에 관한 사항과 마약 · 향정신성의약품의 관리에 관한 사항
⑪ 정신보건에 관한 사항
⑫ 가정 · 사회복지시설 등을 방문하여 행하는 보건의료사업
⑬ 지역주민에 대한 진료, 건강진단 및 만성퇴행성질환등의 질병관리에 관한 사항
⑭ 보건에 관한 실험 또는 검사에 관한 사항
⑮ 장애인의 재활사업 기타 보건복지부령이 정하는 사회복지사업
⑯ 기타 지역주민의 보건의료의 향상 · 증진 및 이를 위한 연구 등에 관한 사업

지역보건법이 제정된 1995년을 전후하여 국민건강증진법과 정신보건법 등이 재개정되어 보건소의 정신보건, 구강보건, 만성질환관리, 재활사업 등이 강화되는 계기가 마련되었다. 국민건강증진법에서는 ① 보건교육 및 건강상담, ② 영양관리, ③ 구강건강의 관리, ④ 질병의 조기발견을 위한 검진 및 처방, ⑤ 지역사회의 보건문제에 관한 조사 · 연구, ⑥ 기타 건강교실의 운영 등 건강증진사업에 관한 사항 등의 기능이 부여되었고, 정신보건법에서는 정신질환의 예방, 정신질환자의 발견, 상담 · 진료 및 사회복귀훈련 등 지역사회 정신보건사업을 수행하도록 하였다.

05 국제보건기구

1) 주요 국제보건기구

유행성 질환이 한 나라에서 다른 나라로 전파되는 것을 방지하기 위하여 국제적인 협조가 필요하다는 것은 고대부터 인식되어 왔다. 중세의 각종 질병의 대유행은 동양에서 유럽으로 유입된 것으로 생각되었고, 페스트나 콜레라를 막을 목적으로 검역(quarantine)제도가 수립되었다.

1328년에 최초의 공식적 검역소로 볼 수 있는 조직이 이탈리아의 베니스(Venice)에 설립되었고, 중동아시아를 통해서 페스트가 도입된다고 우려하여 1831년에 이집트에 검역소 위원회가 구성되었다. 1851년에 최초의 공식 국제보건회의가 파리에서 개최되었다. 이 회의 이후에 유사한 회의가 여러 차례 열렸는데 그 목적은 국제검역규칙을 만드는 데 있었다. 이후에 국제적인 협력의 필요성에 대한 인식이 깊어져서 세계적인 보건기구(국제공중위생처, 범미보건기구, 국제연맹보건부, 국제구호부흥행정처, 세계보건기구)로 발전하게 되었다.

보건문제는 한 국가만의 노력으로 해결할 수 없는 것들이 많고, 국가 간에 상호협력할 경우에 효과적으로 문제를 해결할 수 있기 때문에 국제적인 협력이 필요하다. 이런 이유로 이념과 사상을 초월하여 국제사회의 상호협력이 필요하게 되어 다양한 형태의 국제기구들이 발족되었다. 주요 국제기구의 현황은 아래 표와 같다.

표 4-5 주요 국제보건기구의 현황

기구명	활동 내용
유엔에이즈(UNAIDS)	에이즈 관리 및 예방사업 지원
국제노동기구(ILO)	노동조건 개선 및 지위 향상
유엔인구활동기금(UNFPA)	인구 및 가족계획
유엔환경계획(UNEP)	지구의 환경보전
유엔마약통제계획(UNDCP)	효과적인 국제사회 마약관리
유엔식량농업기구(FAO)	영양기준 및 생활향상
유엔개발계획(UNDP)	개발도상국의 경제 · 사회개발 지원
유엔아동기금(UNICEF)	아동의 보건 및 복지 향상

2) 세계보건기구

2-1) 조직 구성

세계보건기구(WHO)는 1946년 뉴욕에서 개최된 국제보건회의의 의결에 의하여 1948년 4월 7일 국제연합(UN)의 보건전문기관으로 발족되었다. 그동안 세계보건기구의 헌장은 1960년과 1975년에 각각 개정되었다. 세계보건기구는 세계보건총회(word health assembly), 실행이사회(executive board), 사무국(secretariat)으로 조직되어 있다. 총회는 매년 1회 모든 회원국과 준회원국이 참석하여 개최된다.

우리나라는 1949년 8월에 65번째로 회원국이 되었고, 북한은 1973년 5월에 138번째로 가입하였다. 세계보건기구 본부의 위치는 현재 스위스(Switzerland)의 제네바에 있다. 이 기구의 기능을 발휘하기 위하여 6개의 지역기구(regional organization)를 두고 있다. 우리나라는 서태평양 지역에 해당된다.

표 4-6 세계보건기구의 6개 지역기구

지역기구	지역사무처 위치
동지중해 지역(Eastern Mediterranean region)	이집트 알렉산드리아
동남아시아 지역(Southeast region)	인도 뉴델리
미주 지역(American region)	미국 워싱턴
아프리카 지역(African region)	콩고 브라자빌
서태평양 지역(Western Pacific region)	필리핀 마닐라
유렵 지역(European region)	덴마크 코펜하겐

2-2) 주요 기능

세계보건기구(WHO)의 목적은 헌장 1조에 "모든 인류가 가능한 한 최고수준의 건강을 달성하도록 하는데 있다"라고 규정되어 있다. 이러한 목적을 달성하기 위하여 국제적인 보건사업의 지휘 및 조정, 회원국에 대한 기술 지원 및 자료 공급, 전문가 파견에 의한 기술자문 활동 등으로 세부 기능은 다음과 같다.

- 국제보건사업에 대한 지휘와 조정
- UN, 전문기관, 정부보건행정기관, 전문가들과 협력도모
- 보건의료서비스 강화를 위한 정부의 요청시 지원
- 정부의 요청시 필요한 기술 지원
- UN 요청에 따른 특수집단의 보건의료서비스나 시설 지원
- 역학, 통계 등 필요한 행정적, 기술적 서비스 지원
- 유행병, 풍토병 등을 제거하기 위한 작업
- 우발적인 손상방지를 위한 협력 및 증진
- 건강증진을 위한 과학자 및 전문가들과 협력 강화
- 각종 보건문제에 대한 협의, 규제 및 권고안 제정
- 모자보건 및 복지증진

- 정신보건 영역의 활동 강화
- 보건분야 연구수행 및 촉진
- 보건의료 관련 전문직종 분야의 교육훈련 기준 개선
- 보건의료에 영향을 주는 전문기관과의 협력 연구 및 보고
- 보건분야의 정보, 상담, 원조 제공
- 보건문제를 모든 국민에게 알리고자 하는 개발도상국가 지원
- 질병, 사망원인, 공중보건사업의 전문용어 개정 및 확립
- 진단 검사기준의 확립
- 식품, 약품 및 생물학적 제재에 대한 국제표준화
- WHO 조직의 목표 달성을 위한 모든 필요한 조치

2-3) WHO 한국사무소

표 4-7 WHO 한국사무소 운영 과정

연도	내용
1949년 8월 17일	WHO 가입
1962년 10월~1964년	대만대표부에서 한국 지원업무 대행
1963년	WHO가 기생충 퇴치 기금 지원
1965년 1월	WHO 주한대표부 개설, WHO가 결핵 등 질병 퇴치 기금 지원
1999년 4월	주한대표부를 주한연락사무소로 전환
2004년 1월	주한연락사무소 외국인 연락관 철수
2011년	한국이 WHO에 1050만달러 분담금 지원
2012년 9월 30일	주한연락사무소 폐쇄

우리나라가 1949년 세계보건기구에 가입한 이후 세계보건기구는 1960년대부터 1980년대까지 우리나라에 보건의료 전문가를 파견하고 방역자금을 지원해 결핵, 한센병, 기생충을 퇴치하는데 큰 역할을 담당하였다. 이와 관련된 지원 업무는 1962년부터 WHO 대만대표부에서 대행하다가 1965년 1월부터는 WHO 주한대표부가 설립되어 담당하였다. 1999년에 주한대표부를 연락사무소로 격을 낮추고, 2004년에는 외국인 연락관을 철수시켰다. 그 이후에 보건복지부 건물 내에 WHO 서태평양지역사무처

파견 직원 1명만으로 연락사무소를 유지하다가 2012년 9월 30일에 WHO 한국사무소를 폐쇄하였다. 한국사무소가 47년 만에 문을 닫게 된 것은 우리나라가 세계보건기구 수혜국에서 지원국가로 바뀌었기 때문이다.

의료보장

학습목표

- 우리나라 4대 사회보험의 특성을 설명할 수 있다.
- 진료비 지불제도의 종류 및 그 특성을 설명할 수 있다.
- 우리나라 건강보험 운영 방식을 설명할 수 있다.
- 우리나라 의료급여 운영 방식을 설명할 수 있다.
- 우리나라 노인장기요양보험을 설명할 수 있다.

01 사회보장의 이해

1) 사회보장의 정의

사회보장(social security)은 사회적 불안을 제거하고 평온한 삶을 사회가 보장한다는 의미이다. 질병이나 분만 · 실업 · 폐질 · 직업상의 상해 · 노령 및 사망으로 인한 소득의 상실이나 감소 등으로 인한 경제적 곤궁에서 유래하는 근심과 불안을 제거하여 사회평화를 도모하는 것이다. 우리나라 사회보장기본법(제3조)에서는 "사회보장이란 질병 · 장애 · 노령 · 실업 · 사망 등 각종 사회적 위험으로부터 모든 국민을 보호하고 빈곤을 해소하며 국민생활의 질을 향상시키기 위하여 제공되는 사회보험, 공공부조, 사회복지서비스 및 관련 복지제도를 말한다"라고 규정하고 있다.

사회보장은 경제생활에 위협을 받고 있는 사회구성원의 생활을 사회가 공동으로 보호하기 위하여 국가가 마련한 복지제도라고 할 수 있다. 이러한 조치는 사회정책의 일환으로서 사회질서 유지, 최저생활의 보장, 소득재분배 효과, 사회통합 등을 실현하는데 그 목적이 있다.

2) 사회보장제도의 역사

2-1) 국외

1883년 독일의 비스마르크(Bismark)에 의하여 시작된 질병보험법이 최초의 사회보장제도라고 할 수 있다. 1884년 산업재해보상보험, 1889년 폐질 및 노령보험이 실시되었다. 한편, 사회보장(social security)이라는 용어는 1934년 미국의 루즈벨트 대통령이 의회에 뉴딜정책을 설명하면서 이 용어를 처음 사용했으며, 1935년에 최초의 사회보장법(social security Act)이 미국에서 제정되었다. 1942년 국제노동기구(ILO)가 발간한 사회보장에의 접근(Approaches to social security)보고서와 영국의 비버리지(Beveridge)보고서 등은 사회보장이란 용어를 일반화시키는데 크게 기여하였다. 사회보장은 제2차 세계대전 이후 개인의 사회보장권이 일정하게 법적으로 보장된 요구, 급여, 행정문제 등으로 나타나면서 하나의 제도로 정착하게 되었다.

2-2) 국내

우리나라의 사회보장제도는 일제 말기인 1944년의 조선구호령이 제정되어 1961년에 생활보호법이 제정되기까지 공공부조사업의 기본법인 동시에 사회복지사업의 근간이 되었다. 이 기간에 극빈자에 대한 구호사업과 양로 및 고아보호사업이 주로 실시되었다. 1953년 5월에 산업화에 따른 근로자의 보호를 제도화하기 위하여 근로기준법이 제정 공포되었는데, 퇴직금 제도를 명시하여 고용주 책임제를 도입하여 사회보장의 기틀을 마련하였다.

근대적 사회보장제도의 성립은 공무원연금보험제도(1960년 1월)의 도입을 시작으로 선원보험법(1962년 1월), 군인연금법(1963년 1월), 산업재해보상보험법(1963년 11월), 의료보험법(1963년 12월), 의료보호사업법(1977년 1월), 사회보장기본법(1995년 12월), 노인장기요양보험(2008년 7월) 등으로 발전되었다.

우리나라 사회보장제도 발전의 특징은 전반적인 사회보장정책의 목적과 합리적인 계획 아래 발전되어 온 것이 아니라 각종의 방안별로 필요에 따라 다양한 분립의 형태로 발전하여 왔기 때문에 제도 간의 마찰과 모순이 발생하고 있다. 우리나라 사회보장제도의 체계화가 앞으로 고려해야 할 정책 과제가 되고 있다.

3) 사회보장의 종류

국제노동기구(ILO)는 사회보장을 보호하고자 하는 위험이나 사고내용에 따라 ① 노령, 장애, 유족 급여(old age, invalidity, survivors' benefit), ② 질병, 출산급여(sickness, maternity benefit), ③ 노동재해급여(injury benefit), ④ 실업급여(unemployment benefit), ⑤가족급여(family benefit) 등으로 분류하고 있다. 일반적으로 사회보장은 사회보험, 공공부조, 공공서비스의 3가지로 구분된다. 구체적인 내용은 다음과 같다.

표 4-4 사회보장의 종류

3-1) 사회보험

사회보험(social insurance)은 국민을 대상으로 질병 · 사망 · 노령 · 실업 · 기타 신체장애 등으로 인하여 활동 능력의 상실과 소득의 감소가 발생하였을 때 보험방식에 의하여 그것을 보장하는 제도이다. 질병, 장애, 노령, 실업, 사망 등의 사회적 위험은 사회구성원 본인은 물론 부양가족의 경제생활을 불안하게 하는 요인이 된다. 따라서 사회보험은 사회적 위험을 예상하고 이에 대처하여 국민의 경제생활을 보장하려는 소득보장이다.

사회보험은 법에 의하여 강제 실시되기 때문에 의무적으로 가입된다는 점에서 민간 보험과 큰 차이가 있다. 사회보험이 가지고 있는 제도적 한계는 첫째, 개개인의 생활 전체를 보장하는 것이 아니라 특정한 보험사고만 단편적으로 급여가 이루어지고 있다. 둘째, 보험원리 즉, 수지상등의 원칙(balance of earning and expenditure)이 적용되기 때문에 급여의 내용에 있어 일정한 제한을 받게 된다. 셋째, 사회보험제도는 보험사고의 발생원인 자체를 예방할 수는 없다. 넷째, 적용대상이 제한되어 있다는 점이다.

표 4-8 사회보험과 민간보험 비교

기관별	설치근거	비고
내 용	사회보험	민간보험
가입방식	강제적용	임의적용
적용대상	질병, 산재, 노령, 실업 등	자동차, 화재, 생명, 질병 등
주요기능	최저수준 및 기본보장	개인의 필요성 여부
보 험 료	소득수준에 따라 차등 부과	약정된 수준에 따라 동일 부과
규 정	법에 의한 규정	계약에 의한 규정
급여수준	균등 급여	차등 급여
보험대상	집단	개인

한편, 우리나라의 4대 사회보험제도에는 업무상의 재해에 대한 산업재해보상보험, 질병과 부상에 대한 건강보험 또는 질병보험, 폐질 · 사망 · 노령 등에 대한 연금보험, 실업에 대한 고용보험제도 등이 있다. 우리나라 사회보험의 구체적인 내용은 표4–9와 같다.

3-2) 공공부조

공공부조(public assistance)는 국가 또는 지방자치단체의 책임으로 국민의 최저(minimum)생활을 보장하고 자립을 지원하는 제도이다. 극빈자, 불구자, 실업자 또는 저소득계층과 같이 자력으로 생계유지가 어려운 사람들의 생활을 그들이 자력으로 생활할 수 있을 때까지 국가가 재정기금으로 보호하는 일종의 구빈제도이다. 자산조사(means test)에 의하여 빈곤사실을 판명하고 수혜자를 결정하게 된다. 우리나라는 2001년

표 4-9 우리나라 4대 사회보험의 특성

구분	건강보험	국민연금	고용보험	산업재해보상보험
시작년도	1977년 7월	1988년 1월	1995년 7월	1964년 7월
기본성격	의료보장 단기보험	소득보장 장기보험	실업고용 중기보험	산재보상 단기보험
급여방식	현물급여 균등급여	현금급여 소득비례	현금급여 소득비례	현물-균등급여 현금-소득비례
관리운영	국민건강보험공단	국민연금관리공단	고용노동부	근로복지공단
주무부서	보건복지부	보건복지부	고용노동부	고용노동부
관련법	국민건강보험법	국민연금법	고용보험법	산업재해보상보험법

10월 시행된 국민기초생활보장법에 의거하여 생계급여, 의료급여, 교육급여, 자활급여, 해산급여, 장제급여, 주거급여 등 7종이 제공되고 있다.

3-3) 공공서비스

공공서비스는 사회복지서비스와 보건의료서비스로 구성된다. 보건의료서비스는 공공보건기관에서 제공하는 건강관리와 관련된 여러 활동이 해당된다. 사회복지서비스(social welfare service)는 국가 · 지방자치단체 및 민간부문의 도움이 필요한 모든 국민(희망자)에게 상담, 재활, 직업의 소개 및 지도, 사회복지시설의 이용 등을 제공하여 정상적인 사회생활이 가능하도록 지원하는 제도이다.

사회복지서비스는 일정 이상의 욕구를 가진 모든 국민들을 대상으로 실시된다. 사회복지서비스는 그 주체가 공공기관(또는 공공단체)만이 아니라 민간단체도 포함되며, 그 대상자의 범위도 공공부조보다 광범위하다. 우리나라는 사회복지사업법, 모자보건법, 심신장애자 · 아동 · 노인복지법 등에 의거하여 아동복지, 노인복지, 부녀복지, 가족복지, 장애인복지 등을 실시하고 있다.

02 의료보장

1) 의료보장의 이해

의료보장은 국민의 건강권을 보호하기 위하여 요구되는 필요한 보건의료서비스를 국가나 사회가 제도적으로 제공하는 것을 말한다. 질병발생이라는 보편적인 위험이 존재하고, 그 위험의 크기를 예측할 수 없으며, 개인적으로 의료비를 부담하는 데에는 한계가 있을 수밖에 없다는 사실은 의료보장이 필요한 이유가 된다.

의료보장은 기본권으로서의 건강을 보장하기 위한 제도이다. 따라서 의료보장제도가 의료에 대한 접근성(accessibility)을 높이는 역할을 한다는 것은 명확하다. 일반적으로 의료보장의 목표는 다음과 같다. 첫째, 예기치 못한 의료비의 부담으로부터 국민을 보호한다. 둘째, 모든 국민이 보건의료서비스 혜택을 받을 수 있도록 한다. 셋째, 보건의료비를 적정수준으로 유지한다.

2) 의료보장의 유형

오늘날 세계 각국의 의료보장제도는 크게 국민보건서비스(National Health Service; NHS), 국민건강보험(National Health Insurance; NHI), 민간건강보험 방식으로 구분된다. 구체적인 내용은 다음과 같다.

2-1) 국민보건서비스 방식

국민보건서비스(NHS) 방식은 정부의 일반조세로 재원을 마련하여 모든 국민에게 무상으로 의료를 제공한다. 조세방식이라고도 하는데, 대부분의 의료기관이 사회화 또는 국유화 되어있고 예방사업이 활성화 된다. 정부가 관리하기 때문에 의료비 증가에 대한 통제가 강하고 조세를 통한 재원조달로 소득재분배 효과도 크다. 그러나 의료의 질이 저하될 수 있고 정부의 과다한 의료비 지출이 문제가 될 수 있다. 영국, 스웨덴, 이탈리아, 캐나다 등이 국가보건서비스 방식을 채택하고 있다.

2-2) 국민건강보험 방식

국민건강보험(NHI) 방식은 정부가 아닌 보험자의 보험료를 재원으로 의료를 보장한다. 사회보험 방식이라고도 하는데, 의료비에 대한 국민의 자기책임을 강조하고 정부 의존을 최소화 한다. 국민건강보험 방식을 채택하고 있는 나라에서는 조합원이 대표의결기구를 통해서 보험 운영에 관한 의사결정에 참여한다. 따라서 국민의 비용의식이 강하게 작용하며 상대적으로 양질의 의료를 제공할 수 있다. 그러나 민간의료기관 중심으로 운영되기 때문에 의료비 증가에 대한 억제 기능이 취약하여 보험재정이 불안정할 수 있다. 우리나라, 일본, 독일, 프랑스, 대만, 네덜란드 등이 국민건강보험 방식을 채택하고 있다.

2-3) 민간건강보험 방식

민간건강보험 방식은 공적보험의 보완적 역할을 민간보험이 담당한다. 미국이 이 방식을 채택하고 있는 대표적인 국가이다. 공적의료보장의 대상이 노인, 저소득층 등 특정인에 한정되어 있고, 대부분의 의료보장을 영리보험회사(생보사, 손보사 등), 비영리단체(Blue Cross 등), 건강관리기관(HMO, PPO 등)에 의존하고 있다.

3) 진료비 지불제도

진료비 보상방법에 따라 보건의료서비스의 공급량에 차이가 발생한다. 지불보상방법은 공급자의 서비스 제공형태와 환자의 의료서비스 소비형태에 영향을 미치게 된다. 진료비 보상제도는 환자가 의료기관을 이용하는 시기를 기준으로 사전결정 방식과 사후결정 방식으로 구분할 수 있다.

사전결정 방식은 의료기관 이용 이전에 의사의 수입이 미리 결정 되는데 총수입이 고정되어 있으므로 공급자는 총비용의 감소를 통하여 이윤을 극대화 하거나 의료이용을 사전에 감소시켜 효용 극대화를 이루려 한다. 봉급제, 인두제, 포괄수가제, 총액예산제가 해당된다.

한편, 사후결정 방식에는 행위별수가제가 해당되는데, 서비스 제공량에 따라 수입이 결정되기 때문에 공급자는 가능한 많은 서비스를 비싸게 공급하려는 경향을 보인다. 각 진료비 지불방식의 구체적인 내용은 다음과 같다.

표 4-10 진료비 지불방식의 내용 비교

구 분	행위별수가제	포괄수가제	총액예산제	인두제
보상단위	서비스 행위별	질병별	의료기관별	가입자별
보상시기	서비스 제공 후	질병진단 후	의료이용과 무관	의료이용과 무관
위험부담자	소비자	소비자와 공급자	공급자	공급자

출처: 양봉민 외, 보건경제학, p335, 나남, 2013.

3-1) 행위별수가제

행위별수가제(fee for service)는 의사가 환자를 진료할 때마다 치료의 종류와 기술의 난이도에 따라 의료비가 결정되는 방식이다. 의료행위 하나하나에 대해 사전에 수가(보험에서 정한 진료비)를 고시해 두고, 의료인이 행한 서비스 내용에 따라 진료비 총액을 지불하게 된다. 관행수가제는 정부나 보험조합이 보험에 적용되는 수가를 생산원가를 기준으로 계산한 후에 그것을 고시하여 공권력으로 강제 집행하게 된다. 우리나라 건강보험은 행위별수가제 위주로 지불방식을 채택하고 있다.

행위별수가제의 장점은 의사의 환자 진료 재량권이 크고 자율성이 보장될 수 있다. 환자는 원하는 서비스를 충분히 제공받을 수 있고, 진료행위가 타당했다면 모든 진료행위에 대해 비용을 보상받기 때문에 의료 발전에 기여할 수 있다. 그러나 제3자 지불제도하에서 의료수요자의 수요 남용이 발생하는 현실에서 이 방법을 채택할 경우에 의료공급자가 불필요한 검사, 처치 등의 과잉 진료를 제공하여 의료비를 상승시킬 수 있다. 특히 의료공급자는 예방보다는 수가에 포함되는 치료에 중점을 두게 된다.

이 방식은 각 서비스 항목별로 수가를 정해야 하기 때문에 공급자와 보험자 간의 마찰이 발생할 수 있다. 이런 문제를 해결하기 위하여 우리나라는 2000년부터 급여 대상 행위들의 수가를 상대적인 업무 강도를 비교하여 산정하는 자원기준상대가치점수(resource-based relative value scale; RBRVS)를 도입하여 사용하고 있다.

3-2) 포괄수가제

포괄수가제(case payment system)는 환자에게 제공하는 진찰, 검사, 수술, 투약 등 진료의 횟수와 상관없이 미리 정해진 진료비를 의료공급자에게 지급한다. 일반적으로 외래는 방문 빈도별로 설정되고, 입원은 질병별로 규정된 보수를 지불한다. 넓은 의미의 포괄수가제에는 지역주민 1인당 지급하는 인두제, 환자 외래 또는 입원에 대한 방문건당 정액제 또는 일당정액제(charge per day)도 포함되지만, 통상적으로 상병에 따라 지불하는 진단군별 포괄수가제(diagnosis related group; DRG)로 이해된다.

이 방식의 장점은 제공되는 서비스 양과는 상관없이 상병명에 따라 진료비가 지불되기 때문에 의사들에 의한 과잉진료 행위가 줄어들고, 이로 인해 의료비 증가를 억제시킬 수 있는 수단이 된다. 또한, 진료의 표준화를 유도하거나 경제적 진료를 수행할 수 있고 행정 업무가 간편하다. 그러나 단점은 의사들이 과소 또는 최소 서비스만 제공하려는 경향을 보일 수 있어서 의료서비스에 대한 환자의 만족도가 저하될 수 있다.

우리나라는 1997년부터 시범사업을 통해 수정체수술, 편도수술, 충수절제술, 질식분만, 제왕절개술 등의 입원 환자에게 적용하기 시작했으며, 3차에 걸친 시범사업 후 2012년부터 7개 질환(백내장수술, 편도수술, 맹장수술, 탈장수술, 치질수술, 제왕절개분만, 자궁수술)분야의 83개 진단군에 대해 포괄수가제가 전면 시행되었다. 그런데, 우리나라 의료계에서는 고정된 가격은 시술과 재료 등에 영향을 미쳐 양질의 서비스를 선택할 수 있는 폭이 좁아지기 때문에 포괄수가제는 의료의 질을 저하시킬 것이라고 주장하고 있다.

3-3) 총액예산제

총액예산제(budget rationing)는 총액계약제라고도 하는데, 환자의 진료실적과는 무관하게 일정 기간 동안의 진료비를 정부나 보험조합이 사전에 책정해 주는 방식이다. 보험자측과 의사단체(진료측)간에 미리 진료보수 총액을 정하고 의료기관에 일괄적으로 지급하게 된다. 진료측 단체는 그 총액의 범위 내에서 진료를 담당하고 환자는 진료비에 구애받지 않고 의료서비스를 이용하게 된다. 영국과 캐나다는 조세방식으로 독일과 대만은 보험방식으로 이 제도를 실시하고 있다.

이 방식은 전년도 지출 진료비 총액을 기반으로 다음 해 정부나 보험자가 지불할 진료비 총액을 산정하고 의사단체, 지역, 또는 개별 병원과 협상을 통해 계약하여 지불하는 것이다. 때문에 총액계약제라고도 불린다. 이 제도의 장점은 보험자나 정부가 의료비를 통제하고자 하는 목표를 설정하고, 제한된 예산을 지역 의사단체나 개별 병원에 배정한다면 의료비의 통제가 가능해진다는 점이다. 단위 지역 내 연간 진료비 총액은 그 지역 내 의사수에 의하여 결정되는 것이 아니라 주로 그 지역 내 인구수에 의하여 결정되기 때문에 자율적으로 지역 간 의사수의 편중 문제가 해결될 수 있다. 단점으로는 예산배정이 항상 부족하거나 빠듯하여 충분한 서비스가 주민에게 제공되기 어려워지고, 환자의 적체가 심하거나 의료의 수준향상이 제한될 수 있다.

3-4) 봉급제

봉급제(salary system)는 제공하는 서비스의 양이나 환자 수에 상관없이 일정한 기간에 따라 보상하는 방식이다. 봉급기준은 의사의 근무경력, 기술수준, 근무하는 의료기관의 종별 및 직책 등에 따라 계약방식으로 결정한다. 국민보건서비스(NHS) 제도를 채택하고 있는 국가나 사회주의 국가에서는 대부분 시행하고 있다.

이 방식의 장점은 과잉진료나 진료비용의 산정에 부정적인 염려가 없으며, 수입의 안정성이 보장되므로 진료에 집중할 수 있다. 그러나 최소한의 자기 책임만을 수행하여 과소진료를 초래할 수 있고 의사가 환자 진료보다는 승진과 보수를 좌우하는 상급자에게 보다 많은 관심을 기울일 수 있다.

3-5) 인두제

인두제(capitation)는 의료의 종류나 질에 상관없이 의사 1인당 등록된 주민의 수 또는 실제 이용자 수를 기준으로 진료비가 지불되는 방식이다. 진료보수가 진료의 양과는 관계없이 결정되기 때문에 의사는 경미한 환자를 더 원하게 되고 복잡한 환자는 1차 진료 후에 후송, 의뢰하는 경향을 보이게 된다. 이 방법은 국민보건서비스(NHS) 방식의 영국과 이탈리아에서 활용하고 있으며, 미국의 건강유지조직(health maintenance organization; HMO)도 인두제 방식을 이용하고 있다.

이 방식의 장점은 등록된 주민에게 사용되는 진료비용이 적을수록 의사의 수입이 증가하기 때문에 의사들은 의료비를 절감하기 위해서 예방활동이나 질병의 조기발견과 치료에 관심을 기울이게 된다. 그러나 자신의 업무량과 비용을 줄이기 위해서 과소진료를 하거나 환자를 과도하게 2,3차 의료기관으로 후송하는 문제가 발생할 수 있다.

4) 우리나라의 건강보험

4-1) 보험방식

우리나라의 급여제공방식은 제3자 지불방식(간접지불방식)이다. 의료기관을 이용한 피보험자는 급여대상 의료서비스 비용의 일부(본인일부부담금)와 비급여 비용을 부담하고, 급여대상 의료서비스의 비용 중에서 환자의 본인일부부담금을 제외한 나머지 진료비는 의료공급자(요양취급기관)가 보험자에게 청구한다.

4-2) 건강보험 운영

국민건강보험은 보건복지부, 국민건강보험공단, 건강보험심사평가원 등에 의해서 운영되고 있다. 보건복지부는 건강보험 관련 정책의 결정과 건강보험 업무 전반을 총괄하며, 국민건강보험공단은 건강보험의 보험자로 가입자 자격관리, 보험료의 부과 · 징수, 보험급여비용 지급 등의 업무를 수행한다. 건강보험심사평가원은 요양기관으로부터 청구된 요양급여 비용을 심사하고, 요양급여의 적절성을 평가한다.

표 4-5 국민건강보험의 운영체계

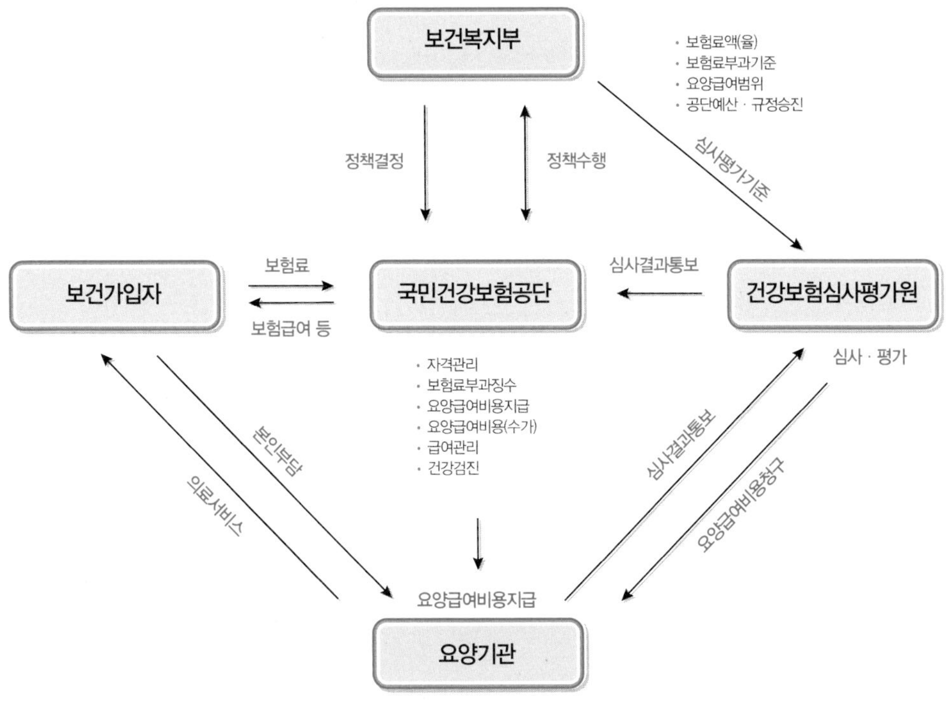

4-3) 보험급여

보험급여는 보험자가 피보험자에게 제공하는 혜택을 말한다. 법률적으로 보험자에게 강제하는 법정급여와 강제성이 없는 임의급여로 구분된다. 또한, 급여형태에 따라 현물급여와 현금급여로 구분된다. 현물금여에는 가입자 및 피부양자의 질병 · 부상 · 출산 등에 대한 요양급여 및 건강검진이 있고, 현금급여에는 요양비, 장제비, 장애인 보장구 급여비 등이 있다. 우리나라 건강보험의 급여와 관련된 내용은 다음과 같다.

- 요양급여는 가입자 및 피부양자의 질병, 부상, 출산 등에 대하여 제공하는 급여로 진찰, 검사, 약제, 치료 재료의 지급, 처치, 수술, 예방, 재활, 입원, 간호, 이송 등이 포함된다.
- 2000년에 요양급여기간을 폐지하여 현재는 급여기간에 제한이 없다.
- 요양비는 가입자 또는 피부양자가 긴급 혹은 부득이한 사유로 질병, 부상, 출산 등에 대하여 요양기관 이외 장소에서 요양을 받거나 출산을 할 경우 그 요양급여에 상당하는 금액을 가입자 또는 피부양자에게 지급하는 급여이다.
- 건강보험공단은 가입자 및 피부양자에 대하여 질병의 조기발견과 그에 따른 요양

급여를 실시하기 위하여 건강검진을 실시하고 있다. 직장가입자, 세대주인 지역가입자, 40세 이상 지역가입자 및 피부양자를 대상으로 2년에 1회 실시하고 있으며, 사무직이 아닌 직장가입자에 대해서는 1년에 1회 실시하고 있다.

- 본인부담액보상금은 매 30일간에 급여대상 진료비가 120만원을 초과한 경우에 그 초과금액의 50%를 지급하고 있다.
- 장애인 보장구에 대해서는 장애인복지법에 근거하여 별도의 급여를 제공한다. 등록한 장애인이 가입자 또는 피부양자인 경우 보장구 구입시 공단이 정한 보장구 기준액을 초과하는 경우는 기준액의 80%, 기준액 미만인 경우는 구입액의 80%에 해당하는 금액을 공단이 부담한다.

그림 4-6 건강보험의 진료비 구성

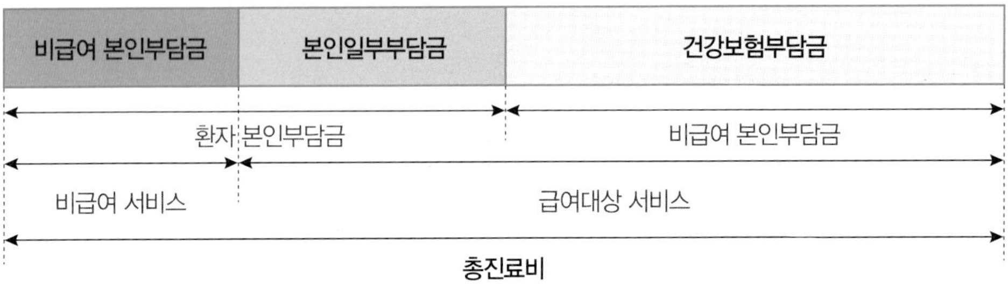

비급여 본인부담금 | 본인일부부담금 | 건강보험부담금

환자 본인부담금 | 비급여 본인부담금

비급여 서비스 | 급여대상 서비스

총진료비

4-4) 본인부담

과잉진료 및 과잉수진의 부작용의 문제를 보완하기 위해 우리나라 건강보험은 의료기관 이용 시 발생하는 진료비의 일부를 이용자가 부담하도록 하고 있다. 의료기관을 이용할 때에 환자가 부담하는 금액은 건강보험이 급여대상으로 하지 않는 서비스에 대한 비용(비급여 진료비)과 급여대상서비스 비용의 일부를 환자가 부담하는 금액(법정 본인부담금)이 포함된다. 요양기관을 이용할 때에 발생하는 총진료비 중에서 법정 본인부담금과 비급여 본인부담금을 뺀 금액(건강보험 부담금)이 차지하는 비중을 건강보험 보장률이라고 한다.

병원급 이상 규모가 큰 의료기관일수록 비급여 진료비가 커져서 본인부담도 커진다. 외래는 요양기관종별에 따라 본인부담률에 차등을 두고 있으나 입원은 요양기관종별에 관계없이 요양급여비용 총액의 20%를 본인부담으로 하고 있다.

4-5) 진료비 지불제도와 수가

우리나라 건강보험이 채택하고 있는 진료비 지불방식은 행위별수가제로 일부 질환의 입원진료에 대해서는 참여하는 기관을 대상으로 건당진료비제인 진단군별 포괄수가제를 적용하고 있다. 건강보험 급여대상 수가(요양급여 비용)는 서비스의 상대적 가치를 점수화한 상대가치 점수에 공단의 이사장과 의약계 대표자간의 1년 단위 계약으로 체결하는 환산지수(상대가치점수당 단가)를 곱하는 것으로 결정된다.

4-6) 진료비 청구와 심사

건강보험 피보험자를 진료한 요양기관은 급여대상 서비스 진료비 중 환자 본인일부부담금을 제외한 비용을 공단으로부터 받는다. 공단으로부터 진료비를 지급받기 위해서는 건강보험심사평가원에 진료비를 청구하여야 하며, 청구된 진료비를 심사한 심사평가원은 요양기관에게 지급할 진료비를 공단에 통보하고 공단은 의료기관에 진료비를 지급한다.

5) 의료급여

5-1) 의료급여 제도의 특성

의료급여 제도는 의료급여법에 의거하여 시행되며, 국민기초생활보장 수급권자와 일정수준 이하의 저소득층을 대상으로 국가 재정으로 의료혜택을 주는 공공부조제도이다. 의료급여의 특성은 다음과 같다.

첫째, 의료급여의 수혜자가 저소득층이거나 빈곤층으로 한정되고 있으며 본인의 신청에 의하여 수혜가 결정된다. 사회보험 대상자는 강제로 적용대상이 되는데 반하여 의료급여는 본인의 신청을 조건으로 하고 있다.

둘째, 급여는 수혜자의 재정적인 상태를 조사(자산조사)하고 동시에 필요도를 조사한 연후에 주어진다. 사람에 따라 정부의 지원을 받는 것을 부끄럽게 생각하는 사람이 있는가 하면 반대로 일정한 자산이 있으면서 무상으로 주어지는 혜택을 무조건 받고자 하는 계층도 있다.

셋째, 급여수준은 수혜자의 재산 상태와 필요도에 따라 조정된다. 저소득층이라 할지라도 가난의 정도가 일률적으로 동일하지 않기 때문에 수혜자의 필요도를 본인의 능력으로 충족시키지 못하는 부분만 공공부조에서 제공하기 위하여 급여수준에 차등을 두고 있다.

넷째, 공공부조의 재원은 전적으로 국가의 일반재정으로 조달된다. 공공부조에서 제공되는 급여의 일부를 지방자치단체가 부담할 수도 있다.

5-2) 의료급여 제도의 역사

(가) 의료보호법 제정

의료보호사업은 1976년까지 생활보호법에 의거하여 생활무능력자에 대한 무상의료 즉, 구호사업으로 실시되었다. 그 후 의료보호는 의료비의 지불 능력이 없는 저소득 계층에게도 확대할 필요성이 인정되어 1977년 1월에 의료보호에 관한 규칙을 제정하였고, 그 해 12월에는 생활보호법으로부터 의료보호를 분리시켜 의료보호법을 제정하였다. 이에 따라 1978년부터 생활보호자에 대한 실질적인 의료보호가 실시되었다.

(나) 의료급여로 전환

1999년 9월 시혜적 성격의 생활보호사업이 권리적 성격의 국민기초생활보장사업으로 전환됨에 따라 의료보호법 또한 2001년 5월 의료급여법으로 전면 개정되었다. 이에 따라 기존의 의료보호라는 명칭은 의료급여로, 의료보호대상자는 의료급여 수급권자로, 의료보호기금은 의료급여기금으로 변경되었다.

진료비 지급업무를 국민건강보험공단으로 이관하고, 지방자치단체가 예산수립 전이라도 국고보조금을 우선지급 할 수 있도록 하였다. 또한, 의료급여를 받을 수 있는 기간제한을 폐지하여 수급권자가 연중 상시적으로 급여를 받을 수 있도록 하였으며, 급여 내용 측면에서도 예방과 재활을 추가하여 수급자의 권리를 강화하는 계기가 되었다. 의료급여로의 전환은 공공부조로서의 의료보장의 원리를 실현한 중요한 계기가 되었다.

(다) 새로운 운영방법 도입

2006년에는 의료급여 제도 운영의 효율성을 높이기 위하여 1종수급자의 외래진료에 본인 부담제 도입 및 선택병의원제를 실시하였다. 본인부담제 도입에 따라 1종수급자에게 월 6천원의 건강생활유지비를 지급하여 의료이용을 월 4~5회 정도로 조절하도록 유도하였다. 또한, 중복투약의 우려가 높은 의료급여 수급권자에게 선택병의원제를 실시하여 약물오남용으로 인한 피해를 막고, 선택병의원이 수급권자의 주치의 역할을 담당할 수 있도록 하였다.

5-3) 의료급여 수급권자

의료급여 수급권자의 대부분은 국민기초생활보장 수급권자이며, 국민기초생활보장 수급권자의 종구분에 따라 1종과 2종 의료급여 수급권자로 구분된다. 의료급여 수급권자는 평균적으로 전체 인구의 3~5%를 차지한다. 의료급여법에 규정된 의료급여수급권자는 다음과 같다.

(가) 1종수급권자

- 국민기초생활보장 수급자 중 18세 미만 또는 65세 이상인 자, 중증장애인, 임산부 등과 근로능력이 없거나 근로가 곤란하다고 보건복지부장관이 정하는 자만으로 구성된 세대의 구성원
- 보건복지부장관이 정하는 질병 또는 부상에 해당하지 아니하는 질병 · 부상 또는 그 후유증으로 인해 3월 이상의 치료 또는 요양이 필요한 자
- 보장시설(사회복지시설)에서 급여를 받고 있는 자
- 병역법에 의하여 병역의무를 이행중인 자
- 보건복지부 장관이 정하여 고시하는 희귀난치성질환을 가진 자가 속한 세대의 구성원
- 기타 이재민, 의상자 및 의사자 유족, 18세 미만 입양아동, 국가유공자, 중요무형문화재보유자, 북한이탈주민 등

(나) 2종수급권자

- 국민기초생활보장 수급자 중 1종 수급권자에 해당하지 않는 자
- 차상위계층 중 18세 미만 아동
- 차상위계층 중 6월 이상 치료를 받고 있거나 6월 이상 치료를 요하는 자

5-4) 의료급여기금의 조성

의료급여 기금의 관리를 위해 현행 의료급여법은 시 · 도에 의료급여기금으로 특별회계를 설치하여 광역자치단체가 관리하도록 규정하고 있다. 기금의 재원은 국고 보조금과 지방자치단체의 출연금 등으로 구성된다. 시 · 도에 따라 중앙정부와 지방자치단체 간에 재원의 분담 비율이 다르다. 서울특별시는 국비 50%, 시비 50%의 분담 비율을 갖고 있는 반면, 광역비는 국비 80%, 시비 20%의 분담비율을 갖고 있다. 그밖에

도의 경우는 국비 80%, 도비 14~16%, 기초자치단체인 군 · 시비 4~6%의 분담비율을 갖고 있다. 그러나 서울시와 광역시의 기초자치단체는 분담을 하지 않는다.

표 4-11 의료급여기금의 분담 비율

구분	서울특별시		광역시		도		
	시	자치구	시	자치구	도	시	군
지방비	50%	없음	20%	없음	14~16%	6~4%	
국비	50%		80%		80%		

5-5) 관리운영체계

의료급여 제도의 주요 관리운영 주체는 중앙정부와 시 · 도 및 시 · 군 · 구 자치단체, 건강보험공단, 건강보험심사평가원이다. 의료급여사업의 기본방향 및 대책 수립, 의료급여기준 및 수가에 관한 사항 등은 보건복지부에 설치된 중앙의료급여심의위원회에서 심의하며, 시 · 도 및 시 · 군 · 구 의료급여위원회는 각 자치단체 수준에서의 의료급여사업 조정에 관한 사항을 심의한다.

의료급여 수급권자 선정과 관리는 시 · 군 · 구(보장기관)가 담당하며, 급여비용의 지급은 건강보험공단(지급기관), 급여비 심사업무는 건강보험심사평가원(심사기관)이 담당하고 있다.

그림 4-7 의료급여의 관리운영체계

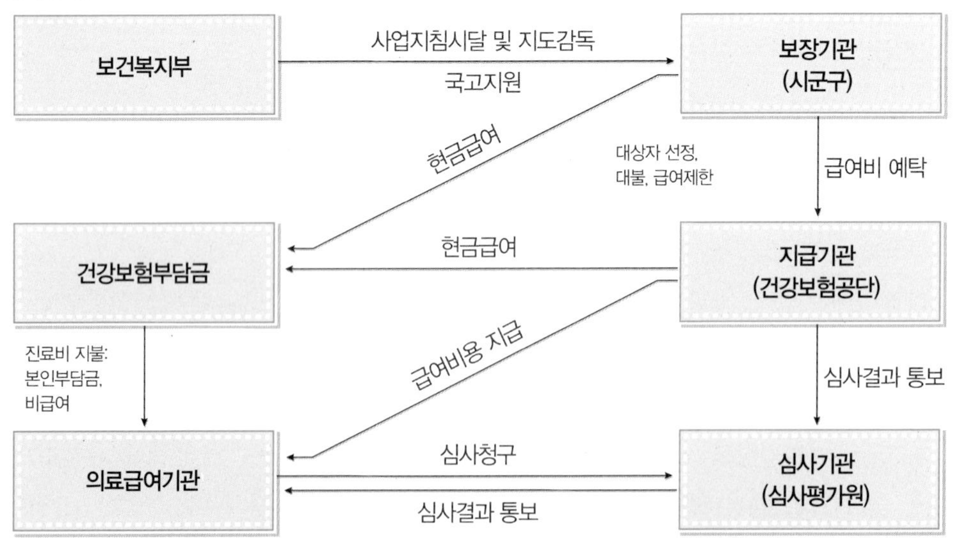

5-6) 본인부담

의료급여 1종은 2007년 7월부터 외래 진료와 입원진료에 대해서는 식대 20%에 대하여 본인부담금을 부과하고 있다. 2종은 입원진료비 본인일부부담금은 급여대상 진료비의 15%이며, 외래의 경우 본인일부부담금은 의료기관 방문당 1,000원(단, 2 · 3차 진료기관 외래 진료시는 15% 부담), 약국조제는 처방전 1매당 500원을 부담한다.

표 4-12 의료급여 본인부담금

구분		본인부담금
1종	외래	• 보건소 · 보건지소 및 보건진료소에서 진료 : 없음 • 1차기관 : 1,000원, 2차기관 : 1,500원, 3차기관 : 2,000원 • PET, MRI, CT 등 : 급여비용의 5%
	입원	• 무료 • 입원식대비용 1식 680원(정신과 정액수가 적용 환자 및 행려환자 제외)
	약국	• 처방전당 500원(처방전 없이 약국 직접 조제 시 900원)
2종	외래	• 보건소 · 보건지소 및 보건진료소에서 진료 : 없음 • 1차기관 : 1,000원, 2차기관 : 장관 고시 만성질환 1,000원, 그 외 15% • 3차기관 : 15%, PEC, MRI, CT 등 : 급여비용의 15%
	입원	• 15%, 암 등 중증질환은 10% • 입원식대비용 1식 680원(정신과 정액수가 적용 환자 및 행려환자 제외)
	약국	• 처방전당 500원(처방전 없이 직접 조제 시 900원)

6) 노인장기요양보험

6-1) 장기요양보험의 정의

노인장기요양보험은 고령이나 노인성 질병 등으로 인하여 일상생활을 혼자 수행하기 어려운 노인 등에게 신체활동 또는 가사지원 등의 장기요양급여를 사회적 연대원리에 의해 제공하는 사회보험 제도이다. 수발보험이라고도 하며, 수급자에게 배설, 목욕, 식사, 취사, 조리, 세탁, 청소, 간호, 진료의 보조 또는 요양상의 상담 등을 다양한 방식으로 제공한다. 이러한 장기요양급여를 제공하여 노후의 건강증진 및 생활안정을 도모하고 그 가족의 부담을 덜어주는 것을 목적으로 한다.

특히, 고령화의 진전과 함께 핵가족화, 여성의 경제활동참여가 증가하면서 종래 가족의 부담으로 인식되던 장기요양문제가 이제 더 이상 개인이나 가계의 부담으로 머물지 않고 이에 대한 사회적 · 국가적 책무가 강조되고 있다.

6-2) 주요 특징

노인장기요양보험제도는 건강보험제도와는 별개로 운영되고 있다. 다만, 제도운영의 효율성을 높이기 위하여 보험자 및 관리운영기관을 국민건강보험공단으로 일원화하고 있다. 또한, 국고지원이 가미된 사회보험방식을 채택하고 있다.

6-3) 노인장기요양보험의 적용

(가) 적용대상

법률상 가입이 강제되어 있는데, 건강보험 가입자는 장기요양보험의 가입자가 된다. 공공부조의 영역에 속하는 의료급여수급권자의 경우 건강보험과 장기요양보험의 가입자에서는 제외되지만, 국가 및 지방자치단체의 부담으로 장기요양보험의 적용대상이 된다.

(나) 수급대상자

수급대상자는 65세 이상의 노인 또는 65세 미만의 자로서 치매 · 뇌혈관성 질환 등 노인성 질병을 가진 자 중에서 6개월 이상 동안 혼자서 일상생활을 수행하기 어렵다고 인정되는 자를 그 수급대상자로 한다. 여기에는 65세 미만자의 노인성 질병이 없는 일반적인 장애인은 제외된다.

(다) 장기요양인정

장기요양보험 가입자 및 그 피부양자나 의료급여수급권자 누구나 장기요양급여를 받을 수 있는 것은 아니다. 일정한 절차에 따라 장기요양급여를 받을 수 있는 권리(수급권)가 부여되는데 이를 장기요양인정이라고 한다. 장기요양인정 절차는 먼저 공단에 장기요양인정 신청으로부터 출발하여 공단직원의 방문에 의한 인정조사와 등급판정위원회의 등급판정 그리고 장기요양인정서와 표준장기요양 이용계획서의 작성 및 송부로 이루어진다.

(라) **재원**

노인장기요양보험에 소요되는 재원은 장기요양보험료와 국가 및 지방자치단체의 부담, 그리고 장기요양급여 이용자가 부담하는 본인 일부부담금으로 운영된다.

6-4) 기존 제도와의 차이점

(가) **건강보험제도와의 차이**

건강보험은 질환의 진단, 입원 및 외래 치료, 재활 등을 목적으로 주로 병 · 의원 및 약국에서 제공하는 서비스를 급여대상으로 한다. 그러나 노인장기요양보험은 고령이나 노인성 질병 등으로 인하여 혼자의 힘으로 일상생활을 영위하기 어려운 대상자에게 요양시설이나 재가기관을 통해 신체활동 또는 가사지원 등의 서비스를 제공한다.

(나) **노인복지서비스**

노인복지법에 의거한 기존의 노인복지서비스는 주로 국민기초생활보장 수급자 등 특정 저소득층을 대상으로 공공부조방식으로 제공된다. 그러나 노인장기요양보험은 소득에 관계없이 심신기능 상태를 고려한 요양 필요도에 따라 장기요양인정을 받은 자에게 서비스를 제공한다.

CHAPTER 13 인구보건

학습목표

- 인구이론의 발전과정을 설명할 수 있다.
- 인구학의 기본 개념들을 설명할 수 있다.
- 가족계획의 주요 내용을 설명할 수 있다.
- 산전관리, 분만 및 산욕기 관리를 설명할 수 있다.
- 저출산과 관련된 문제들과 그 해결방안을 설명할 수 있다.

01 인구학의 이해

1) 인구의 정의

인구(population)는 일정한 기간에 일정한 지역에 생존하는 인간 집단이다. 개념적으로 인종, 민족, 국민과는 구분되는 용어이다. 인종은 유전적 공동체, 민족은 문화적 공동체, 국민은 국적 공동체라고 한다면, 인구는 시간 및 공간 공동체이다.

2) 인구학의 특성

인구는 일정한 형태의 통계로 표시되는 인간의 집합체로 간주된다. 이 집합체는 생물학적인 관점에서 볼 때 성, 연령 등의 여러 가지 속성에 따라 그 구성을 달리할 수 있으며, 사회학적인 관점에서 보더라도 제도, 신분, 사상, 관습에 따라 각각 구분될 수 있다. 이와 같은 인구에 대한 수리적 표현과 그 분석에 관하여 연구하는 것이 인구학이다.

좁은 의미의 인구학은 인구의 분포, 구조 및 규모의 수리적 및 통계학적인 분석을 하는 학문으로 정의할 수 있지만, 넓은 의미의 인구학은 재생산(reproduction)에서 비롯되는 출산력(fertility), 이환력(morbidity), 사망력(mortality), 인구이동, 인구구조, 인구성장 및 결혼양상에 관한 혼인력의 수리적인 분석 및 서술적인 연구를 하는 학문이다. 국제연합(UN)의 인구학 사전에는 "인구학은 인간 집단에 관한 과학적 연구이며 주로 그들의 규모, 구조 및 발전에 관하여 관심을 둔다"라고 규정하고 있다.

그러므로 인구학은 인구집단의 현재의 규모와 모든 특성, 그들이 어떻게 성취되었으며 어떻게 변동하고 있는가에 관심을 두게 된다. 인구학의 주된 관심 영역은 출산력, 이환력 및 사망력, 혼인력, 인구의 지역 간 분포, 인구학적 현상의 측정방법, 인구추계, 인구와 자원, 인구와 노동력, 인구와 교육, 인구와 가족계획, 인구정책 등이다.

인구학처럼 여러 인접 학문들과 그 내용이 겹치면서도 독자적인 학문의 특성을 유지하고 있는 분야도 많지 않다. 인구학이 사회학의 성격을 많이 띠고 있으나, 경제학과도 밀접한 관련을 맺고 있을 뿐 아니라 인구정책은 정치학이나 행정학과 관련이 있고, 인구분포는 지리학과 관련된다. 또한, 출산력 및 사망력은 보건학, 의학, 생물학, 유전학 등과 밀접한 관계가 있다.

3) 인구이론의 발전

3-1) 인구학의 시작

인구에 관한 수적인 규모, 성장 그리고 각 특성에 관한 연구는 오랜 역사를 갖고 있다. 고대 중국, 희랍 및 아랍의 철학자들은 당시의 여러 인구문제에 많은 관심을 기울였다. 고대 정치가와 사상가들은 인구의 최적수라든가, 인구성장의 촉진 내지 지체의 필요성에 대하여 정치적, 군사적, 사회적 및 경제적 관점에서 여러 의견을 제시하였다.

그러나 실질적으로 인구학이 시작된 것은 1662년 영국의 그랜트(John Graunt)가 인구현상의 자연적, 수량적 법칙성을 다룬 저서 사망표에 의한 관찰(observations upon the bills of mortality)을 출간한 이후라고 할 수 있다. 16세기 초 런던 교구에서 흑사병으로 인한 사망에 관한 주간지가 처음으로 간행되었고, 그 후 정기간행물이 되었으며 17세기 초부터는 모든 사망원인을 포함하였다. 그랜트는 자료를 활용하여 여아와 남아의 출생성비, 보통사망률, 이들의 계절별 및 연도별 변동을 파악, 통계상의 규칙성의 원리를 발견하였다. 그랜트의 업적은 최초로 생명표를 사용하여 인구변동을 통계적으로 연구하는 형식인구학(formal demography)을 시작하는 계기를 마련하였으며, 근대통계학의 발전에도 기여하였다.

3-2) 맬서스의 인구학

그랜트(John Graunt)를 인구학의 아버지로 본다면, 영국의 맬서스(Thomas Robert Malthus)는 실질적인 인구학의 아버지라고 할 수 있다. 맬서스가 이러한 자리를 굳히게 된 것은 그의 이론들이 새롭고 진실이기 때문이 아니라 식량과 인구와의 관계에 관하여 엄청난 논쟁을 불러 일으켰기 때문이다. 이 논쟁은 그 당시는 물론이거니와 오늘날에도 적절한 것으로 간주되고 있다. 그의 논문은 인구론(an essay on the principle of population)으로 1798년 처음 출간되었고, 그 후 여러 차례 개정되어 그의 사후 1872년에 최종적으로 일곱 번째 개정판을 내게 되었다.

맬서스는 인간의 생식력 즉 인구증가력과 인간을 부양하기 위한 식량을 생산하는 토지의 생산력을 대립시키고, 인구가 기하급수적으로 증가하는 것과 달리 식량은 산술급수적으로 증가한다고 하였다. 맬서스 인구이론은 다음의 세 가지로 요약될 수 있다.

- 규제의 원리 : 인구는 반드시 생존자료(식량)에 의해서 제한된다.
- 증식의 원리 : 인구는 특별한 방해요인이 없는 한 생존자료가 증가하는 곳에서는 언제나 증가한다.
- 파동의 원리 : 인구는 증식과 규제의 상호작용에 의하여 균형에서 불균형으로, 불균형에서 균형으로 부단한 파동을 주기적으로 반복한다.

맬서스의 관점에서 보면 인구의 원리가 존재하는 한 사회에서 빈곤과 죄악을 없앨 수는 없는 것이다. 이들을 없애거나 완화시키기 위해서는 도덕적 억제를 실시하여 무모한 인구증가를 미리 방지해야 한다. 맬서스의 도덕적 억제는 자녀를 부양하는데 충분한 경제력이 생길 때까지 결혼을 연기하고, 그 사이는 성적으로 순결한 생활을 한다는 것을 의미한다. 맬서스 인구이론은 식량을 기준으로 인구과잉 문제를 제기하였고, 출생억제 방안으로 여자가 30세 이후에 결혼하는 만혼(도덕적 억제)을 제안하였다.

3-3) 신맬서스 주의

맬서스(Malthus)의 도덕적 억제를 대신하여 피임으로 인구증가를 억제하자는 이론이 나타났다. 이를 신맬서스주의(neo-malthusianism)라고 하는데, 영국의 플레이스(Francis Place)가 주장하였다. 신맬서스주의가 만혼을 반대한 이유는 두 가지이다. 첫째, 일반 사람에게서 성욕의 억제를 기대하는 것은 한계가 있다. 둘째, 만혼을 강요하면 매음, 범죄 등이 증가한다.

그러나 출생억제를 바라는 점은 맬서스와 동일하였으며, 다만 방법에서 만혼 대신 피임을 하자는 것이다. 따라서 신맬서스주의 이론은 맬서스의 인구이론에 근거하고 있다고 보아야 한다.

3-4) 적정인구론

맬서스(Malthus)는 식량을 기준으로 과잉인구를 생각하였는데, 영국의 캐넌(Edwin Cannan)은 과잉의 기준을 인간다운 생활수준에 두었다. 그는 주어진 여러 조건 하에서 가능한 최고의 생활수준을 실현할 수 있을 때의 인구를 적정인구(moderate population)라고 하였으며, 이는 1인당 실질소득을 극대로 하는 인구이다.

한편, 인구학이 독자적인 학문으로서 그 이론적인 바탕을 굳히고 아울러 인구학의 이론이 직접적으로 우리들의 일상생활과 밀접한 연관을 맺기 시작한 것은 19세기에 들어와서 확률이론과 보험통계학의 이론이 생명표 작성에 이용되면서 부터였다.

3-5) 인구전환이론

인구성장과 유형은 각기 다른 출생과 사망의 동향에 따라서 관찰될 수 있으며, 공업화와 근대화의 정도에 따른 인구학적 근대화의 단계로 그 내용을 살펴보려는 학자들도 있다. 이러한 견해가 맬서스 인구론 이후의 지배적인 이론으로 인구전환이론(demographic transition theory)의 핵심을 이룬다. 인구전환이론은 과거 유럽에서 경험했던 인구성장의 역사적 유형을 일반화하여 개발도상국에서도 똑 같은 길을 밟게 된다고 본다.

(가) 노웃스테인의 3단계 분류

노웃스테인(Frank W. Notestein)은 인구전환이 경제성장과 병행하여 다음과 같은 3단계를 거치게 된다고 설명하였다.

- 제1단계 : 고 잠재력 성장단계(stage of high potential growth)는 다산다사형(多産多死形)으로 출생률이 매우 높으나 영아사망률이 높아서 인구는 점증적으로 증가하거나 정체한다. 그러나 사망률이 낮아지게 되면 장기간에 걸쳐서 인구가 급격하게 증가할 가능성이 있는 시기이다.
- 제2단계 : 과도기적 성장단계(stage of transitional growth)는 다산소사형(多産小死形)으로 공업화 초기단계에 도달하여 출생률은 높지만 사망률은 낮아 인구가 급속하게 증가(인구폭발)한다. 상당히 장기간에 걸쳐서 이 시기를 완만하게 겪게 된다.
- 제3단계 : 인구감소 시작단계(stage of incipient decline)는 소산소사형(小産小死形)으로 낮은 사망률과 매우 낮은 출생률로 점차적으로 인구가 감소한다. 영인구성장(zero population growth) 또는 정지인구 등으로 인구현상이 표현된다.

(나) 블래커의 5단계 분류

세계 여러 나라나 지역의 인구성장 유형이 워낙 다양하게 나타나 노웃스테인의 3단계로는 충분히 설명하지 못하여 블래커(Carlos Paton Blacker)는 5단계로 분류하였다.

- 제1단계 : 고위정지기(high stationary stage)는 고출생률과 고사망률의 인구정지형으로 인구증가의 잠재력이 큰 후진국의 인구형태이다.
- 제2단계 : 초기확장기(early expending stage)는 저사망률과 고출생률의 인구증가형으로 인구증가 속도가 빨라지는 경제개발 초기의 국가들이 경험하게 된다.
- 제3단계 : 후기확장기(late expending stage)는 저사망률과 저출생률의 인구성장 둔화 형태로 산업의 발달과 대가족에서 소가족 중심으로 전환되는 국가들이 경험하게 된다.
- 제4단계 : 저위정지기(low stationary stage)는 사망률과 출생률이 최저에 달하는 인구증가 정지형에 해당된다. 전체적으로 사회가 안정화 및 성숙화 단계로 접어들면서 나타난다.
- 제5단계 : 감퇴기(diminishing stage)는 출생률이 사망률보다 낮아져서 인구가 감소하는 인구형태이다.

그림 4-8 블래커의 인구성장 5단계

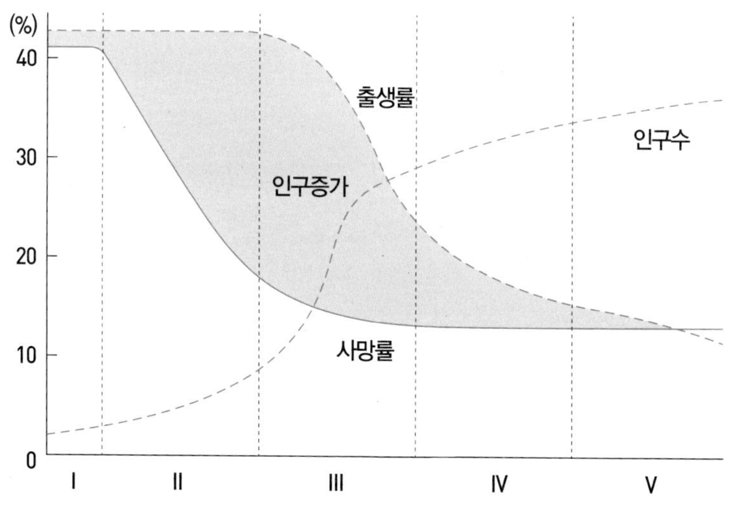

02 인구학의 관심

1) 출산력

출산력(fertility)은 살아 태어난 아이의 실제의 수이며 이것은 재생산 활동을 말한다. 이와는 달리 가임능력(fecundity)은 아이를 낳을 수 있는 생리적인 능력을 나타내며 이것은 불임과 정반대의 정의이다. 일반적으로 인간의 실제 출산력은 선천적으로 가지고 있는 가임능력의 한계보다는 훨씬 낮은 수준으로 나타나며 이것은 그 사회의 경제, 문화 및 제도적인 요인에 의하여 규제되기 때문이다.

출산율은 근본적으로 인구동태 통계에 의해서 얻어지는 것인데, 사망이 한 개체에게 단 한번만 일어나는 사건인데 비하여 출산은 한 여성에게 여러 번 반복될 수 있기 때문에 그 산출방식에도 매우 다양하고 복잡한 요소가 있다. 인구의 구조 변화를 취급할 때 출산력을 취급하는 것이 인구학의 입장에서는 가장 중요한 과제이다. 특히 사망률이 저하에 달한 사회에서는 출산력의 동향이 인구증가의 열쇠를 지니게 된다. 출산력을 측정하는 지표로는 보통출생률(crude birth rate), 합계출산율(total fertility rate), 총재생산율(gross reproduction rate), 순재생산율(net reproduction rate) 등이 있다.

2) 사망력

사망은 인간에게 단 한 번만 일어나는 생명의 종식현상으로 생존인구의 전 연령층에서 발생하며 전출과 더불어 인구의 수적인 감소를 가져온다. 인구집단에서의 사망에 관한 특성을 사망구조라고 하며, 성별, 연령별, 출생연도별, 사인별, 지역별 및 직업별 등 여러 가지 기준에 따라 사망에 관한 구조적인 분석이 가능하다. 특히 사망은 출생과 더불어 인구변동의 본질적인 요인의 하나이며, 생명표의 기본함수가 되는 동시에 인구통계의 가장 중요한 분야의 하나이다. 사망력을 측정하는 지표로는 보통사망률(crude death rate), 사인별 사망률, 영아사망률(infant mortality rate) 등이 있다.

3) 인구이동

인구이동(migration)은 사회적인 인구변동의 하나이다. 사회계층 간의 사회적 이동(수직적 이동)과 지역이동(수평적 이동)이 있다. 지역이동에는 주거를 다른 지역으로 옮기지 않는 이동과 옮기는 이동이 있다. 통학 · 통근은 전자에 해당하며, 시계추 이동이라고 한다. 좁은 의미의 인구이동은 후자를 말한다. 보는 관점에 따라 전입과 전출로 나누기도 한다. 보내는 쪽의 지역에서 보면 전출이며, 받아들이는 지역에서 보면 전입이 된다.

4) 인구구조

인구구조(population structure)는 집단의 여러 특성을 양적이나 질적으로 어떻게 구성되어 있는가를 분류 양식에 따라 살펴보는 것이다. 인구를 관찰할 때에 어느 시점에서 인구의 구성 상태를 살펴보는 방법과 일정기간을 두고 그 인구의 구성이 어떻게 변화하는가를 살펴보는 방법이 있다. 전자를 인구정태라고 하고, 후자를 인구동태라고 한다.

인구구조는 그 인구집단의 기본적인 질적 속성을 나타내는 측면이라고 할 수 있다. 인구구조는 인구를 하나의 통계집단으로 보고 그 인구의 여러 가지 속성에 따라 구분한 결과라고 할 수 있으며, 그 분류되는 속성의 종류와 수에 따라 여러 가지 방식의 인구구조를 생각할 수 있다.

4-1) 성별 구성

성별 구성으로 성비(sex ratio)가 흔히 사용되는데, 성비는 여자 100명에 대한 남자 수로 표시된다. 전체 인구나 각 연령층의 성별 구조를 표시할 때에 사용된다. 그런데, 성비는 1차, 2차, 3차로 구분한다. 1차 성비는 태아의 성별 구성이며, 2차 성비는 출생시, 3차 성비는 현재 인구의 성별 구성이다.

$$\text{성비} = \frac{\text{남자 수}}{\text{여자 수}} \times 100$$

우리나라의 성비 추이는 1970년 102.4에서 2000년 101.4, 2010년 100.4로 연도가 증가함에 따라 남자가 감소하였다. 특히, 2030년에는 여자가 남자보다 많아질 것으로 예상된다.

표 4-13 우리나라 성비 추이(단위 : 천명)

	1970년	1980년	1990년	2000년	2010년	2020년	2030년
총인구	32,241	38,124	42,869	47,008	49,411	49,779	51,435
남 자	16,309	19,236	21,568	23,667	24,758	24,942	25,645
여 자	15,932	18,888	21,301	23,341	24,653	24,837	25,790
성 비	**102.4**	**101.8**	**101.3**	**101.4**	**100.4**	**100.4**	**99.4**

출처 : 통계청, 장래인구추계, 2010.

4-2) 연령별 구성

인구의 5세 간격의 연령통계는 10세 간격과 비교하면 정확성이 떨어지지만 일반적으로 5세 간격을 많이 사용한다. 연령별 인구 구성은 14세 이하의 유년인구, 15~64세까지의 생산연령인구, 65세 이후의 노년인구로 분류할 수 있다. 연령별 인구구성을 이용하여 인구의 사회 · 경제적인 측면을 살펴보게 되는데, 부양비와 노령화지수가 대표적이다.

(가) 부양비

부양비(dependency ratio)는 경제활동을 할 수 있는 생산연령인구에 비해서 비경제활동 연령인구의 비를 말한다. 경제활동 연령층 인구가 비경제활동 연령인구를 개인당 몇 명을 부양해야 하는가를 나타내는 것이다.

$$\text{총부양비} = \frac{\text{0~14세 인구} + \text{65세 이상 인구}}{\text{15~64세}} \times 100$$

$$\text{노년부양비} = \frac{\text{65세 이상 인구}}{\text{15~64세 인구}} \times 100$$

(나) 노령화지수

노령화지수(aged-child ratio)는 유년인구(0~14세)에 대한 노년인구(65세 이상)의 비율로 인구의 노령화 정도를 나타내는 지표이다. 노령화지수가 높아진다는 것은 장래에 생산연령에 유입되는 인구에 비하여 부양해야 할 노년인구가 상대적으로 많아진다는 것을 의미한다. 국제적으로 노령화지수가 14% 이상이면 노령사회라고 하며, 20% 이상이면 초노령사회라고 정의한다.

$$노령화지수 = \frac{65세\ 이상\ 인구}{0\sim14세\ 인구} \times 100$$

(다) 우리나라 인구의 연령별 구성

우리나라의 연령별 인구구성을 살펴보면, 평균수명의 증가로 총인구에서 65세 이상 노년인구가 차지하는 비율은 1970년 3.1%에서 2000년 7.2%, 2012년 11.8%로 크게 증가하였다. 앞으로 유년인구와 생산연령인구는 계속 감소할 것으로 예측되지만, 이와 달리 노년인구는 2020년 15.7%, 2030년 24.3%, 2050년 37.4%로 증가할 것으로 전망되고 있다. 이에 따라 부양비는 계속 증가할 것으로 예상된다.

표 4-14 우리나라 인구의 연령별 구성 (단위 : %)

	1970년	1990년	2000년	2012년	2020년	2030년	2040년	2050년
총인구	100.0	100.0	100.0	100.0	100.0	100.0	100.0	100.0
0~14	42.5	25.6	21.1	15.1	13.2	12.6	11.2	9.9
15~64	54.4	69.3	71.7	73.1	71.1	63.1	56.5	52.7
65세 이상	3.1	5.1	7.2	11.8	15.7	24.3	32.3	37.4

출처 : 통계청, 장래인구추계, 2011

4-3) 인구구조의 유형

인구구조 유형은 일정한 지역 내 인구의 연령과 성별 구성을 동시에 보여주는 방법이다. 인구구조는 수직축을 중심으로 연령별로 인구의 절대수나 비율에 따라 남자는 왼쪽에 여자는 오른쪽에 그려 넣으며, 아래쪽에서 위쪽으로 갈수록 고연령층을 표시하게 되는 인구분포표이다.

인구구조 유형은 기본적으로 피라미드형, 종형, 항아리형 등이 있으며, 인구이동의 특성이 반영된 별형과 기타형이 있다. 구체적인 내용은 다음과 같다.

(가) 피라미드형

피라미드형(pyramid form)은 다산다사형(多産多死形)이지만, 사망률보다는 출생률이 더 높아 인구가 증가하는 형태이다. 후진국형 인구구조라고 할 수 있다.

(나) 종형

종형(bell form)은 소산소사형(小産小死形)으로 인구정지형이라고 하며, 인구구조에서 가장 이상적인 형태이다. 노인인구의 비중이 많아져 노인문제가 발생할 수 있다.

(다) 항아리형

항아리형(pot form)은 출생률이 사망률보다 낮아 인구가 감소경향을 보이는 구조이다. 평균수명이 높은 선진국형 인구구조라고 할 수 있다.

(라) 별형

별형(star form)은 성형(星形) 또는 도시형이라고 한다. 도시지역에서 관찰되는 인구구조로 생산연령인구(15~49세)가 많이 유입되어 전체 인구의 50% 이상을 차지한다.

(마) 기타형

기타형(guitar form)은 호로형 또는 농촌형이라고 한다. 농촌지역에서 관찰되는 인구구조로 생산연령인구가 도시로 이동하여 전체 인구의 50% 미만을 차지한다.

그림 4-9 인구구조의 유형

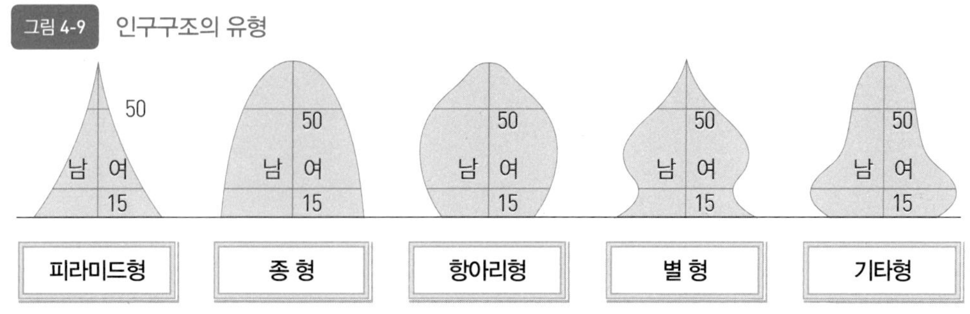

03 가족계획

1) 가족계획의 의미

가족계획(family planning)은 부부의 생활능력이나 가치관, 연령 등을 고려하면서 출산아의 수나 출산간격을 계획적으로 조정하는 것이다. 자녀의 수와 터울을 계획적으로 조절하여 가족 전체의 건강을 도모하여 경제적, 정서적으로 원만한 가정을 이룩하는데 그 목적이 있다. 자녀를 갖지 못하는 불임증이 있는 부부들에게는 임신을 할 수 있도록 하고, 임신을 할 수 있는 부부들에게는 초산의 연령과 원하는 자녀의 수, 터울, 출산의 시기 등을 계획적으로 조절하여 행복한 가정을 이룰 수 있도록 하는데 그 의의가 있다. 가족계획사업은 계획된 출산을 통하여 행복한 가정생활을 영위하도록 하며, 국가의 발전과 사회복지를 위해서 인구와 자원 및 생산성 간의 균형을 유지하기 위한 것이다.

가정의 행복이란 가정의 환경, 즉 사회, 문화, 경제 및 생식에 관련된 여러 요인들에 따라 크게 영향을 받는다. 다시 말해서 부모는 알맞은 수의 자녀를 적절한 시기에 낳아 잘 키워야 할 의무가 있으며, 자녀는 가장 적합한 시기에 원했던 임신의 결과로 탄생될 권리가 있다고 하겠다. 알맞은 수의 자녀를 적당한 터울로 낳아서 행복한 가정을 이룩하려는 가족계획 활동이 우리나라에서는 불행하게도 과거에는 자녀의 수 제한이나 임신방지라는 개념으로 받아들여지는 경우가 많았다. 가장 적절한 임신수와 터울 조절은 결과적으로 태아 및 영유아 사망률의 감소와 영유아 질병 이환률의 감소 및 모성사망과 이환률의 감소를 가져와 건강한 어머니가 자녀의 양육을 충실히 하며 행복한 가정생활을 영위할 수 있게 하는 것이다.

흔히 가족계획과 수태조절(contraction)을 혼동해서 사용하는 경우가 있으나 가족계획은 목적과 결과를 의미하며, 수태조절이란 가족계획을 실천하기 위한 방법이며 수단으로서 임신의 성립과정에서 산아 수와 분만의 간격, 출산시기 등을 조절하는 것이다. 피임은 임신을 피하는 것이고, 수태조절은 아이가 없는 가정에서 적극적으로 수태할 수 있도록 하는데 의미가 있으므로 가족계획과 같은 의미일 수는 없다. 따라서 가족계획의 방향은 인구증가의 방향이 아니라 억제의 방향을 취하고 있는 나라가 많으며, 모자보건, 경제향상, 생활양식의 현대화 등의 목적을 위해서 가족계획은 필요하다.

2) 우리나라 가족계획사업의 역사

우리나라 가족계획사업은 국가 경제개발 정책의 일환으로 인구성장을 억제하기 위하여 정부가 중심이 되어 공공보건기관을 중심으로 추진되었다. 가족계획의 성공적인 추진은 짧은 기간에 인구감소를 가져왔고, 최근에는 저출산이라는 인구문제를 불러일으키고 있다. 우리나라 가족계획사업의 변천과정은 다음과 같다.

2-1) 1단계(1961~1965년) : 알맞은 자녀 운동기

한국동란 후 급격히 증가하는 출산력을 억제하고 인구 증가율을 떨어뜨리기 위해서, 정부는 1962년도에 최초로 가족계획사업비를 주관 부처인 보건사회부에 배정하고 민간단체인 대한가족계획협회에도 지원금을 주어 본격적인 정부 주도의 가족계획사업을 실시하였다. 효과적인 추진을 위하여 1962년 제정된 보건소법에다 가족계획지도 계몽교육을 보건소의 업무로 규정하였다. 각 보건소에 가족계획 업무를 담당하는 간호원과 조산원을 배치하였으며, 해외이주법을 제정하여 이민사업도 시작하였다. 1962년부터 가족계획협회가 계몽요원의 훈련, 불임시술의 훈련, 새 피임제의 임상실험 등을 담당하도록 하였고 1964년에는 전국 읍 · 면에 가족계획 계몽요원을 훈련하여 배치하였다. 이 시기에는 "알맞게 낳아서 훌륭하게 기르자"라는 슬로우건을 내걸고 전통적인 다자녀관을 불식시키기 위한 계몽교육을 보건소 조직과 재건국민운동조직 등을 이용하여 실시하였다.

2-2) 2단계(1966~1970) : 세 자녀 운동기

"세자녀를 3년 터울로 어머니 나이 35세 이전에 단산한다"라는 이 시기의 가족계획사업은 구체적으로 자녀의 수를 셋으로 제한하기 위한 최초의 시도라는 특징을 가지고 있다. 초창기의 진료소 중심의 피임서비스 사업 접근방법에서 차차 요원 중심, 그리고 가족계획 어머니회를 중심으로 한 접근방법으로 전환되는 과정이었다. 홍보전략도 단순한 피임지식을 제공하는 계몽위주에서 개인의 동기형성에 중점을 두게 되었다.

1968년 대한가족계획협회에서 전국 농촌지역의 리 · 동단위에 조직한 가족계획 어머니회의 활동이 시작되었다. 이 조직은 가족계획 사업에서 대중계몽은 물론 사업조직의 확장과 아울러 사업조직을 활성화시키는데도 중요한 계기를 제공하였다. 이때부터 보급되기 시작한 피임약의 보급망으로도 활용되었을 뿐만 아니라 지역사회 주민들의 자발적인 가족계획 실천을 위한 기반이 되었다.

2-3) 3단계(1971~1975년) : 두 자녀 운동기

1970년대에 들어서면서 우리나라의 출산력을 더 떨어뜨리기 위해서는 전통적으로 유별난 남아선호사상을 불식해야 된다는 의견이 제기되었다. 이에 따라 가족계획 표어도 "딸, 아들 구별말고 둘만 낳아 잘 기르자"라는 표현으로 바꾸어 자녀수를 세 자녀에서 두 자녀로 감소시키고, 남아와 여아의 차별을 없애서 장기적으로 인구성장을 억제하려고 노력하였다.

1971년부터 시작된 새마을 운동의 영향으로 가족계획이 지역사회로 확산되기 위해서는 타 개발사업과 통합 운영되어야 한다는 주장이 제기되어, 새마을 사업에 가족계획을 포함시키려 했으나 합리적인 통합모형으로 발전되지 못하였다. 오히려 가족계획 어머니회가 새마을 부녀회로 통폐합되면서 그 활동이 미비하게 되는 결과를 초래하였다.

2-4) 4단계(1976~1982) : 가족계획의 생활화

가족계획이나 피임에 대한 홍보 및 교육은 그것이 한 가정의 부부생활이라는 지극히 사적인 내용을 담고 있기 때문에 금기성이 강해서 초기의 가족계획 사업에는 이로 인한 어려움이 많았다. 그러나 이 시기에 들어서면서 사업전략은 개별접촉을 통한 피임지식 제공과 실천유도에서 집단을 대상으로 하여 학교 인구교육, 예비군교육 및 각종 훈련기관의 교육을 통하여 보다 공개적으로 추진하게 되었다. 나아가서 각종 방송매체와 대중적인 인쇄매체를 이용하여 전체적인 소자녀관을 확립하기 위한 각종 사회지원 시책이 도입되었으며 기존 정부주도형 가족계획사업도 점차 타 개발사업과 병행하여 추진하는 방안들이 마련되었다.

2-5) 5단계(1983년~1990년) : 한 자녀 운동기

그 동안 가족계획사업이 큰 성과를 거두어 왔지만, 국토가 좁고 자원이 부족한 우리나라의 실정으로 출산력을 2.1수준으로 떨어뜨려야 할 필요성이 강하게 제기되었다. 이를 위해서는 다시 한번 더 강력한 인구억제 정책이 필요하였고, 정책목표도 두 자녀 가정에서 한 자녀 가정으로 하향 조정되었다. 이에 따라 1983년부터 조심스럽게 시작된 우리나라의 한 자녀 낳기 운동은 정부 차원에서는 정책적으로 뒷받침만 하고 주도적인 역할은 민간단체에서 담당하였다.

우리나라의 한 자녀 운동은 중국의 그것과 같은 강제적, 규제적 성격보다는 보상, 지원 등을 통해 한 자녀 가정을 장려하는 성격을 띠고 있다는 점에서 차이가 있다. 모든 가정에게 한 자녀를 의무화하는 것이 아니며 출산력을 조속히 감소시킬 수 있다는 취지에서 추진되었다. 정부에서는 이를 위해 각종 사회지원 시책 중의 보상내용을 두 자녀 가정에서 한 자녀 가정으로 전환시켰다.

3) 가족계획의 내용

3-1) 결혼

건전한 결혼은 건전한 가정을 이룩할 수 있기 때문에 가족계획은 결혼에서 부터 시작된다고 할 수 있다. 영양생활의 향상으로 여성의 성적 성숙은 빨라지고 폐경기는 늦어지고 있으며, 남성의 경우는 학교, 병역, 경제적 기반을 갖기 위한 시간이 필요하게 되어 결혼 연령이 늦어지고 있다. 통계청 자료를 보면, 우리나라 남자의 초혼 연령은 1990년 27.9세에서 2010년 31.8세로 3.9세 높아졌다. 여자의 경우는 24.8세에서

28.9세로 4.1세 높아졌다. 결혼이 늦어지면 출산 연령이 늦어져 후천성 불임의 가능성이 높아지거나 첫째 아이를 낳더라도 둘째와 셋째는 부모의 나이 때문에 낳기 어렵게 된다. 결국 결혼 연령의 증가는 저출산의 한 원인이 되는 것이다.

또한, 평균수명은 일반적으로 여성이 길기 때문에 노후에 여성 혼자 지내야 하는 기간이 길어지며, 성욕은 남자는 빨리와서 빨리 쇠퇴하고 여성은 늦게 와서 늦게 쇠퇴하므로, 이러한 불만은 행복한 가정을 이루는데 장애요소가 될 수 있다. 따라서 결혼은 상호 연령차이가 크지 않아야 하며, 만혼을 하는 것은 좋지 않다.

3-2) 초산연령

모성의 건강이나 경제적 이유 등 부득이한 경우를 제외하고는 초산은 빠를수록 좋으며, 단산도 빠를수록 좋다. 결혼 후 2년까지 아이를 갖고자 하는데도 갖지 못하면 일단 불임증으로 보고 의사의 진단을 받아야 한다. 초산이 빠를수록 좋은 이유는 다음과 같다.

- 불임증의 조기발견 및 조기치료를 할 수 있다.
- 초산이 늦을수록 난산이 많아진다.
- 가지고 싶어 하는 자녀수의 터울을 조절할 수 있다.
- 자녀의 양육부담에서 빨리 벗어날 수 있다.
- 단산을 빨리하기 위해서 초산은 빠른 것이 좋다.

3-3) 출산간격

최근에는 한명의 자녀를 갖는 부부가 늘어나고 있으나 2명 이상의 자녀를 낳을 때의 출산간격은 연년생으로 출산하거나 5년 이상의 간격을 두는 것이 좋지 않으며, 2~5년 사이가 좋다. 연년생으로 출생할 때는 모체의 육체적, 정신적, 건강과 경제면에서도 불리하며, 아이의 성장발육에도 지장을 초래할 수 있고, 형제 간 우애도 적어진다. 터울의 간격이 너무 크면 산모가 난산할 가능성이 높고, 아이의 경우는 정서적 발달이 지연될 수 있다.

3-4) 출산횟수

가족계획의 원래 의미가 자기 여건에 맞는 자녀를 갖도록 하는 것이므로 자녀수는 부모의 건강, 경제능력, 양육능력, 가정환경 등에 따라 결정될 문제이다. 그러나 우리나라에서는 아직도 아들 선호사상 때문에 여건보다도 많은 자녀를 갖게 되는 경우가 있으며, 자녀를 많이 원하지 않으면서도 원하지 않은 자녀를 낳는 경우가 있다.

4) 가족계획의 방법

가족계획은 피임이나 불임법을 통하여 수태를 방지하여 출산횟수, 간격, 시기 및 단산 등을 조절하는데 그 의미가 있다. 피임법과 불임법은 그 의미가 달라서 피임법은 수태를 막는 데 그 목적이 있고, 불임법은 임신의 상태를 가능하게 만드는 데 목적이 있다. 인공유산은 출산수를 줄이는 점에 있어서는 수태조절과 같으나, 가족계획이 의도하는 목적과는 전혀 다르다.

4-1) 피임법의 요건

피임은 가족계획의 목적 달성과 동시에 부부생활에 장애가 되어서는 안 된다. 이를 위해서는 다음과 같은 몇 가지 피임요건이 구비되어야 한다.

- 피임효과가 확실하고 원할 때는 임신이 가능해야 한다.
- 육체적, 정신적으로 무해하고 부부생활에 장애를 주지 않아야 한다.
- 피임에 실패했다 하더라도 태아에 무해해야 한다.
- 실시방법이 간단하고 부자연스럽지 않아야 한다.
- 비용이 적게 들고 구입이 쉬워야 한다.

4-2) 피임방법

피임의 원리는 배란억제, 수정방지, 자궁착상 방지 등이 있으며 착상 후 중단은 인공임신 중절이므로 피임법이 아니다. 피임의 재래식 방법은 성교중절, 질세척, 수유연장법이 있으며, 콘돔법, 다이아프램, 살정자법, 생리주기 이용법 등이 있다. 현재는 주로 경구적 피임약 투약법, 자궁내 장치법, 불임시술법 등이 이용된다. 피임방법은 피임기간에 따라 일시적 방법(수태조절법)과 영구적 피임법(불임시술법)으로 구분된다.

1) 모자보건의 정의

모자보건(maternal and child health)은 모성 및 영유아의 건강증진을 도모하는 활동을 말한다. 세계보건기구(WHO)는 모자보건은 모든 임산부와 수유부의 건강을 잘 유지하고, 육아기술을 획득하게 하여 안전하게 아기를 출산하고, 건강하게 자녀를 키우도록 책임지고 관리하는 것이라고 하였다.

우리나라 모자보건법에서는 "모자보건사업이란 모성과 영유아에게 전문적인 보건의료서비스 및 그와 관련된 정보를 제공하고, 모성의 생식건강 관리와 임신 · 출산 · 양육 지원을 통하여 이들이 신체적 · 정신적 · 사회적으로 건강을 유지하게 하는 사업을 말한다"라고 규정하고 있다. 모자보건사업은 건강한 모성보호, 자녀출산 및 양육을 통해 가족의 건강을 증진하여 국민건강에 기여하는 확실한 효과를 얻을 수 있는 중요한 사업이다. 우리나라 모자보건법(제2조)에 규정된 사업대상자에 대한 정의는 다음과 같다.

- 임산부 : 임신 중이거나 분만 후 6개월 미만인 여성
- 모성 : 임산부와 가임기 여성
- 영유아 : 출생 후 6년 미만인 사람
- 신생아 : 출생 후 28일 이내의 영유아

2) 산전관리

2-1) 산전관리의 목표

산전관리는 임신에서 분만까지 임산부를 대상으로 실시하는 의학적 관리와 임산부, 태아, 남편 및 가족에 대한 돌봄 활동이다. 산전관리는 임산부와 태아의 건강상태를 정기적으로 진단하여 위험요인을 조기에 발견하여 적절히 대처하고, 보건교육을 통해 임산부 스스로 건강관리를 잘 할 수 있도록 하여 건강한 아기를 안전하게 분만하는데 그 목적이 있다. 산전관리의 구체적 목표는 다음과 같다.

첫째, 임산부가 최상의 건강상태에 도달하여 건강한 아이를 출산하게 한다.

둘째, 임신합병증을 예방, 조기 발견하여 관리함으로써 안전분만 및 산욕기의 회복을 촉진한다.

셋째, 모자간의 신체적, 정신적으로 만족스러운 관계를 형성하도록 한다.

2-2) 건강관리 내용

(가) 주기적 건강진단

산전관리는 가능한 빨리 시작하는 것이 바람직하며, 모자보건법 시행규칙(제5조제1항)에 규정된 임산부 · 영유아 및 미숙아 등의 정기 건강진단 실시기준은 다음과 같다.

① 임산부

- 임신 7개월까지 : 2개월 마다 1회
- 임신 8개월에서 9개월까지 : 1개월 마다 1회
- 임신 10개월 이후 : 2주 마다 1회

② 영유아

- 신생아 : 수시
- 영유아
  - 출생 후 1년 이내 : 1개월 마다 1회
  - 출생 후 1년 초과 5년 이내 : 6개월 마다 1회

③ 미숙아 등

- 분만의료기관 퇴원 후 7일 이내에 1회
- 1차 건강진단 시 건강문제가 있는 경우에는 최소 1주에 2회
- 발견된 건강문제가 없는 경우에는 영유아 기준에 의함

(나) 운동 및 영양관리

임신 중에는 임산부의 신체중심이 변화하고 골반관절이 부드러워지고 이완된다. 그 결과로 척추의 만곡이 심해지고 등의 하부근육이 짧아져서 자주 요통을 호소하게 된다. 요통(허리앓이)을 예방하기 위해서는 골반 흔들기 운동과 물건을 들어올릴 때 허리를 이용하지 말고 무릎을 굽혀 들어올리는 등의 적절한 신체기전을 활용하도록 한다. 생식기 주위의 근육을 강화하고 근력을 강화할 수 있는 운동을 하는 것이 필요하다.

임신기간 동안 태아에게 영양공급 및 자신의 신체변화를 위해 최적의 영양분을 섭취해야 한다. 임신 첫 3개월 동안에는 태아가 작고 분화하는 과정이므로 모체의 상대적 영양요구량은 정상 성인요구량에서 조금씩 증가하며, 질적인 섭취가 중요하다. 임신 중기나 말기 동안은 임신 초기보다 태아의 성장에 필요한 많은 양의 영양섭취가 필요하다.

3) 분만 및 산욕기 관리

3-1) 분만 관리

분만은 자궁 내에 있던 태아와 그 부속물이 만출 기전에 따라 산도를 지나 모체 밖으로 배출되는 현상으로 자연분만과 제왕절개분만으로 구분된다. 자연분만은 태아가 산도 또는 산모의 질을 통하여 정상적으로 배출되는 과정이며, 제왕절개분만은 하복부에 횡절개를 하고 자궁을 절개하여 태아를 배출하는 방법이다. 제왕절개분만은 질을 통하여 분만을 시도하는 경우 모체나 태아에게 위험을 끼치거나 합병증을 유발할 가능성이 있을 때 사용된다. 우리나라의 출생아 1,000명당 제왕절개 건수는 2009년 351.3명으로 OECD 평균 326.7명보다 높으며, 2011년 이후 조금씩 감소 추세를 보이고 있다.

건강한 분만을 위해서는 정기적인 검진을 통해 산모와 태아의 건강상태를 확인해야 하며, 규칙적인 유산소 운동 및 걷기 운동을 통해 적절한 체중관리가 필요하다. 분만 후에는 산모와 태아의 위생관리가 중요하며, 산모는 충분한 영양섭취와 휴식을 하는 것이 필요하다.

3-2) 산욕기 관리

산욕기는 분만 후 6~8주까지의 기간이다. 분만으로 생긴 성기의 상처가 완전히 회복되어 임신 이전의 상태로 회복되는 기간이다. 산후의 목욕은 세균감염의 위험이 있으므로 주의가 필요하다. 샤워는 24시간 후부터 가능하나 통목욕은 최소한 4주가 지난 후에 하는 것이 좋다. 임신에서 분만에 이르기까지 복부와 골반의 근육이 많이 늘어난 상태가 되는데 출산 후에도 이러한 상태가 지속된다. 근육을 수축시키는 산후운동이 필요하다. 성생활은 산욕기 기간 동안은 삼가하는 것이 좋다.

4) 모성사망

모성사망은 임신, 분만, 산욕과 관련된 질병 또는 합병증 때문에 발생하는 임산부의 사망에 국한되며, 임신 중의 각종 감염병, 사고 등에 의한 사망은 포함되지 않는다. 모성사망률은 전반적인 보건수준을 파악할 수 있는 지표로 임산부의 산전, 산후관리 및 지역사회 의료전달체계와 사회경제적 수준을 반영한다.

모성사망률을 산출할 때에 분모는 총 출생아수인데, 원칙적으로 분모는 총 임신수가 되어야 하지만 정확하게 파악하는 것이 현실적으로 불가능하여 총 출생아수로 대체한다. 모성사망의 주요 원인은 다음과 같다.

4-1) 임신중독증

임신중독증(toxemias of pregnancy)은 임신 중에 형성된 독소가 체내에 억류되어 나타나는 중독 증세이다. 아직까지 발생기전은 명확히 밝혀지지 않았으며, 일반적으로 비정상적인 태반형성으로 인한 내막세포의 기능부전이 주된 원인으로 알려져 있다.

임신 중에 정기적으로 검진을 받고, 휴식과 수면을 충분히 해야 한다. 체내의 수분이 적절히 배출되지 못하고 축적되어 부종이 발생하는 경우가 있으므로 이를 예방하는 동시에 영양면에 있어서도 임신 후기에는 식염과 수분을 제한하는 것이 예방에 필요하다.

4-2) 자궁외 임신

자궁외 임신(ectopic pregnancy)은 자궁 내에 점막조직 이외의 부위에 성립되는 임신으로 95%가 난관에서 발생하며, 난소나 복강 내에 임신이 되는 경우도 있다. 습관성 유산이나 장기간 재임신이 안 되었던 여성에게서 많이 발생한다. 증상은 하복통, 무월경 내지 자연월경출혈 등이다.

4-3) 산욕열

산욕열(puerperal fever)은 출산이나 유산을 한 뒤에 여성 생식기관의 감염으로 첫 10일 동안 38°C 이상 되는 고열이다. 태반이 분리된 자궁 안쪽의 표면이 산욕감염이 가장 잘 생기는 곳이다.

5) 영 · 유아 관리

5-1) 영 · 유아의 특성

영 · 유아는 신생아에서 유아기까지의 기간을 말한다. 우리나라 모자보건법에서는 영 · 유아를 출생 후 6년 미만인 사람이라고 정의하고 있다. 세부적으로 나누어 보면, 1세 미만을 영아라 하며 6세 미만을 유아라고 한다. 이 시기의 성장발육은 출생 후 어느 때보다도 신체적, 정신적으로 급격히 이루어진다. 그러나 질병에 대한 저항력은 매우 낮은 편이다.

5-2) 건강문제

(가) 발육이상

조산아(premature infant)는 발육 이상으로 37주 미만으로 태어나거나 태아의 체중이 2.5kg 미만인 경우이다. 그 원인은 명확하지 않으나 임신중독, 선천기형, 모체의 질병이나 과로 등이 원인이 될 수 있다. 조산아는 체온조절장애, 호흡장애, 소화장애, 조혈능력 부족 등을 일으킨다. 조산아 관리는 체온보호, 감염병 감염 방지, 영양보급, 호흡관리가 가장 중요하다.

한편, 과숙아(postmature infant)는 임신기간 42주 이후의 출생아와 출생체중이 4.5kg 이상인 경우이다. 자궁에 있는 기간이 길어져 산소부족증이나 난산을 초래할 수 있으며, 중추신경계의 장애가 발생할 수 있다.

(나) 선천성 기형

출생전 과정에 원인이 있는 질환을 선천이상이라고 하며, 그 중에서 정상과 현저하게 떨어져 있는 형태를 나타내는 것을 선천성 기형이라고 한다. 신생아 사망의 약 50%는 선천성 기형이 원인이며, 신생아 중증질환의 최대 원인이다. 선천성 기형의 원인은 유전자 이상, 염색체 이상, 임신 중의 위험노출 등이다. 특히, 임신 초기에 임산부의 풍진감염, 방사능 과다 노출, 약품오용 등은 기형을 유발하는 직접적인 원인이 되는 것으로 알려져 있다.

05 저출산 문제

1) 합계출산율 현황

우리나라는 1960년대 초부터 시작된 가족계획사업이 성공한 대표적인 나라로 알려져 있다. 합계출산율은 여성 한명이 낳을 수 있는 평균자녀수로 국가 출산 능력을 보여주는 대표적인 지표이다. 우리나라 합계출산율은 1970년 4.5명에서 1983년 2.1명 이하로 떨어졌고, 1990년대에는 1.6명 수준에서 유지되었다. 급기야 정부는 1996년 35년간 시행하던 인구증가억제 정책을 공식적으로 폐기하였다. 그러나 그 이후에도 합계출산율은 2001년 1.297명, 2009년 1.149명까지 감소하여 세계적으로 낮은 초저출산 현상이 지속되고 있다. 2010년부터 합계출산율은 다소 증가하고 있다.

표 4-15 우리나라 합계출산율 추이

	2001	2002	2003	2004	2005	2006	2007	2008	2009	2010	2011
합계출산율 (명)	1.297	1.166	1.180	1.154	1.076	1.123	1.250	1.192	1.149	1.226	1.24
출생아수 (천명)	554.9	492.1	490.5	472.8	435.0	448.2	493.2	465.9	444.8	470.2	471.4

2) 저출산 원인

20세기 서구사회에서는 여성의 경제활동 증대, 전통적 가족유형 변화, 가치관 변화, 피임법 보급 등으로 출산율이 급격하게 감소하였다. 우리나라의 저출산 현상은 출산억제 인구정책을 빨리 종결하지 못한데도 원인이 있지만, 근본적으로는 사회 · 경제구조와 관련이 있다. 자녀양육비용 부담, 일과 가정 양립 곤란, 육아지원 인프라 부족, 고용 및 소득 불안정, 주거불안정 등과 관련이 있다. 특히, 취업여성의 경우에는 자녀양육에 대한 부담이 저출산의 요인이 된다. 또한, 결혼과 자녀와 관련한 가치관의 변화에 따라 결혼연령이 상승하고 가임기간이 단축되어 출산과 양육에 대한 부담 가중이 저출산의 요인이 된다. 양육에 대한 부담에는 자녀교육에 대한 경제적 부담이 큰 비중을 차지한다.

3) 저출산과 관련된 문제

저출산 현상은 단기적으로 총출생수 감소를 가져오며 중장기적으로는 심각한 노동력 부족과 인구의 고령화를 가져오는 원인이 된다. 저출산 문제를 해결할 출산력 향상은 단기간에 이루기 어려우며, 출산력 회복에는 최소 20~30년 이상이 소요되며, 노인인구의 지속적 증가는 불가피한 현실이다. 저출산 지속현상은 유소년 인구의 지속적인 감소와 2016년을 정점으로 생산가능인구의 감소로 이어지며, 반면에 노인인구는 급속하게 증가하여 인구구조가 변동하고 인구고령화가 심화될 것으로 예상된다. 부양해야 할 인구보다 피부양인구가 상대적으로 많게 된다.

그런데 인구구조가 고령화되면 국가의 경제성장은 둔화되고 부양부담은 크게 증가하게 된다. 뿐만 아니라 저출산은 노동력 부족과 노동생산성 저하, 세원부족, 고령화 현상에 따른 사회보장지출 증가 등의 문제도 발생시킨다.

4) 저출산 해결을 위한 노력

저출산 문제를 극복하기 위해서는 출산 및 양육의 장애요인들을 제거하고 유리한 사회환경을 조성해야 한다. 출산 및 양육의 장애요인은 사회구조의 변화에 기인하는 것으로 개인이나 가족의 힘으로만 해결할 수 없다는 한계성이 존재한다. 따라서 장애요인들을 제거하고 유리한 환경을 조성하기 위해서는 종래 개인과 가족에게 전가되었던 역할을 사회와 국가가 분담하여야 한다. 저출산 위기를 슬기롭게 넘어섰던 북유럽 국가들의 사례를 보면, 저출산에 대한 정책대응은 저출산 현상 자체에 집중하기보다 해당 사회의 성, 계층, 지역 간 불평등을 완화하기 위한 정책을 집중적으로 추진하였다.

우리나라에서도 저출산 및 고령화 문제에 적극적로 대처하기 위하여 2005년 5월에 저출산 · 고령사회기본법을 제정하고, 중앙 및 지방자치단체는 저출산 문제를 극복하기 위하여 다양한 사업을 추진하고 있다.

CHAPTER 14 보건통계

학습목표

- 보건통계의 정의를 설명할 수 있다.
- 기술 및 추리 통계분석의 내용을 설명할 수 있다.
- 변수, 모집단, 표본추출방법을 구체적으로 설명할 수 있다.
- 세계보건기구의 4가지 보건지표 내용을 설명할 수 있다.
- 인구통계 지표 및 질병통계 지표를 구체적으로 설명할 수 있다.

01 보건통계학의 이해

1) 통계학의 정의

통계학(statistics)은 자료를 수집하고 분석할 뿐만 아니라 그 분석을 토대로 합리적인 의사결정을 할 수 있도록 하는 과학적 방법이다. 미래를 위한 의사결정을 하기 위하여 불확실한 상황을 분석하고, 불확실성을 최소로 감소시키려는 노력이 체계적으로 정리된 것이 통계학이다. 통계학은 불확실한 상황에서 발생하는 모든 자연현상이나 사회현상을 과학적으로 분석하고 예측하는 분석도구로 광범위하게 응용되고 있다. 통계학은 최종적인 목적으로 존재하는 것이 아니라 통계적인 지식을 통하여 어떤 의사결정을 내리는데 도움을 주는 도구이다.

통계학은 크게 기술통계학(descriptive statistics)과 추리통계학(inferential statistics)으로 구분된다. 기술통계학은 자료의 전반적인 내용을 파악하기가 쉽도록 자료를 정리하여 도표나 표를 만들고, 자료의 특성을 수량적으로 요약하고 묘사한다. 추리통계학은 표본의 통계치를 가지고 모집단의 불확실한 사실을 추론하는 분야이다. 확률이론을 근거로 모수치를 추정하고 모집단의 변수들 간의 관계를 검증하는 통계방법이다.

2) 보건통계의 정의

보건통계(health statistics)는 인간집단의 건강상태를 파악하고 평가하기 위한 지표가 되는 각종 자료를 집계, 정리해서 결론을 도출하는 과학적 방법이다. 보건통계의 목적은 인구, 출생, 사망, 질병 등의 여러 현상의 수량관계를 명백히 해서 인간집단의 건강상태를 파악하는 것이다. 국민건강영양조사나 환자조사 등은 보건통계의 중요한 자료가 된다.

보건통계의 범위는 인구통계, 질병통계, 병원통계, 보건행정통계 등이다. 유사한 용어로는 생정통계(vital statistics), 의학통계(medical statistics), 생물통계(biostatistics) 등이 있다.

02 통계 분석

1) 기술통계 분석

기술통계(descriptive statistics)는 측정된 현상에 대한 요약 설명이다. 기술통계는 표본에서 수집된 경험적 자료를 단순히 정리하고 요약할 목적으로 사용된다. 기술통계 분석에는 빈도, 최빈값, 중앙값, 평균의 집중화 경향치, 산포도 등이 해당된다.

1-1) 빈도

빈도(frequency)는 일정한 변수의 응답범주 각각에 대한 응답수를 말한다. 특정 질문에 대한 응답이 얼마나 많은가에 대한 수치이다. 아래 표는 1,000명의 응답자 중 성별 빈도분석에 대한 결과이다. 응답자 1,000명 중에서 남성은 600명으로 60.0%를 차지하고 있고, 여성은 400명으로 40.0%를 차지하고 있다.

표 4-16 성별 빈도분석

	빈 도	퍼센트	누적 퍼센트
남 성	600	60.0	60.0
여 성	400	40.0	100.0
합 계	1,000	100.0	

1-2) 집중화 경향

집중화 경향(measures of central tendency)는 산포도와 함께 변수의 분포 특성을 대표하는 기술통계치로 변수의 분포가 일정한 속성에 집중되는 정도를 나타낸다. 집중화 경향에는 최빈값(mode), 중앙값(median), 평균값(mean)이 있다.

(가) 최빈값

최빈값(mode)은 빈도 분포에서 가장 많은 빈도수 혹은 퍼센트를 차지하는 범주의 값이다. 주의할 점은 최빈치는 가장 많은 빈도를 점유하는 빈도값을 의미하는 것이 아니라 가장 많은 빈도를 점유하는 범주값이다. 최빈값은 복수개가 존재할 수도 있다. 최빈값은 연속형 변수나 비연속형 변수에 관계없이 모두 사용할 수 있는 통계치이다.

(나) 중앙값

중앙값(median)은 빈도분포의 모든 범주들을 작은 값에서 부터 큰 값의 순서로 서열화시켰을 때 정확히 가운데 위치하는 범주의 값이다. 따라서 중위수라고도 한다. 복수개가 존재할 수 있는 최빈값과는 달리 중앙값은 오직 하나만 존재하며, 서열적 비연속형 변수 및 연속형 변수의 경우에만 사용 가능한 통계치이다.

(다) 평균값

평균값(mean)은 일정한 변수의 분포가 지니는 모든 범주 값들을 합산한 것을 전체 사례수로 나눈 수치이다. 평균 역시 오직 하나만 존재하며, 연속형 변수에만 사용이 가능하다. 평균을 구하는 공식은 다음과 같다.

$$\overline{Y} = \frac{\sum_{i=1}^{n} Y_i}{N} \quad \text{또는} \quad \overline{Y} = \frac{\sum_{i=1}^{n} Y_i \cdot f_i}{N}$$

(라) 집중화 경향의 비교

집중화 경향 사이의 비교는 연속형 변수에만 가능하다. 연속형 변수만이 세 가지 집중화 경향에 공통적으로 적용되는 변수이기 때문이다. 분포가 어느 정도 대칭적인가는 사향도(skewness)로 표시된다. 사향도는 분포의 형태가 일정한 집중화 경향을 중심으로 한 비대칭정도를 의미한다. 전혀 사향되지 않은 분포는 정규분포의 형태를 가지며 최빈값, 중앙값, 평균이 분포의 정중간에 위치하여 한 점에 모이게 된다.

왼쪽으로 기울어진 분포는 정적 사향분포(positively skewed distribution)라고 한다. 최빈치가 가장 작은 값을 가지고 중앙값, 평균 순으로 나타난다. 오른쪽으로 기울어진 분포는 부적 사향분포(negative skewed distribution)라고 한다. 평균이 가장 작은 값을 가지고 중앙값, 최빈값의 순으로 나타난다.

그림 4-10 전혀 사향되지 않은 분포

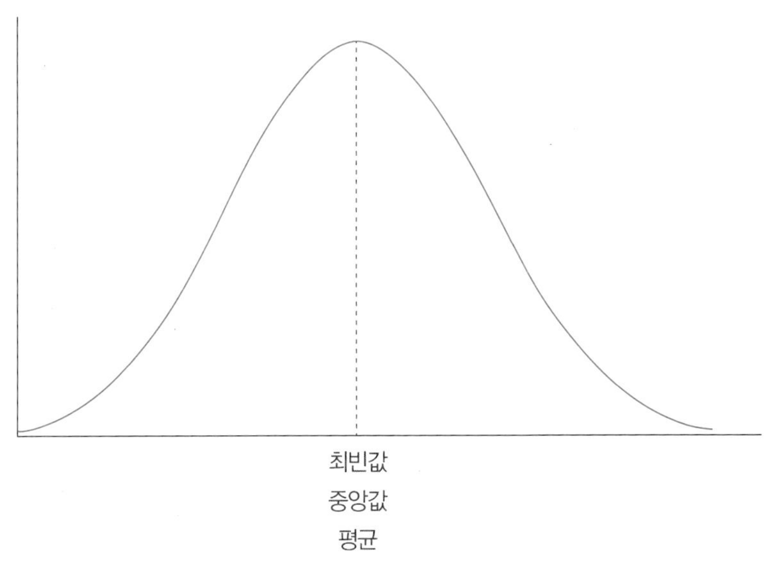

1-3) 산포도

산포도(measures of dispersion)는 변수의 분포가 특정 집중화 경향치를 중심으로 흩어져 있는 정도를 나타낸다. 같은 평균값을 갖고 있다고 하더라도 분포형태는 다를 수 있다. 이와 같은 차이를 보여주는 통계치가 산포도이다.

(가) 범위

범위(range)는 분포 내의 최대값과 최소값의 차이이다. 예를 들어, 보건소 이용횟수에 관한 응답의 가장 작은 값이 1이고 가장 큰 값이 10이라고 할 경우에 범위는 10에서 1을 차감한 9가 된다. 범위는 서열을 전제로 하는 통계치이기 때문에 비서열적 비연속형 변수의 경우에는 사용할 수 없고, 서열적 비연속형 변수 혹은 연속형 변수의 경우에만 사용할 수 있다. 범위는 최대값과 최소값이라는 두 가지 범주값만 가지고 계산되므로 매우 쉽고 신속하게 계산할 수 있지만, 통계적 정보가 결여될 수밖에 없다.

(나) 분산

편차(deviation)는 각 응답값에서 평균값을 차감한 수이다. 각 응답을 Y 라고 하고 응답값들의 평균을 $\overline{Y}$라고 하면, 편차는 $Y-\overline{Y}$로 나타낼 수 있다. 편차는 실제로 존재하는 변화폭의 크기를 경우에 따라서는 보여주지 못한다는 단점이 있다. 분산(variance)은 일정한 분포에 있어서 각 범주들이 평균값을 중심으로 흩어진 정도, 즉 편차의 제곱의 합을 전체 사례수로 나눈 값이다.

$$S_y^2=\frac{\sum_{i=1}^{n}(Y_i-\overline{Y})^2}{N-1} \quad \text{또는} \quad S_y^2=\frac{\sum_{i=1}^{n}(Y_i-\overline{Y})^2\cdot f_i}{N-1}$$

다음 그림을 보면, 두 분포의 평균은 같음($\overline{Y}_1=\overline{Y}_2$)에도 불구하고 한 분포($Y_1$)는 평균 주위에 밀집해 있고 한 분포($Y_2$)는 해당 범주들이 평균 주위에 넓게 퍼져 있다. 일정한 분포가 지니는 분산이 크면 클수록 그 분포는 납작한 형태를 보이고, 분산이 작으면 작을수록 보다 뾰족한 형태를 보인다.

그림 4-11 평균은 동일하지만 분산이 다른 두 분포의 비교

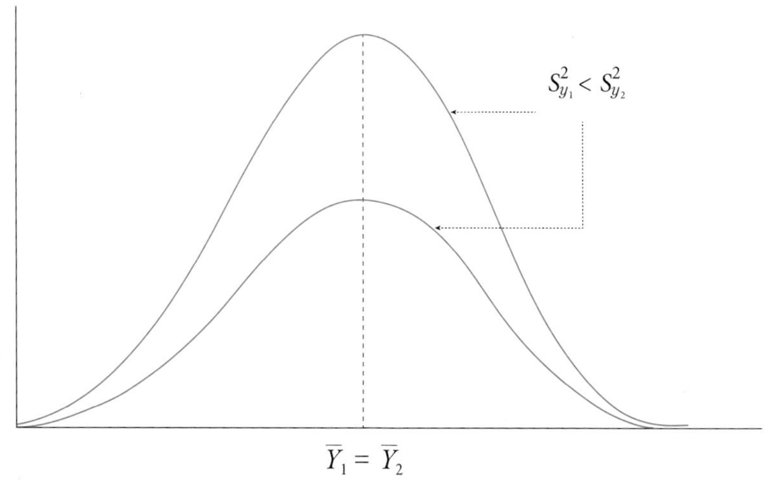

(다) 표준편차

표준편차(standard deviation)는 분산에 루트근호(√‾)를 씌운 것으로 수치만 다를 뿐 의미는 분산과 같다. 분산과 표준편차는 본질적으로 범주들 간의 서열을 전제로 할 뿐 아니라 범주와 범주 간의 간격이 지니는 의미까지도 전제로 하는 통계치이기 때문에 연속형 변수에서만 사용될 수 있다.

2) 추리통계 분석

2-1) 의미

추리통계는 표본을 대상으로 측정한 자료를 토대로 해당 표본이 추출된 모집단의 특성에 대한 통계적 추정을 실시하는 것이다. 추리통계는 모집단의 전수를 조사하지 않고 표본조사를 수행하기 때문에 표본통계량과 모수의 차이가 발생한다. 이를 표본오차 혹은 표집오차라고 한다. 표본오차는 분포이론(distribution theory)을 통해서 추측될 수 있다. 표본통계량과 표본오차를 계산하여 모수의 추정이 가능하다.

추리통계 분석(inferential statistics)은 표본에서의 변수 간의 관계가 모집단에서도 성립하는지를 추론한다. 통계분석으로 z-검증, t-검증, x^2-검증, 변량분석, 회귀분석 등이 활용된다.

2-2) 통계적 가설검증

통계적 가설검증(hypothesis test)은 수집된 자료를 기초로 가설의 진위여부에 대하여 의사결정을 내리는 일련의 과정이다. 수집된 자료와 가설의 대상이 되는 모집단의 크기가 일치한다면, 가설의 진위여부를 쉽게 알 수 있지만 대부분의 조사연구는 전수조사가 어려운 경우가 많다. 이러한 경우에는 수집한 자료가 가설의 대상이 되는 모집단의 표본자료가 되기 때문에 이 표본자료의 분석결과를 토대로 모집단의 특성을 추리해야 한다. 통계적 가설검증은 표본 자료의 분석결과를 토대로 모집단에 관한 가설의 채택여부를 결정하는 일련의 과정이다.

표본통계량만 가지고 가설의 채택 여부를 결정하는 추리통계학적 접근에서는 통계적 유의성(statistical significance)이 곧바로 실제적 유의성(practical significance)을 의미하는 것은 아니다. 표본집단 간에 평균값이 차이가 있을 때, 그 차이가 무작위 표본추출과정에서 우연히 발생한 차이인지 믿을만한 근거가 있는 차이인지를 판단해야 한다. 통계적 검증을 거쳐 믿을만한 근거가 있는 차이로 확인되면 이를 통계적으로 유의미한 차이라고 한다. 그러나 통계적으로 유의미한 차이가 실제로도 유의미한 차이를 의미하는 것은 아니다. 통계적 유의성을 가진 차이가 실제적으로 중요하지 않다고 판단되면 그 차이는 통계적 유의성을 가진 차이라고 하더라도 실제적 유의성이 없다고 판단한다.

2-3) 가설검증의 일반적 절차

추리통계는 많은 정의와 논리체계 및 절차가 사용된다. 가설검증을 위해서 먼저 연구자가 사실이 아닐 것이라고 믿는 귀무가설(H_0, 영가설)과 사실일 것이라고 믿는 대립가설(H_1, 연구가설)을 제시하고 α-오류를 제시한다. 귀무가설이 참임에도 불구하고 귀무가설을 기각하는 그릇된 통계적 결정을 내릴 수 있는 오류정도를 제시하여 통계적 검증의 유의수준을 결정한다.

그 다음은 표본통계치(sample statistic)를 산출한다. 표본통계치는 모집단의 특성으로 통계적 추정을 실시하기 위하여 표본자료를 바탕으로 산출되는 통계로 대부분 표본평균($\overline{Y}$)이나 표본변량(S_y^2)을 사용하여 산출된다. 표본통계치가 산출되면 연구가설(critical value)를 구한다.

기각치는 표집분포에 제시되는 수치로 표본통계치와 비교하여 α-수준에서 귀무가설을 기각할 지 수용할 지를 결정하는 기준이 된다. 표본통계치와 기각치를 비교하여 표본통계치가 기각치보다 더 크면 귀무가설을 기각하고, 기각치가 표본통계치보다 더 크면 귀무가설을 수용하는 통계적 결론을 내리게 된다. 마지막으로 귀무가설의 기각 여부에 대한 결정이 실질적으로 무엇을 의미하는지 진술한다.

표 4-17 가설검증의 일반적 절차

1단계	귀무가설(H_0)을 진술한다.
2단계	대립가설(H_1)을 진술한다.
3단계	α-오류를 설정 한다.
4단계	표본통계치를 계산한다.
5단계	기각치를 구한다.
6단계	통계적 결론을 내린다.
7단계	최종 결론을 내린다.

03 변수

1) 의미

개체에 따라 변화하는 특성을 변수(variable) 혹은 변량이라고 한다. 예를 들어, 보건행정학과 학생들의 키를 측정한다고 할 때에 키는 사람에 따라 차이가 있다. 이런 경우 보건행정학과 학생 각 개인은 개체가 되고 각 학생의 키는 변수가 된다. 그런데 키는 학생들 간에 차이가 있지만 귀의 수는 누구나 둘씩으로 동일하다. 이와 같이 개체에 따라 변화가 가능하지 않은 특성을 상수(constant)라고 한다.

2) 종류

2-1) 질적변수

질적변수(qualitative variable)는 수치로 측정되지 않고, 관측된 값이 문자로 표시되어 범주로 구분된다. 질적변수는 자료의 속성을 나타낸다. 예를 들면, 성별(남, 여), 경제상태(상, 중, 하), 혈액형(O, A, B, AB) 등이다.

2-2) 양적변수

양적변수(quantitative variable)는 수치로 측정되어 그 결과가 수의 크기로 얻어지는 자료이다. 키, 몸무게 등과 같이 숫자로 표시한 변수이다.

(가) 연속변수

연속변수(continuous variables)는 수량화된 등간격이 무한한 경우이다. 몸무게의 경우와 같이 측정기계의 민감도에 의하여 제한되는 경우가 많다.

(나) 이산변수

이산변수(discrete variables)는 유한적으로 수량화된 등간격을 갖는다. 예를 들면, 담배개비, 날짜 등이다.

3) 측정 척도

자료를 수집하기 위해서는 조사대상의 특성을 어떠한 도구로 파악해야 한다. 이와 같이 조사대상의 특성을 숫자나 기호로 표시한 것이 척도(scale)이다. 변수의 값은 척도로서 잰 내용을 수량적으로 표시한 것이다. 어떤 종류의 척도로 측정하느냐에 따라 측정값은 달라지는데, 척도의 종류는 다음과 같은 4가지가 있다.

3-1) 명목척도

명목척도(nominal scale)는 단순히 어떤 대상의 내용이나 특성을 분류하거나 구분하기 위해 사용되는 기호이다. 명목자료는 일반적으로 숫자로 표시하기 힘든 자료이지만 통계분석의 편의상 남자 = 1, 여자 = 2와 같이 숫자로 표시한다. 그러나 여기서 여자가 숫자 2이고 남자가 1이라고 해서 여자가 남자의 두배라든가 하는 연산이나 순서의 의미는 없다. 명목척도는 4가지 척도 중에서 가장 낮은 수준의 척도이다.

3-2) 서열척도

서열척도(ordinal scale)는 순위척도(ranking scale)라고도 하는데, 범주가 순위의 의미는 있지만 순위 간에 수량적인 간격의 의미는 없다. 서열척도는 관심의 대상이 되는 사물이나 사건을 순서에 의해 측정한 자료이다. 예를 들면, 개인의 월수입을 구체적으로 조사하지 않고 경제상태를 상, 중, 하 등으로 구분하여 측정하는 것이다. 이러한 경우 한 대상이 다른 것보다 큰지 작은지만을 구별하게 된다.

3-3) 구간척도

구간척도(interval scale)는 순위뿐만이 아니라 측정치 간의 차이에 대해서도 의미가 있는 척도이다. 대표적인 예는 온도인데, 기온 10도는 기온 5도 보다 5도가 높다는 의미를 갖는다. 그러나 2배 높다는 의미는 아니다. 구간척도의 자료는 한 측정값을 다른 측정값으로 나눈 값의 의미는 없다.

3-4) 비척도

비척도(ratio scale)는 흔히 비율척도로 불려지는데, 구간척도가 가지는 특성 외에 절대원점이라는 정의를 갖는다. 한 대상이 다른 것보다 얼마나 크고 작은지 구체적으로 측정할 뿐 아니라, 두 측정된 값의 비율이 의미를 갖는다.

예를 들면, 몸무게, 길이, 면적, 연령 등이 여기에 속하는데 몸무게 60kg인 사람은 몸무게 30kg인 사람의 두 배라고 말할 수 있다. 구간척도인 온도와 비척도인 몸무게의 근본적인 차이는 절대 영이 없느냐, 있느냐이다. 무게가 0이라는 것은 무게가 없는 것이지만, 온도가 0이라는 것은 온도가 없다는 뜻은 아니다. 온도 0은 사람들이 임의로 정한 빙점의 표시인 것이다.

표 4-18 측정 척도의 특성과 예시

변수	척도 종류	예시
질적변수 이산변수	명목척도	성별, 종교
	서열척도	계급, 석차
양적변수 연속변수	구간척도	온도, 지능지수(IQ)
	비척도	몸무게, 길이

04 모집단

1) 모집단의 정의

모집단(population)은 조사의 대상이 되는 전체 집단이다. 어떤 조사에서나 모집단을 모두 조사하고 분석하는 것이 가장 좋은 방법이다. 그러나 조사자의 시간적, 경제적 제한으로 인하여 모집단 전체를 대상으로 조사할 수 없는 경우가 많다. 따라서 통계학의 주요 목적은 모집단의 일부에 관한 정보를 근거로 모집단의 성질을 찾아 합리적인 의사결정을 수행하는 데 있다.

보건통계학을 수강하는 학생들의 중간고사 시험성적을 알고자 할 때에 모집단은 보건통계학을 수강하고 있는 전체 학생이다. 전체 학생을 대상으로 성적을 알아보기가 어려울 경우 일부 학과나 혹은 일부 학생을 대상으로 보건통계학 중간고사 시험성적을 조사하여 이를 토대로 하여 전체 학생들의 평균점수를 추측하게 된다. 이런 경우 대표집단으로 선출된 일부 학생 혹은 일부 학과의 학생이 표본이다.

표본은 반드시 조사하고자 하는 모집단에서 뽑아야 한다. 또한 표본이 뽑히게 될 모집단은 명확하게 정의되어야 한다. 예를 들어, 단위 인구당 어떤 질병의 유병률을 예측한다면 단위 인구의 크기를 명확히 기술해야 한다. 표본이 실제로 뽑히는 조사가능 모집단(accessible population)으로부터의 결과가 일반화 하고자 하는 대상 모집단(target population)에 잘 부합 되어야 한다. 모집단에 대한 정의가 명확해야 조사에 포함되는 범위가 명확하게 된다.

그림 4-12 모수와 통계량의 관계

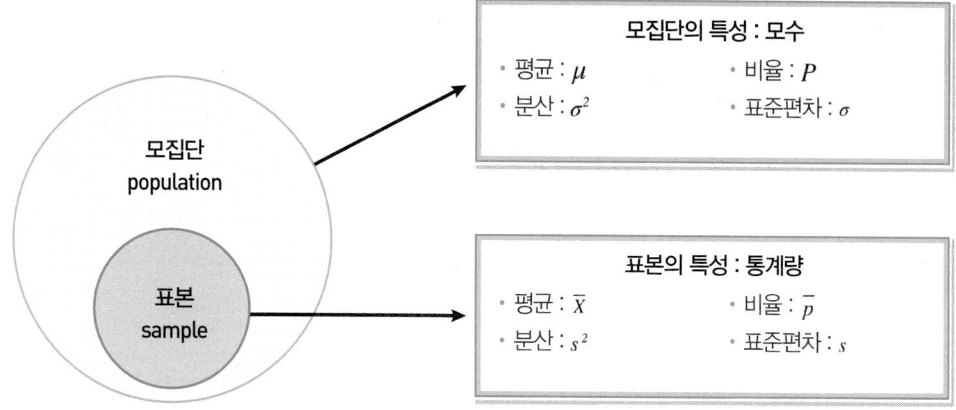

2) 종류

2-1) 유한모집단

모집단의 크기에 상관없이 모집단의 구성원 수가 한정된 집단을 유한모집단(finite population)이라 한다. 예를 들어, 우리나라의 65세 이상 인구와 같이 그 범위와 대상자가 분명하게 제한된 모집단을 유한모집단이라 한다.

2-2) 무한모집단

모집단을 구성하는 구성요소가 무한한 모집단을 의미한다. 예를 들어 제약회사에서 특정한 약품을 생산할 경우 앞으로 판매될 약품의 용량의 경우는 그 범위를 파악하기 어렵다. 이러한 경우의 모집단을 무한모집단(infinite population)이라 한다. 무한모집단의 경우는 특히 전체에 대한 조사가 불가능하므로 표본을 뽑아 조사하게 된다.

05 표본

1) 표본추출방법

표본(sample)은 어떤 대상의 전체를 대표하도록 모집단에서 선택한 부분이다. 이 표본을 선택하는 과정을 표본추출(sampling)이라고 한다. 표본추출은 관심의 대상인 모집단으로부터 그 특성을 대표할 수 있는 표본을 뽑아내는 것이다. 모집단(population)은 그 대상이 다양하며, 모집단의 구성요소를 표본단위(sampling unit)라고 한다. 표본추출은 크게 확률표본추출(probability sampling)과 비확률표본추출(non-probability sampling)로 구분된다.

1-1) 확률 표본추출

확률 표본추출은 표본의 선택이 어떤 확률법에 의해 실시된다. 각 표본단위가 동일한 선택확률을 갖는 표본추출방법이다. 확률 표본추출은 데이터를 분석할 때 추출에 따른 표본오차를 확률적으로 유추해낼 수 있어서 추정치의 정확도를 객관적으로 나타낼 수 있다. 확률 표본추출방법에는 단순무작위 표본추출, 계통추출, 층화추출, 집락추출 등의 기본형과 몇 가지 변형들이 있다.

(가) 단순무작위 표본추출

단순무작위 표본추출(simple random sampling)은 가장 기본적인 확률 표본추출 유형으로 모집단을 구성하는 각 구성요소가 표본으로 뽑힐 확률이 동등하고, 영(zero)이 아니라는 원칙이 적용된다. 모집단위 크기가 N이고 표본의 크기가 n일 때, 각 구성요소가 표본에 뽑힐 확률은 n/N이다. 단순무작위 표본추출은 한번 뽑은 표본을 다시 모집단에 포함하여 추출하는 복원 표본추출(sampling with replacement)과 일단 뽑은 표본은 모집단에서 제외하고 나머지 모집단에서 추출하는 비복원 표본추출(sampling without replacement)로 구분된다.

단순무작위 표본추출은 모집단에 대한 사전지식이 많지 않아도 가능하고, 자료의 분류에서 오는 오차의 개입가능성이 적다는 장점이 있지만 동일한 크기의 표본인 경우 층화확률표본보다 오차가 크고 모집단에 대한 정보를 활용할 여지가 줄어든다는 단점이 있다.

(나) 층화확률 표본추출

층화확률 표본추출(stratified random sampling)은 모집단이 갖고 있는 특성을 고려하여 2개 이상의 동질적인 계층(strata)으로 구분하고, 각 계층별로 단순무작위 추출방법을 적용한다. 층화확률 표본추출은 우선 모집단을 몇 개의 부속군으로 나누고 각 집단에서 단순확률추출로 1개 이상의 원소를 뽑게 된다. 이렇게 부속군을 만드는 과정을 층화(stratification)라고 하며, 층화된 각 집단을 층(stratum)이라고 한다. 층화의 각 층 구성 원소들은 서로 비슷하여 층내에서의 분산은 적고 층간의 분산은 커서 서로 이질적이어야 한다.

층화확률 표본추출은 관련된 변수들 간의 대표성을 확보할 수 있고, 다른 모집단과 비교가 가능하다. 동질적인 집단에서 추출하기 때문에 오차를 줄일 수 있다는 장점이 있다. 단점은 층화를 위해 모집단의 특성을 알기 위한 많은 정보가 필요하고 범위가 작으면 표본추출이 어려워진다. 또한 층화가 복잡하거나 잘못된 경우에는 오히려 표본오차가 커질 수 있다는 단점이 있다.

(다) 집락 표본추출

집락 표본추출(cluster sampling)은 모집단을 여러 가지 이질적인 구성요소를 포함하는 여러 개의 집락(cluster) 또는 집단(group)으로 구분하고, 구분된 집락을 표본추출단위로 하여 이들 집락들 중에서 무작위적으로 몇 개의 집락을 표본으로 추출해 그 구성단위를 전수조사하는 방법이다. 광범위한 대규모 조사에서 많이 쓰이는 방법이다. 집락표본추출의 가장 큰 장점은 추출의 편리성이다.

층화확률 표본추출은 단순확률 표본추출에 비해 특히 표본오차가 크지만 완전한 최신의 추출 프레임이 작성되어 있지 못할 경우에도 통계조사가 가능하다. 집락표본추출의 또 다른 장점은 비용을 줄일 수 있다는 점이다. 그러나 정확도 기준이 높아지면 기준 충족이 어려운 단점이 있다. 이 경우에는 표본집락의 수를 늘여 정확도를 일정 수준으로 유지할 수 있다.

층화확률 표본추출도 모집단을 몇 개의 계층으로 구분하는데 표본추출대상은 그 계층이 아니라 구성요소이다. 집락 표본추출에서는 집락이 표본추출단위가 된다. 층화확률 표본추출에서 각 계층의 구성요소들은 동질적이고 계층과 계층 간에는 이질적인 경우에 적용하는 것이 바람직하고, 집락 표본추출에는 각 집락이 모집단의 구성요소를 대표할 수 있는 이질적인 요소로 구성되고 집락과 집락 사이에는 거의 차이가 없는 경우에 적용된다. 이러한 차이점을 고려할 때에 집락 표본추출은 각 집락을 구성하는 요소들이 서로 광범위하게 다른 경우, 집락간의 평균 · 비율 · 표준편차 등이 비슷한 경우에 실시한다.

표 4-19 층화확률 표본추출과 집락 표본추출의 특성 비교

구분	층화확률 표본추출	집락 표본추출
표본추출 단위	집단의 구성요소	집단이 표본추출 단위
구성요소 특성	동질적	이질적
집단 간 특성	이질적	동질적

(라) 계통 표본추출

계통 표본추출(systematic sampling)은 모집단에서 시간적으로나 공간적으로 일정한 간격을 두고 추출하는 방법이다. 간편하고 기계적인 면이 있어서 컨베이어벨트 생산방식과 같이 제품이 연속적으로 검사되는 경우에 실시한다. 그러나 모집단 자료의 순서 가운데 예측하지 못한 주기성이 있다면, 뽑힌 표본이 한쪽에 치우친 결과를 가져올 수 있으므로 그 주기성들은 사전에 점검되어야 한다. 계통 추출방법은 대규모의 조사에 주로 사용되며, 단순확률추출보다 추출작업이 쉽고, 경우에 따라서는 표본의 정도가 높기 때문에 실제조사에서 널리 사용되는 방법이다.

1-2) 비확률 표본추출

비확률 표본추출은 표본을 수집하는 조사자의 판단에 의해 추출단위를 뽑는다. 조사자가 전체 모집단을 관찰하여 평균에 가깝다고 판단되는 표본을 뽑는 것이다. 표본을 추출하는 사람이 그 분야에 전문가이고 풍부한 경험이 있는 경우에 실시하지만 대부분의 경우 이러한 표본의 자료로부터 얻은 결론을 일반화하기에는 많은 제한이 있다.

비확률 표본추출은 표본의 추출과정에 확률이 거의 적용되지 않는 경우, 표본이 추출될 확률을 구할 수 없는 경우, 확률 표본추출을 할 때에 많은 시간과 비용이 들 경우, 조사목적이 특수한 경우 등에 사용된다. 비확률 추출방법에는 편의 표본추출, 판단 표본추출, 할당 표본추출, 누적 표본추출 등이 있다.

(가) 편의 표본추출

편의 표본추출(convenience sampling)은 조사자가 쉽게 이용 가능한 대상들을 표본으로 선택하는 방법으로 시간과 비용 면에서 가장 경제적인 표본추출방법으로 임의 표본추출(accidental sampling)이라고도 한다.

(나) 판단 표본추출

판단 표본추출(judgement sampling)은 조사자의 주관적 판단에 의해 조사목적에 맞는 표본을 추출하기 때문에 목적 표본추출(purposive sampling)이라고도 한다. 이 방법은 조사자가 모집단 및 그 구성요소에 대한 풍부한 사전지식이 있을 경우에 유용하다.

(다) **할당 표본추출**

할당 표본추출(quota sampling)은 판단 표본추출의 변형으로 추출된 표본이 모집단의 특성을 잘 대표할 수 있도록 미리 모집단의 특성을 나타내는 하위집단별로 표본수를 배정한 다음 표본을 추출하는 방법이다.

(라) **누적 표본추출**

누적 표본추출(snowball sampling)은 임의적 표본추출의 한 형태로 노숙자, 불법 체류자 등과 같이 특정 모집단의 구성원을 찾기 어려울 때 유용한 방법이다. 누적 표본추출은 첫 단계에서 조사자가 임의로 선정한 제한된 표본에 해당하는 사람으로부터 추천을 받아 다른 표본을 선정하는 과정을 되풀이하여 표본을 누적해 가는 방법으로 눈덩이 표본추출이라고도 한다.

2) 표본조사에서의 오차

표본조사의 평균이나 비율은 모집단을 대표하는 일부인 표본으로부터 예측 또는 추정하게 된다. 이 때 추정되는 모수의 실제값과 표본조사에서 얻은 값의 차이를 오차라고 한다. 표본조사에서의 오차는 편의(bias), 표본오차(sampling error), 비표본오차(non–sampling error) 등이 있다.

편향(bias)은 표본조사를 통해 모수를 추정하고자 할 때 모수추정량으로 사용한 표본통계량의 기대값과 모수의 실제값의 차이를 말한다. 대부분 불편추정량을 통해 표본통계량을 사용함으로써 표본추출과정에서 발생하는 편향을 없애기도 하지만 표본설계 이외의 요인에 의해 발생하는 편향은 조절하기가 쉽지 않다.

표본오차(sampling error)는 모집단에서 일부를 추출하여 조사한 결과를 갖고 모집단 전체에 대한 추론을 하는 과정에서 발생하는 오차이다. 비표본오차(nonsampling error)는 표본조사 전수조사에서 모두 발생할 수 있는 오차로 연구목적이나 조사범위가 불분명하거나 잘못된 정의 정의, 자료수집방법 및 자료의 도표화에서 발생하는 오차이다. 발생요인에 따라 표본조사 단계에서 생기는 무응답오차, 자료수집이나 관찰과정에서 발생하는 응답오차와 수집된 자료처리과정에서 생기는 도표작성 오차 등으로 구분된다.

06 보건지표

1) 정의

보건지표(health index)는 인간의 건강상태뿐만 아니라 이와 관련된 인구의 수와 구조, 보건관련 정책과 제도, 보건의료 자원, 보건의식과 가치관, 인간을 둘러싼 자연환경 등에 대한 전반적인 수준이나 특성을 나타내는 척도이다. 한편, 건강지표는 보건지표 보다는 협의의 정의로 인간의 건강수준이나 특성을 나타내는 수량적인 척도를 말한다.

2) 세계보건기구의 보건지표 분류

세계보건기구(WHO)는 보건지표를 보건정책 지표, 보건에 관련된 사회경제적 지표, 보건의료관리지표, 건강상태지표 등 4가지로 분류하였다. 구체적인 내용은 다음과 같다.

2-1) 보건정책 지표

보건정책 지표는 보건정책의 특성을 설명하는 지표로 정의적 접근과 수량적 측정이 어려워 일차보건의료에 한해 측정하는 것으로 대신하고 있다. 정책선언, 자원배정, 분배의 동질성, 참여도, 조직 및 관리과정 등이 포함된다.

- 정책선언 : 보건정책수립의 내용과 관리과정을 설명하는 지표로 정책의 유무, 선언유무, 선언내용, 사회적 합리성, 수행과정, 중점사업 등을 측정한다.
- 자원배정 : 건강증진을 위한 자원 배정을 설명하는 지표로 자원배정의 동질적 배경, 국민소득의 비율, 또는 전체 보건사업비에 대한 1차 보건의료비용 등을 측정한다.
- 분배의 동질성 : 자원 배정의 형평성을 설명하는 지표로 도시와 농촌, 인구수에 의한 배정 등이 질적으로 균등한가를 측정한다.
- 참여도 : 지역사회의 참여도를 설명하는 지표로 지역사회 지도자의 의사결정의 참여도, 또는 지역사회의 정당, 공공 단체 또는 조합의 영향과 협력정도를 측정한다.
- 조직 및 관리과정 : 일차보건의료 수행 조직의 적합성, 관리과정을 측정한다.

2-2) 보건에 관련된 사회경제적 지표

보건에 미치는 사회경제적 자원의 지표로 보건사업의 목표설정 보다는 건강증진을 설명하는 지표이다. 인구증가율, 국민총생산량(GNP) 또는 국내총생산량(GDP), 수입분포, 작업환경과 조건, 성인의 교육정도, 주거, 식량의 가용성 등이 포함된다.

- 인구증가율 : 인구증가율과 인구증가에 영향을 미치는 인구분석학적 요인의 수량적 계측과 인구이동 등을 측정한다.
- 국민총생산량 또는 국내총생산량 : 건강증진의 중요한 배경인 경제적 상황을 측정하기 위하여 국민총생산량 또는 국내총생산량, 물가, 수입 등을 측정한다.
- 수입 분포 : 개인의 소득분배수준을 설명하는 지표로서 1년 정도의 비교적 단기간 측정을 기본으로 하고 지역 또는 소득의 수량화 가능성을 고려해 측정한다.
- 작업환경과 조건 : 취업활동의 수준을 설명하는 지표로 크게는 취업 인구와 미취업 인구, 보수 지급 취업 수와 비보수 지급 취업인구라든가, 취업 인구 1인당 부양가족 수, 또는 소년 · 노년 인구의 취업현황 등을 측정한다.
- 성인의 교육정도 : 15세 이상의 인구의 교육정도를 측정하는 지표로 성인의 문맹률을 측정하여 교육정도가 건강증진에 기여하는 사항을 설명하려는 지표이다.
- 주거 : 주거현황의 지표로 거주 방당 가족 수(인구수), 가옥에서의 환경 조건 등을 측정한다.
- 식량의 가용성 : 식량과 영양은 건강증진에 매우 민감하게 작용하는 지표이므로 건강증진의 설명에 유용한 지표이다. 영양섭취량, 주당 섭취량 등을 측정한다.

2-3) 보건의료관리 지표

보건의료관리 지표는 세계보건기구가 보건지표의 재생산성을 위해 제정한 지표로 보건사업전개에 이용할 것을 권장한다. 이 지표는 복합적 지표로 의료전달체계의 내용을 설명하는 지표이다. 의료 유용성, 의료 접근성, 경제 · 문화적 접근성 등이 포함된다.

- 의료 유용성 : 인구 당 의료시설, 의료인력 등을 측정한다.
- 의료 접근성 : 의료 접근성은 물리적 접근으로 시간적 · 공간적으로 얼마나 가까운 곳에서 빠른 시간 내에 의료기관을 이용할 수 있는가에 대한 측정이다. 이용실태와 이용예측 비율, 이용 상의 문제, 의료비용 등을 측정한다.
- 경제 · 문화적 접근성 : 사회 또는 개인이 부담할 수 없는 비용, 문화적 이유 때문에 접근이 쉽지 않은 사항 등을 측정한다.

2-4) 건강상태 지표

건강상태 지표는 개인이나 인구의 생존수준을 설명하려 하는 지표이다. 어린이의 영양 및 사회심리 발전지표, 영아사망률, 유아사망률, 평균수명, 모성사망률, 사인별 사망률, 질병력, 신체 장애율, 사회적 안녕 등이 포함된다.

- 어린이의 영양 및 사회심리 발전지표 : 어린이의 영양지표는 출생시 체중, 체중과 키의 대비, 연령별 체중의 비교, 연령별 체중 · 신장의 비교, 상박 중위부분의 둘레, 특히 연령별 상박 중위둘레의 대비 등이다. 한편, 어린이의 사회심리상태 발전지표는 수량적 측정이 어려워 우선 어린이가 속한 사회의 문화적 특성이나 사회규범의 범위 내에서 측정 내용을 선정한다.
- 영아사망률 : 인구의 0세의 사망력을 말하는 것으로 영아사망력 수준은 출생아 1,000명당 0세의 당해 연도 사망수이다. 영아사망력은 영아의 건강상태와 인구의 건강상태를 설명하는 지표이다.
- 유아사망률 : 1~4세 어린이 1,000명 중 당해 연도에 사망하는 1~4세 어린이 수로 계산한다. 유아사망률은 영양상태, 위생상태, 감염성 질환, 가옥 내외에서의 사고 사망 등과 같이 환경요인과 외인사가 요인이 되는 사망률이다.
- 평균수명 : 평균여명은 어떤 시기를 기점으로 그 후 생존할 수 있는 평균년수로 한 인구의 생명표 함수에 의한 생존기간의 수준을 설명하는 지수이다. 특히, 0세의 평균여명은 인구의 시대에 따른 평균 생존가능 연수를 표시하는 장기성 생존수준을 설명하는 지표이다.
- 모성사망률 : 모성사망률은 어머니의 임신, 분만 및 산욕으로 인한 사망력 수준을 설명하는 지표로 실제로는 모성 100,000명당 년간 모성사망자로 계산한다.
- 사인별 사망률 : 사인은 세계보건기구에서 제정한 ICD(International Statistical Classification of Diseases)의 분류를 따라 편의상 5개 범주로 묶은 분류 또는 17대 분류에 의한 사망률을 계산한다.
- 질병력 : 질병 또는 장애의 발생률 또는 유병률 등을 측정한다.
- 신체 장애률 : 신체장애의 발생, 종류 및 정도의 크기를 설명하는 통계자료, 실명률 또는 지체부자유율 등을 측정한다.
- 사회적 안녕 : 인간 개개인이 다른 구성원들과 어떤 관계를 형성하여 조화를 이루며 사회구성원으로서 자신의 역할을 얼마나 보람 있게 수행하는지를 의미한다. 계량적으로 산출하기가 어렵다.

3) 수명

3-1) 평균수명

어떤 연령의 사람이 평균해서 몇 년 살 수 있는가하는 기대값으로, 0세의 평균여명(life expectancy)을 평균수명이라고 한다. 이것은 인구조사와 당해의 연령별 사망자수를 기초로 해서 연령별 사망률을 산출하고, 이 사망률이 변화하지 않는 것으로 가정해서 만든 생명표(life table)로부터 산출된다.

생명표는 일정한 시기에 동시에 출생한 집단(코호트)이 시간의 경과와 함께 사망해 나가는 과정을 몇 가지의 수리적 함수로 표현한 것이다. 어떤 연령의 생존자 중 다음 해에는 몇 사람이 살아남는가를 연령별 사망률을 이용해서 산출하고, 이것을 차례로 연령마다 반복해서 계산하여 모두 죽어 없어질 때까지 계속한 결과, 각 연령에서의 생존자수의 총합을 처음 연령의 생존자수로 나눈 것이 그 연령의 평균여명이 된다.

생명표의 기본 함수는 연령, 생존수, 사망수, 사망확률, 생존확률, 생존년수, 평균여명 등이다. 생명표를 통하여 얻어지는 평균수명은 국민의 건강상태, 즉 공중위생의 정도를 알아보는 데에 중요한 지표가 된다. 우리나라는 평균수명이 1950년 50세에서 2008년 80.1세로 크게 증가하였는데, 이 같은 결과는 영아사망률의 급격한 저하에 기인한 결과이다.

3-2) 건강수명

건강수명(healthy life expectancy)은 평균수명에서 질병이나 부상으로 활동하지 못한 기간을 뺀 기간으로 단순히 얼마나 오래 사는가에 중점을 두는 것이 아니라 얼마나 건강하게 오래 사는가에 중점을 두고 산출한 지표이다.

건강수명은 세계보건기구(WHO)가 종래 발표하던 평균수명에 수명의 질이라고 할 수 있는 건강상태를 반영한 것이다. 단순히 얼마나 오래 살았느냐가 아니라 실제로 활동을 하며 건강하게 산 기간이 어느 정도인지를 나타내는 지표로 선진국에서는 평균수명보다 중요한 지표로 활용된다.

우리나라의 건강수명은 2008년 72세로 평균수명 80.1세와 비교하면 8.1세의 차이가 발생한다. 이것은 80.1년을 사는 동안 8.1년을 질병이나 부상으로 활동하지 못했다는 의미가 된다. 따라서 평균수명과 건강수명의 차이를 줄이는 것이 중요한 보건정책의 목표가 된다.

표 4-20 우리나라 평균수명과 건강수명의 비교

	수 명	1998년	2001년	2005년	2007년	2008년
전체	평균수명	74.8	76.5	78.6	79.6	80.1
	건강수명	65.0	67.4	67.8	71.0	72.0
남자	평균수명	71.1	72.8	75.1	76.1	76.5
	건강수명	62.3	64.5	64.8	68.0	69.7
여자	평균수명	78.5	80.0	81.9	82.7	83.3
	건강수명	67.7	70.3	70.8	74.0	74.2

출처 : 보건복지부, 제3차 국민건강증진종합계획2020, 2011.

4) 인구통계 지표

인구통계는 출산 및 사망과 관련되는 지표로 구성된다. 대표적인 인구통계 지표를 구체적으로 살펴보면 다음과 같다.

4-1) 보통출생률

보통출생률(crude birth rate)은 조출생률이라고도 하는데, 어떤 연도의 한 인구집단의 연간 출생아수를 인구 1,000명당으로 표시한 것이다. 여기서 출생은 사산을 포함하지 않으며 정상출생(live birth)을 말한다. 분모의 인구수는 일년의 중앙인구인 7월 1일의 인구를 기준으로 한다.

$$\text{보통출생률} = \frac{\text{같은 연도의 (정상)출생아 수}}{\text{어떤 연도의 연중 인구 수}} \times 1{,}000$$

4-2) 일반출생률

일반출생률(general fertility rate)은 임신이 가능한 연령(15~49세)의 여자 인구 1,000명당 출생률을 말한다. 임신이 가능한 기간의 연령 범위가 국가에 따라 다를 수 있으므로 국가 간의 비교에서는 유의해야 한다.

$$\text{일반출산률} = \frac{\text{같은 연도의 출생아 수}}{\text{어떤 연도의 15~49까지의 여자 수}} \times 1{,}000$$

4-3) 연령별출생률

연령별출생률은 어떤 연도에서 특정 연령의 여자 인구 1,000명이 출산한 출생아수이다.

$$\text{연령별출생률} = \frac{\text{그 연도 중 } x\text{세의 여자가 낳은 출생 수}}{\text{어떤 연도의 } x\text{세 여자 인구}} \times 1{,}000$$

4-4) 합계출산율

합계출산율(total fertility rate)은 여성이 15세부터 49세까지 낳은 출생아의 총수를 의미한다. 한 여성이 가임기간 동안 몇 명의 아기를 낳는가를 나타낸다.

$$TFR = \sum_{X=15}^{49} f_x$$

(f_x : x세의 출산율)

4-5) 총재생산율

총재생산율(gross reproduction rate)은 여성이 15세부터 49세까지 낳은 여자 아이의 총수를 의미한다. 한 여성이 일생동안 낳은 여자 아이의 수이다.

$$GRR = \sum_{X=15}^{49} f_x\,(\mathrm{F})$$

($f_x(\mathrm{F})$: x세 여자의 여아 출산율)

4-6) 순재생산율

총재생산율은 가임여성 모두가 재생산에 참여한다는 가정에서 계산된다. 그러나 가임연령에 도달하기 전에 사망하는 여성도 있으므로 각 연령의 사망률을 고려하여 계산한 것이 순재생산율(net reproduction rate)이다. 순재생산율이 1.0이면 인구의 증감이 없고, 1.0 이하이면 인구가 감소하고, 1.0 이상이면 인구가 증가한다.

$$NRR = \sum_{X=15}^{49} f_x\,(\mathrm{F}) \cdot P_x$$

(P_x : x세 여자의 생존율)

4-7) 보통사망률

보통사망률(crude death rate)은 조사망률이라고도 하며, 인구 1,000명당 1년 간의 발생한 사망자 수로 표시한다.

$$\text{보통사망률} = \frac{\text{그 연도의 사망자 수}}{\text{어떤 연도의 중앙인구}} \times 1,000$$

4-8) 영아사망률

영아사망률(infant mortality rate)은 주어진 기간 동안에 출생한 출생아수 1,000명에 대하여 동일한 기간 중에 발생한 1세 미만의 사망자수이다. 영아사망률은 생활환경, 보건의료 수준, 영양상태, 유전적 요인 등에 영향을 받기 때문에 국가 간 보건수준을 비교할 때에 많이 사용된다.

$$\text{영아사망률} = \frac{\text{그 연도의 영아사망자 수}}{\text{어떤 연도의 출생아 수}} \times 1,000$$

4-9) α-index

영아기를 신생아기(생후 28일까지)와 그 이후의 시기로 나누어서 계산하는 방법이다. 어떤 연도의 영아사망수를 신생아 사망수로 나눈 값이다. α-index가 1에 가까우면 거의 모든 영아사망이 신생아 사망이다. 이것은 영아사망의 대부분이 신생아 고유질환에 의한 것이므로 보건수준은 높은 상태라 할 수 있다.

$$\alpha\text{-index} = \frac{\text{그 연도의 영아사망자 수}}{\text{어떤 연도의 신생아 사망자 수}} \times 1,000$$

4-10) 모성사망률

모성사망률(maternal mortality rate)은 주어진 기간의 출생아수 100,000명에 대한 임신, 분만, 산욕의 합병증에 의한 사망자수이다. 모성사망률은 측정지표의 분류상 비에 속하며, 영아사망률에 비하여 상대적으로 낮기 때문에 단위를 출생아수 100,000명을 기준으로 한다.

$$\text{모성사망률} = \frac{\text{그 연도의 모성사망자 수}}{\text{어떤 연도의 출생아 수}} \times 100,000$$

4-11) 비례사망지수

비례사망지수(proportional mortality index; PMI)는 전체 사망자 중에서 50세 이상 연령의 사망자 수의 백분율을 나타낸 것이다. 한편, 세계보건기구는 평균수명, 보통사망률, 비례사망지수를 국가 간의 건강수준을 비교하는 대표적인 지표로 추천하고 있다.

$$\text{비례사망지수} = \frac{\text{50세 이상 연령의 사망자 수}}{\text{총 사망자 수}} \times 100$$

5) 질병통계 지표

질병통계는 발생률, 유병률, 치명률로 구성된다. 질병통계 지표를 구체적으로 살펴보면 다음과 같다.

5-1) 발생률

발생률(incident rate)은 한 시점으로부터 다른 시점에 이르기까지 일정기간 동안에 관찰 인구로부터 어떤 질병이 얼마나 발생하는가를 측정하는 비율이다. 일반적으로 인구 100,000당으로 표시한다.

$$\text{발생률} = \frac{\text{그 기간 중 어떤 질병의 새 발생 수}}{\text{기간 중 관찰인구의 중앙인구}} \times 10^5$$

5-2) 발병률

발병률(attack rate)은 발생률의 일종으로 식중독이나 감염병 같이 감염에 폭로될 수 있는 제한된 인구만을 분모로 하는 발생률을 말한다. 그리고 환자와 접촉한 사람들 중 감염된 경우를 보는 것을 2차 발병률(secondary attack rate)이라 한다.

$$\text{발병률(\%)} = \frac{\text{발병자 수}}{\text{위험에 폭로된 인구}} \times 100$$

$$\text{2차 발병률(\%)} = \frac{\text{발병자 수}}{\text{확인된 전체 접촉자 수}} \times 100$$

5-3) 유병률

유병률(prevalence rate)은 발병시기에 관계없이 조사당시에 질병을 가지고 있는 모든 사람이 대상이다. 조사방법에 따라 어느 시점에 있어서의 유병률을 조사하는 시점유병률(point prevalence rate)과 기간유병률(period prevalence rate)로 나눈다. 그런데 일반적으로 유병률이라고 하면 시점유병률을 의미한다.

(가) 시점유병률

시점유병률은 한 시점에서 인구집단 중의 한 사람이 환자일 확률을 말하며, 간단히 1회 조사로 결과를 얻을 수 있다. 시점유병률은 분율(proportion)에 속한다. 시점유병률은 정기적으로 측정하면 시간경과에 따라 질병양상이 어떻게 변화하는지를 파악할 수 있다. 또한, 질병이 아니더라도 고혈압의 인지율, 치료율, 조절률 등에 어떤 변화가 있는지를 파악할 수 있다.

(나) 기간유병률

기간유병률은 일정 기간 동안 한 번이라도 환자상태에 있었던 사람 수를 그 기간 동안의 평균인구 수로 나누어준 것이다. 일정 기간 동안 한 번이라도 환자상태에 있었던 사람이란 그 기간 이전에 발병한 사람에 그 기간 동안에 새로 발병한 사람을 합한 수가 된다. 분모가 평균인구 수인 이유는 기간유병률은 일정기간 동안 관찰하여 측정하기 때문에 그 기간 동안 인구수가 일정하지 않고 달라질 수 있기 때문이다. 기간유병률은 비(ratio)에 속한다. 기간유병률은 발병시점을 알기 어려운 질병의 경우에는 시점유병률이나 발생률 보다 측정하기 쉽다.

$$\text{시점유병률} = \frac{\text{관찰 시점에서의 환자 수}}{\text{어느 시점에서의 인구 수}} \times 10^x$$

$$\text{기간유병률} = \frac{\text{관찰 기간에서의 환자 수}}{\text{어느 기간에서의 인구 수}} \times 10^x$$

(다) 유병률과 발생률의 관계

발생률은 급성질환이나 만성질환에 관계없이 질병의 원인을 찾는 연구에서 가장 기본적인 도구로 사용된다. 어떤 특정한 요인을 지니는 집단에서의 발생률과 요인을 지니지 않는 집단에서의 발생률을 비교하여 그 요인이 질병발생에 영향을 주는지를 검정할 수 있게 된다. 이와 달리 유병률은 만성질환의 질병관리에 필요한 인력 및 자원소요의 추정에 유용한 도구이다. 대상자들의 특성에 따라 몇 가지 군으로 구분하여 유병률을 표현하면 어떠한 특성을 가진 소집단이 특히 많은 부담을 주고 있는지를 알 수 있다.

한편, 유병률은 발생률과 이환기간에 영향을 받고 있기 때문에 발생률이 높아지면 유병률도 높아지게 된다. 그러나 유병률이 높다고 하여 그 집단의 질병발생의 확률이 높다고는 할 수 없다. 그 이유는 단순히 질병의 독성이 약해졌거나 치료기술의 발달로 인하여 생존기간이 길어지면 질병발생률의 증거 없이도 유병률이 높아지기 때문이다. 반대로 유병률이 낮아졌다는 것은 발생률이 낮아졌거나 또는 질병이 발생하자마자 사망하거나 회복되었다는 것을 의미한다. 특히, 발생률이 낮고 이환기간이 긴 질병은 발생률에 비해 유병률이 높으며, 발생률이 높고 이환기간이 짧은 질병은 발생률에 비해 유병률이 낮다.

5-4) 치명률

치명률(case fatality rate)은 일정 기간 동안 특정 질병에 이환된 사람들 중 그 질병으로 인해 사망한 사람이 얼마나 되는지를 백분율로 표시한 것이다. 어떤 질병이 생명에 영향을 주는 위험도와 그 질병에 대한 치료법의 발달 정도를 나타내 주는 지표이다.

$$\text{치명률} = \frac{\text{같은 기간 중에 그 질병으로 사망한 수}}{\text{어떤 기간 중의 한 질병의 환자 수}} \times 100$$

한편, 사망률, 발생률 및 치명률은 다음과 같은 관계가 성립된다.

$$\text{사망률} = \text{발생률} \times \text{치명률}$$

6) 병원통계 지표

병원통계는 병원 운영과 관련된 행정통계, 병원이용통계, 진료통계 등으로 구성된다. 대표적인 병원통계 지표를 구체적으로 살펴보면 다음과 같다.

6-1) 평균재원일수

평균재원일수(average length of stay)는 입원환자 당 평균재원기간을 나타낸다. 일정 기간 중에 퇴원환자들의 총재원일수를 그 퇴원환자 수로 나누어 계산한다. 평균재원일수에는 사망자는 포함되지만 신생아는 제외한다.

$$\text{평균재원일수} = \frac{\text{그 기간 중 퇴원환자의 총재원일 수}}{\text{일정기간 중 총 퇴원환자 수}} \times 100$$

6-2) 병상이용률

병상이용률(bed occupancy rate)은 일정기간 동안 환자를 수용할 수 있는 상태로 가동한 병상이 실제 환자에 의해 점유된 비율이다.

$$병상이용률 = \frac{1일\ 평균\ 재원환자\ 수}{병상\ 수} \times 100$$

6-3) 병상회전율

병상회전율(turn over rate)은 일정기간 내에 한 개의 병상을 사용한 평균 환자수를 의미한다. 병상회전율은 병상이용의 정도를 측정하는 자료로 사용된다. 평균 재원일수가 긴 병원의 병상회전율은 낮고, 짧은 병원의 병상회전율은 높다.

$$병상회전율 = \frac{해당\ 기간\ 중\ 총\ 퇴원환자\ 수(사망\ 포함)}{기간\ 중\ 사용\ 가능한\ 평균병상\ 수}$$

CHAPTER 15

보건교육

학습목표

- 보건교육의 정의와 목적을 설명할 수 있다.
- 보건교육의 범위를 내용별, 분야별로 설명할 수 있다.
- 보건교육과 건강증진의 관계를 설명할 수 있다.
- 보건교육방법 및 교육매체의 특성을 설명할 수 있다.
- 보건교육사에 필요한 직무역량을 설명할 수 있다.

01 보건교육의 이해

1) 보건교육의 정의

보건교육(health education)은 보건과 교육이 접목된 학문영역으로 보건은 주제와 교육은 방법과 관련된다. 보건교육은 인간의 태도나 행동변화에 초점을 두고 있다. 보건교육은 직 · 간접적으로 인간의 건강에 영향을 미치는 행동이나 문제점에 중점을 두고 실시하는 계획된 변화의 과정이다.

한편, 우리나라 국민건강증진법 제2조에서는 "보건교육은 개인 또는 집단으로 하여금 건강에 유익한 행위를 자발적으로 수행하도록 하는 교육을 말한다"라고 규정하고 있다. 따라서 보건교육은 단순히 지식을 전달하는 것이 아니라 자기 스스로가 건강을 지켜야 한다는 적극적 태도를 가질 수 있도록 하여, 건강에 도움이 되는 행동을 습관화하도록 돕는 교육과정이라고 할 수 있다.

2) 보건교육학의 성격

보건교육을 과학적으로 연구하는 보건교육학은 보건과학(health science)의 한 분야로 이론적이기 보다는 실천적 성격이 강한 응용학문이라고 할 수 있다. 보건교육학은 다양한 학문과 연계되는데 교육내용은 의학, 간호학, 영양학, 치위생학, 체육학, 보건학 등과 관련되며, 교육방법은 교육공학, 행동과학, 심리학, 사회학 등과 관련된다.

보건교육을 효과적으로 실시하기 위해서는 건강정보와 생활기술, 심리 및 행동 변화 이론, 교수-학습이론, 교육매체 개발 등의 지식이 필요하다. 최근에는 교육에 시청각 자료를 활용하는 기술과 대중매체를 이용하는 방법이 중요하게 고려되고 있다. 또한, 보건교육 과정을 개발할 때에 교육대상자의 요구와 흥미를 고려해야 하기 때문에 생애주기별 신체발달을 고려해야 하며, 교육대상자가 소속된 지역사회, 직장, 학교, 가정 등의 여건을 고려하여 교육 주제와 방법을 결정하여야 한다.

3) 보건교육의 목적

세계보건기구가 주최한 제1차 보건교육전문위원회에서는 보건교육의 기본 목표를 다음과 같이 제시하였다. 첫째, 지역사회 구성원의 건강은 지역사회의 발전에 중요한 열쇠라는 것을 인식시킨다. 둘째, 개인이나 지역사회 구성원들이 자기 건강을 스스로 관리할 수 있는 능력을 갖도록 한다. 셋째, 자신이 속한 지역사회의 건강문제를 스스로 인식하고, 자신들이 해결할 수 있는 문제는 해결하려는 노력을 통하여 지역사회의 건강을 자율적으로 유지 · 증진하도록 하는 힘을 갖게 한다.

보건교육의 최종목표는 개인이나 집단이 건강문제를 인식하고 스스로 행동하여 이것을 해결함으로써 자신의 건강을 증진시킬 수 있도록 하는 것이다. 이는 보건교육이 건강에 대한 자발적이고 주체적인 정신을 키우고 태도를 육성하는 것에 목표를 둔다는 것을 의미한다. 한편, 구체적 목표는 잘못 알고 있는 건강정보의 교정, 건강과 관련된 가치관의 정립, 건강생활습관의 교정 등이라고 할 수 있다.

4) 보건교육의 범위

4-1) 내용별 구분

보건교육은 개인 및 집단의 건강행동을 바꾸기 위한 교육 활동뿐만 아니라 건강행동에 영향을 미치는 정치적, 경제적, 사회적 요인에 변화를 유도하는 여러 활동도 포함한다. 특히, 언론매체를 통한 홍보활동이나 지역사회의 보건사업(고혈압 교실, 운동 교실, 건강캠페인 등)도 보건교육에 해당된다. 보건교육은 최적의 건강상태에서부터 1차예방, 2차예방, 3차예방에 이르는 포괄적 건강관리의 모든 단계에서 질병치료와 별개로 진행된다.

한편, 우리나라 국민건강증진법 시행령 제17조에서는 보건교육의 범위를 금연 · 절주 등 건강생활의 실천에 관한 사항, 만성퇴행성질환등 질병의 예방에 관한 사항, 영양 및 식생활에 관한 사항, 구강건강에 관한 사항, 공중위생에 관한 사항, 건강증진을 위한 체육활동에 관한 사항, 기타 건강증진사업에 관한 사항 등으로 규정하고 있다.

4-2) 분야별 구분

(가) 지역사회

지역사회 보건교육은 모든 주민들이 건강에 유익한 활동을 스스로 선택할 수 있도록 지원하는 역할을 한다. 지역사회의 건강문제를 주민 스스로가 확인하고 통제할 수 있도록 역량을 키워주는 역할을 담당한다. 우리나라에서 지역사회 보건교육은 지역보건법을 근거로 대부분 보건소가 중심이 되어 추진하고 있다. 보건소는 지역보건법 제9조의 업무(구강보건 및 영양개선사업, 감염병의 예방 · 관리 및 진료, 모자보건 및 가족계획사업, 노인보건사업, 공중위생 및 식품위생, 정신보건, 만성퇴행성 질환 등의 질병관리에 관한 사항 등)를 추진하면서 모든 사업에 보건교육을 기본적으로 실시하고 있다.

(나) 학교

학교 보건교육은 학교보건사업의 일부분으로 진행된다. 학교보건은 학교의 보건관리와 환경위생정화에 필요한 사정을 규정하여 학생 및 교직원의 건강을 보호 · 증진하는 것을 목적으로 한다. 학교보건법 제9조에는 "학교의 장은 체위향상, 질병의 치료와 예방, 음주, 흡연, 약물남용예방, 성교육 등을 위해 보건교육을 실시해야 한다"라고 규정되어 있다. 학교에서는 학생들의 건강생활습관(운동부족, 흡연, 잘못된 식습관, 약물남용 등)에 대한 상담과 보건과목과 관련된 내용을 교육한다. 또한, 교사들을 대상으로 건강관리에 필요한 교육을 실시한다.

(다) 산업장

산업장 보건교육은 근로자 및 산업장 관리자에게 건강관리의 중요성을 인식시키는데 목적이 있다. 근로자는 많은 시간을 직장에서 보내기 때문에 산업장 자체가 주요한 건강피해의 원인이 될 수 있기 때문이다. 산업재해예방 활동뿐만 아니라 직업적 건강위험요인에 대한 인식을 높이고, 각종 건강정보를 제공하며 고위험 집단을 대상으로 건강상담을 실시한다.

산업장 보건교육은 산업안전보건법에 근거하여 이루어지고 있다. 안전과 보건의 내용을 함께 다루고 있는 산업안전보건법 제31조와 제32조에 의하면, 사업주가 근로자를 대상으로 실시하는 교육은 정기적으로 실시하는 정기교육, 신규 채용시 실시하는 교육, 작업내용을 변경할 때 실시하는 교육과 유해 또는 위험한 작업에 근로자를 사용할 때 실시하는 특별교육으로 구분된다.

(라) 의료기관

의료기관 보건교육은 환자 및 환자 가족을 대상으로 실시된다. 의료기관은 질병치료를 주된 업무로 하기 때문에 보건교육은 건강관리교육과 구분이 애매할 수 있다. 보건교육은 질병치료와 별개로 환자에게 금연, 운동, 식습관, 스트레스 관리 등의 건강행동 개선과 관련된 내용이나 임상적인 병원이용 절차, 외래 및 입원 서비스 등을 알려주고, 환자 가족을 대상으로 건강정보를 제공한다. 또한, 건강검진을 받은 대상자에게는 맞춤형 사후관리 서비스로 건강상담을 실시한다.

표 4-21 분야별 보건교육 내용

항목	지역사회	학교	산업장	의료기관
내용	집단교육	교육과정 운영	산업재해 예방활동	처치 순응교육
	건강상담	건강상담	건강-위험 선별평가	환자 가족 교육
	캠페인 및 홍보	교직원 교육	건강상담	검진 사후관리
대상	일반 주민	학생	근로자	환자
	생활터	교직원	근로자 가족	환자 가족

5) 보건교육의 실행방법

보건교육의 실행방법은 교육대상 또는 교육주제에 따라 달라질 수 있는데, 여기에서는 대상 규모에 따라 보건교육 실행방법을 구분하여 살펴보도록 한다.

5-1) 개별접촉

개별접촉은 교육하려는 대상자 한사람과 상호대화를 통해서 건강문제의 해결 방법을 찾는다. 대상자의 상황이나 개인적 특성을 고려한 맞춤형 보건교육 방법이다. 개별교육은 교육의 효과성으로 볼 때에 가장 좋은 방법이다. 그러나 경제성을 고려하면 좋은 방법이라고 할 수가 없다. 이 방법은 성병이나 나병 등 공개적으로 대화나 교육하기 어려운 건강문제에 적용하는 것이 적합하다.

5-2) 집단접촉

집단접촉은 일정집단에 거의 비슷한 문제를 교육하여 변화를 유도하고자 할 때 활용하는 방법으로 보건교육 현장에서 가장 흔히 이용되는 방법이다. 집단의 규모에 따라서 다양한 학습방법을 고려할 수 있다. 10명 내외의 소집단일 경우에는 토의법, 역할극 등의 방법이 적합하다. 20–30명의 집단일 경우에는 문답법, 대화법으로 교육을 진행하는 것이 효과적이다. 학습자가 40명이상의 대집단일 경우에는 강의법이 주로 이용된다.

5-3) 대중접촉

대중접촉은 특정의 건강문제에 대해 다수의 관심과 주의를 집중시키기는 방법으로 대중매체나 캠페인이 이용된다. TV, 라디오, 신문, 인터넷 등의 대중매체는 가장 광범위하게 보건교육 효과를 거둘 수 있는 방법이다. 대중매체는 새로운 질병발생, 감염병의 유행 등과 같이 모든 국민에게 긴급히 알려야 할 건강정보가 있을 때에 이용하면 큰 도움이 된다. 그러나 대중매체의 단점은 불특정 다수를 대상으로 일방식 전달로 끝나기 때문에 맞춤형 건강정보를 얻기는 어렵다.

6) 보건교육과 건강증진의 관계

건강증진(health promotion)은 보건교육(health education)보다 시기적으로 늦게 사용된 용어이다. 건강증진은 보건교육의 궁극적인 목적이고, 보건교육은 건강증진을 수행하기 위한 교육적 수단으로 상호보완적 관계를 맺고 있다. 보건교육은 대상이 사람이며, 그 사람에게 어떤 영향을 주어 그의 지식, 태도, 행동, 생활습관을 건강한 방향으로 변화시키고자 한다. 이와 달리 건강증진은 사람뿐만 아니라 사람을 둘러싼 환경에도 변화를 주고자 한다. 건강증진은 보건교육뿐만 아니라 환경적, 정책적 변화를 포함하는 보건교육의 외형적 확장이라고 할 수 있다. 보건교육은 여러 건강증진의 활동영역 중에서 행동변화 유도를 담당하는데, 건강증진의 가장 핵심 영역이라 할 수 있다.

건강증진은 인구집단의 건강수준을 향상시키려는 노력이다. 개인이 가지고 있는 건강문제를 치료한다고 인구집단의 건강상태가 개선되는 것이 아니기 때문에 개인적 위험요인으로만 접근하는 것은 올바른 건강증진 전략이 될 수 없다. 건강증진은 개인 및 지역사회가 가지고 있는 건강 잠재력을 최대한 이끌어 내는 것을 목표로 하기 때문에 건강증진의 활동영역은 행동변화 유도와 이를 지원할 수 있는 종합적인 건강 환경조성으로 볼 수 있다. 구체적으로 행동변화는 보건교육과 정보제공 등을 통하여 유도되고, 건강 환경조성은 건강과 관련된 사회, 경제, 문화적 요인에 대한 개선으로 관련 법과 제도의 정비, 재정지원, 건강증진서비스 등이 포함된다.

그림 4-13 건강증진에 대한 보건교육의 역할

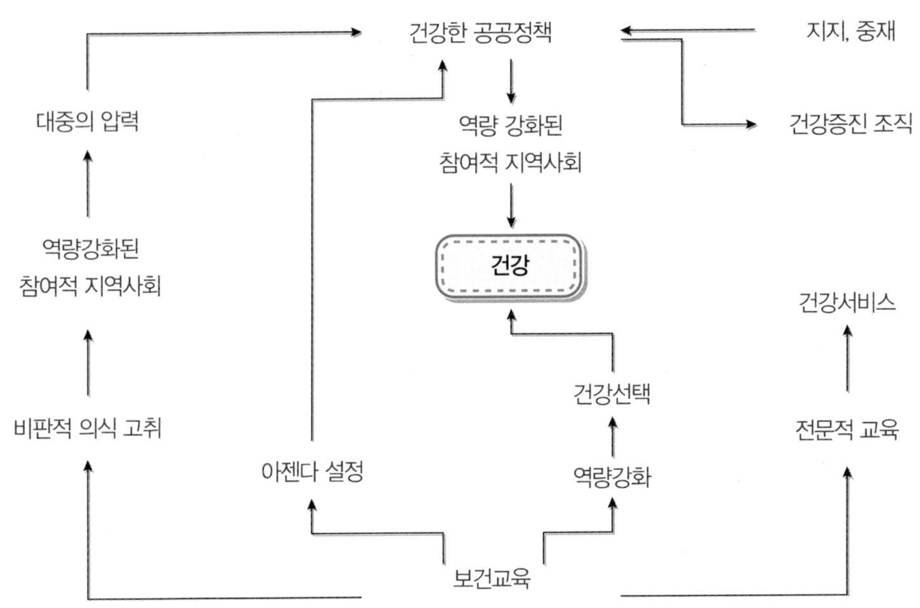

출처 : Tones & Tilford(1994), 지역보건연구회(2001) 재인용

02 보건교육의 계획

1) 보건교육 요구사정

보건교육을 계획할 때에 가장 먼저 해야 할 일은 학습자의 요구를 파악하는 것이다. 보건교육 요구사정(need assessment)은 다음의 네 단계로 진행된다.

첫째, 과거에 어떠한 문제가 있었는지 확인하여 기준과 표준을 정한다.

둘째, 어떠한 자료가 수집되어야 하는지, 어떠한 내용으로 어디에서 수집할 수 있는지, 어떻게 수집하는 것이 가장 좋을지를 결정한다.

셋째, 자료수집과 분석을 실시한다.

넷째, 문제의 본질과 내용을 기술한다.

2) 우선순위 설정

학습자의 요구를 사정한 후 제한된 자원으로 파악된 요구를 충족시킬 수 있는 범위 내에서 우선순위를 결정하는 작업이 진행된다. 우선순위를 설정할 때에는 많은 사람에게 영향을 미치는 문제, 심각한 영향을 미치는 보건문제, 효과적인 교육방법이 실현가능한 문제, 현실적(비용, 인력 등)으로 해결이 가능한 문제 등을 고려한다.

3) 목표설정

우선순위가 결정되면 각 우선순위에 따른 보건교육프로그램의 목표를 설정한다. 목표는 보건프로그램의 목적을 달성하기 위해 필요한 변화에 대한 구체적인 기술이다. 보건교육프로그램의 목표는 희망 사항을 단순히 기술하는 것이 아니라 프로그램을 이끌고 평가에 활용된다. 따라서 목표는 목적 및 문제해결과 직접적으로 관련성(relevant)이 있어야 하며, 측정가능(measurable)하도록 구체적(specific)으로 기술되어야 한다. 또한, 목표는 적극적으로 성취가능(aggressive and achievable)한 수준이어야 하고, 목표달성을 위한 기간(time limited)이 명시되어야 한다. 특히, 목표를 구체적으로 기술할 때는 무엇을(What), 언제까지(When), 어디서(Where), 누구에게(Whom), 얼마나(How much) 등 5가지 내용이 포함되어야 한다.

4) 실행계획 수립

보건교육프로그램의 목표를 기술하고 나면 이를 성취시키기 위한 구체적인 실행계획을 수립해야 한다. 이는 목표에서 제시한 무엇을 보건교육 할 것인가를 주축으로 연간, 월간, 주간 계획을 수립하는 것을 말한다. 실행계획에는 보건교육을 실시할 때 이용될 방법과 담당해야 할 사람 및 실시 시기, 활용해야 될 자원에 대한 내용도 포함시켜야 한다.

누가 교육을 할 것인가를 선정할 때에는 우선적으로 지역사회에 동원 가능한 인적 자원이 있는지를 파악해야 한다. 보건교육을 모두 보건교육 담당자가 하는 것보다는 학습자의 참여를 조장하여 스스로 할 수 있도록 하는 것도 중요하다. 그러므로 실행 계획을 할 때에는 학습 당사자를 참여시켜야 한다.

5) 평가계획 수립

평가는 보건교육프로그램이 얼마나 효과적이었는가를 알아내는 것이다. 달성하고자 하는 교육목표는 무엇이었는가?, 목표달성은 적절했는가?, 학습요구를 충족시켰는가?, 보건교육 중간의 어느 시점이나 보건교육이 끝난 시점에서 달성한 것이 무엇인가?, 보건교육 진행과정에서 부딪친 문제들은 어떤 것들이 있었는가?와 같은 문제를 알아보기 위한 평가계획은 보건교육을 실시하기 전에 미리 고려되어야 한다. 달성해야 할 목표의 영역 또는 평가대상에 따라 평가방법은 달라진다.

03 보건교육방법

보건교육방법은 학습자의 연령 및 수준, 흥미 정도, 대상 집단의 크기, 교육 내용과 목적, 교육시간, 장소 등을 고려하여 선정된다. 대표적인 보건교육방법의 특성은 다음과 같다.

1) 강의

강의(lecture)는 어떤 내용에 대하여 교육자가 학습자에게 지식을 직접 가르치는 것으로 여러 매체를 사용할 수 있다. 지식은 교육자의 해설에 의하여 일방적으로 학습자에게 전달되어 주입된다.

표 4-22 강의 장 · 단점

장 점	단 점
다수를 대상으로 할 수 있음	학습자들의 개인 차이를 고려할 수 없음
제한된 시간에 많은 정보 제공 가능	학습자의 참여가 제한적
교육환경에 영향 적게 받음	정보량 과다로 모두 기억하기 어려움

2) 심포지움

심포지움(symposium)은 정해진 문제의 여러 측면을 검토하기 위하여 2~5명의 전문가가 각자의 의견을 10~15분 정도 발표하고, 발표된 내용을 중심으로 사회자가 청중을 공개토론에 참여시키는 방법이다. 사회자는 발표자의 강연이 끝나면 내용을 짧게 요약해서 질문, 답변 또는 토론이 원활히 이루어지도록 지원한다.

표 4-23 심포지움 장 · 단점

장 점	단 점
심층적인 논의가 가능	발표 내용이 중복될 수 있음
다양한 관점의 문제해석이 가능	사전에 학습자가 내용 학습 필요
문제의 총론과 각론을 모두 파악	제한된 사람들만 질문에 참여 가능

3) 패널토의

패널토의(panel discussion)는 토의할 문제에 대해 사전에 충분한 지식을 가진 소수의 대표자들이 다수의 청중 앞에서 그룹토의를 하는 방법이다. 배심토의라고도 하는데, 정해진 시간에 자신의 의견을 간략히 개진하거나 상대 배심원을 상대로 의견을 교환한다. 사회자는 문제 및 대립 의견을 청중에게 설명하여 토의를 유도시킨다. 가끔은 일반 참가자들을 토의에 참여시켜 질문이나 발언의 기회를 주기도 한다.

표 4-24 패널토의 장 · 단점

장 점	단 점
높은 수준의 토론이 가능	발표 내용이 중복될 수 있음
다양한 관점의 문제해석이 가능	배심원 섭외가 어려움
문제의 해결점을 제시할 수 있음	기존 지식이 없으면 이해가 어려움

4) 분단토의

분단토의(buzz session)는 참가자가 많을 경우에 전체를 여러 개의 분단으로 나누어 토의시키고 다시 전체회의에서 종합하는 방법으로 각 분단은 6~8명이 적당하다. 토의과정이 시끄러워서 '와글와글 학습'이라고도 한다.

표 4-25 분단토의 장 · 단점

장 점	단 점
모든 참여자들에게 기회 제공	참여자들의 사전 준비가 필요
다양한 관점의 문제해석이 가능	소수의견이 전체 의견이 될 수 있음
사회성 향상에 도움	소심한 사람에게는 부담

5) 세미나

세미나(seminar)는 모든 참가자들이 해당 주제의 전문가들로 구성된다. 지명된 몇 명의 전문가가 새로운 사실이나 내용을 발표하고, 발표 내용에 대해서 전체 참가자가 토론하는 방법이다. 교육자가 피교육자에게 일방적으로 어떤 결론을 주입시키는 것이 아니라 피교육자가 토론이라는 형식으로 교육과정에 참여해 교육효과를 높이는 것을 목적으로 한다. 사전에 준비된 의견을 가지고 질의응답과 토론을 진행하며, 새로운 아이디어를 찾아내는 집단 의사결정과정이다. 세미나는 특정 주제에 대한 학회나 연수훈련에 많이 이용되는 방법이다.

6) 워크숍

워크숍(workshop)은 규모가 세미나 보다 작은 전문가의 소집단 활동이다. 참가자들이 기본적인 내용을 충분히 이해하고 있는 상태에서 문제해결 중심으로 심층적인 분석과 해결 방안을 토론하게 된다. 워크숍은 새로운 사실이나 정보전달이 아니라 문제해결 방안을 모색하는 과정이다.

7) 브레인스토밍

브레인스토밍(brainstorming)은 별다른 준비물이 없이 모두가 돌아가며 아이디어를 낸다. 일차적으로 떠오르는 생각을 사실적으로 표현한 후에 다시 문장을 정리하면서 생각을 논리화하는 방법이다. 보통 12~15명의 단체에서 쓰이며 10~15분간 정도 단기 토의를 원칙으로 한다. 이 방법은 어떤 계획을 세우거나 창조적인 아이디어가 필요할 때에 구성원들의 의견과 생각을 끌어내어 발전시키는 방법이다.

8) 견학

견학(field trip)은 현장답사라고도 하는데 현장을 직접 방문하여 관찰하며 배우는 교육활동이다. 같은 장소를 벗어나 새로운 장소로 이동하고 새로운 환경에서 학습한다는 측면에서 교육대상자의 흥미를 높일 수 있다. 실제 현장에서 교육내용을 보기 때문에 통합적인 이해를 할 수 있으며 정확한 경험을 할 수 있다. 그러나 견학에 소요되는 비용이 많고, 이동시간을 고려하면 시간 소비가 많다.

9) 역할극

역할극(role play)은 학습자들이 직접 실제 상황 중의 한 인물로 등장하여 연기를 하면서 실제 그 상황에 처한 사람들의 입장이나 상황을 이해하고 상황분석을 통하여 해결방법을 모색하는 방법이다. 역할극을 실시할 때는 지원자나 지정받은 사람을 극에 출연시키고, 다른 학습자들은 관중으로서 극의 연출에 동참하게 된다. 각각 맡은 역할을 다하여 역할극이 절정에 달했을 때 역할극을 끝내고 출연자와 관중이 함께 자유롭게 토론할 시간을 갖는다. 역할극은 가치나 태도에 대한 이해를 증진시키는데 효과적이다.

10) 온라인 교육

온라인 네트워크를 활용하여 쌍방향 의사소통이 가능하다. 교육대상자들에게 소그룹 활동 과제를 부과하고, 팀원 간의 과제수행을 위한 온라인 회의와 과제작성 과정을 온라인 커뮤니티에 남기도록 하여 문제해결 학습이나 탐구학습을 효과적으로 수행할 수 있도록 한다. 초기설치 이후에는 큰 비용이 발생하지 않고 온라인을 통해 최신정보를 공유할 수 있으며 아이디어 교환이 자유롭고 빠르다. 그러나 온라인 교육에 필요한 기본적인 컴퓨터 조작능력이 요구되기 때문에 교육대상자가 연령이나 신체장애 정도에 따라 제한될 수 있다. 가장 큰 단점은 교육대상자의 학습참여와 집중도를 점검할 수 있는 방법이 없다.

04 보건교육매체

교육매체는 학습자의 학습을 증진시키기 위해 물리적으로 조작할 수 있는 실제 물건을 말한다. 교육매체를 이용하는 목적은 대상자들의 감각적인 경험을 확대하고, 교수과정에서 다양성을 소개하여 흥미와 동기를 유발하며, 추상적인 내용에 구체적인 의미를 더해 주고, 복잡하고 어려운 내용을 이해하기 쉽게 전달하는 것이다.

일반적으로 사람들은 학습내용을 읽기만 했을 때는 내용의 10%를 기억하고, 듣기만 했을 때는 들은 내용의 20%를 기억하며, 본 것은 30%, 듣고 본 것은 50%, 말하고 쓴 것은 70%, 어떤 일을 하면서 말한 것은 90% 정도를 기억하는 것으로 알려져 있다. 따라서 적절한 교육매체의 활용은 교육의 효과를 높이는데 중요하다.

1) 교육매체의 종류 및 특성

1-1) 실물

학습내용에 해당되는 실물을 이용하면 흥미롭고 쉽게 교육목표에 도달할 수 있다. 실제상황에서 교육을 하게 되면 교육 후 실생활에서 즉시 교육내용을 활용할 수 있게 된다. 그러나 교육목표에 맞는 실물이나 실제상황을 구하기가 어렵다.

1-2) 모형

모형은 실물과 닮은 것이나 실물과 같이 움직이거나 기능할 수 있는 것이다. 모형은 실물이나 실제상황과 거의 비슷한 효과를 얻을 수 있어 피교육자의 관심을 끌 수 있다. 특히 모형은 실제로는 교육활동에 활용할 수 없는 뇌 안의 구조, 장기의 구조 등을 편리하고 이해하기 쉽도록 활용할 수 있다. 그러나 대상자가 많을 때에는 사용하기가 부적절하다.

1-3) 칠판

칠판에는 일반칠판, 화이트보드, 전자칠판 등이 있다. 일반칠판은 전통적인 교육매체의 하나로 분필을 이용한다. 미리 지우개를 잘 털어두고 먼지 발생을 최소화할 수 있도록 닦아두는 것이 필요하다. 화이트보드는 일반칠판과는 달리 분필먼지가 없는 것이 장점이지만 조명의 반사 빛 때문에 부분적으로 잘 보이지 않는 일이 발생하고, 유성마카펜의 뚜껑을 잘 닫아두지 않으면 쉽게 말라버리는 단점이 있다.

한편, 전자칠판은 전자칠판용 소프트웨어와 빔프로젝터의 연동을 통해서 스크린 표면을 터치하여 칠판의 판서기능을 할 수 있으며 교육자가 수업 중에 한 판서내용을 출력하거나 전자파일로 저장할 수도 있는 장점이 있다. 유지보수 비용이 지속적으로 발생할 수 있어서 경제적 부담이 있다.

1-4) 게시판

게시판은 알림판이라고도 하는데, 공고나 메시지 등을 붙여 사람들이 볼 수 있도록 하는 판이다. 건강정보, 건강진단 일정, 교육일정 등을 포스터, 만화, 사진, 유인물로 제작하여 게시하는데 사용된다. 게시판은 사람들의 왕래가 빈번한 곳에 설치하는 것이 좋으며 1주일 가량 전시한 후에는 1~2일 정도 게시판을 비워두는 것이 주목을 끌 수 있다. 행인들의 눈길을 끌기 위해서는 매력적인 색깔과 디자인을 사용하여야 한다.

1-5) 포스터

포스터(poster)는 큰 종이에 그것을 보는 사람들에게 정보나 방향을 제시하고 중요한 행사를 알리기 위하여 사용한다. 사건과 사물에 관한 새로운 아이디어를 소개하고 이전에 배운 사실을 상기시켜 준다. 포스터의 전시를 위해서는 사람들이 쉽게 볼 수 있는 눈높이와 적당한 빛이 있는 장소를 선택해야 한다. 보관이 용이하며 여러 장을 한 번에 만들어 사용할 수 있으며, 장기간 부착할 수 있어 경제적이다. 그러나 오래 게시하거나 배치가 좋지 않을 경우에는 쳐다보지 않게 된다.

1-6) 인쇄물

인쇄물에는 리플렛(leaflet), 팜플렛(pamphlet), 브로슈어(brochure) 등이 포함된다. 리플렛은 한장으로 된 전단지이고, 팜플렛은 홍보를 위한 소책자(booklet)를 말하고 낱장이 아닌 여러 장으로 만들어져 있다. 팜플렛을 흔히 브로슈어(brochure)라고 부르기도 하는데, 브로슈어는 업무 안내 등을 간단하게 만든 것이다.

인쇄물은 간편하고 가장 친숙한 매체이며 일반적으로는 적은 비용으로 많은 양을 제작할 수 있어서 경제적이다. 단점은 교육대상자의 이해수준에 맞추어 내용을 편집해야 하는 부담이 크고 지식 전달이나 배운 지식을 암기하는 수단으로 주로 사용하게 되면 매체로서의 의미가 줄어드는 어려움이 있다.

1-7) 시청각 매체

시청각 매체에는 비디오 테입, 영화, DVD, TV, 동영상, 파워포인트 등이 포함된다. 시각과 청각매체의 장점을 동시에 반영할 수 있는 형태로서 주의집중이 잘 되고 이미 제작된 기성제품을 활용할 경우 큰 비용이 발생하지 않는 경우도 많다. 그러나 제작이 필요할 경우에는 비용 발생이 크다. 매체를 활용하는데 필요한 관련 장비가 구비되지 않거나 고장이 발생하면 교육에 차질이 발생하기 때문에 사전 점검이 필요하다.

1-8) 컴퓨터

컴퓨터는 인터넷과 함께 강력한 소프트웨어 지원이 이루어지면서 미각과 후각을 제외한 대부분의 감각을 표현할 수 있을 정도로 전달력이 심화되고 있다. 컴퓨터는 기존의 실시간 동영상 매체가 가지고 있던 장점인 시각과 청각적 정보를 동시에 전달하는 동시에 실시간 동영상 매체가 반복시청이 불가능한 제한점을 극복하여 부분 또는 전체의 다시보기가 얼마든지 가능하고 자막기능을 추가하여 스크립트까지 함께 볼 수가 있어서 그 적용범위가 거의 제한이 없어지고 있다.

05 보건교육프로그램 평가

1) 평가의 정의

보건교육프로그램을 평가(evaluation)하는 기본 목적은 프로그램의 효과와 영향을 사정하고, 프로그램을 향상시키며, 프로그램의 이해당사자들에게 유용한 피드백을 제공하려는 것이다. 보건교육프로그램 평가의 일반적 목적은 다음과 같다.

1-1) 보건교육프로그램의 목표 달성 정도 파악

보건교육프로그램이 원래 의도한 변화를 일으켰는지, 계획된 방향으로 진행되는지 등을 확인 및 점검한다. 평가는 목표 달성 정도를 파악하게 된다. 이를 통하여 프로그램의 효과, 가치, 유용성을 보여줄 필요가 있다.

1-2) 보건교육프로그램의 개선 및 변화

평가결과를 보건교육프로그램 진행과정에 직접 투입시키거나 다음 보건교육프로그램 진행에 피드백시켜서 질적 개선을 목적으로 한다. 평가를 통해 프로그램의 장 · 단점을 파악할 수 있기 때문에 보건교육프로그램의 개선이나 새로운 방안을 모색할 수 있다.

1-3) 보건교육프로그램의 효과 및 영향 파악

보건교육프로그램이 미친 영향이나 프로그램의 결과를 염두에 두고 프로그램 실시 전 · 후의 차이를 파악한다. 보건교육프로그램으로 인한 변화가 어느 정도인가에 초점을 두고 관심 영역에 대한 사전 및 사후 측정결과를 활용하여 차이를 검증한다.

1-4) 보건교육프로그램의 장점 파악

특정한 보건교육프로그램을 보급 또는 확대하고자 할 때에 해당 프로그램이 어떤 장점을 지니고 있는가를 확인하기 위하여 평가가 실시된다. 이런 경우에는 해당 프로그램의 가치를 파악하거나 장점을 발견하는 것이 평가의 주된 목적이다.

1-5) 보건교육프로그램의 존속 및 폐지 결정

보건교육프로그램을 계속해서 실시할 것인지, 확대 또는 축소하여 재실시할 것인지, 수정하여 실시할 것인지, 아니면 폐지할 것인지 등을 결정하기 위하여 평가를 실시한다. 프로그램 운영과 관련하여 중요한 의사결정을 내려야 할 경우에 평가결과를 의사결정에 활용하게 된다.

2) 평가의 유형

2-1) 총괄평가

총괄평가(summative evaluation)는 보건교육프로그램의 성과를 분석한다. 프로그램 실시 후에 얼마나 많은 사람들의 행동이 바뀌었으며, 다른 목적도 프로그램을 통해서 달성되었는지를 점검한다. 보건교육프로그램의 영향에는 처음에 의도했거나 의도하지 않았던 효과와 부작용, 현재 뿐만 아니라 장래에 나타날 효과 등이 포함된다. 이처럼 총괄평가는 근본적으로 연역적인 논리에 바탕을 두고 프로그램이 달성하고자 했던 목표를 얼마나 잘 성취했는가의 여부를 평가한다.

2-2) 과정평가

과정평가(process evaluation)는 보건교육프로그램이 실행되는 과정 자체에 대한 분석으로 프로그램 수행에서 나타나는 문제, 즉 계획한 대로 실행되고 있는지, 실행되는 과정에서 문제가 무엇인지, 실행 방법에서 개선되어야 할 것은 무엇인지를 파악하게 된다.

과정평가의 대표적인 유형은 모니터링(monitoring)이다. 보건교육프로그램이 의도했던 그대로 대상자에게 전달되고 있는가와 프로그램이 대상자 모두에게 빠짐없이 전달되고 있는가 하는 두 가지 질문이 모니터링의 중심내용이다.

2-3) 영향평가

영향평가(impact evaluation)는 보건교육프로그램이 의도한 방향으로 어떤 변화를 일으켰는지를 검토하는 것이다. 이를 통해 프로그램이 행위를 얼마나 변화시켰고 지식을 얼마나 전달했는가를 평가할 수 있다. 이는 보건교육프로그램의 즉각적인 효과를 측정하는 것이다.

영향평가를 위하여 필요한 것은 시계열적 자료(time-series data)를 수집해야 한다. 왜냐하면, 어떤 활동이 개입되기 전에는 어떠하였으며 개입이 도입된 후에는 결과적으로 어떻게 변화 하였는가를 알아야 하기 때문이다.

06 보건교육사

1) 보건교육사의 정의

우리나라에서는 1965년부터 가족계획사업에 보건교육 전문인력이 배치되기 시작했으며, 그 이후 전국 보건소에서 실시하는 각종 보건교육사업의 기획 및 운영을 보건교육 인력이 담당하였다. 그러다가 건강증진사업이 본격화되면서 보건교육의 중요성이 부각되고, 2010년부터 국가자격증 보건교육사(health education specialist) 가 배출되기 시작하였다. 기존의 여러 보건의료 면허증 및 자격증과 구분되는 보건교육사의 전문영역에 대한 관심이 어느 때보다 높은 상태이다.

보건교육사는 개인을 대상으로 건강상담을 실시할 뿐만 아니라 지역사회 전체의 건강역량을 향상시키는 보건교육 및 건강증진 활동을 담당하는 전문가라고 할 수 있다.

2) 보건교육사의 직무역량

미국의 보건교육사 양성과 실무를 맡고 있는 보건교육사자격심사위원회(National Commission for Health Education Credentialing; NCHEC)에서는 보건교육사에게 요구되는 능력으로 7개의 핵심 역량을 제시(2012)하였는데, 그 내용은 다음과 같다.

2-1) 보건교육을 위한 개인과 지역사회의 요구사정

요구사정은 개인 또는 지역사회 구성원들이 경험하고 있는 다양한 건강문제 중에서 중요하면서 시급하게 해결해야 할 건강문제를 파악하고, 파악된 건강문제와 관련된 행동요인 및 환경요인을 찾아 보건교육 기획의 근거자료를 제공하는 것이다.

2-2) 보건교육 기획

요구사정의 결과를 바탕으로 보건교육프로그램을 개발한다. 대상자의 요구에 근거한 보건교육프로그램의 목표를 설정하고, 목표달성을 위해 적절한 이론을 적용하여 프로그램의 내용과 중재전략을 개발하고 실행과 평가계획을 포함한 프로그램 기획을 수행한다.

2-3) 보건교육 실행

개발된 보건교육프로그램을 보건교육의 내용별, 인구집단별로 수행한다. 보건교육프로그램의 목표와 개인 또는 지역사회 수준에 적절한 교육방법과 매체, 교육자료를 개발하여 활용한다.

2-4) 보건교육과 관련된 평가와 연구 수행

보건교육프로그램의 효과성 여부 및 수행과정의 적절성을 평가하기 위해 활용되는 주요 평가 모형과 평가체계를 검토하여 평가의 기본원리를 이해한다. 수행된 보건교육프로그램에 대해서 결과평가, 과정평가, 경제성평가를 실시하고 그 결과를 활용한다. 또한, 문헌고찰을 통하여 의미 있는 연구결과를 찾고, 적용하는 역할을 수행한다.

2-5) 보건교육 운영과 관리

예산과 자원을 관리하고 관련된 건강서비스를 연계 · 조정하며 모니터링 등의 보건교육프로그램을 관리한다.

2-6) 보건교육 정보원으로서의 활동

건강과 보건교육 관련 정보를 생성하고 활용한다. 대상자별 맞춤형 건강정보를 생성하고, 생성된 건강정보를 효과적으로 활용할 수 있도록 정보 확산에 노력한다.

2-7) 건강과 보건교육을 위한 옹호 및 의사소통

커뮤니케이션에 관한 기초 이론을 바탕으로 건강메시지를 효과적으로 전달하기 위한 대상별 의사소통방법 및 기술을 선정하고, 건강정보의 특성을 고려한 메시지 개발과 의사소통 경로를 선정한다.

3) 우리나라 보건교육사의 역사

표 4-26 보건교육사의 발전 과정

시기	내용
1999. 8	보건교육사 민간자격증 시작
2003. 9	보건교육사 국가자격증 관련 국민건강증진법 개정
2007. 4	보건복지부 보건교육사제도화 TF팀 구성
2008. 12	보건교육사 시행령 및 시행규칙 일부개정령 공포
2009. 3	보건교육사 교과목 개요 및 세부 영역 확정
2009. 4	한국보건의료인국가시험원에 제1기 보건교육사 시험위원회 구성
2010. 3	제1회 보건교육사 국가자격증 시험 실시(총 2,264명 합격)

보건교육사는 1999년부터 민간자격증으로 시작하여 2003년 국민건강증진법에 근거가 마련 되었다. 보건교육사의 시작에서 부터 법적 근거가 마련될 때까지 관련 단체(한국보건교육협의회 등)와 한국보건교육건강증진학회가 주도적 역할을 담당하였다. 주무 부서인 보건복지부는 2007년부터 업무를 담당하였으며, 약 3년간의 준비과정을 거쳐 2010년 3월 27일 한국보건의료인국가시험원이 주관하는 제1회 국가자격증 시험이 실시되었다.

한편, 보건교육사 시험은 매년 12월에 시행되는데, 2015년까지 7회가 실시되었다. 2012년에는 민간자격증 소지자 및 실무 경력자들이 시험에 응시할 수 있는 마지막 기간이어서 3회와 4회 시험이 두 번 실시되었다.

07 건강증진시대에 보건교육 방향

오늘날은 질병예방시대를 지나서 건강증진시대라고 할 수 있다. 보건교육이 건강증진을 구체화 또는 현실화하는 핵심수단이 되기 위해서는 전통적 보건교육을 탈피하고 건강증진시대에 필요한 새로운 보건교육으로 변화되어야 한다. 건강증진시대에 요구되는 보건교육의 방향을 살펴보면 다음과 같다.

첫째, 질병중심에서 건강중심으로 변화되어야 한다. 기존의 보건교육이 질병예방 및 치료와 관련된 지식 중심으로 이루어졌다면, 건강증진시대의 보건교육은 일상생활에서 건강을 증진할 수 있는 구체적 방법을 제공하여야 한다. 자기건강관리 능력을 키울 수 있도록 건강정보의 취득방법, 건강 관련 생활기술의 실천방법 등에 대한 훈련이 포함되어야 한다.

둘째, 건강에 대한 사회 · 생태적 접근이 필요하다. 건강과 관련된 개인의 행동을 변화시키기 위해서는 대상자에 대한 포괄적 접근이 필요하다. 기존의 보건교육은 대상자 개인에 초점을 두고 진행되어 개인을 둘러싼 환경에 대해서 포괄적으로 접근하지 못하였다. 보건교육은 건강과 관련된 생활기술 능력을 높이는 것뿐 만 아니라 건강지원 환경을 구축하는 것에도 관심을 기울여야 한다.

셋째, 학습자 또는 소비자 중심의 교육이 되어야 한다. 기존의 보건교육은 전문가 중심으로 교육내용 및 방법을 결정하고, 교육대상자는 전문가의 지도를 받는 수동적 위치에 있었다. 건강증진시대의 보건교육은 교육대상자의 요구가 출발점이 되어야 한다. 보건교육과정을 개발할 때 대상자의 신체적, 정서적, 사회적, 지식적인 요구와 흥미도 그리고 성장발달 단계를 고려해야 한다.

넷째, 근거중심의 보건교육 활동이어야 한다. 효과성이 입증된 보건교육프로그램을 활용해야 한다. 근거중심의 보건교육 활동은 가장 좋은 최신의 근거를 공정하고 명백하게 사용하여 합리적인 의사결정을 하는 것이다. 체계적으로 자료를 사용하거나 과학적 추론의 원칙을 적용하여 효과적인 프로그램이나 정책을 개발, 실행, 평가해야 한다.

그림 4-14 보건교육 구성 내용의 변화

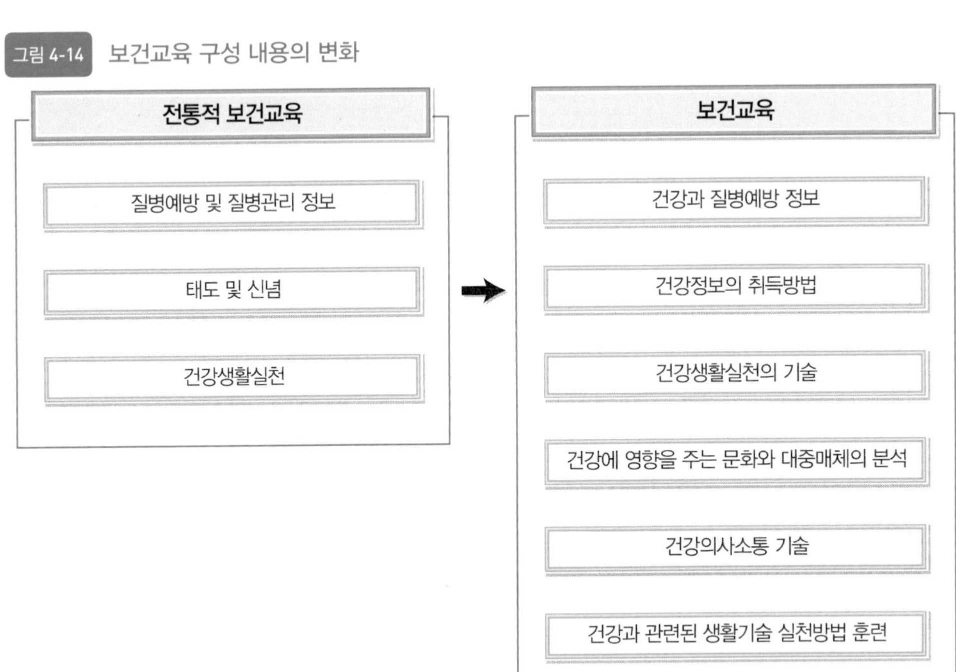

출처 : 이주열외, 보건교육학 p41, 군자출판사, 2011.

CHAPTER 16 건강증진

학습목표

- 건강증진의 정의를 설명할 수 있다.
- 건강증진의 활동영역과 접근 전략을 설명할 수 있다.
- 건강증진의 5가지 접근 방법을 설명할 수 있다.
- 국민건강증진종합계획2020의 기본 틀을 설명할 수 있다.
- 건강도시의 정의, 기준, 실현방법을 설명할 수 있다.

01 건강증진의 이해

1) 건강증진의 정의

건강증진(health promotion)은 스스로의 건강관리 능력을 향상시켜 최적의 건강상태를 누릴 수 있도록 하는 것이다. 건강인은 더욱 건강하게, 질병을 가진 이는 그 상태에서 더 이상의 악화나 불구를 예방하고 건강능력을 개발하여 궁극적으로는 삶의 질을 향상시키는 것이다.

세계보건기구는 1986년 제1차 국제회의(오타와 선언)를 통해 건강증진을 1978년 알마아타회의에서 채택한 일차보건의료에 이어 2000년까지 인류의 건강목표를 달성하기 위한 신공중보건(new public health)이라고 표현하였으며, 건강문제를 해결할 수 있는 대안으로 제시하였다.

건강증진의 정의는 시대와 학자에 따라 차이를 보이고 있으나 공통점은 건강증진을 위해서는 다양한 수준에서 다양한 차원의 접근이 필요하다는 것이다. 건강증진은 보건교육, 건강보호, 예방의학적 수단을 핵심적으로 고려한다. 이를 통하여 생활양식 및 환경과 예방서비스를 개선하여 긍정적인 건강을 향상하고, 불건강의 위험요인을 감소시켜 최적의 건강상태를 유지 · 증진하려는 적극적인 건강향상 방법이라고 할 수 있다.

그림 4-15 건강증진을 위한 다양한 접근

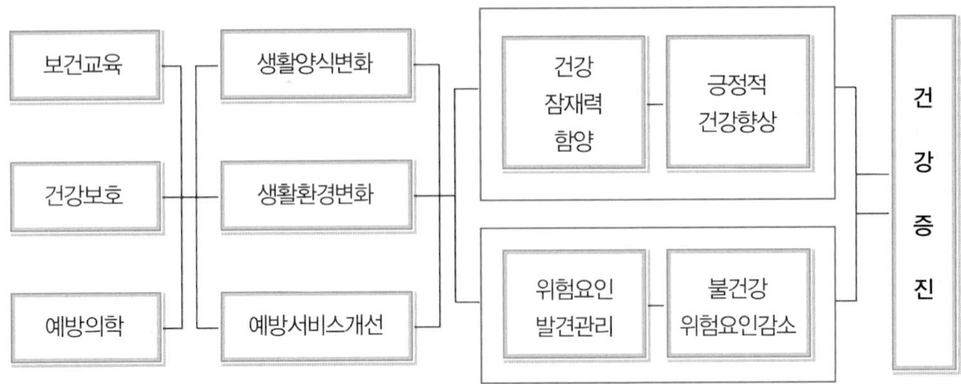

2) 건강증진의 활동영역과 접근전략

2-1) 활동영역

오타와 헌장에서는 건강증진의 활동영역으로 건강 지향적 공공정책의 수립(build healthy public policy), 지원적 환경 조성(create supportive environments), 지역사회 활동 강화(strengthen community action), 개인기술의 개발(develop personal skills), 보건의료 서비스의 재정립(reorient health services)을 제시하였다. 구체적인 내용은 다음과 같다.

(가) 건강한 공공정책의 수립

법이나 정책은 건강행동을 변화시키거나 건강한 환경을 조성하는데 큰 영향력을 갖는다. 따라서 공공정책 입안자들이나 의사결정자들이 그들이 만드는 공공정책(법률, 조세, 조직 변화 등)이 사람들의 건강에 미치는 영향을 깨닫게 하고, 그 결과에 대하여 책임감을 갖도록 하여야 한다. 아울러 건강문제가 영향력 있는 정책결정자들의 의제(agenda)가 될 수 있도록 노력해야 한다. 국민건강증진법을 제정하여 국가 차원의 건강증진사업이 추진되도록 하거나 지방자치단체장을 설득하여 건강도시 정책을 추진하도록 하는 것은 대표적인 사례가 된다.

(나) 지원적 환경 조성

건강은 사회의 다른 부문들과 관련되어 있으므로 건강에 대한 사회 · 생태학적 접근이 필요하다. 따라서 지원적 환경 조성은 건강에 영향을 미치는 주변 환경을 건강에 유리하도록 환경 조건을 개선하거나 새롭게 개발하는 것이다. 여기서 환경은 단순히 자연적, 물리적 환경만을 말하는 것이 아니라 사회적, 경제적, 정치적, 문화적 환경까지 포괄한다. 건강에 도움이 되는 환경을 만드는 활동에는 건강정책의 개발과 실행, 복지제도의 강화, 경제발전 촉진 등이 포함된다.

(다) 지역사회 활동 강화

지역사회에서 건강 관련 활동을 강화하는 것이다. 지역사회 활동은 건강결정요인에 대한 지역사회의 통제를 강화하기 위한 집단적 노력을 의미한다. 이를 위하여 일상생활에서 건강의 우선순위를 높이고 건강문제를 해결하기 위한 의사결정에 주민들의 참여를 유도하고, 지역사회를 조직화하여 건강 관련 활동을 활성화하게 된다. 지역사회 활동을 강화하기 위해서는 지역사회의 인적, 물적 자원을 적극적으로 활용하고, 보건의료인은 지역사회 내에서 촉매제 역할을 담당하여야 한다.

(라) 개인기술의 개발

개인기술은 일상생활에서 직면하게 되는 여러 문제를 효과적으로 처리할 수 있는 능력을 말한다. 건강관리에 필요한 정보를 제공하거나 교육을 통하여 개인의 건강관리 능력을 높이게 된다. 그런데, 개인기술에는 직접적인 건강관리 능력뿐만 아니라 삶의 기술(life skills)이라고 할 수 있는 의사결정, 의사소통 기술, 대인관계 기술, 감정 대처와 스트레스 관리 등도 포함된다. 건강증진은 개인기술을 향상시켜 사람들이 자신의 건강과 환경에 더 많은 영향력을 행사하고 건강에 유리한 선택을 할 수 있도록 도와준다. 개인기술의 향상을 위해서는 가정, 학교, 직장, 지역사회 등에서 사람들에게 건강관리와 관련된 정보 및 교육기회를 지속적으로 제공해야 한다.

(마) 보건의료서비스의 재정립

보건의료서비스의 재정립은 보건의료체계의 조직과 재원조달이 집단의 건강수준에 대해 더 높은 관심을 가지도록 방향을 다시 설정하는 것이다. 의료전문가 중심의 치료서비스만으로는 집단의 건강수준을 향상시키기 어렵고 개인, 지역사회의 여러 단체, 보건의료 전문인력, 보건의료기관, 정부 등이 함께 협력할 때에 가능하다. 따라서 각 분야가 함께 협력하는 방법을 익혀야 하며, 병원을 포함하는 보건의료기관들이 치료의 영역을 넘어 건강증진에 관심을 갖도록 해야 한다. 이를 위하여 일차적으로 보건의료인력의 모든 교육·훈련과정에 건강증진을 포함시키는 것이 필요하다.

2-2) 접근 전략

오타와 헌장은 건강증진을 통하여 모든 사람들의 건강평등 실현에 초점을 두어 현재의 건강 불평등을 줄이고 모든 사람들이 건강 잠재력을 최대한 발휘할 수 있도록 동등한 기회와 자원을 확보하는데 목적을 두고 있다.

오타와 헌장에서는 각 국가가 국민들의 건강증진을 성취하기 위하여 준수해야 할 접근 전략으로 옹호(advocate), 지원(enable), 중재(mediate)를 제시하였다. 구체적인 내용은 다음과 같다.

(가) 옹호

옹호(advocacy)는 건강에 대한 대중의 관심을 불러일으키고 보건의료의 수요를 충족시킬 수 있는 건강한 보건정책을 수립하도록 강력히 촉구하는 것이다. 건강은 개인 및 사회, 경제 개발의 중요한 자원이며, 행동 요인 및 신체적 요인과 사회, 경제, 문화 및 기타 환경적 요인들이 건강에 긍정적 또는 부정적인 영향을 미친다는 것을 인식해야 한다. 따라서 건강의 중요성을 알리고 특정 보건프로그램이나 목표를 달성하고자 정치적, 사회적, 조직적 지지를 얻기 위한 개인과 단체들의 복합적인 활동을 건강 지향적으로 만들어야 한다.

(나) 지원

지원(enable)은 개인이나 집단이 역량을 강화할 수 있도록 도와주는 것이다. 건강증진은 모든 사람들이 자신의 최대 건강잠재력을 달성할 수 있도록 현재의 건강수준의 차이를 줄이려고 노력하고, 이를 위한 동등한 기회와 자원의 활성화가 이루어져야 한다. 즉 지원 환경의 조성, 건강정보 접근성 향상, 기술개발 지원, 건강정책 형성과정에 개입 등을 통해서 가능하게 한다.

(다) 중재

중재(mediate)는 여러 분야의 다양한 이해를 조정하는 것이다. 건강증진 과정에서 기존의 건강습관이나 생활환경과 갈등이 발생할 수 있다. 보건인력 및 관련 전문 집단은 서로 다른 집단 간의 이해를 건강을 향상시키는 방향으로 조정하여야 할 책임이 있다. 또한, 서로 다른 사회문화 및 생태적 환경을 고려하여 건강증진 프로그램이나 접근전략을 각 나라 및 지역사회의 요구에 적합하도록 조절하여야 한다.

3) 우리나라 건강증진사업의 내용

우리나라는 1995년 국민건강증진법을 제정하여 국가와 지방자치단체가 국민건강증진을 위한 교육홍보와 생활여건조성, 질병예방서비스 개선 등 여러 가지 건강증진사업을 추진하도록 하였다. 아울러 이러한 사업추진에 필요한 예산을 확보하기 위하여 건강증진기금(담배세에 부과)을 설치하였다.

국민건강증진법 제2조에서는 "국민건강증진사업이라 함은 보건교육, 질병예방, 영양개선 및 건강생활의 실천 등을 통하여 국민의 건강을 증진시키는 사업을 말한다"라고 규정하고 있으며, "보건교육이라 함은 개인 또는 집단으로 하여금 건강에 유익한 행위를 자발적으로 수행하도록 하는 교육을 말한다"라고 규정하고 있다.

한편, 국민건강증진법 시행령 제17조에서는 보건교육의 범위를 금연 · 절주 등 건강생활의 실천에 관한 사항, 만성퇴행성질환 등 질병의 예방에 관한 사항, 영양 및 식생활에 관한 사항, 구강건강에 관한 사항, 공중위생에 관한 사항, 건강증진을 위한 체육활동에 관한 사항, 기타 건강증진사업에 관한 사항 등으로 규정하고 있다.

아울러 시행령 제19조에서는 시 · 도지사 및 시장 · 군수 · 구청장이 행하는 건강증진사업을 구체적으로 명시하고 있는데, ①보건교육 및 건강상담, ② 영양관리, ③ 구강건강의 관리, ④ 질병의 조기발견을 위한 검진 및 처방, ⑤ 지역사회의 보건문제에 관한 조사 · 연구, ⑥ 기타 건강교실의 운영 등 건강증진사업에 관한 사항 등이다.

02 건강증진의 접근 방법

건강증진은 사람들이 스스로 자신들의 건강을 관리 또는 통제할 수 있도록 하여 궁극적으로 건강수준을 향상시키는 것이다. 따라서 특정 질환의 위험을 가진 사람들에게 초점을 맞추는 것이 아닌 모든 인구집단을 대상으로 건강결정요인에 대한 다양한 접근이 필요하다. 다양한 접근 방법의 구체적인 내용은 다음과 같다.

1) 의학적 접근

건강이 의학적인 요인에 의해서만 결정되는 것은 아니지만 대부분의 건강증진프로그램은 의학적 지식에 근거를 두고 있기 때문에 건강증진에서 의학적 접근은 중요하다. 의학적 접근은 의학적으로 정의된 질병과 신체적 위험요인에 대한 보건교육으로

1차예방, 2차예방, 3차예방의 내용과 관련된다. 특히, 역학적 연구방법이 많이 사용되고 일차보건의료와 관련되기 때문에 치료와 경계가 애매할 수 있다.

2) 행동변화 접근

행동변화 접근은 사람들의 행동과 태도를 변화시켜 건강한 생활방식을 습득하도록 하는데 목적을 둔다. 이 접근법은 비록 집단을 대상으로 한 교육 방법들이 사용되지만 건강위험요인을 가진 사람들을 선별하여 접근한다. 위험요인의 관리에 필요한 지식을 보건교육을 통하여 전달하고 계획된 행동변화를 유도한다.

3) 교육적 접근

개인에게 지식과 정보를 제공하고, 필요한 기술들을 개발하게 하는 것이다. 이 접근방법의 목표는 정보가 충분한 상태에서 스스로 선택하여 결정하고 실천하도록 하는 것이다. 대상자들이 건강에 대한 자신들의 태도를 공유하고 탐색할 기회를 제공한다. 이때 지식은 가능하면 가치중립적이어야 하고, 사람들이 스스로의 가치와 태도를 결정하도록 도와주어야 한다. 교육적 접근은 특정한 방향으로 설득시키거나 변화를 자극하지 않는다는 점에서 행동변화 접근방법과 구별된다.

4) 역량강화 접근

역량강화(empowerment)는 삶의 여러 측면에 대한 통제력(control)을 강화하는 것이다. 이러한 의미에서 건강증진은 사람들의 건강에 대한 역량강화를 의미한다. 건강에 대한 사람들의 역량강화를 위해서는 자신의 관심사를 확인하고 기술을 익히고 자신의 관심사대로 행동할 신념을 얻도록 돕는 것이 필요하다. 하의상달식 전략에 근거하기 때문에 건강증진사업 담당자는 올바른 선택을 돕는 장려자의 역할을 한다. 역량강화 접근 방법으로는 소비자 중심 접근, 옹호 등이 있다.

5) 사회변화 접근

건강한 생활양식을 선택할 수 있도록 환경을 변화시키는 것이다. 주요 건강문제인 사회 · 환경적 위험요인(빈곤, 소득 격차, 고립, 무력감, 공해, 스트레스를 주는 환경, 위험한 생활과 작업환경 등)과 지역사회가 선정한 문제를 해결하기 위해 소규모 조직 육성, 지역사회 개발, 연대 구축, 정치적 행동 및 옹호, 정책의 개발, 사회구조 변화 등의 전략을 사용한다. 문제 해결방법도 전문가나 행정당국 보다는 지역사회가 주체가 되어 지역사회 구성원들이 스스로 결정한다. 하의상달식 전략에 근거하기 때문에 전문가는 촉매자로서의 역할을 한다.

03 우리나라 국민건강증진종합계획2020

1) 기본 방향

국민건강증진종합계획2020(HP2020)의 기본 방향은 세계보건기구의 건강증진 정의, 새국민건강증진종합계획2010에 대한 개괄적 평가, 건강문제와 관련된 환경변화의 전망 등을 통하여 수립되었다. 특히, 새로운 사회 및 보건의료의 환경변화가 중요하게 고려되었다. 구체적인 내용은 아래 표 와 같다.

표 4-27 환경변화 전망과 HP2020 내용

환경변화 전망	HP2020 적용
병약하고 경제적 자립도가 낮은 노인인구 집단의 증가	노인인구에 대한 효율적 건강관리 대책을 중점과제에 포함 (인구집단별 건강관리 분야)
소득양극화 심화로 인한 건강취약 가정 발생	취약가정에 대한 방문건강관리사업을 중심으로 중점과제에 포함 (인구집단별 건강관리 분야)
다문화 가정 증가	다문화 가정에 대한 건강관리사업 강화를 중점과제에 포함 (인구집단별 건강관리 분야)
기후변화, 국제화 등에 따른 신종 감염병 출현 및 해외유입 감염병 증가	신종 감염병 출현 등에 대한 비상방역대책을 중점과제에 포함 (감염질환관리 분야)
건강생활습관 등 건강결정요인의 악화	금연, 절주, 신체활동, 영양 등 주요 건강생활습관을 중점과제에 포함 (건강생활실천확산 분야)
만성질환의 지속적 증가	암, 심뇌혈관질환, 비만 등 주요 만성질환을 중점과제에 포함 (만성퇴행성 질환과 발병위험관리 분야)
노령화와 고급서비스 욕구 증대에 따른 국민 의료비 증가	예방적 계획 수립 및 생애주기별 접근을 통한 국민의료비 감소 노력이 계획 수립의 배경 및 기조가 됨
소득수준의 향상으로 보건의료 서비스 수요 변화	건강증진서비스 기능 강화 등을 중점과제에 포함 (사업체계관리 분야)

출처 : 보건복지부, 제 3차 국민건강증진종합계획2020, 2011.

2) 국민건강증진종합계획2020의 접근 전략

국민건강증진종합계획2020은 건강과 건강결정요인에 대한 관리능력 강화의 전략으로 방콕헌장에서 제시한 건강증진전략을 활용하였다. 방콕에서 개최된 제5차 세계건강증진대회(2005)에서는 주창(옹호), 투자, 역량함양, 법규 제정 및 규제, 파트너쉽 형성 및 연대구축을 건강증진의 전략으로 제시하였다.

표 4-28 방콕 헌장과 HP2020의 접근 전략

방콕 헌장	HP2020	
	적용 방향	중점사업
주창 : 인간의 기본권 및 공동연대에 기초해서 건강의 중요성 및 형평성을 사회에 널리 알린다.	건강증진사업의 가치에 대한 공감대 조성	건강 교육 · 홍보
투자 : 건강결정요인을 관리할 수 있는 지속가능한 정책 및 프로그램 개발과 건강증진을 위한 하부구조 구축, 재정 등을 위해 투자한다.	• 필요한 재원의 마련 및 효율적 지출 • 건강관리를 위한 전략과 사업의 다각화 • 계획과 실적의 지속적 점검, 모니터링 체계 구축 • 건강증진사업 추진 체계의 정비	• 건강증진기금의 역할 정립 • 건강보험의 건강증진 기능 정립 • 평가체계의 효율적 운영
역량함양 : 정부, 학계, 지역사회 및 시민사회, 일반인 등을 대상으로 정책개발, 리더쉽, 서비스 수행, 지식전달 및 연구, 지식습득 능력을 배양한다.	정보통계체계구축 및 근거 정비	• 정보통계체계 구축 • 보건소 사업역량 강화
법규제정 및 규제 : 건강위해로부터의 보호와 모든 이들의 건강과 안녕을 위한 동등한 기회 제공이 가능하도록 법규를 제정하고 규제한다.	정책적 지원 : 정책적으로 보건의 우선순위를 높이고, 실천될 수 있는 기반 구축	건강증진환경조성을 위한 관련 규제 강화
파트너쉽 형성 및 연대구축 : 공공과 민간부문, 비정부기관, 시민사회 및 국제기구가 지속적인 활동을 만들어가기 위한 파트너쉽 형성 및 연대를 구축한다.	연대구축을 통한 건강지원 공공정책 여건의 조성(공공과 민간/비보건과 보건)	민간부문의 건강증진 기능 확대

출처 : 보건복지부, 제3차 국민건강증진종합계획2020, 2011.

3) 국민건강증진종합계획2020의 기본 틀

3-1) 비전

국민건강증진종합계획2020의 비전은 온 국민이 함께 만들고 누리는 건강세상이다. 건강의 포괄적인 정의인 신체적, 정신적, 사회적, 영적 건강정의를 추구하며, 건강증진의 정의에서 중시하는 각 구성원의 적극적인 자기건강관리 참여와 기본권으로서 평등하게 건강을 누릴 수 있다는 정의를 적용하였다.

3-2) 총괄목표

총괄목표는 건강수명 연장과 건강형평성 제고이다. 건강수명 지표는 국제적으로 비교 가능한 세계보건기구의 건강수명 지표를 사용하였으며, 건강수명의 추계는 선진국의 건강수명 동향과 우리나라의 건강수명 추세를 감안하여 추정하였다. 한편, 건강형평성은 각 영역의 주제별 특성에 따라 건강형평성 제고의 적용대상과 범위가 다양하다는 점을 고려하여 총괄지표는 제시하지 않고 각 영역별로 제시하였다.

3-3) 사업과제 영역

세부과제는 5개 분야로 구성되었다. 건강생활실천, 예방중심 상병관리, 안전 · 환경보건관리, 인구집단별 건강관리, 사업체계 관리 등이다. 구체적인 내용은 다음과 같다.

(가) 건강생활실천 분야

생활습관이 만성질환의 발병 및 경과와 밀접한 관련이 있으므로 오늘날에는 건강의 가장 중요한 근원적 결정요인이라 할 수 있다. 건강생활실천 분야에서는 만성질환과 관련성이 높은 금연, 절주, 신체활동 및 영양 등 4개 중점과제를 개발하였다.

(나) 예방중심의 상병관리 분야

현재 유병률이 높거나, 조기사망의 원인이면서 예방관리를 통하여 유병률을 낮추고 조기사망을 낮출 수 있는 질환에 대한 예방적 관리 분야이다. 예방중심의 상병관리 분야는 주요 만성퇴행성질환과 발병위험요인관리 분야와 감염질환관리 분야 두 가지로 구분되었다.

만성질환으로 암, 심뇌혈관 질환, 고혈압, 고지혈증, 당뇨, 비만, 정신보건, 구강보건 등이 포함되며, 만성질환의 예방을 위한 건강검진 또한 중점과제로 포함되었다.

감염질환으로 결핵, 에이즈, 그리고 신종감염병 대응을 위한 예방접종, 비상방역체계 등이 중점과제로 선정되었으며, 또한 최근 그 중요성이 높아진 의료관련감염이 중점과제로 추가되었다.

표 4-29 HP2010과 HP2020의 건강수명 목표 비교

구분	건강수명(세)		
	전체	남자	여자
HP2010 목표	72.0	69.7	74.2
HP2020 목표	75.0	73.2	76.6

그림 4-16 국민건강증진종합계획2020의 기본틀

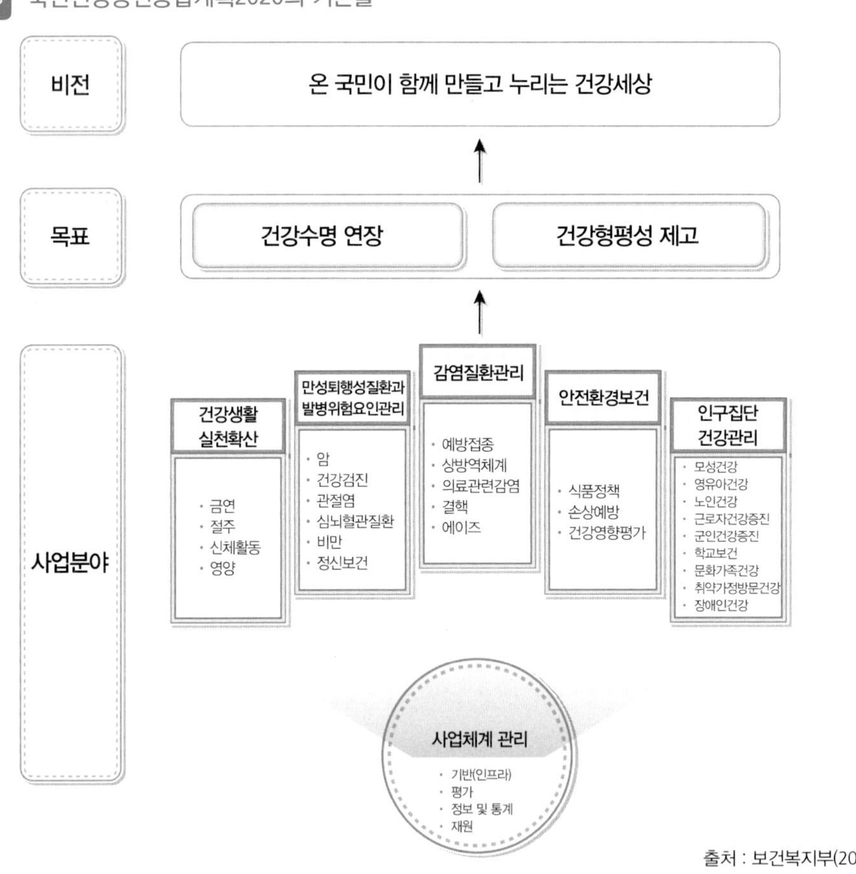

출처 : 보건복지부(2011)

(다) 안전 · 환경보건관리 분야

사회적 · 물리적 환경 관리 분야로서 건강영향평가의 수행은 범부처적인 연계와 협력이 필요한 사업으로 총괄적인 사업의 수행이 필요하므로, 범부처가 협력하여 추진할 수 있도록 안전 · 환경보건관리 분야를 신설하였다. 식품정책, 건강영향평가, 교통사고 등 손상 예방 관련 중점과제가 포함되었다.

(라) 인구집단별 건강관리 분야

인구대상별 건강증진정책목표와 사업개발을 위하여 인구집단 건강관리 분야를 구성하였다. 생애주기별 구분(영유아, 모성, 노인 등) 또는 비교적 공통적 건강문제를 갖고 있으며, 접근이 용이한 대상 집단(근로자, 학생 등)을 포함시켰다. 인구집단별 건강관리 분야에서 대상 인구집단을 선정할 때 형평성 제고를 감안하였고, 이에 따라 저소득층, 다문화 가정, 장애인 등의 인구집단을 건강증진분야의 대상으로 포함시켰다.

(마) 사업체계 관리 분야

다양한 건강증진사업의 추진을 위한 수단을 정비하고, 효과적으로 관리하기 위하여 HP2010에 없었던 사업체계 관리 분야를 신설하였다. 기반에 대한 정책과 사업에 대한 방향을 제시하였다. 사업관리체계 분과에는 인프라, 평가, 정보 및 통계, 재원 등이 중점과제로 포함되었다.

04 건강도시

1) 정의

건강도시(healthy city)는 시민의 건강과 안녕을 모든 정책결정의 중심에 두는 도시이며, 특정한 건강수준을 달성한 도시가 아니라 도시의 건강 환경을 개선할 수 있는 구조를 갖추고 계속해서 노력하는 도시를 말한다. 건강도시는 건강의 중요성을 인식하고 집단의 건강수준 향상을 위하여 노력하는 지역공동체로 결과(outcome)보다 과정(process)을 중요시 한다.

건강도시의 목적은 지방자치단체와 지역사회 주민들이 함께 창의성을 발휘하여 시민의 건강과 삶의 질을 향상시키기는 것이다. 이 접근은 건강은 생활의 물리적 환경과 사회적, 경제적 상태를 변화시켜 개선할 수 있다는 원칙에 기초한다. 건강도시는 물리적, 사회적 환경을 지속적으로 창조하고 개선하는 것이며, 사람들이 생활의 모든 기능을 수행함에 있어서 그들의 최대한의 잠재력을 개발하게 함에 있어 상호적으로 지지할 수 있는 지역사회 자원을 증대시키는 것이다.

2) 건강도시의 기준

2-1) 건강도시의 충족 기준

세계보건기구는 다음의 기준을 충족해야 건강도시 프로젝트라는 용어를 사용할 수 있다고 하였다. 모든 기준을 건강도시사업 시작 때부터 충족할 수는 없으나, 최대한 2~3년 동안에는 충족시켜야 한다. 건강도시의 충족 기준은 다음과 같다.

- 정치적 지도자는 참여적 기획과정을 통해 건강도시를 만들겠다고 선포해야 한다.
- 건강도시 프로젝트의 목적은 모든 시민의 건강과 삶의 질 향상이다.
- 건강과 환경 분야에 참여적 기획을 조장하기 위한 기전이 개발되어야 한다.
- 사업 활동의 우선순위는 실질적인 주민참여가 보장된 여러 팀에 의해서 결정되어야 한다.
- 건강도시 네트워크를 통해 다른 도시와 정보를 공유할 것에 동의해야 된다.

2-2) 건강도시의 기본 요건

- 세계보건기구가 제시한 건강도시의 기본 요건은 다음과 같다.
- 물리적인 환경이 깨끗하고 안전한 도시(주거의 질 포함)
- 안정적이면서 장기적으로 지속가능한 생태계를 보존하는 도시
- 상호 협력이 잘 이루어지며, 착취적이지 않은 지역사회
- 자신들의 생활, 건강 및 안녕에 영향을 미치는 결정에 대한 시민의 참여와 통제기능이 높은 도시
- 모든 시민의 기본 욕구(음식, 물, 주거, 소득, 안전, 직장)가 충족되는 도시
- 광범위하고 다양한 만남, 상호교류, 커뮤니케이션의 기회와 함께 폭넓은 경험과 자원 이용이 가능한 도시
- 다양하고 활기가 넘치고 혁신적인 경제
- 역사, 시민의 문화적 및 생물학적 유산, 타 집단 및 개인들과 연속성이 장려되는 사회
- 이상의 특성들을 충족하며 이를 강화시키는 도시
- 모든 시민이 접근할 수 있는 적절한 공중 보건 및 최적 수준 치료서비스를 갖춘 도시

• 지역주민의 건강수준이 높은(높은 건강수준과 낮은 이환율) 도시

3) 건강도시의 실현 방법

3-1) 건강 중심으로 사고

건강에 대한 접근성과 경제적 · 사회적 형평성은 더 나은 건강상태에 도달하기 위한 필수요건이다. 건강에 대한 인식제고 및 전념을 위해서는 각종 사업에 시민 참여를 높이기 위한 조치가 필요하다. 방법으로는 정보에 대한 접근성 보장, 캠페인, 보건감사 실시 및 결과공개, 지역주도 활동, 지역사회 조직의 다양한 활동에 대한 지원, 대중매체의 활용 등이 고려되어야 한다.

3-2) 정치적 의사결정 유도

건강도시를 시작하기 위해서는 전폭적인 정치적 지원이 필요하다. 건강도시사업이 성공하기 위해서는 도시행정 전체가 건강중심으로 추진되어야 한다. 지역사회의 주거 · 환경 · 교육 · 교통 · 복지 · 사회적 서비스 정책 등은 도시주민의 건강에 중요한 영향을 미치기 때문이다. 정치적 의사결정을 유도하기 위해서는 지방의회 및 행정부서가 건강도시사업을 충분히 인식할 수 있도록 사업설명회, 워크숍, 평가결과 발표 등이 고려되어야 한다.

3-3) 부문 간 연계활동 강화

건강도시사업은 도시의 각 부문 간 원활한 협력활동이 중요하다. 보건 이외의 부문에서의 활동이 좀 더 건강수준 향상에 기여할 수 있도록 부문 간 협조체계를 만들어 내는 것이 필요하다. 부문 간 연계활동을 강화하기 위해서는 운영위원회 활성화, 사업운영 결과 공유, 건강도시 정책에 대한 재정지원 강화 등이 고려되어야 한다.

3-4) 지역사회 참여 활성화

건강도시사업은 지역사회 주민의 참여가 특히 중요하다. 건강도시의 기획에서부터 공공서비스의 생산과 소비 그리고 평가의 모든 영역에 지역사회의 참여를 촉진하고 지원하는 방향으로 이루어져야 한다. 지역사회 참여를 활성화시키기 위해서는 주민중심의 운영위원회 구성 및 운영, 정보제공, 지역사회 조직에 대한 실제적 지원, 요구조사, 취약지역의 우선적 개발 등이 고려되어야 한다.

3-5) 혁신 과정

건강도시사업은 혁신과정을 통해 수행한다. 부문 간 연계 활동으로 건강을 증진하고 질병을 예방하기 위해서는 새로운 아이디어와 방법에 대한 끊임없는 탐색이 필요하다. 혁신 방법으로는 개방적 태도, 학습을 통한 새로운 정책 및 업무 방식 개발, 지역사회 참여 활용, 인센티브 제공, 평가방법 개발 등이 고려되어야 한다.

4) 건강도시의 운영 현황

건강도시는 1980년대 초반 캐나다의 토론토가 처음 선언하였으며, 1984년 건강한 토론토 2000(Heathy Toronto 2000) 워크숍에서 한콕(Trevor Hancock) 박사가 처음으로 운영 방안을 제시하였다. 1986년 세계보건기구의 유럽사무국가 건강도시 프로젝트를 제안하여 11개 도시가 참여하면서 본격화 되었으며, 유럽을 시작으로 오스트레일리아, 캐나다, 미국, 서태평양지역 등에서 건강도시 네트워크가 결성되었다. 1991년 세계보건기구 총회에서 건강도시를 도시의 건강문제를 해결할 수 있는 수단으로 강조하였고, 1996년 세계보건의 날의 주제로 더 나은 삶을 위한 건강도시(Healthy cities for better life)가 선정된 이후 전 세계로 확산되고 있다.

서태평양 지역은 1980년대 이후 호주, 일본, 뉴질랜드를 중심으로 건강도시 프로젝트가 100여개 도시에서 도입되었고, 2003년 10월에는 세계보건기구와 협력 하고 있는 서태평양 건강도시연맹(Alliance for Healthy Cities, 이하 AFHC)이 발족되어 건강도시헌장을 발표하였다. 2004년 10월 말레이시아 쿠칭 시에서 제1회 서태평양 건강도시연맹 총회가 개최되었고, 2006년에는 중국 소주, 2008년에는 일본의 이치가와시, 2012년에는 호주의 로건시, 2014년에는 홍콩에서 총회가 개최되었다. 서태평양 건강도시연맹(AFHC)에는 2011년 7월 기준으로 9개국 126개 도시가 정회원으로 가입되어 있으며 40개 기관이 준회원으로 있다. 우리나라에서는 2015년 12월 기준으로 81개 도시가 정회원으로 가입되어 있다.

우리나라에서 건강도시는 1996년 과천시 시범사업으로 시작되었고, 2004년 창원시, 서울특별시, 원주시와 부산진구가 서태평양 건강도시연맹에 가입하면서 건강도시사업이 급격히 확산되었다. 2006년 국내 건강도시 네트워크를 위한 대한민국 건강도시 협의회를 결성하고 총회를 개최하였다. 2015년 12월 기준으로 81개 도시가 건강도시 사업을 추진하고 있다.

CHAPTER 17

보건영양

학습목표

- 보건영양학에서 다루는 내용을 설명할 수 있다.
- 영양소의 역할과 기능을 설명할 수 있다.
- 영양상태 측정 방법을 설명할 수 있다.
- 단체급식의 특성을 설명할 수 있다.
- 식품표시의 의미, 기능을 설명할 수 있다.

01 보건영양학의 이해

1) 영양학

영양(nutrition)은 생물체가 외부로부터 물질을 섭취하여 신체조직을 만들고, 체내에서 에너지를 발생시켜 생명을 유지하는 일을 의미한다. 영양학은 영양 현상을 다루는 학문으로 영양소와 생리 기능과의 관계를 연구한다. 영양학은 식품이 인체에 들어가서 산화되어 에너지가 생성된다는 물질의 연소 과정이 밝혀지면서 발전하기 시작하였다. 영양학의 발달로 영양 결핍 및 부족과 관련된 문제는 상당히 해결되었다. 그런데 최근에는 식생활이 복잡해지고 영양 불균형과 만성질환이 증가하고 있어서 영양학의 관심 영역도 일상생활의 식생활관리로 옮겨지고 있다. 특히, 영양관리를 통한 질병예방에 많은 관심을 두고 있다. 이러한 변화에 따라 영양학의 범위도 기초영양학에서 보건영양학, 임상영양학, 영양생태학, 지역사회영양학 등으로 넓어지고 있다.

2) 보건영양학

보건영양학(public health nutrition)은 영양문제를 사회적 요인과의 관계로 취급하여 영양개선에 응용하는 학문이다. 보건영양학은 인구집단 또는 지역사회의 영양상태 및 식생활을 평가하고, 질병예방과 건강증진을 위한 여러 방법을 계획하여 실행할 수 있도록 지원하는 역할을 담당한다. 영양학이 주로 분자와 개체를 연구대상으로 한다면 보건영양학은 인구집단을 대상으로 한다. 영양학이 연구요소로 영양소의 생화학적 대사를 주로 다루는 것과 달리 보건영양학은 영양소, 식품, 원재료 등의 적정 이용과 수급을 다룬다.

보건영양학과 관련하여 우리나라는 2010년 국민영양관리법을 제정하였으며, 국민들의 건강한 식생활 실천을 지원하는 방안으로 영양관리 및 영양교육과 관련된 종합계획을 수립 · 실시하도록 하고 있다. 보건영양학은 주요 사망원인이 되고 있는 만성질환의 발병과 영양과의 밀접한 관련에 많은 관심을 두고 있다. 영양과 만성질환의 관계는 아래 표와 같다.

표 4-30 영양과 만성질환의 관계

주요 질병	영양 요인					
	에너지의 과다섭취	지질의 과다 섭취	식이섬유소의 낮은 섭취	비타민과 무기질의 낮은 섭취	짠 음식과 염장식품의 과다 섭취	칼슘의 낮은 섭취
비만	○	○	○	○		
심장병 및 동맥경화	○	○	○	○		
고혈압	○				○	
당뇨병	○	○				
암	○	○	○	○	○	○
골다공증						○

02 영양소의 이해

1) 영양소의 정의

식품은 소화관에 들어가는 모든 고형물질이나 액체로 체조직을 구성하고, 체내의 대사과정을 조절하며 열량을 제공해서 생명을 유지해 준다. 식품의 성분을 영양소(nutrient)라고 하며, 신체 내에서 합성되지 못하기 때문에 식품을 통하여 공급되어야 하는 영양소를 필수영양소라고 한다.

영양소는 인간을 비롯한 생물이 외부로부터 받아들인 물질 중에서 생물체의 몸을 구성하거나 에너지원으로 사용되거나 또는 생리작용을 조절하는 물질이다. 사람이 성장이나 건강을 유지 · 증진하기 위해서 음식물로부터 몸에 필요한 물질을 섭취하게 되는데, 이 물질을 영양소라고 한다. 인간이 생존하기 위해서는 체온 유지, 혈액 순환, 호흡 등을 위한 에너지가 필요한데 외부 음식물을 통하여 얻게 된다.

현대과학은 식품을 구성하고 있는 모든 화학물질을 밝혀내지 못하고 있으며, 각 구성 물질들이 우리 몸속에 들어가서 하는 역할을 정확히 알지 못하는 부분이 많다. 그러나 분명한 것은 인간이 식품을 섭취했을 때 몸속에서 영양소로서 역할을 한다는 것이다.

2) 영양소의 역할

우리는 식품 섭취를 통하여 영양소를 공급받는다. 영양소는 생명을 유지하고 건강상태를 양호하게 만드는데 필요한 물질로 무려 40여종이 있지만, 크게 탄수화물, 단백질, 지질, 비타민, 무기질, 물로 구분된다. 우리의 생명 유지와 활동에 필요한 에너지를 제공하는 영양소는 탄수화물, 단백질, 지질이다. 비타민과 무기질은 주로 신체의 기능을 조절하는 역할을 한다. 비타민 중에서 비타민 A, D, E, K는 지용성이며, 이를 제외한 비타민(비타민 B군과 C 등)은 수용성이다. 무기질은 다량무기질(칼슘, 인, 나트륨, 칼륨, 황, 염소 등)과 미량무기질(철분, 아연, 구리, 요오드, 불소 등)로 구분된다.

한편, 우리 몸에 꼭 필요한 탄수화물, 지방, 단백질을 3대 영양소라고 한다. 여기에 비타민과 무기질을 포함하여 5대 영양소라고 하며, 물을 포함하여 6대 영양소라고 한다. 3대 영양소(탄수화물, 지방, 단백질)를 통하여 에너지가 공급되며, 비타민과 무기질은 에너지 공급은 하지 않지만 에너지 생산과정에 참여한다. 물은 용해성이 매우 커서 여러 가지 물질을 녹일 수 있으므로 생물체 내에서 물질의 흡수와 이동을 쉽게 한다.

3) 영양소의 기능

영양소는 체내의 기능에 따라 열량소, 조절소, 구성소로 구분된다. 구체적인 내용은 다음과 같다.

표 4-31 영양소의 구분 및 역할

영양소	역할			주요 식품
	에너지 제공	신체조직 구성	체내기능 조절	
탄수화물	○			곡류, 전분류, 당류
단백질	○	○		고기, 생선, 계란, 콩류
지방	○			유지류, 기름기 있는 식품
비타민(지용성)			○	동물성 식품, 녹황색 채소
비타민(수용성)			○	채소, 과일류, 곡류
무기질		○	○	우유 및 유제품
물			○	

3-1) 열량소

인체에 필요한 에너지를 공급한다. 몸속에서 산화 · 연소하여 활동에 필요한 에너지를 공급하는 영양소로 탄수화물, 지방, 단백질 등이 해당된다. 탄수화물과 단백질은 1g당 4kcal의 열량을 발생하고, 지방은 1g당 9kcal의 열량을 발생한다.

(가) **단백질**

단백질(protein)은 모든 생물의 몸을 구성하는 고분자 유기물로 수많은 아미노산(amino acid)의 연결체이다. 단백질은 생물체의 몸을 구성하는 대표적인 분자로 단백질을 이루고 있는 아미노산에는 약 20 종류가 있는데, 이중에서 체내에서 합성되지 않기 때문에 반드시 음식물을 통해서 섭취해야하는 아미노산을 필수아미노산이라고 한다. 단백질의 주요 기능은 성장과 체격 유지, 효소와 호르몬 생성, 항체의 생성, 에너지 생성, 체액의 유지와 전해질 균형유지, 각종 기관의 구조물질 등이다. 단백질이 부족하면 발육저하, 부종, 빈혈, 저항력 감소 등이 발생한다.

(나) **탄수화물**

탄수화물(carbohydrate)은 일반적으로 탄소, 수소, 산소의 세 원소로 이루어져 있는 화합물이다. 당류 또는 당질이라고도 하며, 생물체의 구성성분이거나 에너지원으로 사용되는 등 생물체에 꼭 필요한 화합물이다. 탄수화물은 그것을 구성하는 단위가 되는 당의 수에 따라 단당류, 소당류, 다당류로 구분된다. 생물체 내에서의 기능은 생물체의 구성성분인 것과 활동의 에너지원이 되는 것으로 크게 나눌 수 있다. 구조를 유지하는 데에 사용되는 탄수화물은 모두 다당류이고, 에너지원으로 사용되는 탄수화물은 생물체에서 중요한 비중을 차지한다. 녹색식물은 광합성을 통해 단당류인 글루코스(포도당)를 합성하여 이것을 다당류인 녹말로 합성하여 저장한다. 동물은 자신이 탄수화물을 합성하지 못하므로 이것을 식물에서 섭취하여야 한다. 탄수화물을 과잉섭취하면 살이 찌고, 지방간이 생겨서 혈중 콜레스테롤이 증가하여 동맥경화 및 고혈압을 발생시킨다.

(다) **지방**

지방(fat)은 글리세롤과 고급지방산이 에스터 결합을 이루고 있는 분자로 우리 몸의 주요 에너지원으로 사용되는 화합물이다. 음식물에 함유된 지질(lipid)의 95%가 지방이다. 상온에서 고형(固形)을 이루는 것을 지방이라 하여 액상인 기름과 구별하지만 본질적인 차이는 없다. 흡수된 지방은 일단 간이나 피하의 결합조직, 장간막, 근육 사이에 축적되고, 필요에 따라 분해되어 에너지원이 된다. 지방은 연소할 때 생기는 물의 양도 단백질이나 탄수화물의 2배가 되기 때문에 육상의 생물, 특히 사막에서 생활하는 동물에게는 중요한 영양저장물질이다. 지방은 체온 유지에 중요한 역할을 하며, 지방의 한 종류인 인지질은 세포막의 중요한 구성성분으로 사용된다. 지방을 과잉 섭취하게 되면 비만, 당뇨병, 심혈관 질환의 원인이 되고, 부족하면 어지러움, 두통, 근육무기력 등의 저혈당 증세가 나타난다.

3-2) 조절소

체내의 생리기능을 조절한다. 인체가 늘 정상상태를 유지할 수 있도록 도와주는 작용을 하는 영양소로 무기질, 비타민 등이 해당된다. 비타민은 체내 대사가 정상적으로 이루어지도록 돕는 역할을 하며, 부족하면 결핍증을 유발한다.

(가) **무기질**

무기질(minerals)은 유기물질을 만들고 있는 탄소, 수소, 산소, 질소를 제외한 나머지 원소를 일괄하는 것으로 미네랄이라고도 한다. 우리 몸의 약 4%를 차지하며, 에너지원은 아니지만 여러 가지 생리 기능을 조절한다. 소화액이나 세포 안과 주위에 있는 체액을 만들고 유지하는 데에도 반드시 필요하다. 사람의 영양에 필요한 무기질은 나트륨(Na), 칼륨(K), 염소(Cl), 칼슘(Ca), 마그네슘(Mg), 인(P), 황(S), 철(Fe), 아연(Zn), 동(Cu), 망간(Mn), 코발트(Co), 크롬(Cr), 요오드(I), 몰리브덴(Mo), 셀레늄(Se)의 16원소이다. 이 중 나트륨(Na)에서 인(P)까지의 6원소는 주요 무기질이라 하며, 하루에 100mg 이상을 식품으로부터 섭취하고 있다. 무기질은 조직 구성, 생체 기능의 조절 작용, 효소의 성분 및 효소 반응의 촉진작용 등의 기능을 담당한다. 무기질은 체내에서 합성하지 못하기 때문에 식품을 통하여 섭취하게 된다. 주요 무기질이 함유된 식품과 관련된 질병은 다음 표와 같다.

표 4-32 주요 무기질이 함유된 식품과 관련 질병

종 류	함유 식품	관련 주요 질병
나트륨(Na)	조개류, 우유, 치즈, 육류, 간장, 된장 등	열중증, 고혈압 등
칼륨(K)	콩류, 곡류, 과일, 채소, 육류 등	식욕부진, 근육경련 등
칼슘(Ca)	우유, 치즈, 멸치, 새우젓, 양배추 등	골다공증, 구루병 등
마그네슘(Mg)	콩류, 우유, 육류, 호두, 코코아 등	신경성 근육경련 등
인(P)	콩류, 곡류, 우유, 치즈, 수육 등	성장위축, 골다공증 등

(나) 비타민

비타민(vitamin)은 매우 적은 양으로 물질대사나 생리기능을 조절하는 필수영양소이다. 생명체의 주 영양소는 아니지만 생명체의 정상적인 발육과 영양을 유지하기 위해서는 반드시 필요하다. 비타민의 필요량은 매우 적지만 필요량이 공급되지 않으면 영양소의 대사가 제대로 이루어지지 못한다. 비타민은 지용성과 수용성으로 분류된다. 지용성 비타민은 지방이나 지방을 녹이는 유기용매에 녹으며 A, D, E, F, K가 해당된다. 이들은 열에 강하여 식품의 조리가공 중에 비교적 덜 손실되며, 장(腸) 속에서 지방과 함께 흡수된다. 한편, 수용성 비타민은 물에 녹으며 비타민 B복합체, 비타민 C, 비오틴, 폴산, 콜린, 이노시톨, 비타민 L, 비타민 P 등이 해당된다.

표 4-33 주요 비타민이 함유된 식품과 관련 질병

종 류	함유 식품	관련 주요 질병
비타민 A	호박, 마가린, 당근, 시금치, 고구마 등	야맹증, 안구 건조증 등
비타민 B	곡류, 감자, 우유, 계란, 동물의 간 등	B_1 : 각기병, B_{12} : 악성빈혈
비타민 C	귤, 딸기, 파인애플, 시금치, 미나리 등	괴혈병, 피부염 등
비타민 D	생선, 달걀노른자, 버터, 마가린 등	구루병, 골연화증 등
비타민 E	콩, 옥수수, 호두, 녹색야채 등	빈혈 등
비타민 K	케일, 양배추, 상추, 토마토 등	혈액응고장애 등

3-3) 구성소

신체조직을 구성하는 물질을 공급한다. 신체조직을 구성하고 오래된 조직을 새로운 조직으로 만드는데 필요한 영양소로 단백질, 지방, 무기질(칼슘, 인, 나트륨 등) 등이 해당된다. 우리 인체는 물이 가장 많은 성분으로 체중의 60%를 차지하고, 단백질 20%, 지방 15%, 무기질 4%, 기타로 구성되어 있다.

03 영양상태 측정 방법

보건학에서 영양 상태에 관심을 갖는 이유는 질병과 관련되기 때문이다. 질병은 영양이 결핍되었을 때뿐 만 아니라 영양이 과잉 공급되었을 때도 발생한다. 특히, 영양 과잉과 관련하여 비만(obesity)에 대한 관심이 높다. 비만은 과다한 체지방을 가진 상태로 원인으로는 유전적 요인, 환경적 요인, 에너지 대사의 이상 등이 있다.

한편, 비만을 확인할 수 있는 체지방률은 아르키메데스의 원리에 따라 수중 체중을 측정하는 것이 가장 일반적인 방법이었고, 그 다음으로는 숙련된 사람이 측정기(캘리퍼 사용)로 피부주름 두께를 측정하는 것이었다. 그러나 두 방법 모두 측정 장비나 도구, 숙련된 기술이 필요하기 때문에 요즘은 편의상 생체 전기 저항을 이용한 장비로 측정을 하고 있다. 그러나 이런 방법은 특별한 장비를 필요로 하기 때문에 사용에 제한이 있다. 여기에서는 좀 더 쉬운 방법으로 비만을 판정할 수 있는 방법을 살펴보려고 한다.

1) 브로카 지수

브로카 지수(broca index)는 표준체중에 대한 실제체중이 차지하는 비율을 산출한다. 키와 체중을 기초로 하여 표준체중을 산출하고, 실제체중과 비교하게 된다. 이 지수는 1879년에 브로카(Broca)에 의해서 시작되었으며, 서구인들을 위해서 만들어졌기 때문에 변형되어 사용되기도 한다. 신장이 150cm 이하일 때는 100을 뺀 값이 표준체중(kg)이고, 151cm 이상일 때는 신장에서 100을 뺀 값에 0.9를 곱한 값이다. 중등도 신장의 경우에만 적합하다는 결점을 갖고 있지만 간편하기 때문에 널리 이용되고 있다. 표준체중에 대한 실제체중의 비율이 120% 이상이면 비만, 110~119%이면 과체중, 90~109%면 정상체중, 89% 이하면 저체중으로 분류된다.

$$\text{표준체중(kg)} = [\text{신장(cm)} - 100] \times 0.9 (\text{신장 150cm 이상일 경우만})$$

$$\text{비만도} = \frac{(\text{실측체중} - \text{표준체중})}{\text{표준체중}} \times 100$$

2) 체질량 지수

체질량 지수(body mass index; BMI)는 몸무게를 키의 제곱으로 나눈 값이다. 예를 들어, 신장 160㎝, 체중 60㎏ 경우의 체질량 지수는 60/(1.6×1.6)=23.4가 된다. 수치가 20 미만 저체중, 20~24 정상체중, 25~30 과체중(경도비만), 30 이상 비만, 40 이상 고도비만으로 구분한다. 우리나라는 아시아태평양 지역의 비만기준에 따라 18.5 미만 저체중, 18.5~23 미만 정상체중, 23 이상 과체중, 25 이상 비만으로 분류한다. 우리나라 학생 건강체력평가에서는 체질량 지수 측정을 권장하고 있다.

$$\text{체질량 지수(BMI)} = \frac{\text{체중(kg)}}{\text{신장(m)}^2}$$

3) 가우프 지수

가우프 지수(kaup index)는 2세 미만의 연령에서 사용하는 방법으로 15 미만 저체중, 15~18 미만 정상체중, 18 이상 과체중, 20 이상 비만으로 분류한다.

$$\text{가우프 지수} = \frac{\text{체중(g)}}{\text{신장(cm)}^2}$$

4) 로렐 지수

로렐 지수(rohler index)지수는 학령기 아동의 비만판정 지수로 많이 사용된다. 신장에 따라 판정에 차이가 있는데, 신장 110~129cm에서는 180 이상, 130~149cm에서는 170 이상, 150cm 이상에는 160 이상을 비만으로 본다.

$$로렐\ 지수 = \frac{체중(kg)}{신장(cm)^3}$$

5) 허리/엉덩이 둘레비

허리와 엉덩이 둘레비(waist to hip ratio; WHR)는 허리(배꼽위 2cm)와 엉덩이(둔부의 최대 돌출 부위)의 둘레를 줄자로 측정하여 우리 몸의 체지방 분포를 예측하는 방법이다. 특히, 피하지방이나 복강 내 지방 분포가 잘 나타난다. 남자는 0.95이상, 여자는 0.85이상이면 비만으로 본다.

$$허리/엉덩이\ 둘레비(WHR) = \frac{허리\ 둘레(cm)}{엉덩이\ 둘레(cm)}$$

04 단체급식

단체급식은 학교, 병원, 산업체, 사회복지시설, 군대 등의 조직에서 식사를 제공하는 조직적 행위 또는 제공되는 식사이다. 집단급식소에 대해서 식품위생법에서는 영리를 목적으로 하지 아니하면서 상시 1회 50명 이상에게 식사를 제공하는 단체급식소로 규정하고 있다. 단체급식은 급식대상에 따라 학교급식, 영유아 보육시설과 유치원 급식, 병원급식, 노인복지관 급식 등이 구분된다. 각 해당 집단에 대한 서비스의 지원적 기능으로 급식이 이루어지고 있다. 각 단체급식의 특성은 다음과 같다.

1) 학교급식

학교급식은 1982년 학교급식법 제정으로 정착하기 시작하여 1993년 초등학교, 1996년에는 중 · 고등학교까지 급식이 도입되어 2003년부터 전국 초 · 중 · 고교에서 전면적으로 실시되고 있다. 최근에는 학교 무상급식의 범위에 대하여 정치적으로 많은 논란이 있었다. 학교급식에서 제공되는 식사는 규모로 볼 때, 우리나라 전체 인구의 약 1/6에 해당되는 학생들에게 제공되고 있어 학생들의 영양과 건강에 큰 영향을 미친다고 볼 수 있다. 미래세대에게 안전한 먹거리 제공과 함께 균형 잡힌 올바른 식습관을 형성하게 하는 교육기능을 가지며, 나아가서 학교급식 규모상 안전하고 품질 높은 식재료 공급은 지역의 농업 생산기반과도 관련된다.

2) 보육시설 및 유치원 급식

1990년 이후 여성의 노동시장 참여 증가, 영유아(0~5세) 육아서비스에 대한 사회적 관심의 증가로 보육시스템에 대한 요구가 커져 보육시설과 유아교육 시설의 이용아동이 증가하고 있다. 영유아기는 생애에서 가장 성장과 발달이 급속히 이루어지며, 식품에 대한 기호와 식습관이 형성되는 시기로 성장상태와 식습관 행동이 평생의 건강을 결정하는 중요한 시기이다. 2010년 현재 보육시설과 유치원의 1,819천명 아동들이 한끼 식사와 간식, 일부 종일제 시설에서는 2끼 급식을 제공받고 있다.

3) 병원급식

병원에서 환자급식의 목적은 질병을 가진 환자에게 치료목적에 따라 영양필요량을 충족시켜서 질병으로부터 빨리 회복시키는 것이다. 병원급식은 건강인을 대상으로 하는 일반급식과 달리 치료식의 의미를 가지며, 과학적이고 전문적인 품질이 요구된다. 병원급식은 환자의 질병치료를 위한 의사의 식사처방에 따라 식사형태 및 영양상태가 고려되어 환자 개개인에게 제공된다. 한편, 우리나라는 2006년 6월부터 의료기관 입원환자의 식대에 대하여 건강보험 급여화가 도입되었다. 그러나, 입원환자에 대한 식대는 매년 건강보험공단과 의료공급자 간 계약되는 환산지수 수가계약에서 제외되어 2006년 이후 현재까지 기본식대가 동결되어 제공되는 급식서비스 질 저하의 원인이 되고 있다.

4) 노인급식

노인급식의 대표적인 종류는 시설에 입소하지 않은 재가노인을 위한 경로식당 급식사업이다. 경로식당 급식은 단체급식으로 이루어지는 회합급식프로그램(congregate meals program)으로 거동이 가능하고 건강하여 지역시설에 접근할 수 있는 노인들을 대상으로 한다. 한편, 식사배달사업은 거동이 불편하여 경로식당 급식을 이용할 수 없는 재가노인이나 장애자 등에게 도시락으로 배달되는 식사배달서비스나 밑반찬배달서비스로 이루어지는 가정배달 급식프로그램이다. 각 시 · 도의 노인에 대한 급식지원 사업은 민간단체와 지방자치단체에서 자율적으로 운영되기 시작하였으며, 2005년부터는 지자체에 이양되어 지방분권 교부금과 지방자치단체 예산 및 기부금으로 운영되고 있다.

05 식품표시

1) 식품표시의 의미

식품표시(food labeling)는 식품에 대한 정보를 소비자에게 전달하는 기능으로 소비자의 알권리와 관련된다. 제조자가 가진 정보와 소비자가 가진 정보는 그 격차가 매우 심하므로 소비자가 적정한 선택 및 구매를 하기 위해서는 제조업자나 유통업자로부터 상품에 대한 정보제공이 필수적이다. 그중 표시는 상품에 부착되어 있어서 식품에 관련한 다양하고 유용한 정보를 제공받게 되어 상품을 구매할 때에 가장 중요한 정보원이 된다. 소비자는 선택할 권리를 실현하기 위해서 식품 안전성에 관한 정보 및 품질, 성분, 생산지, 첨가물의 유무 등 식품에 관한 사항에 대해 적절한 표시, 광고, 정보를 제공받을 권리가 있고, 사업자는 적절한 표시 및 충분한 정보를 제공할 의무가 있다.

그림 4-17 영양표시 이용률(초등학생 이상)

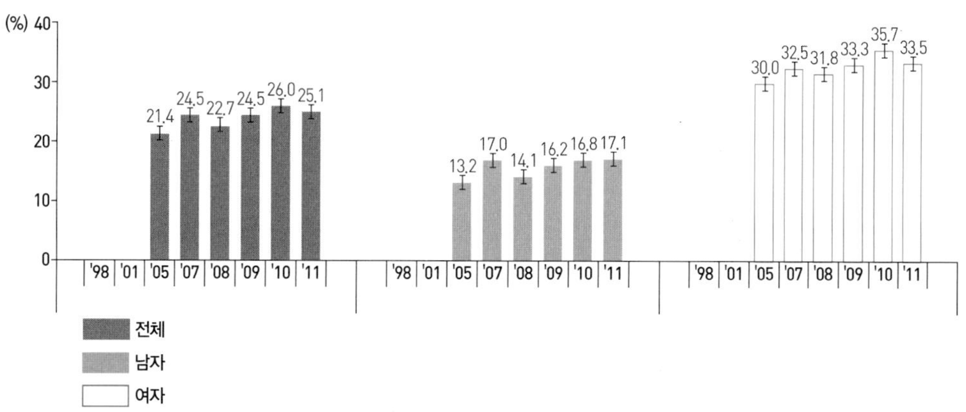

식품 생산 초기에는 생산자가 식품을 보관해서 유통도 하고 소비자에게 선택 받기 위하여 여러 첨가물을 넣는 것이 관심이었는데, 눈으로 보아서 알 수 없는 내용물을 알리기 위하여 식품표시를 하게 되었다. 식품표시를 시작한 초기에는 식품의 안전성

에 관심이 있었고, 그것을 위하여 식품표시를 정부에서 규제하고 강제적으로 시행하게 되었다. 식품표시가 시행된 이후 식품산업이 발전하고, 식품의 안전보다는 건강에 관심이 많아지면서 식품표시에 이어 1994년에 영양표시가 도입되었다. 2006년 의무표시 영양성분을 확대했으며, 2009년에는 앞면 표시제도가 시행되었다. 그러나 우리나라 국민들의 영양표시 이용률(가공식품을 선택할 때에 영양표시를 읽는 비율)은 2011년 현재 25.1%로 낮은 상태이다.

2) 식품표시의 기능

2-1) 안전의 확보

식품위생법상 식품의 표시기준을 정하게 한 목적은 식품의 성분 및 함량, 신선도와 관련된다. 식품의 포장과 용기에 특정한 식품의 항목을 기재하여 소비자에게 정보를 제공함으로써 소비자와 생산자 간의 정보의 비대칭을 극복하며, 결과적으로 소비자를 보호하도록 하는데 있다. 소비자는 식품의 표시사항을 확인하고 사고나 위해를 방지할 수 있다.

2-2) 상품선택의 지원

식품표시는 소비자에게 식품에 대한 다양하고 유용한 정보를 제공하여 다양한 상품을 선택할 수 있도록 한다. 식품의 원료나 성분에 관한 정보를 소비자에게 제공함으로써 다양한 제품들 속에서 소비자의 합리적인 식품구매에 영향을 미친다. 소비자가 정보를 제대로 활용하여 식품을 선택하면 생산자 간의 경쟁을 유발하게 되어 가격은 내려가면서 품질은 향상되는 효과도 기대할 수 있다. 이러한 결과는 식품에 대한 정보를 모르고 구매한 소비자에게도 그 혜택이 돌아가므로 이는 공공재적 성격을 가지고 있다고 할 수 있다. 또한, 기업의 입장에서는 식품에 대한 정보를 올바르게 제공할 가능성이 높아지기 때문에 제품을 차별화하는데 도움이 된다.

2-3) 유통기한

유통기한(sell by date)은 제품의 제조일로부터 소비자에게 판매가 허용되는 기간이다. 유통업체 입장에서 식품 등의 제품을 소비자에게 판매해도 되는 최종시한을 말한다. 우리나라는 1985년 유통기한제를 도입하였으며, 이 기한을 넘긴 식품은 부패 또는 변질되지 않았더라도 판매를 할 수 없기 때문에 제조업체로 반품된다. 그런데, 식품의 유통기한 표시로 유통기한이 지난 식품을 소비자들이 구매를 꺼려서 다 버리는 문제가 발생하였다. 식품의 안전성을 위해 한 표시가 결과적으로 막대한 식품의 낭비를 가져오고 있다. 우리나라는 70% 넘는 식품을 수입하기 때문에 식품낭비는 심각한 경제적 손실과 관련된다. 이런 이유로 2012년 상반기부터 소비기한제 시범사업을 실시하여 50여 종류의 제품은 유통기한과 소비기한을 병행 표시하고 있다. 유통기한이 상품을 판매할 수 있는 시한을 정한 것과 달리 소비기한은 해당 상품을 소비해도 소비자의 건강이나 안전에 이상이 없을 것으로 인정되는 최종시한을 말한다. 따라서 소비기한은 유통기한보다 긴 것이 일반적이며, 소비기한이 지나면 상품의 부패나 변질이 시작될 가능성이 높다.

V

영역별 보건

CONTENTS

CHAPTER 16 지역사회보건

학습목표

- 지역사회의 특성을 설명할 수 있다.
- 지역사회보건의 의미를 설명할 수 있다.
- 지역사회보건의 운영방법을 설명할 수 있다.
- 지역사회의 자원 활용 방법을 설명할 수 있다.
- 지역사회 참여의 유형, 단계, 방안을 설명할 수 있다.

01 지역사회보건의 이해

1) 지역사회 정의

지역사회(community)는 지리적 경계 또는 공동가치와 관심에 의해서 구분되는 인구집단이다. 이들은 서로를 알고 상호작용 하면서 특정 사회구조 내에서 기능하며 규범, 가치, 사회제도를 창출한다. 지역사회는 일상생활을 영위하는 사회적 단위로 구성원들은 그 사회의 여러 가지 공동이익을 위하여 서로 협조하고 노력하게 되는 것이다. 그런데, 보건학적 입장에서 지역사회의 범위는 행정단위로서 1개 도시만을 생각할 수는 없고, 도시 주변의 여러 마을을 합쳐서 하나의 지역사회로 고려하게 된다.

지역사회는 구성원들이 단순히 일정한 지역에 함께 거주하는 것 이상의 의미를 갖는다. 지리적으로 근접해 생활하면서 사회구조와 사회적 기능을 발전시키게 되고, 이 과정에서 구성원들은 상호작용을 통해 서로의 생활과 행동에 영향을 미치게 된다. 지역사회는 일정한 유형의 결속관계를 이루고 있는 인구집단, 상호작용을 맺고 있는 인구집단, 공통의 관심에 관하여 공동으로 기능하고 있는 인구집단이라 할 수 있다.

2) 지역사회 특성

지역사회가 성립되기 위해서는 기본적으로 갖추어야 할 요건이 있는데 지리적 영역, 상호작용, 유대감 등이다. 각 특성의 구체적 내용은 다음과 같다.

2-1) 지리적 영역

지역사회가 성립하기 위해서는 지리적 영역이 필요하다. 이러한 영역은 공간적 단위로 설명할 수 있으며, 이는 구성원 간의 상호교류가 가능하도록 근접되어 있어야 한다. 최근에는 대중매체와 교통망이 잘 발달되어 공간단위가 확대되어 지역사회로서의 지리적 영역이 광역화 되고 있다. 그러나 지역사회로서 공간적 영역은 일방적인 커뮤니케이션으로 이루어지는 것이 아니라 상호 커뮤니케이션이 가능한 영역으로 이루어지기 때문에 대중매체 또는 교통망이 발달된다고 해서 지역사회가 광역화 되는 것은 아니다.

상호교류가 가능한 지리적 영역이 되기 위해서는 그 영역 내에 거주하는 구성원들 간의 공동생활 환경이 요구된다. 공동생활 환경은 비슷한 생활욕구에서 나타나는데, 이것은 그 환경을 지배하고 있는 문화권이 있어야 한다. 이러한 문화권 또는 공동생활권이 지역사회의 지리적 영역이다.

2-2) 상호작용

지역사회는 지리적 영역 내에 있는 구성원들 간의 상호작용(social interaction)이 있어야한다. 그 지역 구성원들의 공동 관심 또는 유대감이 형성될 때에 그 교류단위를 지역사회라고 할 수 있다. 같은 생활권 내에 살고 있으면서도 상호교류가 없으면 공동관심사 또는 공동유대감이 이루어질 수 없기 때문에 지역사회가 되기는 어렵다.

구성원은 상호작용을 통하여 본래의 자기본성을 수정해 나감으로써 안정된 자아를 형성할 수 있다. 이것이 곧 인간의 사회화(socialization) 과정이며, 이러한 사회화 과정이 이루어 질 수 있는 상호교류가 없다면 공동이해관계나 공동욕구가 형성될 수 없기 때문에 그 지역사회에 대한 공동체 운영이 약화되고 결국에는 사회해체가 일어난다. 따라서 일정한 지리적 영역 내에 있는 구성원들이 운명공동체 또는 지역사회로서의 기능을 다하기 위해서는 구성원들 간의 상호작용이 필요하다.

2-3) 유대감

유대감(common tie)은 혈연 또는 지연 등으로 발생한 공동체 의식보다 그 지역사회의 구성원들이 상호작용을 통하여 얻게 된 소속감이다. 유대감은 심리적 측면에서 접근할 수 있으며, 그 지역의 전통 및 각종 제도의 영향을 받는다.

일정한 지역의 구성원들은 상호작용을 통하여 공통적인 경험을 하게 된다. 이러한 공통적인 경험은 그 지역사회의 공통적인 가치체계를 형성하고, 그 지역 구성원들의 기존 태도와 행동의 변화를 요구하며, 그 지역 변화의 원동력이 된다. 그러나 너무 강한 공동체 의식은 외부에 대해서 배타적이거나 집단 이기주의가 발생하여 그 지역사회의 발전을 저해할 수도 있다.

3) 지역사회보건의 의미

지역사회보건의 대상은 지역사회 및 이를 구성하는 인구집단이다. 지역사회를 보건사업 대상으로 하는 것은 주민들의 서비스에 대한 접근성을 높이고 형평성을 확보할 수 있기 때문이다. 보건사업 대상으로 지역사회를 고려하는 것은 단순히 대상범위가 전체 주민이라는 의미는 아니다.

전통적인 보건사업 접근방법은 특정 질병과 관련되는 건강문제를 해결하기 위하여 관련 대상자들에게 건강위험 요인에 대한 보건교육을 실시하였다. 이 방법은 개인의 행동에 영향을 주는 구조적 환경은 변화시키지 않고 개인의 행동만을 변화시키려는 접근방법이다. 그러나 지역사회보건 접근방법은 어떤 인구 집단의 건강문제는 특정한 사회 환경, 개인이 속한 집단, 집단과 관련되는 개인의 여러 요인 등이 상호작용하여 일어나는 결과로 본다. 지역사회보건 접근방법에서 개입 대상은 개인이 아니라 사회체계가 된다. 따라서 구체적 개입을 고려할 때는 사회체계가 처한 현재의 상황 및 변화되어야 할 방향에 대한 폭 넓은 이해가 필요하다. 똑같은 개입이라고 하더라도 지역사회의 특성에 따라 개입의 내용, 방법, 절차, 결과가 다르게 되기 때문이다. 지역사회의 보건수준은 그 지역사회가 지니고 있는 생물학적, 사회적, 문화적 특징과 환경 및 물질적 자원에 좌우되며, 건강상태는 사회구조와 기능을 결정하고 환경에 영향을 미친다. 지역사회와 주민의 건강상태는 상호 간에 영향을 주는 것이다.

지역사회 주민의 건강을 보호하기 위해서는 건강에 영향을 미치는 환경을 위생적으로 관리하고, 주민들이 건강생활을 실천하여 질병을 예방할 수 있도록 하며, 한편으로는 질병에 걸린 사람들을 치료하고 보호하는 다양한 활동이 필요하다. 이를 위해서 지역사회보건과 치료의학이라는 수단을 활용한다. 지역사회보건은 집단적 접근이며 치료의학은 개인적 접근이다. 지역사회보건 접근 방법은 농구나 핸드볼 경기의 지역방어 공격방법에 해당되고, 치료의학 접근 방법은 개인방어에 해당된다고 할 수 있다.

표 5-1 지역사회보건과 임상(치료)의학 비교

구 분	지역사회보건	임상의학
목 표	지역주민의 건강수준 향상	환자의 건강회복
정 보	지역사회 건강통계, 자원 현황	임상병력, 이학적 검사
진 단	지역사회 건강문제	환자의 건강검사
평 가	건강행동 및 건강수준 변화	건강회복 상태, 질병수준

4) 지역사회 역량

지역사회 역량(community capacity)은 지역사회 수준에서 개인들 간의 응집성 있는 신뢰관계를 통해 공동체에 대한 스스로의 정체성을 형성하고 협동과 참여를 이끄는 힘을 말한다. 지역사회 역량은 개인의 건강행동은 자신이 속한 거주지와 사회적 맥락에 영향을 받기 때문에 지역사회 전체를 보건사업의 단위로 보아야 한다는 이론에 근거한다. 여기서 사회적 맥락의 핵심 부분은 사회자본(social capital)으로 설명된다. 지역사회에서 사회자본은 구성원들 간에 정체성의 공유, 원활한 의사소통, 상호 신뢰, 평등한 참여 등을 기반으로 구축된 결속과 통합을 의미한다. 사회자본은 구성원들의 인간관계, 사회적 관계에 내재된 무형의 것으로 신뢰와 참여에 의하여 지역사회를 하나로 묶어주는 역할을 한다.

지역사회 역량 개발의 목표는 모든 구성원들을 외부에서 지원되는 서비스의 수혜자가 아닌 지역사회 개발을 주도하는 사람들로 역할을 설정한다. 구성원들 간에 교류 및 협력할 수 있는 능력과 지역의 건강문제를 스스로 인식하고 해결할 수 있는 능력을 갖도록 한다. 이러한 지역사회 역량이 높은 지역은 그렇지 못한 지역보다 사망률이나 주요 질병의 유병률이 낮은 것으로 알려져 있다. 이런 이유로 지역사회보건에서는 사회자본 특히, 지역사회 역량 향상에 관심을 갖게 되었다.

02 지역사회보건사업 운영 방법

1) 추진 방법

지역사회보건사업은 크게 두 영역으로 진행된다.

첫째, 지역사회의 역량을 강화하는 것이다. 특정 질환의 위험이 있는 인구집단에 초점을 두는 것이 아니라 지역사회 전체 주민을 대상으로 건강생활분위기를 조성하는 것이다. 지역사회 역량강화 사업은 교육 및 홍보 중심으로 진행된다. 보건교육과 홍보 활동은 전통적으로 보건소가 중심이 되어서 추진하였는데, 건강증진 시대를 맞이하여 생태학적 접근방법들이 다양하게 진행되고 있다. 지역사회 역량 강화사업에는 지역사회의 자원 활용과 지역사회 참여가 중요한 수단으로 이용된다.

둘째, 특정 개인을 대상으로 건강서비스를 제공하는 것이다. 특정 질환의 위험이나 불건강 행동에 노출된 개인을 대상으로 건강상담, 건강증진서비스, 1차의료서비스를 제공한다. 개인 단위로 접근하는 건강서비스사업은 고혈압, 당뇨병, 치매 등의 만성질환관리와 관련된다.

그림 5-1 지역사회보건사업 운영 방법

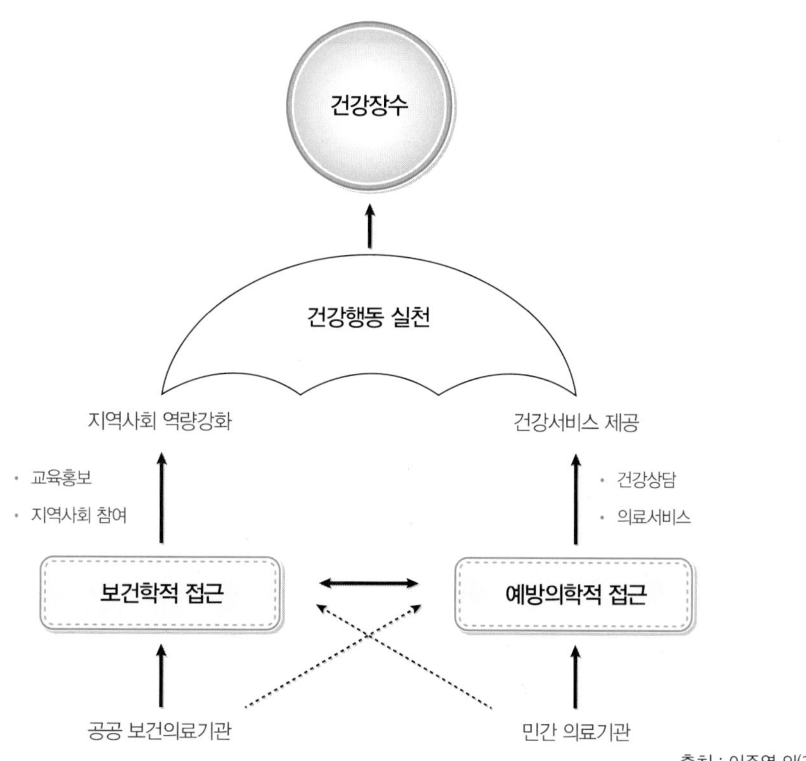

출처 : 이주열 외(2005)

2) 생태학적 보건사업 접근 방법

2-1) 개인 수준

개인(intrapersonal) 수준 보건사업은 개인에게 동기, 가치, 지식 그리고 기술을 제공하여 문제와 위기 상황에 대처할 수 있는 능력을 키워주는 것이다. 개인을 대상으로 하는 보건프로그램은 지식, 태도, 믿음 등과 같은 행동에 영향을 주는 개인적 특성을 다각적으로 고려하게 된다.

2-2) 개인 간 수준

개인 간(interpersonal) 수준 보건사업은 건강행동에 영향을 주는 가족, 직장동료, 친구 등 공식적, 비공식적 사회적 관계망과 사회적 지지 시스템에 관심을 기울인다. 개인이 속한 사회적 관계망에 따라 건강행동이 달라질 수 있기 때문이다. 보건프로그램 내용은 사회적 네트워크의 강화, 집단규범 변경과 사회적 지지그룹 구성에 중점을 둔다.

2-3) 조직 수준

조직(institutional) 수준 보건사업은 행동을 제약하거나 조장하는 규칙, 규제, 시책, 비공식적 구조를 활용한다. 조직 내에 들어가면 개인은 조직의 규범과 질서에 예속되게 된다. 따라서 조직의 구조, 규범, 질서를 건강 지향적으로 만드는 것이 중요한 과제가 된다. 조직 수준의 보건프로그램은 각 부서, 집단, 구성원의 요구를 보다 잘 충족시키고 상호연결을 원활히 하는데 관심을 기울인다.

2-4) 지역사회 수준

지역사회(community) 수준 보건사업은 개인, 집단, 조직 간에 공식적 또는 비공식적으로 존재하는 네트워크를 활성화시켜 각 부문과 협력을 강화하는데 관심을 기울인다. 지역사회 각 부문과의 협력강화, 협조체계 구축 등이 보건사업의 핵심 내용이 된다.

2-5) 정책 수준

정책(policy) 수준은 국가 단위에서 주로 시행되기 때문에 국가 수준이라고도 하는데, 건강을 위한 조례 제정이나 각종 규제 조치를 통하여 제도를 확립하는 것이다. 법적·규제적 정책은 국가 전체 수준에서 건강의 구조를 만드는 것이다.

표 5-2 생태학적 보건사업 접근 방법

수준별 분류	내 용
개인 수준	• 동기화 • 대상자별 맞춤형 중재
개인 간 수준	• 사회적 관계망 활용 • 사회적 지지 제공
조직 수준	• 조직 활용 • 직장 및 학교에서의 중재
지역사회 수준	• 지역사회 자원 활용 및 환경적 중재 • 각 부문 간의 협력 체계
정책 수준	• 법률 제정 • 규제 조치

출처 : 이주열, 보건프로그램 개발 및 평가(제3판), p28, 2015.

3) 지역사회 자원의 활용

3-1) 지역사회 자원 연계의 의미

지역사회 보건의료서비스 부문에서는 공공과 민간, 공공과 공공 간의 연계체계를 어떻게 구축할 것인가에 대해서 관심이 높다. 오늘날의 보건의료 문제는 과거와는 그 양상이 매우 다르다. 질병구조에 있어서 감염병 질환에 비하여 만성질환이 늘어나 질병의 치료에 있어서도 개인의 육체적, 정신적 문제에 대한 치료방법과 함께 사회적 차원의 치료대책이 더욱 필요하게 되었다. 그럼에도 불구하고 치료의학의 관심은 질환자체에만 국한되어 있고, 이러한 이유로 환자의 정신적인 문제와 질병에 영향을 미치는 사회적 여건에는 그다지 관심을 기울이지 못하고 있는 실정이다. 이러한 치료의학의 한계점을 극복하기 위해서 보건의료의 접근방법에 변화가 필요한 것이다. 지역사회 자원의 연계는 이러한 변화의 시작에서 출발하였다.

3-2) 자원의 확인

연계체계를 구축하기 위해서는 클라이언트에게 제공할 수 있는 지역사회 내의 자원을 자세히 알고 있어야 한다. 지역사회 자원 활용을 통한 보건서비스 연계 활동은 단순히 담당자의 업무 실행에 도움을 주는 수동적인 의미 뿐만 아니라 담당자를 통해서 지역사회 내의 건강자원을 더욱 풍부하게 하고 클라이언트를 보다 효율적으로 보호·관리해 나가게 하는 적극적인 의미를 갖는다.

지역사회 자원은 분류방식에 따라서 물적자원과 인적자원, 공식자원과 비공식자원 등으로 나누어질 수 있으며, 대상자별 분류(노인, 성인, 장애인, 아동, 여성 등), 서비스 종류별 분류(경제적 지원, 건강서비스 지원, 정서적 지원, 근로서비스 지원, 상담서비스 등), 제공 주체별 분류(공공서비스, 민간서비스) 등으로 나눌 수 있다.

한편, 지역사회에서 연계가 가능한 보건의료자원은 공공 보건의료기관, 민간 의료기관, 시민단체 및 종교단체, 민간 복지기관, 보건복지 부서 등이 있다. 자원의 효과적인 활용을 위해서는 각 기관의 기본적인 기능과 역할은 물론이거니와 경우에 따라서는 세부적인 서비스 종류와 내용을 상세히 파악하여야 한다. 특히, 이들 기관들이 구체적으로 어떤 대상자에게 어떤 서비스를 제공하고 있는지를 파악하고 있어야 한다.

그림 5-2 지역사회 자원 연계망

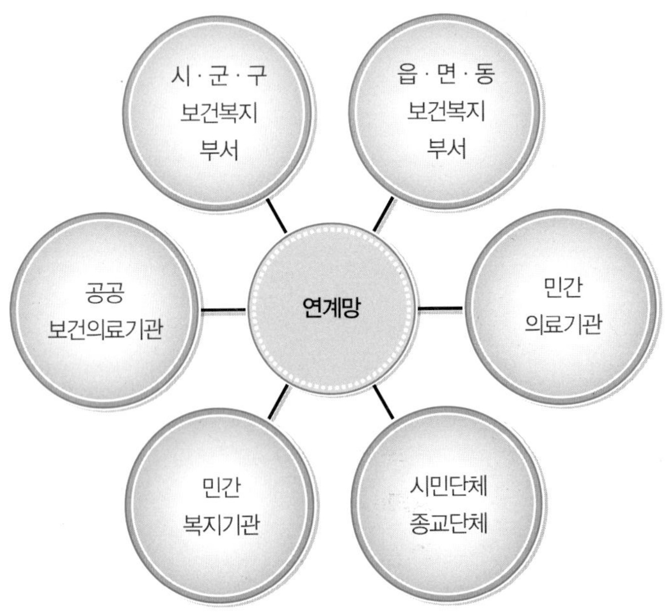

3-3) 자원의 개발과정

(가) 1단계 : 자원 확인

공식적으로 정리되어 있는 자원을 확인한다. 이미 알려져 정리되어 있는 자원을 확인하는 것이다. 이용 가능한 자원목록은 구청, 보건복지 부서의 서류, 도서관에 비치된 지역사회자원 관련 도서 등을 통해서 확인할 수 있다.

(나) 2단계 : 자원 정보 수집

관련 담당자와 전화하거나 방문을 통해서 자원을 확인한다. 공식적으로 정리되어 있는 자원 외에 지역사회 지도자나 그 지역 보건 담당자와 면담을 통해서 주민들이 가장 많이 이용하고 있거나 이용 가능한 인적 및 물적 자원에 대한 정보를 얻는다.

(다) 3단계 : 자원 정리

확인된 자원을 정리하여 지역사회 자원 목록표를 정리한다. 확인된 자원을 정리하는 단계로 지역사회 자원목록표를 만들어 활용하면 효과적이다. 자원목록표에는 관할 지역 뿐 아니라 타 지역과 국내의 유용한 자원이 포함되어야 한다. 각 보건기관의 사업목적 및 임무와 제한점 등을 알아둔다. 가능한 자원이 어디에, 어떤 목적으로, 어떤 대상에게, 어떤 일을 할 수 있는지를 알고 있어야 한다.

(라) 4단계 : 협조체계 형성

지역사회자원 활용을 위한 협조체계를 형성한다. 담당자는 작성된 자원목록표를 효과적으로 활용하여 지역사회 자원의 협조체계를 형성하게 된다. 간담회, 자문회의, 사업설명회 등을 통하여 관련된 기관에서 참여할 수 있도록 유도하고 필요한 경우 사업진행 자료를 우편으로 제공한다. 편리하고 간편한 의뢰 방법을 정해둔다. 또한 그 자원을 이용하기 위해서는 누구에게, 어떤 방법으로, 언제, 어떤 경로를 통해서 이용하며, 제한이나 한계를 파악하여 주민이 이용할 경우에 불편함이 없도록 한다.

3-4) 자원의 연계 방법

자원의 연계 방법은 단계별로 정보제공, 대상자 의뢰, 사례관리로 구분할 수 있다. 각 단계의 구체적 내용은 다음과 같다.

(가) 정보제공

정보제공은 담당자가 클라이언트에게 지역사회 내에서 이용 가능한 서비스를 안내해 주는 것이다. 적극적인 의미의 연계 방법이 될 수는 없지만, 지역사회자원에 대한 정보나 이해가 없다면 실행할 수 없기 때문에 연계 방법의 하나로 볼 수 있다. 그리고 실질적으로 연계업무의 대부분을 차지하는 방법이다.

여가시간의 활용방법을 잘 몰라서 의료기관 방문에 많은 시간을 소비하는 노인이라면 지역사회의 노인복지관이나 노인들이 많이 모이는 장소를 안내하고 그 곳의 위치나 프로그램 등을 알려줄 수 있다. 그 정보를 통해서 노인은 해당 장소를 찾아가서 여가시간을 보다 효율적이고 보람 있게 보낼 수 있을 것이고, 점차로 의료기관의 이용수도 줄어들 수 있을 것이다. 이러한 연계방법에서 중요한 것은 클라이언트에게 가장 적절하고 정확한 정보를 제공하는 것이다. 이를 위해서는 정보제공자인 담당자는 최신의 정보를 알고 있어야 한다.

(나) 대상자 의뢰

대상자 의뢰는 업무 담당자뿐만 아니라 보건복지서비스 제공 기관에서 가장 많이 사용하고 있는 연계 방법이다. 클라이언트에게 지역사회 자원의 존재나 정보를 단순하게 알려주기만 하는 정보제공보다는 한층 적극적인 방법으로 클라이언트가 필요로 하는 자원을 가지고 있는 해당 기관에 직접 연락을 취하여 대상자의 정보 등을 전달하고 서비스 전달 등을 요청하는 것이다.

병원을 퇴원하는 장애인의 경우 지역사회의 장애인 복지관의 담당자에게 직접 연락하여 클라이언트의 문제와 정보를 전달하며, 클라이언트가 전달받을 수 있는 서비스 내용을 알아보고 기관의 서비스를 받을 수 있게 해줄 것을 요청하는 것이다. 대상자 의뢰를 하면서 중요한 것은 대상기관의 서비스나 프로그램 내용을 사전에 충분히 확인한 후에 의뢰가 이루어져야 한다.

(다) 사례관리

사례관리(case management)는 서비스 제공의 중복이나 누락을 방지하고 효율적인 서비스 제공을 위해 서비스 제공자들 간의 협력을 강조하는 연계 방법이다. 이 방법은 일차적으로 대상자의 욕구, 특히 단 한 사람의 원조자로는 해결할 수 없는 복합적인 욕구 및 문제에 초점을 두고 이를 충족시키고 해결하기 위해서 개입과정에 다양한 분야의 전문가가 참여하여 다양한 자원을 활용하기 때문에 가장 복잡한 수준의 자원연계 방법이다.

흔히 특정 기관에서 대상자를 선정하고 그를 지속적으로 관리하는 것을 사례관리라고 하는데, 엄밀한 의미에서 사례관리는 대상자의 욕구 충족을 위해서 다양한 자원으로 구성된 사례관리체계가 별도로 수립되어 있어야 한다. 질병과 관련한 의료적인 문제와 가족 지원체계가 없고 일상생활 수행에 어려움을 겪는 노인의 경우에는 보건의료서비스와 함께 여러 사회복지서비스(가사서비스, 목욕지원서비스 등)가 함께 제공되어야 한다. 이와 같이 다양한 서비스가 제공될 수 있는 연계체계의 시작이 사례관리 활동이라 할 수 있다.

표 5-3 자원의 연계 방법

연계방법	내 용
정보제공	문제의 수준이 심각하지 않고, 클라이언트가 스스로 서비스 기관을 방문하여 지원을 요청할 수 있는 경우 가능한 연계 방법
대상자 의뢰	관련 기관의 빠른 개입이 필요한 경우 해당 기관에 담당자가 직접 클라이언트 의뢰를 요청하는 방법
사례관리	다양한 문제를 복합적으로 가지고 있어 단일 기관의 개입으로는 문제해결이 어려울 것으로 예상되는 클라이언트에게 제공하는 연계 방법

4) 지역사회 참여

4-1) 지역사회 참여의 정의

지역사회 참여(community participation)는 주민참여라고도 하는데, 보건사업 뿐만 아니라 이미 오래 전부터 복지 및 사회개발 등 지역주민을 대상으로 하는 여러 사업에서 중요하게 고려되어 왔다. 세계보건기구(1987)는 지역사회 참여를 "지역사회의 공공사업을 추진하는 의사결정과정에 주민들의 의견을 최대한 반영하는 것으로 사회의 권력(social power)을 재분배 하는 유효한 수단이며 모든 의사결정에 모두가 참여할 수 있는 권리를 보유하게 되는 과정"이라고 규정하였다. 지역사회 참여는 주민들이 지역사회의 문제해결 과정에 직접 참여하는 것이다. 지역사회보건에서 주민참여는 모든 사람들이 보건의료계획 및 수행에 개인적 · 집단적으로 참여해야 할 권리와 의무를 갖는다는 의미로 이해될 수 있다.

참여는 공권력을 가진 행정기관과 주민들 간의 상호관계를 기술하는 정의로 볼 수 있다. 주민참여는 공권력 또는 사업의 주도권을 가지고 있는 행정기관과 사업의 영향을 직접 받을 주민들과의 상호관계이기 때문에 상반되는 가치가 대립되는 것을 피할 수가 없다. 그럼에도 불구하고 보건사업 수행에서 지역사회 참여가 갖는 의미는 다음과 같다.

- 지역사회보건사업에 주민이 적극적으로 참여할 수 있어 사업수행의 성공 가능성이 높아진다.

- 사업담당자에게 지역사회에서 필요한 요구를 직접 전달할 수 있다.
- 지역사회의 공동운명체를 강화시켜 다른 개발활동에 참여 의욕을 높인다.
- 사업내용을 직접 전달할 수 있으므로 사업의 추진과정에 대한 이해를 높일 수 있다.

4-2) 지역사회 참여의 유형

(가) 규모에 따른 분류

규모에 따라 개별참여와 집단참여로 구분할 수 있다. 개별참여는 보건사업에 대한 개인적 관심에 따라 참여하는 것이고, 집단참여는 지역사회의 조직을 통해서 참여하는 것으로 해당 집단의 이해관계와 관련된다.

(나) 참여동기에 따른 분류

참여동기에 따라 강요된 참여, 유도된 참여, 자발적 참여로 구분할 수 있다. 강요된 참여는 주민들의 의견과 관계없이 전체적인 계획에 따라 참여가 강제로 이루어지는 것이다. 흔히 동원으로 표현되는데 행정적 필요에 따라 참여가 강제된다. 유도된 참여는 보건사업에서 가장 흔히 나타나는 형태로 보건사업으로부터 일정한 반대급부가 약속되어 참여하는 것이다. 이러한 참여의 형태는 보건사업의 내용결정에 참여하는 것이 아니라 사업 시행과정에 참여하는 경우가 많다. 자발적 참여는 지역사회 참여의 이상적 형태로 주민 스스로가 보건사업 과정에 참여하는 것이다. 주민 주도형 보건사업은 자발적 참여가 이루어질 때에 가능할 수 있다.

(다) 참여결과에 따른 분류

참여결과에 따라 실질적 참여와 형식적 참여로 구분할 수 있다. 지역사회 주민들은 보건사업 계획과 조정과정에서는 소외되고 사업 시행과정의 참여에만 머무르는 경우가 많다. 그러나 보건사업의 실행과정 뿐만 아니라 보건사업의 계획 및 조정과정에서 지역주민의 의사가 얼마나 반영되었는가에 따라 형식적 참여와 실질적 참여로 구별할 수 있다.

(라) 행정기관과 주민의 여건에 따른 분류

① 격리

격리(isolation)는 주민 참여없이 행정기관에 의해서 결정이 진행되는 것이다. 환경적 여건이 안정되어 있는 반면에 주민의 여건이 낮을 때 일어난다.

② **상징**

상징(symbolic)은 주민들이 정책결정이나 집행에 아무런 영향을 미치지 못하고 건의나 견해를 제시하는 정도로 참여하는 것이다. 환경적 여건이 불안정하고 주민의 여건이 낮을 때에 이루어진다.

③ **적응적 흡수**

적응적 흡수(cooptation)는 관료의 정책에 필수적인 통합부분(integral part)의 형태로 흔히 포섭이라고 한다. 환경적 여건은 불안정하나 주민의 여건이 높을 때에 일어난다.

④ **협동**

협동(cooperation)은 행정기관과 주민 간의 협의 하에 정책결정을 진행하는 것이다. 환경적 여건이 안정되어 있으며 주민의 여건도 높을 때에 일어난다.

4-3) 지역사회 참여의 단계

(가) 정보제공 단계

보건사업을 주도하는 사람들이 주민들에게 진행하려는 사업에 대하여 일반적인 지식을 제공하거나 홍보하는 정도의 참여를 의미한다. 이 방법은 참여라기보다는 참여의식을 자극하고 고취시키는 것이라고 할 수 있다.

(나) 대민 단계

주민들이 실제적으로 육체적인 참여를 하는 것을 의미한다. 보건사업의 혜택을 받을 주민들이 노동력을 제공하여 사업을 성취하게 되고 행정기관은 그에 대한 대가를 지불하는 방법으로 주민들에 대한 시혜사업과 동시에 이루어진다.

(다) 관여 단계

보건사업의 계획부터 수행에 이르기까지 주민이 함께 참여하여 진행하는 것을 의미한다. 주민들은 사업선정에서 부터 계획 그리고 수행에 이르기까지 실제로 관여한다. 그러나 실질적인 최종결정권은 행정기관이 가지고 있으며 참여는 형식적일 가능성도 있다.

(라) 책임 및 권한 위임 단계

주민 스스로가 정책의 계획, 입안, 수행, 평가에 이르기까지 모든 결정권을 가지는 것이다. 행정기관을 주민들이 감독하게 되고 사업의 결과에 대한 책임도 공유하게 된다.

따라서 지역사회는 자주관리의 형태가 되며 행정과 주민과의 관계는 협상관계가 되고 오히려 사업은 주민위원회의 감독을 받게 된다.

4-4) 지역사회 참여 방안

(가) 정보의 공개와 홍보

전시회, 포스터, 벽보, 방송, 지역신문, 바자회 등을 이용하여 주민참여를 위한 정보를 제공하고 홍보한다. 다양한 주민 참여통로를 활성화 하는 것이다.

(나) 여론 수렴

주민들이 가지고 있는 의견을 최대한 주의 깊게 들을 뿐만 아니라 대상자의 기분이나 비형식적(informal)인 대화에도 주의를 기울인다. 능동적이고 긍정적 자세로 여론을 기록, 분석하여 누락되는 것이 없도록 처리한다. 설문조사, 조직적 면접, 공청회 등을 이용할 수 있다.

(다) 위원회 활성화

실질적 주민참여가 이루어지려면 위원회 구성에 있어서 지역사회 내의 상이한 각 집단별 대표성이 확보되어야 하며 행정적 대표이기보다는 실질적 주민대표로 구성되어야 한다. 위원회가 형식적 기구가 되지 않기 위해서는 정기적인 모임을 유지하며 모임 전에 철저한 회의준비를 통해 구체적인 안건을 제시하여야 한다.

(라) 자생적 주민조직의 활용

새로운 위원회나 조직을 만들기 보다는 이미 존재하고 있는 조직을 적극적으로 활용한다. 특성별(청소년회, 부녀회, 개발위원회), 목적별(친목조직, 경제조직, 봉사조직), 기능별(공공조직, 종교조직, 민간조직) 등의 조직이 보건사업 진행과정의 성격에 따라 참여할 수 있도록 유도한다.

(마) 지도층의 적극적 참여

지역사회의 여론을 형성하는 지도층 인사들이 보건사업에 관심을 가질 수 있도록 다양한 정보를 제공하여 관리하고, 이들을 통하여 주민들의 의견뿐만 아니라 실질적인 주민참여가 이루어지도록 한다.

03 지역사회보건사업의 실행

1) 영양

1-1) 사업내용

지역사회에서 수행 가능한 영양사업은 영양관리 사업과 영양교육 사업으로 구분할 수 있다. 영양관리 사업은 질병문제 혹은 영양취약 계층을 대상으로 지식과 기술을 훈련시키고 개별문제를 상담하는 전문적 서비스이다. 이와 달리 영양교육 사업은 지역사회의 영양개선 분위기를 조성하고 일반 주민들에게 영양정보와 지식을 제공한다.

1-2) 자원 연계방법

영양과 관련된 정보제공 및 교육은 학교, 사업장 등의 영양사와 연계를 통하여 사업을 실시하거나 영양교육 자료를 제공하여 배부될 수 있도록 협조를 요청한다. 일반 지역주민을 대상으로 하는 홍보교육 활동은 부녀회 혹은 여성 시민단체의 협조를 얻

표 5-4 지역사회 영양사업 내용

사업영역		사업내용	
교육 및 홍보사업		• 식생활 지침 교육 · 홍보 활동	• 영양정보 제공
기반조성 및 구축사업		• 주부 모임 등 지역사회 자원 연계 • 음식업소 및 식료품 판매업소 등 영양개선 환경조성 • 가공 식품의 영양표시 읽기	
서비스 제공	건강군	• 아침결식 예방사업 • 보육시설 영양관리 사업 • 노인 영양관리 사업	• 임신 · 수유부 영양관리 사업 • 성인 영양관리 사업
	고위험군	• 비만 아동 관리사업 • 편식 교정 및 저체중 관리사업	• 성인 비만 관리사업
	질환군	• 고혈압 환자 영양 프로그램 • 당뇨 환자 영양 프로그램	
	기타	• 식사상담 프로그램 운영 • 집단급식 시설의 영양 · 급식관리	• 지역주민 영양실태 진단 · 평가

어서 추진하는 것이 효과적이다. 비만 아동을 파악하기 위해서는 교육청과 학교의 도움이 필요하므로 보건소에서 관련 기관에 공문을 발송하여 도움을 얻는 것이 필요하다. 영양 관련 전문인력 문제를 해결하기 위하여 지역사회 대학의 도움을 받거나 자원봉사자를 활용한다.

2) 금연

2-1) 사업내용

지역사회에서 수행 가능한 금연사업은 담배판매인업소 및 금연시설에 대한 지도단속, 금연교육 및 상담서비스 제공, 취약집단 및 특정 집단에 대한 교육홍보 활동 등이다.

표 5-5 지역사회 금연사업 내용

사업영역		사업내용	
교육 및 홍보사업		• 금연교육 · 홍보 활동 • 지역사회 금연 캠페인 • 금연 포스터, 표어, 수기 공모	
기반조성 및 구축사업		• 지역사회, 학교, 사업장 등 금연분위기 조성 • 지역 언론사, 시민단체 등과 연계하여 활동 강화 • 금연조례 제정	
서비스 제공	비흡연자	• 흡연유해성 실험 • 유치원 흡연예방 교육	• 금연서명 활동 • 청소년 흡연예방 교육
	흡연자	• 금연교실 · 캠프 사업	• 금연실천 지원 사업
	질환군	• 고혈압환자 금연교실	• 당뇨환자 금연교실
	기타	• 담배판매인업소 지도관리 • 금연건물 지정 유도	• 금연시설 지도 단속 • 금연도우미 교육

2-2) 자원 연계방법

학교 및 직장을 대상으로 하는 금연사업은 보건소가 독자적으로 수행하기 어려우며 교육청, 학교장, 직장 임직원, 노동조합 등의 참여와 동의가 필요하다. 아울러 인적자원 연계를 위해서 학교의 보건교사 및 생활부장, 사업장의 보건관리 담당자는 동반자로 인식하고 교육훈련이 이루어져야 한다. 사업장의 금연사업을 위해서는 직장의 보건관리를 대행하고 있는 기관이나 종합병원의 산업의학과와 연계하는 것이 필요하다.

농촌지역의 경우 이장, 마을 건강원, 부녀회장, 노인회장 등 지역사회의 리더를 적극적으로 활용하는 것이 중요하다. 이들을 금연사업의 중요한 인력으로 활용하기 위해서는 일차적으로 사업설명회를 실시하고 금연교육 및 지역사회 활동에 대한 구체적인 역할을 부여하는 것이 바람직하다. 보건소에서는 보건지소 및 보건진료소에 필요한 홍보물이나 자료를 제공하고 지소 및 진료소에서는 이들을 통하여 지역주민들에게 자료가 배부될 수 있도록 한다.

3) 절주

3-1) 사업내용

지역사회에서 수행 가능한 절주사업은 건전음주문화 조성, 절주 및 단주 실천자에 대한 행동의지 강화지원, 청소년 대상의 금주교육, 고도 음주자 및 고위험군 관리, 알코올중독자 등록관리 등이다.

표 5-6 지역사회 운동사업 내용

<table>
<tr><th colspan="2">사업영역</th><th>사업내용</th></tr>
<tr><td colspan="2">교육 및 홍보사업</td><td>• 절주교육 · 홍보 활동
• 지역사회 절주 캠페인
• 청소년 주류 판매 감시활동
• 사업장 절주교육
• 절주 포스터, 표어, 수기 공모</td></tr>
<tr><td colspan="2">기반조성 및 구축사업</td><td>• 위생담당 공무원, 경찰서, 시민단체 등과 연계 활동</td></tr>
<tr><td rowspan="4">서비스 제공</td><td>건강군</td><td>• 청소년 금주교육
• 직장인 절주교육
• 대학생 절주교육
• 유치원 금주교육</td></tr>
<tr><td>고위험군</td><td>• 절주 상담실 운영
• 음주운전 예방교육
• 음주문제 상담전화 운영</td></tr>
<tr><td>질환군</td><td>• 알코올 상담센터 연계사업</td></tr>
<tr><td>기타</td><td>• 인터넷 절주 홍보 교육</td></tr>
</table>

3-2) 자원 연계방법

보건소 중심의 절주사업은 교육, 홍보사업의 경우 관련 단체(학교, 사업장 등)와의 협조로 추진할 수 있다. 그러나 알코올 문제를 가지고 있는 개인이나 가족을 대상으로 한 상담은 민간기관과 연계하여 필요한 경우 민간 의료기관이나 알코올상담센터에 의뢰하는 것이 바람직하다. 또한, 알코올 중독자 가족모임 등과 연계하여 지역사회의 절주문화를 조성하거나 경찰서와 연계하여 청소년 음주판매 금지와 음주운전을 단속하고 계몽활동을 실시한다.

4) 운동

4-1) 사업내용

지역사회에서 수행 가능한 운동사업은 운동분위기 조성사업과 운동실천 지원 및 질병관리를 위한 사업으로 구분할 수 있다. 질병관리를 위한 운동사업은 질병을 가진 개인을 대상으로 질환관리에 적합한 운동기술 제공, 각종 운동 관련 정보제공, 운동문제 상담, 고위험 집단을 선별하기 위한 각종 검사, 운동지도 등의 서비스를 제공한다.

표 5-7 지역사회 운동사업 내용

사업영역		사업내용
교육 및 홍보사업		• 주민대상 교육 · 홍보 및 정보제공 • 지역사회 캠페인
기반조성 및 구축사업		• 지역사회 자원 연계 • 지역사회 운동 조직 후원 및 활성화 • 지역사회 사회체육 및 운동시설 확보 등 환경조성
서비스 제공	건강군	• 성인 운동프로그램 • 노인체조 및 운동프로그램
	고위험군	• 어린이 비만교실 • 성인 비만교실 • 임산부 체조 프로그램
	질환군	• 고혈압, 당뇨, 요통, 관절염, 골다공증 환자 대상 프로그램
	기타	• 체육공원 등에서 운동 활동 • 운동 공간 만들기

4-2) 자원 연계방법

지역사회 내의 다양한 조직을 연결하여 사업을 주도하고 유지 · 확산되도록 하는 것이 필요하다. 이를 위해 일차적으로 신체활동 및 운동 사업을 수행하는데 연계가 필요한 지역사회의 자원을 파악하고 동원하며, 기존에 활용되고 있는 자원을 유기적으로 연계하여 사업이 원활하게 수행될 수 있도록 한다.

공공부서(체육활동지원부서, 공원관리부서 등), 사회단체(조기축구회, 취미단체 등), 종교단체, 직장 동우회, 봉사단체(4H 클럽, 로타리, 라이온즈 등), 민간 운동업 단체(운동구점, 운동센터 등) 등과 연계를 통하여 사업이 진행된다. 운동 전문인력 문제를 해결하기 위하여 지역사회의 에어로빅 강사, 운동처방 전문가, 사회체육시설 담당자의 도움을 받도록 한다.

5) 고혈압

5-1) 사업내용

공공보건기관에서 환자의 등록과 관리, 신규 고혈압 환자 발견과 정보를 제공할 수 있다. 주민에 대한 보건교육은 개인교육과 집단 교육, 대중 매체를 통한 교육 등이 있다. 개인교육은 다른 건강문제로 보건기관을 방문하는 환자를 대상으로 개별상담과 사전에 제작된 보건교육 자료를 배부하는 방법이 있다.

고혈압 관리사업의 대상자는 지역사회의 30세 이상자를 대상으로 한다. 환자의 발견을 위해서는 대상자 전원에 대한 혈압 측정이 필요하다. 대상자로 파악된 전 주민이 최소한 2년에 한 번씩은 혈압을 측정하여 높은 정상의 범위에 해당되는 주민은 일년에 한 번씩 혈압을 측정 하도록 권유한다. 고혈압 관리사업을 위한 혈압 측정은 단독 프로그램으로 수행하는 것보다는 혈압을 측정할 수 있는 모든 기회에 혈압을 측정해서 그 자료를 관리하는 것이 바람직하다.

5-2) 자원 연계방법

지역사회의 민간의료기관과 유대를 맺어 기본적인 검사와 난치성 고혈압 환자의 관리는 민간 의료기관에서 수행하도록 한다. 환자의 발견과 의뢰, 홍보, 경각심 고취 등을 위해서는 지역사회자원의 협력체계 구축이 필요하다. 직장, 학교, 복지시설 등 다양한 시설과 연계하여 고혈압 관리 전략을 개발하고 운영한다.

고혈압에 대한 집단교육은 자연부락 단위 또는 주민 조직 단위, 직장 단위 등이 있다. 대중 매체를 통한 교육은 각 지역에서 발행되는 신문이나 반상회보, 지역홍보지, 유선방송 등을 이용 하도록 한다. 집단 보건교육은 공공보건기관에서 직접 조직할 수도 있겠지만 학교의 보건시간, 예비군 교육, 민방위 교육, 부녀자 교육 등 다른 기관이나 단체에서 실시하는 교육행사에 보건교육 프로그램을 포함시키는 것이 보다 쉬운 접근방법이다.

6) 당뇨병

6-1) 사업내용

당뇨병을 관리하기 위해서는 생활행태를 바꾸어야 하고 대부분의 환자들은 평생토록 치료를 받아야 되므로 지속 치료율을 높이기 위한 보건교육이 필요하다. 당뇨병으로 등록된 환자를 대상으로 식이요법 및 운동지도, 흡연 및 음주에 대한 관리, 당뇨병 진단사업과 환자 등록, 당뇨병 관리를 위한 영역 각각에 대한 실천방안 교육, 당뇨 관리 수첩 발급, 자조그룹, 특수 클리닉 운영 등이다. 환자들을 위한 보건교육용 건강소식지를 발행하여 등록을 통해 얻어진 대상자에게 배부하고 보건교육의 수단으로 사용함으로써 많은 이익을 얻을 수 있다.

6-2) 자원 연계방법

사회교육기관, 각종 종교단체, 주민단체, 사업장 등 주민들에게 접근 가능한 다양한 통로를 확보하여 당뇨 예방 관련 교육과 홍보를 실시하도록 한다. 당뇨병의 치료 순응도를 높이기 위해서 취약계층 및 치료 불순응군에 대한 방문건강사업을 강화하고, 당뇨병에 의해 합병증이 발생한 환자를 민간 의료기관에 의뢰한다.

당뇨병 환자와 그 가족들을 대상으로 당뇨병에 대한 개요 및 치료, 식이요법, 운동요법 등에 대한 보건교육을 실시한다. 이러한 활동은 마을을 방문하여 이루어지는데, 이 과정에서 부녀회장, 노인회장 등 마을 지도자들의 도움이 필요할 수 있다. 한편, 취약계층의 당뇨병 환자 및 당뇨합병증 환자를 대상으로 일상생활지원 서비스를 제공하거나 경제적으로 지원하기 위해서 복지 영역과 연계하는 것이 필요하다.

CHAPTER 19 학교보건

학습목표

- 학교보건의 정의와 역사를 설명할 수 있다.
- 학교보건의 내용중 건강서비스를 설명할 수 있다.
- 학교보건의 내용중 환경관리를 설명할 수 있다.
- 학교보건 조직과 인력을 설명할 수 있다.
- 건강증진학교의 의미와 추진 방향을 설명할 수 있다.

01 학교보건의 이해

1) 학교보건의 정의

학교보건(school health)은 학교에서 이루어지는 보건활동으로 학생들과 교직원의 건강을 보호하고 유지 · 증진시킬 뿐만 아니라 학교생활의 안녕을 목적으로 한다. 학교보건은 학생들이 건강한 생활을 통하여 행복을 느끼고 최대의 학습능률을 높이고 평생건강의 기틀을 마련하는데 중점을 두고 있다.

만성질환을 사전에 예방하기 위한 방안으로 청소년 대상의 학교보건의 중요성이 부각되고 있다. 아동과 청소년들이 건강한 생활양식을 갖도록 하는 것은 성인이 된 후에 불건강한 행동습관을 변화시키는 것보다 더 효과적이고, 성인기에 발병하는 여러 만성질환의 위험요인(risk factor)들은 상당부분 청소년기의 잠재적 위험요인으로부터 기인하기 때문이다. 청소년 인구의 건강을 관리하는 학교보건은 미래세대의 국가 경쟁력을 높이는 일이 된다.

2) 학교보건의 역사

일제강점기 때는 학교위생 중심으로 학교보건이 실시되었다. 광복 후 새로운 교육제도의 실시와 함께 1951년 신체검사규칙이 제정되었고, 1953년 양호교사자격증을 발행했으며1967년 학교보건법과 1969년 학교보건법시행령이 제정되었다. 1981년 학교급식법 시행령이 제정되었고, 1998년 학교보건법 7차 개정에 따라 양호실이 보건실로 명칭이 변경되었으며 2002년 양호교사의 명칭이 보건교사로 변경되었다. 한편, 학교보건법 제9조 2항(모든 학교에 보건교육을 체계적으로 실시해야 한다)에 근거에 의하여 2009년 1학기부터 전국 초 · 중 · 고등학교에서 보건교육을 재량활동시간을 활용하여 17차시 하도록 하고, 2010년부터 중학교와 고등학교는 선택과목으로 보건교과를 운영하도록 하고 있다.

표 5-8 우리나라의 학교보건 발전과정

연도	내용
1951년	신체검사 규칙 제정
1953년	양호교사자격증 발행
1967년	학교보건법 제정
1969년	학교보건법 시행령 제정
1981년	학교급식법 시행령 제정
1998년	양호실 명칭이 보건실로 변경
2002년	양호교사 명칭이 보건교사로 변경
2009년	보건교과 재량수업 과목으로 채택

02 학교보건의 내용

학교보건의 사업내용은 크게 건강서비스, 보건교육, 환경관리, 학교급식 등으로 구분할 수 있다. 학교보건의 내용 분류는 어디까지나 인위적이고 편의적인 것이며, 실제로 학교 현장에서 사업을 추진할 때에는 여러 영역이 상호 관련되어 중복을 피할 수 없는 경우가 대부분이다. 세부사업의 구체적 내용은 다음과 같다.

1) 건강서비스

학교보건의 건강서비스는 단순히 건강검사와 상해나 질병치료 등 건강문제 관리에만 국한되지 않는다. 건강관찰 및 건강상담, 감염병 관리와 건강증진을 위한 체격 및 체력관리, 영양관리, 시력 및 구강 관리 등의 건강서비스를 제공하고 있다.

1-1) 신체검사

학교장은 소속 학생 및 교직원에 대하여 질병 또는 건강상 결함의 예방 · 발견 및 간이치료와 건강증진 및 체력향상을 도모하기 위하여 신체검사를 실시한다. 신체검사는 체격검사, 체질검사, 체력검사로 이루어지며 학생들은 년 1회 신체검사를 실시하며, 교직원은 국민건강보험법 규정에 의한 건강진단으로 대체하고 있다.

신체검사는 이상 소견자를 찾아내는 선별검사(screening test)이다. 학생 건강문제는 대부분 쉽게 파악할 수 있는 것들이 많기 때문에 특수검사를 하기 전에 모든 학생들을 대상으로 선별검사를 실시하게 된다. 신체검사 중에서 체격검사 및 체질검사는 매년 4월 1일부터 6월 30일까지의 기간 중에 실시하고, 체력검사는 매년 9월 1일부터 10월 31일까지의 기간 중에 실시한다.

학교의 장은 신체검사 결과를 학생건강기록부에 기록하고 질병 또는 신체이상이 발견된 자에 대한 건강지도 및 건강상담의 자료로 활용한다. 학생건강기록부는 학생이 전학하거나 상급학교로 진학하면 해당 학교로 이관된다.

(가) 체격검사

체격검사는 학생들의 체격 성장정도를 알아보기 위하여 실시한다. 학교장의 책임하에 매년 1회 일정한 기간 내에 학교의 모든 교사가 참여하여 학생들의 키, 몸무게, 가슴둘레, 앉은 키를 측정한다.

(나) 체질검사

체질검사는 학교의사가 담당한다. 다만, 고등학교 1학년 학생에 대하여는 국민건강보험법에 의한 건강진단지정의료기관에서 체격검사 및 체질검사를 실시하고, 의료기관은 그 검사결과를 해당 학교에 알려준다. 한편, 학교의사가 없거나 학교의사가 체질검사를 실시하기 곤란한 경우에는 공중보건의사 또는 임시 위촉의사로 하여금 이를 검사하게 할 수 있다. 체질검사는 영양상태, 척추, 가슴통, 눈, 귀, 코, 목, 피부, 구강 등의 이상 여부를 검사하고, 기관능력 · 정신장애 · 언어장애 및 알레르기성 질환 등을 진단한다.

(다) 체력검사

체력검사는 초등학교 5 · 6학년, 중학교, 고등학교 학생에 대하여 실시한다. 그러나 심장질환 등 신체허약자와 지체부자유자에 대하여는 실시하지 아니할 수 있다. 체력검사는 달리기, 오래달리기-걷기, 제자리멀리뛰기, 팔굽혀펴기(중 · 고등 남학생), 팔굽혀매달리기(중 · 고등 여학생), 윗몸일으키기 및 앉아윗몸앞으로굽히기의 능력을 검사한다. 체력검사의 결과는 이를 종합하여 체력급수로 판정하여 구분한다.

1-2) 건강검사

학교장은 매년 소변검사를 실시하고, 교육감이 지정하는 학교의 학생들은 혈액검사, 결핵검사를 받는다. 소변검사는 매년 모든 초 · 중 · 고등 학생을 대상으로 실시하는데, 성장기 아동의 신장질환 및 소아당뇨병의 조기발견에 도움이 된다. 혈액검사는 초등학교 모든 신입생을 대상으로 실시하여 본인의 정확한 혈액형을 알 수 있도록 한다.

1-3) 학교 건강상담

학교 건강상담은 건강에 이상이 있다고 생각되는 학생에 대해서 적절한 지도를 하기 위해 학교에서 실시하는 것이다. 건강상담은 학교의사가 담당하는 것이 바람직하나 학교 내에서 일상적인 건강상담은 보건교사가 주로 담당하게 된다.

건강상담이 필요한 주된 대상자는 건강진단의 결과 계속적인 관찰 및 지도를 필요로 하는 자, 질병결석이 잦은 자, 학생이 스스로 심신의 이상을 깨닫고 건강상담의 필요성을 인정한자, 보호자가 건강상담의 필요성을 인정한자 등이다.

1-4) 학교 감염병 관리

학교에서는 면역이 불충분한 연령층의 다수 학생들이 밀집해서 집단생활을 하고 있기 때문에 감염병의 발생이 일반사회 보다 쉽다. 이런 이유로 학교보건법에서는 감염병환자, 감염병의사환자 및 감염병병원체보유자, 의사가 감염성이 강한 질환에 감염되었다고 진단한 사람 등에 대해서는 학교장이 등교중지를 명할 수 있도록 하고 있다.

감염병 예방을 위하여 초등학교와 중학교의 장은 학생이 새로 입학한 날부터 90일 이내에 예방접종증명서를 발급받아 예방접종을 모두 받았는지를 검사하고, 모두 받지 못한 입학생에게는 필요한 예방접종을 받도록 지도하여야 하며, 필요하면 관할 보건소장에게 예방접종 지원 등의 협조를 요청할 수 있다.

한편, 학교의 학생 또는 교직원에게 감염병의 정기 또는 임시 예방접종을 할 때에는 그 학교의 학교의사 또는 보건교사(간호사 면허를 가진 보건교사)를 접종요원으로 위촉하여 그들로 하여금 접종하게 할 수 있다.

2) 학교보건교육

학교보건교육은 학생 스스로 자신의 건강을 관리할 수 있는 자기건강관리 능력을 개발하기 위하여 학생들에게 제공하는 학습경험 과정이다. 학교 보건교육은 학생들에게 자신의 건강을 유지 · 증진 시키는데 필요한 기초지식을 제공하여 올바른 생활습관을 형성하도록 하고, 궁극적으로는 성인이 되어서 건강한 삶을 누릴 수 있도록 한다.

학교보건교육의 일차적인 목표는 학생들이 정확한 건강지식을 얻고, 바람직한 태도를 형성하며, 필요한 생활기술을 습득하여 각 개인이 건강관리능력을 갖추는데 있다. 건강관리능력(health literacy)은 건강정보를 접하고 이를 활용하는 능력으로 학생들이 건강위험행동을 감소시키는 등 자신의 건강에 영향을 미치는 요인에 대한 통제력을 갖도록 하여 건강의 유지 및 증진과 교육적 성과라는 보건교육의 목적달성을 가능하게 한다.

한편, 학교보건교육의 중요성은 다음과 같다. 첫째, 학교는 대상자가 한 곳에 모여 있어서 교육의 기회를 활용하기 좋다. 둘째, 학생 시기는 모든 생활습관이 형성되는 시기이기 때문에 습득한 건강지식과 태도는 습관화와 생활화가 쉽다. 셋째, 학생시기의 생활습관은 일생동안 영향을 미치게 된다. 넷째, 학생을 통하여 가정과 지역사회에 파급되는 효과가 매우 크다. 학생인구는 전체 국민의 약 4분의 1에 해당되는 큰 집단으로 이들의 건강수준이 국민 전체의 건강상태에 크게 영향을 준다.

학생에 대한 보건교육은 보건교육 시간에만 국한되어서는 안 되며 관련 과목의 수업과 협동이 이루어져야 하고 기회가 있을 때마다 되풀이 되어야 효과를 높일 수 있다. 학교보건법에서는 보건교육과 관련하여 "학교의 장은 학생의 신체발달 및 체력증진, 질병의 치료와 예방, 음주 · 흡연과 약물 오용 · 남용의 예방, 성교육 등을 위하여 보건교육을 실시하고 필요한 조치를 하여야 한다"라고 규정하고 있다. 보건교육을 통해 학생들에게 올바른 자기건강관리 능력을 키워 줄 수 있기 때문에 학교보건에서 그 중요성이 커지고 있다.

3) 환경관리

3-1) 학교 내 환경관리

학생들은 학교에서 많은 시간을 보내기 때문에 학교의 환경은 학생들의 건강뿐만 아니라 학습 분위기 조성에도 영향을 미친다. 따라서 학교 환경은 청결하고, 편리하며, 학습능률 향상에 도움이 되도록 관리되어야 한다.

학교의 환경위생과 관련하여 학교보건법에서는 "학교의 장은 교육부령으로 정하는 바에 따라 교사 안에서의 환기 · 채광 · 조명 · 온도 · 습도의 조절, 상하수도 · 화장실의 설치 및 관리, 오염공기 · 석면 · 폐기물 · 소음 · 휘발성유기화합물 · 세균 · 먼지 등의 예방 및 처리 등 환경위생과 식기 · 식품 · 먹는 물의 관리 등 식품위생을 적절히 유지 · 관리하여야 한다"라고 규정하고 있다.

3-2) 학교 밖 환경관리

학생 생활공간은 학교 울타리 안에만 국한되지 않으며 등 · 하교 길에 학교주변을 이용하게 된다. 학교 주변환경이 교육적이지 못한 시설과 각종 위험(공해, 교통 등)에 노출되어 있다면 학생들의 올바른 성장에 나쁜 영향을 미칠 수밖에 없다. 따라서 학교의 환경위생 및 학습환경을 보호하기 위하여 학교보건법 및 동법 시행령에 교육감이 학교환경위생 정화구역을 설정하여 관리하도록 하고 있다.

학교환경위생 정화구역은 절대정화구역과 상대정화구역으로 구분된다. 학교출입문으로부터 직선거리로 50m까지의 지역을 절대정화구역으로 지정하여 유해시설 설치 일체를 금지한다. 한편, 학교경계선으로부터 직선거리로 200m까지의 지역 중 절대정화구역을 제외한 지역을 상대정화구역으로 설정하여 유해시설 설치는 원칙적으로 금지하나 각 지역 교육청별로 설치되어 있는 학교 환경위생정화위원회의 심의를 거친 후에 학습과 학교보건위생에 나쁜 영향을 주지 아니한다고 판정된 경우에는 설치가 가능하도록 하고 있다.

한편, 학교보건법에 규정된 학교환경위생 정화구역에서 제한되는 행위 및 시설의 내용은 다음과 같다.

- 학습과 학교보건위생에 지장을 주는 행위 및 시설
- 총포화약류의 제조장 및 저장소, 고압가스 · 천연가스 · 액화석유가스 제조소 및 저장소
- 제한상영관
- 도축장, 화장장 또는 납골시설
- 폐기물수집장소
- 폐기물처리시설, 폐수종말처리시설, 축산폐수배출시설, 축산폐수처리시설 및 분뇨처리시설
- 가축의 사체처리장 및 동물의 가죽을 가공 · 처리하는 시설

- 감염병원, 감염병격리병사, 격리소
- 감염병요양소, 진료소
- 가축시장
- 주로 주류를 판매하면서 손님이 노래를 부르는 행위가 허용되는 영업과 위와 같은 행위 외에 유흥종사자를 두거나 유흥시설을 설치할 수 있고 손님이 춤을 추는 행위가 허용되는 영업
- 호텔, 여관, 여인숙
- 당구장
- 사행행위장 · 경마장 · 경륜장 및 경정장(각 시설의 장외발매소 포함)
- 인터넷컴퓨터게임시설제공업
- 게임물 시설
- 복합유통게임제공업
- 청소년 보호법에 해당하는 영업 및 업소
- 미풍양속을 해치는 행위 및 시설

4) 학교급식

학교급식은 학교에서 일정한 목표를 설정하여 계획적으로 실시하는 집단급식이다. 학교급식의 목적은 성장기 학생들에게 필요한 영양을 균형 있게 공급하여 심신의 건전한 발달을 도모하고, 편식교정 등 올바른 식습관을 형성하는 데 있다. 따라서 학교급식은 학생의 발육과 건강에 필요한 영양을 충족할 수 있으며, 올바른 식생활습관 형성에 도움을 줄 수 있는 식품으로 구성되어야 한다.

한편, 학교급식법 시행령에 규정된 학교급식시설에서 갖추어야할 시설 · 설비의 종류와 기준은 다음과 같다.

- 조리장 : 교실과 떨어지거나 차단되어 학생의 학습에 지장을 주지 않는 시설로 하되, 식품의 운반과 배식이 편리한 곳에 두어야 하며, 능률적이고 안전한 조리기기, 냉장 · 냉동시설, 세척 · 소독시설 등을 갖추어야 한다.
- 식품보관실 : 환기 · 방습이 용이하며, 식품과 식재료를 위생적으로 보관하는데 적합한 위치에 두되, 방충 및 방서(防鼠)시설을 갖추어야 한다.
- 급식관리실 : 조리장과 인접한 위치에 두되, 컴퓨터 등 사무 장비를 갖추어야 한다.
- 편의시설 : 조리장과 인접한 위치에 두되, 조리종사자의 수에 따라 필요한 옷장과 샤워시설 등을 갖추어야 한다.

표 5-9 학교보건의 내용

구분	세부 내용
건강서비스	• 신체검사 • 건강검사 • 학교 건강상담 • 학교 감염병 관리
보건교육	학교 보건교육
환경관리	• 학교 내 환경관리 • 학교 밖 환경관리(절대 및 상대 정화구역)
학교급식	학교급식 관리

03 학교보건 조직과 인력

1) 학교보건 조직

1-1) 중앙 조직

학교보건 업무를 담당하는 중앙조직으로 1979년 문교부에 학교보건과가 신설되었다. 1990년 교육부로 명칭이 변경된 후에는 학교보건환경과에서 업무를 담당하였다. 1999년 조직이 개편되어 학교시설환경과에서 학교보건 업무를 담당하다가 2001년에 교육인적자원부로 개편되어 특수교육보건과로 담당부서가 개명되었으며, 2008년에는 다시 교육과학기술부로 개편되어 학생건강안전과에서 업무를 담당하다가 2012년 담당부서 명칭이 학생건강총괄과로 변경되었다. 2013년부터는 교육부로 개편되어 학생건강정책과에서 업무를 담당하고 있다.

1-2) 학교의 보건실

보건실은 학교보건법에 의하여 설치해야 하는 시설로 그 안에는 학교보건에 필요한 ① 학생과 교직원의 건강관리와 응급처치 등에 필요한 시설 및 기구, ② 학교환경위생 및 식품위생검사에 필요한 기구를 갖추어야 한다. 학교보건법 시행령에 규정된 보건실의 설치기준은 다음과 같다.

• 위치 : 학생과 교직원의 응급처치 등이 신속히 이루어질 수 있도록 이용하기 쉽고 통풍과 채광이 잘 되는 장소일 것

- 면적 : 66제곱미터 이상. 다만, 학생 수 등을 고려하여 학생과 교직원의 건강관리에 지장이 없는 범위에서 그 면적을 완화할 수 있다.

2) 학교 보건인력

2-1) 학교장

학교장은 보건전문가는 아니지만 학교경영의 책임자로서 학교보건계획의 수립 및 실시에 중요한 영향력을 갖는다. 학교장은 광범위한 범위에서는 학교보건 인력이라고 할 수 있으나 학교보건법 시행령에 규정된 보건의료인력에는 포함되지 않는다. 그러나 학교보건 업무와 관련하여 전체적으로 관리 책임을 갖는다. 학교장의 학교보건과 관련된 직무는 다음과 같다.

- 학교보건계획의 수립 · 실시의 총괄, 지도, 감독
- 교직원 및 학생의 건강관리와 환경위생의 유지 · 개선
- 질병의 치료 및 예방에 필요한 조치

2-2) 보건의료 인력

(가) 배치기준

학교보건법에 따라 학교에는 학교의사(치과의사 및 한의사 포함), 학교약사, 보건교사를 둔다. 학교의사, 학교약사는 각각 그 면허가 있는 사람 중에서 학교장이 위촉한다. 학교보건법 시행령에 규정된 보건의료 인력의 배치기준은 다음과 같다.

- 18학급 이상의 초등학교에는 학교의사 1명, 학교약사 1명 및 보건교사 1명을 두고, 18학급 미만의 초등학교에는 학교의사 또는 학교약사 중 1명을 두고, 보건교사 1명을 둘 수 있다.
- 9학급 이상인 중학교와 고등학교에는 학교의사 1명, 학교약사 1명 및 보건교사 1명을 두고, 9학급 미만인 중학교와 고등학교에는 학교의사 또는 학교약사 중 1명과 보건교사 1명을 둔다.
- 대학(3개 이상의 단과대학을 두는 대학에서는 단과대학), 사범대학, 교육대학, 전문대학에는 학교의사 1명 및 학교약사 1명을 둔다.

(나) 보건교사의 직무

보건교사는 학교의 전임보건의료 인력이다. 학교의사와 학교약사는 학교장이 위촉하지만 보건교사는 실제로 학교에 상근하기 때문에 학교보건에서 중요한 역할을 담당한다. 보건교사의 배치 기준은 교육법과 학교보건법에 근거하고 있는데, 2010년 현재 보건교사의 전국 평균 배치율은 65% 미만으로 학교별, 지역별로 심한 불균형이 나타나고 있다. 학교보건법 시행령에 규정된 보건교사의 직무는 다음과 같다.

- 학교보건계획의 수립
- 학교 환경위생의 유지 · 관리 및 개선에 관한 사항
- 학생과 교직원에 대한 건강진단의 준비와 실시에 관한 협조
- 각종 질병의 예방처치 및 보건지도
- 학생과 교직원의 건강관찰과 학교의사의 건강상담, 건강평가 등의 실시에 관한 협조
- 신체가 허약한 학생에 대한 보건지도
- 보건지도를 위한 학생가정 방문
- 교사의 보건교육 협조와 필요시의 보건교육
- 보건실의 시설 · 설비 및 약품 등의 관리
- 보건교육자료의 수집 · 관리
- 학생건강기록부의 관리
- 다음의 의료행위(간호사 면허를 가진 사람만 해당)
  - 외상 등 흔히 볼 수 있는 환자의 치료
  - 응급을 요하는 자에 대한 응급처치
  - 부상과 질병의 악화를 방지하기 위한 처치
  - 건강진단결과 발견된 질병자의 요양지도 및 관리
  - 의료행위에 따르는 의약품 투여
- 그 밖에 학교의 보건관리

(다) 학교의사의 직무

학교보건 전문인력으로 비상임이며, 학교장이 지역 내의 의사를 촉탁으로 위촉하고 있다. 학교보건법시행령에 규정된 학교의사의 직무는 다음과 같다.

- 학교보건계획의 수립에 관한 자문

- 학교 환경위생의 유지 · 관리 및 개선에 관한 자문
- 학생과 교직원의 건강진단과 건강평가
- 각종 질병의 예방처치 및 보건지도
- 학생과 교직원의 건강상담
- 그 밖에 학교보건관리에 관한 지도

(라) 학교약사의 직무

학교보건 전문인력으로 비상임이며, 학교장이 지역 내의 약사를 촉탁으로 위촉하고 있다. 학교보건법시행령에 규정된 학교약사의 직무는 다음과 같다.

- 학교보건계획의 수립에 관한 자문
- 학교환경위생의 유지관리 및 개선에 관한 자문
- 학교에서 사용하는 의약품과 독극물의 관리에 관한 자문
- 학교에서 사용하는 의약품 및 독극물의 실험 · 검사
- 그 밖에 학교보건관리에 관한 지도

(마) 영양교사의 직무

학교급식법에 의거하여 학교급식을 위한 시설과 설비를 갖춘 학교는 영양교사와 조리사를 둔다. 학교급식법 시행령에 규정된 영양교사의 직무는 다음과 같다.

- 식단작성, 식재료의 선정 및 검수
- 위생 · 안전 · 작업관리 및 검식
- 식생활 지도, 정보 제공 및 영양상담
- 조리실 종사자의 지도 · 감독
- 그 밖에 학교급식에 관한 사항

04 건강증진학교

1) 건강증진학교의 의미

건강증진학교(health promoting school; HPS)는 구성원들의 건강증진 역량강화와 건강한 학교환경을 구성하여 건강한 학교 생활터(setting)를 만드는 것이다(WHO, 1998). 건강증진학교는 오타와 헌장의 생활터(setting)별 건강증진의 정의가 적용된 것

으로 개인의 건강한 생활습관을 유도하는 것 뿐만 아니라 개인의 건강을 지지하고 보호할 수 있는 물리적 환경과 사회적 분위기를 형성하여 건강문제를 예방하고 안녕을 증진시키는 것이다.

세계보건기구(2008)는 건강증진학교 영역을 ① 건강한 학교정책, ② 학교의 물리적 환경, ③ 학교의 사회적 환경, ④ 지역사회 연계, ⑤ 건강한 삶을 위한 역량, ⑥ 학교보건서비스 등 6가지로 제시하였다. 전통적인 학교보건사업은 개인의 건강문제와 건강생활습관에 초점을 두고 신체적 건강 중심으로 접근하는데, 건강증진학교는 학교와 그 구성원 전체를 대상으로 신체적, 정신적, 사회적 건강에 관심을 갖고 총체적으로 접근한다. 건강증진학교에서는 학교 구성원들이 원하는 건강을 얻기 위해서 어떻게 무엇을 해야 할 지를 자율적으로 결정하도록 하고, 건강지식 뿐만 아니라 기술과 태도를 형성하여 궁극적으로 건강한 행동을 할 수 있는 능력을 기르는데 초점을 둔다.

2) 학교 건강증진사업의 수행지침

건강증진학교는 1986년 세계보건기구가 처음 제안하였는데, 1997년 세계보건기구의 학교보건교육 · 건강증진전문가위원회가 학교 건강증진사업을 수행할 때에 고려해야 할 사항으로 제안한 내용은 다음과 같다.

- 프로그램은 타당한 이론적 근거와 요구에 대한 분석을 근거로 해야 한다.
- 단일 방법보다는 여러 전략들을 복합적으로 활용하는 것이 더욱 효과적이다.
- 학생들의 참여가 성공에 필수요소이다. 개인, 학교, 지역사회의 건강을 향상시키기 위해서 학생을 동원하는 것은 강력한 수단이 된다.
- 교사와 기타 교직원들에 대한 훈련이 성공에 필수적이다.
- 생활기술을 가르치는 것은 조기에 시작할수록 더욱 효과적이다. 조기에 실시되어야 학생들은 고위험 상황에 직면하기 전에 기술들을 완전히 습득하게 된다.
- 학교 교직원은 역할모델로서 청소년의 능력에 영향을 줄 수 있다. 청소년들과 민감한 주제에 대해 대화할 수 있고, 구체적인 문제에 대해서 더 많은 도움을 얻도록 도와줌으로써 그들에게 건강을 향상시키기 위한 정보와 전략을 제공할 수 있다.

CHAPTER 20 산업보건

학습목표

- 산업보건의 정의를 설명할 수 있다.
- 직업성 질환의 특성을 설명할 수 있다.
- 직업성 질환의 예방대책을 설명할 수 있다.
- 근로자 건강진단의 종류를 설명할 수 있다.
- 산업재해를 설명할 수 있다.

01 산업보건의 이해

1) 산업보건의 정의

산업보건(occupational health)은 노동과 노동환경에 관련된 건강문제를 다루는 분야이다. 산업보건은 노동력을 보존하여 기업의 손실을 방지하고, 근로자의 건강과 안전을 관리하는 것이다. 근로자의 건강은 근로자 자신뿐만 아니라 생산증가 및 기업의 발전과 직결되기 때문에 중요하게 고려된다.

산업보건은 1713년 이탈리아의 라마찌니(Ramazzini)가 '직업인의 질병'이라는 책을 출간하면서 기틀이 마련되었고 산업혁명 시기를 거치면서 활성화되었다. 산업보건은 19세기 말까지는 직업병보다도 감염병과 빈곤으로 인한 영양실조가 더 큰 문제였으며, 20세기에 들어와 산업재해와 직업병에 대한 높은 관심 속에서 그 예방을 위하여 위생공학이 발전하였고 2차 세계대전 이후에는 각종 공업중독이 중심주제가 되었다.

과학기술의 발전은 노동생산성 향상의 정의를 도입하였고 기계공학의 발전에 따른 기계자동화 속에서 인간노동의 새로운 문제를 불러일으켜 인간공학 분야가 생겨났고, 작업적성과 인간관계를 포함한 산업심리를 연구하는 분야도 생겨났다. 오늘날 산업분야는 기술혁신과 기계자동화로 우주, 해저 등 특수한 환경에서 전자, 핵, 레이저 광선, 로봇 등을 이용하여 과거에는 상상도 못했던 노동환경과 작업방법으로 일하고 있다. 또한, 노동권이 강화되어 사회보장과 복지사업의 확대에 따라 산업보건도 그 중요성이 증가되고 있다.

산업보건의 대상은 사업장에서 일하는 근로자들이 1차 대상이 되고 다음은 농업인과 상업인을 포함한 직업을 가진 모든 사람들, 마지막으로는 산업장과 관련되어 환경으로 영향을 받을 수 있는 일반 주민들이 대상이 된다.

2) 산업보건학의 내용

산업보건학은 처음에는 노동조건이나 환경이 원인이 되어 발생하는 상해와 질병문제로 시작되었다. 그러다가 점차적으로 질병뿐만 아니라 건강장해를 가져오는 모든 문제들로 확대되었다. 공중보건학이 인간의 건강에 영향을 미치는 여러 영역을 포괄적으로 다룬다면, 산업보건학은 좀 더 구체적으로 노동과 노동환경으로 발생하는 건강문제를 다룬다.

산업보건학은 근로자의 노동과 노동환경으로 발생하는 질병문제 뿐만 아니라 인간기능의 한계와 노동의 적응을 과학적으로 연구하며, 산업기술이 요구하는 노동조건을 인간에게 적합하도록 그 방안을 강구하여 근로자의 건강을 보호 · 증진시킨다. 이를 통하여 궁극적으로 노동생산성을 향상시키는데 그 목적이 있다. 산업보건학은 산업의학, 산업위생, 산업역학 등의 여러 분야를 포함하고 있다.

3) 관련 학문 분야

산업보건학은 근로자의 건강에 관한 육체적, 정신적, 그리고 사회적 모든 분야를 다루는 학문이므로 의학, 공학, 화학, 독성학, 생리학, 심리학, 역학 등의 분야와 연관을 가지고 발전하였다. 산업보건학과 유사한 학문 분야는 다음과 같다.

3-1) 산업의학

산업의학(occupational medicine)은 직업 또는 작업 환경과 관련된 질병을 연구하는 의학의 한 분야이다. 산업의학은 산업보건의 한 분야라고 할 수 있으며, 산업의학의 세부 분야에는 직업병학, 환경의학, 산업독성학, 작업환경관리, 산업역학 및 통계, 노동생리 및 인간공학, 산업심리학, 산업보건관리학 등이 있다. 우리나라 산업의학은 예방의학 속에서 예방의학 전문의들이 주축을 이루어 왔는데, 1996년 별도로 산업의학 전문의 제도가 제정되었다.

3-2) 산업위생학

산업위생학(industrial hygiene)은 근로자의 작업환경 개선과 관련된 공학 기술면의 문제를 다룬다. 위생(hygiene)이란 용어는 중국과 일본에서는 보건의 의미로 사용되고 있는데, 우리나라에서는 해방 후 위생학을 예방의학, 보건학으로 개칭하였고, 산업위생학은 오늘날 위생공학(sanitary engineering)을 의미한다. 산업위생학의 관심은 처음에는 직업병 예방을 위한 작업환경 조건에 국한되었으나 최근에는 직업병 예방, 과로방지, 생산능률 향상 등으로 영역이 확대되었다.

3-3) 산업간호학

산업간호학(occupational health nursing)는 산업보건의 한 분야이면서 동시에 지역사회 간호학의 한 분야이다. 한국산업간호협회(1994)와 미국산업간호사회(1998)에서 정의한 내용을 종합해 보면, 산업간호는 산업공동체를 대상으로 근로자의 건강관리, 산업위생관리, 보건교육을 일차보건의료수준에서 제공하는 실천이라고 할 수 있다. 우리나라는 1987년 산업보건간호사회(현 한국산업간호협회)가 발족하였고, 1990년 한국산업간호학회가 설립되었다.

3-4) 인간공학

인간공학(human engineering 또는 ergonomics)은 인간과 작업 환경과의 관계를 과학적으로 연구하여 인간의 특성에 적합한 시스템을 구성하는데 도움을 준다. 인간의 능력, 기계와 작업공간의 설계, 환경조건, 조직과 체계 등의 영역에 관하여 연구한다. 인간공학은 오늘날 기계문명 속에서 인간중심을 목적으로 인간과 기계 및 인간과 환경을 하나의 체계(system)로 보아 인간을 위한 그리고 인간에게 해롭지 않는 기계문명을 만들어 내고자 하는데 목적이 있다.

02 직업성 질환

1) 정의

직업성 질환은 근로자들이 어떤 직업에 종사하기 때문에 발생하는 질병이다. 업무와 상당한 인과관계가 있는 질병으로 산업장의 작업조건이나 작업환경이 인체에 적합하지 않기 때문에 발생한다. 직업성 질환과 일반 질환을 명백히 구분하기는 어려울 뿐만 아니라 산업의 발전에 따라 새로운 물질과 생산 공정이 다양화되어 있어 질병의 원인을 파악하는데 어려움이 있다.

2) 원인 및 특성

직업성 질환은 불량한 환경조건과 부적당한 근로조건이 발생 원인이다. 불량한 환경조건으로는 이상기온, 이상기압, 방사성 장애, 소음, 이상진동, 공기오염, 각종 유해가스 등이 포함되며, 부적당한 근로조건에는 작업의 과중, 운동부족, 불량한 작업자세 등이 포함된다.

직업성 질환의 특징은 다음과 같다. 첫째, 만성적인 경과를 거치기 때문에 조기발견이 쉽지 않고 환경개선을 통한 예방효과도 상당한 기간이 지난 후에 나타난다. 둘째, 특수검진으로 판명될 수 있다. 셋째, 유기물질의 채취방법과 분석법이 다르고 장비나 기계를 이용한 정량분석이 필요하다.

3) 직업성 질환의 분류

직업성 질환은 재해성 질환과 직업병으로 나눌 수 있다. 재해성 질환은 시간적으로 명확하게 재해에 의하여 발병한 질환이다. 한편, 직업병은 재해에 의하지 않고 업무에 수반되어 폭로되는 유해물질의 작용으로 급성 또는 만성으로 발생하는 질병이다.

직업성 질환은 업무와 상당한 인과관계가 있는 질병을 말하기 때문에 재해성 질병은 업무에 기인하였다는 것을 판정하기가 쉽지만 직업병은 판정이 쉽지 않다. 왜냐하면, 원인물질의 유해성을 파악한 다음에 의학적으로 그 질환이 발생할 수 있는지를 판단해야 하기 때문이다. 또한, 근로기준법 시행령에 규정된 업무상 질병의 범위와 관련되어야 한다. 재해성 질환과 직업병으로 인정받기 위한 기본 내용은 다음과 같다.

3-1) 재해성 질환

재해는 원하지 않는 사건을 총칭하는 말로 산업재해는 근로자가 산업현장에서 돌발적인 안전사고로 인하여 갑자기 사망 또는 부상하거나 질병에 이환되는 경우이다. 업무상의 재해가 원인 또는 유인이 되어 발생하는 질병이므로 업무와 재해, 재해와 질병과의 인과관계를 파악하여야 한다.

(가) 부상에 기인하는 질병

첫째, 부상 직후의 신체의 손상 또는 그 증상과 발생한 질병 사이에 부위적으로 또는 부상을 입은 기전으로 보아서 의학적인 관련성이 인정되어야 한다. 그러나 부상부위와 발병부위가 일치하지 않는 경우가 있으므로 주의하여야 하며, 이런 경우에는 초진시의 신체적 소견과 증상의 경과를 명확하게 파악하여야 한다.

둘째, 질병의 종류는 좌창, 절창, 열창, 좌상 또는 타박상, 염좌 등 부상의 성질로 보아서 의학적으로 타당하다고 인정되어야 하며, 또 부상은 질병발생의 원인이 될 수 있을 정도의 것이라야 한다.

셋째, 부상과 질병발생과의 사이에 시간적으로 보아 의학적인 인과관계가 인정되어야 한다.

(나) 재해성 중독 기타의 질병

일산화탄소, 그밖의 유해한 가스에 의한 급성중독이나 급성방사선장해, 그밖의 재해성 질환은 업무상의 재해라고 말할 수 있는 사건의 유무, 재해의 성질과 강도, 재해가 작용한 신체부위, 재해가 있은 후 발병할 때까지의 시간적 관계 등을 종합하여 판단한다.

3-2) 직업병의 인정

직업병이 업무에 기인하여 발생되었다는 것을 인정하기 위해서는 일반적으로 다음과 같은 사항을 조사하여 종합적으로 판정한다.

- 작업 내용과 그 작업에 종사한 기간 또는 유해 작업의 정도
- 작업환경, 취급 원료, 중간산물, 부산물 및 제품 자체 등의 유해성 유무와 그 정도 또는 공기 중의 유해물의 농도
- 유해물에 의한 중독증 또는 그 밖의 직업병에서 특유하게 볼 수 있는 증상, 의학상의 특징 등으로 일어남이 예상되는 임상검사 소견의 유무
- 유해물에 폭로된 때부터 발병까지의 시간적 간격 및 증상의 경과
- 발병하기 전의 신체적 이상 또는 기왕증의 유무
- 비슷한 증상을 나타내면서도 업무에 기인하지 않은 다른 질환과의 감별
- 같은 작업장에서 비슷한 증상을 나타내는 환자의 발생 여부

4) 물리적 환경과 직업성 질환

4-1) 고온 환경

고온 환경에 장시간 노출되면 체온조절 기능의 생리적 장해를 초래하여 자각적 또는 임상적 증상을 나타낸다. 이런 증상은 기온이 30°C 이상이면 잘 발생하며, 열중증(heat stroke)이라고 한다. 열중증은 높은 기온과 낮은 기온의 환경에서 심한 노동이나 강한 복사열이 인체에 작용할 경우 또는 열 방출이 적은 조건에서 심한 근육 노동을 할 경우에 발생하는 급격한 신체적 장해를 말한다.

열중증은 임상증상에 따라 열경련, 열허탈증, 울열증, 열쇠약증 등으로 나누어진다. 열중증에 대한 일반적인 예방대책은 다음과 같다.

- 시설물과 작업공정 중 열차단의 위생공학적 개선이 근본대책이며, 환기나 냉풍송기 설비가 필요하다.
- 근로와 휴식시간의 적정배분과 고온작업에 적합하지 않은 근로자(비만자, 순환기 장애자)는 작업에서 제외시킨다.
- 음료수(물 등)를 충분히 공급하고, 발한방지를 위하여 보호크림을 사용하는 것이 필요하다.

4-2) 저온 환경

저온물체 취급업무나 한랭한 장소(영하 10°C이하)에서의 작업에서는 국소의 발적, 말초의 빈혈, 전신세포의 기능 저하가 나타난다. 특히 습도가 높으면 류마티즘, 신경염, 체표의 신경마비, 여자의 생리이상 등이 발생할 수 있다.

저온상태에서 기류가 1초에 1m 이상일 때는 평균 3°C가 하강하여 동상(frost bite), 참호족(trench foot) 등이 발생할 수 있다. 액체공기, 드라이아이스, 얼음 등을 취급하는 작업은 피부손상이나 동상이 발생할 가능성이 높다. 저온 환경에서 발생되는 질병에 대한 예방대책은 방한구의 착용과 충분한 영양공급이 필요하며, 혈액순환을 위해 계속 움직이는 것도 도움이 된다.

4-3) 이상기압

평상시 대기압보다 높은 압력환경이나 낮은 압력환경에 인체가 노출되었다가 다시 정상기압으로 복귀하는 과정에서 감압상태가 된다. 이런 과정에서 이상고기압 증상, 이상저기압 증상, 잠함병 등의 건강장해가 발생한다.

(가) 이상고기압

이상고기압 증상은 잠수나 잠수작업을 할 때에 발생하는데, 일반적으로 수심 약 10m에 대하여 1기압이 증가하므로 물밑으로 내려 갈수록 압력이 높아진다. 고기압으로 나타나는 장해는 기압의 상승과 더불어 질소, 산소, 탄산가스의 분압이 상승하여 인체에 용해되어 들어오는 가스량이 증가하여 몸에 이상증상이 나타난다.

(나) 이상저기압

이상저기압은 높은 땅에 살거나 높은 곳으로 등산, 비행할 때에 나타나는 것으로 지상으로부터 고도에 따라 대기압의 저하가 나타난다. 저기압에 의한 장애는 고지대 농업이나 고산지대 작업에서 발생할 수 있으나 항공기는 기압조정이 이루어지고 있어서 문제가 되지는 않는다. 저기압으로 수면장애, 흥분, 호흡촉진, 식욕감퇴, 이명, 두통, 난청 및 저산소증 등이 발생할 수 있다. 저기압 장해를 예방하기 위해서는 심한 활동을 삼가하고 작업의 속도를 천천히 하며, 몸에 이상 증상이 나타나면 충분한 휴식을 하도록 한다.

(다) 잠함병

고압환경에서 작업한 후에 급히 정상기압으로 돌아오면 압력이 감소하여 혈관 내 또는 조직 내에 녹아 있던 질소가 기포화되어 색전을 형성하여 근육통, 관절통, 마비를 동반하는 척수증상 등이 일어난다.

잠함이란 수중에 밀폐된 상자를 내려서 수중작업을 할 수 있도록 한 상자를 말하는데, 잠함병은 잠수병의 원인과 같다. 특히 고령자, 비만자, 순환기 장애자 등에서 많이 발생한다. 잠함병을 예방하기 위해서는 잠수작업의 단계적 감압절차가 필요하며, 인공적인 산소공급이 필요하다.

4-4) 소음

소음은 불쾌한 음 또는 불필요한 음을 말하는데, 이로 인한 질병은 직업성 난청이나 청력장애를 유발한다. 일상생활의 음역은 300~3,000Hz(Hertz)인데, 소음성 난청은 일반적으로 3,000~ 6,000Hz의 고음역이고, 특히 소음성 난청의 초기증상을 나타내는 음역은 4,000Hz의 영역이다. 소음성 난청은 감음계의 장애현상으로 골지체나 청신경 말초의 세포에 변성을 나타내는 현상으로 자각증상은 이명, 이통, 두통, 현기증, 초조감, 불면증 등을 나타낸다.

소음성 난청은 치료방법이 없으므로 예방대책이 중요한데, 작업방법 및 환경관리를 통하여 소음의 발생원을 관리하거나 소음에 폭로되는 작업자에 대한 보호대책(귀마개 사용) 등이 필요하다.

4-5) 진동

진동은 어떤 물체가 외력에 의해서 평형상태의 위치에서 전 · 후 · 좌 · 우로 흔들리는 것이다. 진동은 소음과 함께 발생하므로 소음 작업장에서는 진동에 폭로되는 일이 많다. 진동은 생체에 작용하는 방식에 따라 전신진동과 국소진동으로 구분된다. 전신진동은 교통기관 승무원, 기중기 운전공, 분쇄기공, 발전기 조작원 등에서 발생하며, 시력저하, 열발산, 위장장애 등을 일으킨다. 국소진동은 공기해머, 착암기, 연마기, 체인톱과 같은 작업공구에서 발생된 진동이 손과 같은 신체의 일부분에 전달되어 문제가 발생되게 된다.

예방대책은 진동의 원인제거와 진동을 감소시키고, 전차경로를 차단하는 것이다. 국소진동 작업을 할 때에는 장갑을 착용하도록 한다.

4-6) 분진

분진(dust)은 분쇄, 연삭, 취급, 급격한 충격, 폭발, 천공 및 가열파쇄 등에 의해서 발생하는 0.1~100μm(마이크로미터)의 고체입자를 말한다. 분진은 호흡기로 체내에 들어와 폐에 침착하여 진폐증을 일으키고, 흡수되는 경우 중독증을 일으키게 된다. 0.5~25μm의 입자는 폐 속에 깊이 침착하며, 분진에 기인하는 대부분의 질병의 원인이 된다. 인간의 시력으로 50μm의 입자를 분간할 수 있지만 이보다 작은 분진 입자는 분간할 수 없다.

진폐증은 분진을 오래 흡입하여 폐에 섬유증식증(fibrosis)이 발생하는 것이다. 모든 종류의 작은 먼지가 폐내에 침착되어 폐포가 기능을 발휘할 수 없게 된 상태이다. 호흡성 분진이 기도를 통해서 폐포에 침착되고 폐조직을 자극하여 주변의 섬유세포가 증가하여 섬유증식증이 발생하고 폐기종과 폐순환 장애를 초래한다. 규폐증은 대표적인 진폐증으로 유리규산의 분진 흡입으로 폐에 만성섬유증식을 일으키는 질환이다. 규폐증은 서서히 장애의식 없이 진행되어 폐의 기능장애를 가져오는 것으로 납중독, 벤젠중독과 함께 3대 직업병의 하나이다.

한편, 석면은 소화용제, 절연체, 내화 직물 등에 쓰이는데 이들을 다루는 근로자에게 잘 발생하는 직업병이 석면폐증이다. 석면을 취급하는 작업에 4~5년 종사하면 폐포의 간질에 섬유증식이 발생한다. 석면폐는 흉부가 야위는 것이 규폐증과 다르며, 객담에 석면소체가 배출되는데, 심하면 호흡곤란, 기침, 객담, 흉통을 호소하며, 체중 감소가 초기에 나타나지만 대체로 규폐증과 비슷한 증세가 나타난다.

4-7) 중금속

중금속은 호흡이나 음식물 섭취를 통하여 호흡기 및 소화기로 흡수된 후 혈액으로 들어와 인체에 들어온다. 혈액 내에서 인체의 혈장단백질이나 칼슘 등 인체 구성성분과 결합하여 배설되지 않고 인체에 축적되어 건강위해 요소로 작용한다. 납(Pb), 수은(Hg), 크롬(Cr), 카드뮴(Cd)이 대표적인 중금속이다.

(가) 납

납(연)중독은 납 또는 그 화합물의 흄(fume)이나 먼지가 체내에서 흡수되어 장기간 축적되면서 일어나는 중독증상으로 조혈계, 신경계, 소화기계, 신장에 장해를 일으킨다. 납중독에 의한 초기 증상은 일반적인 건강상태가 나빠지고 피로, 수면장애, 두통, 관절염 및 근육통, 변비, 식욕감퇴 등을 보인다. 특히 무기연(납)에 의한 건강장애는 조혈기능과 신경계 장애가 나타난다.

납중독의 예방대책은 납을 사용할 때에 물을 뿌려 분진발생을 가능한 억제하거나 배기 장치를 설치하고 진공청소기로 작업장의 청결을 유지하는 것이다.

(나) 수은

수은은 상온에서 은백색의 액체상태로 존재하는 유일한 금속이다. 금속수은이나 그 화합물의 주된 용도는 수은온도계, 체온계, 건전지, 수은아말감, 화학실험용 등 용도가 다양하다. 수은의 체내 침입경로는 주로 수은 증기가 기도를 통해 흡수되고, 일부는 피부를 통해서 흡수된다. 흡수된 수은은 혈액 중에 수은형태로 존재하며, 신장과 뇌에 축적되는 경향이 있다. 수은은 주로 대변과 소변으로 배설되며, 피부, 타액, 땀 등으로 배출된다.

수은중독의 초기 증상은 안색이 누렇게 되고, 두통, 구토, 복통, 설사 등 소화불량 증상이 나타난다. 전신증상으로 중추신경계 특히 뇌조직을 침범하며 심할 때는 뇌손상으로 정신 기능이 소실된다. 예방대책은 작업장의 환경을 관리하고 독성이 적은 대체물질을 찾는 노력이 필요하다.

(다) **크롬**

금속크롬은 무해하나 산화물 및 그 염이 유해하여 국소에 궤양을 일으킨다. 크롬은 안료, 내화제, 인쇄잉크, 착색제, 유리나 도자기의 유약 성분, 도금, 합금, 용접작업 등에서 사용되고 있다. 크롬의 인체침입 경로는 작업장에서 일을 할 때에 크롬분진이나 흄이 호흡기를 통하여 폐에 침착되고, 일부는 피부를 통하여 흡수되면서 피부염이나 피부궤양을 일으키고 점막을 헐게 한다. 몸 속에 들어온 크롬 화합물 중에서 용해성이 높은 물질은 혈액을 타고 전신으로 퍼지게 되어 인체의 여러 장기에 영향을 준 후에 소변으로 배설된다. 크롬 중독에 의한 건강장해는 코점막에 자극과 부식작용으로 염증증상을 일으키고, 급성 화학성폐렴을 일으키기도 한다. 크롬의 예방대책은 발생원의 밀폐 또는 국소 배기장치, 공정의 자동화, 유기용제용 호흡보호구 및 보호장갑 등의 개인보호구 착용, 정기적인 작업환경 측정, 건강진단 실시, 보건교육 등이다.

(라) **카드뮴**

카드뮴은 무르고, 칼로 쉽게 갈라지면 물에는 녹지 않으나 산성용액에서는 용해된다. 카드뮴을 공기 중에서 가열하면 쉽게 증기로 되며 산소와 결합하면 산화카드뮴 흄을 생성한다. 주로 금속을 제련할 때 부산물로 얻어지며, 특히 아연을 제련할 때에 나타난다. 카드뮴은 항공기, 자동차, 반도체, 화학공업, 니켈, 금, 축전지 등에 섞여 있다. 카드뮴이 오염된 음식이나 음료의 섭취로 나타나는 증상은 구토와 설사, 급성 위장염, 복통 등이 일어나며, 만성중독은 신장장애, 폐기종, 골격계 및 심혈관 장애를 일으킨다. 카드뮴의 예방대책은 개인위생을 철저히 하며, 작업장 내에서 음식물 섭취를 금한다. 작업복은 자주 갈아 입고 목욕을 자주하도록 한다.

5) 직업성 질환의 예방 대책

5-1) 공학적 관리대책

(가) **대체**

대체(substitution)는 문제가 되는 것을 문제가 적거나 문제가 없는 다른 것으로 바꾸는 것이다. 산업보건 대책 중에서 일차적인 방법이며, 세부적인 내용으로 물질의 대체, 장비의 대체, 공정의 대체가 있다.

① **물질대체**

물질대체(material substitution)는 유사한 화학구조를 갖는 것에서 선택되는 경우가 많으며 독성이 작다고 검증된 것을 선택하여야 한다. 경우에 따라서는 지금까지 밝혀지지 않았던 전혀 다른 장해를 주는 일이 생길 수도 있으므로 물질을 변경한 후에는 일정기간 동안 세심한 관찰이 필요하다.

② 장비대체

장비대체(equipment substitution)는 사용하고 있는 시설이나 기구를 바꾸어 효과를 얻는 것이다. 물질을 대체하는 경우보다 짧은 기간 내에 성과를 얻을 수 있어서 자주 이용되는 방법이다.

③ 공정대체

공정대체(process substitution)의 작업운영 방법을 바꾸는 것이다. 기계의 발달과 기술의 발전으로 새로운 작업방법이 개발되고 있다. 예를 들어, 페인트를 공산품에 분무하던 것을 페인트에 담그는 작업으로 바꾸는 작업 등이 있다.

(나) 격리

격리(isolation)는 작업자와 유해인자 사이에 장벽(barrier)이 놓여 있는 상태를 의미한다. 이 장벽은 물체일 수도 있고, 거리일 수도 있으며 시간일 수도 있다.

① 시설 및 설비 격리

고압하에서 가동하는 기계나 고속회전을 요하는 시설은 위험을 지니고 있으므로 특별한 격리 상태에 있는 것이 좋다. 이와 같은 경우에 물리적인 수단이 이용되는데 강력한 콘크리트로 방호벽을 쌓고 기계작동을 원격조정이나 자동화 한다. 또한, 강렬한 소음을 발생하는 설비의 경우는 지하로 격리한다.

② 작업자 격리

작업자 격리(worker isolation)는 현장의 유해환경으로부터 작업자를 멀리 떨어지게 하는 것이다. 격리 시키는 일은 문제의 설비가 있는 장소에 조그만 운전실 또는 대기실을 만들어 문제의 환경에 노출되지 않도록 하거나 소음원에서 떨어져 있도록 하는 것이다.

(다) 포위

포위(enclosure)는 작업 전 공정이나 일부를 감싼 오염물질이 작업장으로 나오지 않도록 밀폐시키는 것이다. 경우에 따라 주의가 필요한 공장지역이라도 작업에 불편함이 없이 효과적으로 밀폐시킬 수 있다.

(라) 환기

① 국소환기

국소환기(local exhaust ventilation)로 먼지를 제거할 때에는 공기속도를 조절하여 배기관 안에서 먼지가 일어나지 않도록 하고 흡인되는 공기는 근로자의 호흡기를 거치지 않도록 해야 한다. 유독물질의 경우에는 굴뚝에 흡인장치를 보강하여야 한다.

② 전체 환기

전체 환기(dilution ventilation)는 작업장의 유해물질을 희석하는데 쓰이기 때문에 희석환기라고도 한다. 주로 고온과 다습을 조절하는데 이용되며 때로는 분진, 냄새, 유해증기를 희석하는 데에도 이용된다.

(마) 습식관리

습식방법(wet methods)은 물이 작업공정에 방해가 되지 않을 때에 먼지 발생을 줄이는 방법이다.

5-2) 행정적 관리대책

(가) 작업시간 단축

작업환경의 근본적인 개선이 이루어지지 않을 경우에는 작업시간의 단축이 고려되어야 한다. 농도가 일정할 때 작업시간의 단축은 총 노출량을 줄이는 결과를 얻을 수 있기 때문이다.

(나) 작업배치 전환

직업병으로 발전하지 않도록 근로자를 유해요인이 없는 다른 작업장으로 배치 전환하여 관리한다. 만약 배치전환이 불가능할 경우에는 작업상황에 맞는 별도의 특별한 예방조치를 강구해야 한다.

(다) 작업방법의 개선

작업환경은 작업방법에 따라 크게 달라질 수 있다. 기기설비에 맞는 작업이 이루어지도록 개선할 경우 기기의 부담을 줄여 먼지의 발생을 줄일 수 있고, 물을 뿌린 후에 작업하게 하는 등의 개선으로 오염물질의 발생을 방지할 수 있다.

(라) **청결유지**

바닥에 가라앉은 분진이 다시 공기 중에 날려 오염되는 것을 방지하기 위하여 깨끗한 환경을 유지하는 것이다.

(마) **보건교육**

유해 작업장에 종사하는 근로자들은 유해물질에 대한 지식이 없어서 자기도 모르게 건강의 피해를 입거나, 건강의 피해를 입고서도 모르고 지내는 수가 많다. 보건교육은 공학적 개선이 있을 경우에는 그 필요성, 타당성, 예상되는 효과, 유지관리 방법 등을 교육하고, 행정적 관리 측면에서는 작업자의 실행방법을 구체적으로 교육하게 된다. 직업성 질환의 예방대책이 효과를 거두기 위해서는 보건교육의 뒷받침이 필수적이다.

(바) **보호구의 지급**

개인 보호구는 유해인자가 인체 내에 들어오는 것을 막아주는 최후의 방어수단이다. 이 보호막을 통과하면 유해인자가 바로 인체에 들어가게 되므로 매우 중요하다. 개인보호구로는 호흡용 보호구, 청력 보호구, 보호의복, 장갑, 보안경, 헬멧 등이 있다.

03 건강진단

근로자 건강진단은 증상이나 소견의 유무와 관계없이 모든 근로자를 대상으로 일반질병 및 직업병 요관찰자나 유소견자를 조기발견하기 위하여 실시하는 의학적 선별검사이다. 건강진단에서 그 정도가 심한 일부 유소견자의 경우에는 개별적으로 질병의 종류와 원인진단 및 그 치료를 위하여 병원 등에서 정밀검사나 치료를 받아야 한다.

근로자 건강진단의 목적은 현재 근로자의 건강상태를 정확히 파악하여 적절한 사후조치를 취하여 근로자의 건강보호 및 노동생산성 확보에 기여하는데 있다. 건강진단은 그 실시 시기에 따라 일반건강진단, 임시 또는 수시 건강진단으로 구분되며, 색출대상 질병에 따라 일반 및 특수 건강진단으로 구분한다. 또한, 건강진단을 실시하는 절차에 따라 이상자 색출검사(제1차 건강진단)와 정밀검사(제2차 건강진단)로 구분한다.

1) 일반건강진단

상시 사용하는 모든 근로자를 대상으로 일정한 주기로 실시하는 건강진단이다. 근로자의 질병을 조기에 찾아내어 적절한 사후관리 또는 치료를 신속하게 받도록 하는데 목적이 있다. 산업안전보건법 제 43조 및 동법 시행규칙 규정에 의하여 정기적으로 실시하는 건강진단이다. 사업주는 사무직에 종사하는 근로자에 대하여는 2년에 1회, 그 외의 근로자에 대하여는 1년에 1회 이상 주기적으로 일반건강진단을 실시하여야 한다.

2) 특수건강진단

특수건강진단은 유해한 작업환경에 종사하는 근로자의 건강을 유지할 목적으로 실시된다. 특수건강진단은 소음발생 장소에서 행하는 업무, 분진작업 또는 특정 분진작업, 연 및 4알킬연 등의 업무, 유기용제 취급업무, 특정 화학물질 취급업무, 고압 실내작업, 잠수작업, 기타 이상기압하에서의 업무, 기타 유해광선, 강력한 진동 등이 발생되는 장소에서의 업무 등에 종사하거나 종사할 근로자에 대하여 사업주가 실시한다. 특수건강진단에서 1차 건강진단은 모든 근로자에 대하여 실시하고, 정밀검사(2차 건강진단)는 1차 건강진단으로 발견된 건강이상자에 대하여 실시하며, 직업병 여부에 대한 최종적인 판정을 내린다.

근로자가 연 및 4알킬연 등의 업무, 유기용제, 특정 화학물질을 취급하는 업무에 종사하는 경우에는 채용시, 당해 업무 배치 전환시, 그리고 6개월에 1회 이상 특수건강진단을 실시해야 한다. 또한, 소음, 분진, 이상기압, 유해광선, 강력한 진동 등이 발생하는 업무에 종사하는 근로자에 대해서는 채용시, 당해 업무 배치 전환시, 그리고 1년에 1회 이상 특수건강진단을 실시해야 한다.

3) 1차 및 2차 건강진단

건강진단을 실시하는 절차에 따라 1차 건강진단(이상자 색출검사)과 2차 건강진단(정밀검사)으로 구분한다. 일반건강진단 결과로 질환 의심자(R)로 판정된 자를 대상으로 2차 건강진단을 실시한다. 질환의 심사통보를 받은 날로부터 10일 이내에 실시하여야 한다.

표 5-10 지역사회 운동사업 내용

사업영역			사업내용
서비스 제공	정상	정상 A	건강관리상 의학적 및 직업적 사후관리조치 불필요
		정상 B	경미한 이상소견이 있으나 의학적 및 직업적 사후관리조치 불필요
	질환의심(R)		1차 건강진단 실시결과 이상 소견이 있어 2차 건강진단 실시 필요
서비스 제공	정상	정상 A	건강관리상 의학적 및 직업적 사후관리조치 불필요
		정상 B	경미한 이상소견이 있으나 의학적 및 직업적 사후관리조치 불필요
	건강주의(C)		2차 건강진단결과 건강관리상 적절한 의학적 및 직업적 사후관리조치 필요(요관찰자)
	일반질병(D2)		1, 2차 건강진단결과 일반질병의 소견이 있어 적절한 의학적 및 직업적 사후관리조치 필요(일반질병 유소견자)
	직업병(D1)		1, 2차 건강진단결과 직업병의 소견이 있어 적절한 의학적 및 직업적 사후관리조치 필요(직업병 유소견자)

04 산업재해

1) 산업재해의 정의

산업재해(industrial accident)는 노동과정에서 작업환경 또는 작업행동 등 업무상의 사유로 발생하는 노동자의 신체적 · 정신적 피해이다. 산업안전보건법에서는 산업재해는 "근로자가 업무에 관계되는 건설물, 설비, 원재료, 가스, 증기, 분진 등에 의하거나 작업 또는 기타 업무에 기인하여 사망 또는 부상하거나 질병에 이환되는 것"으로 규정하고 있다.

산업재해에 대한 보상 및 배상을 받을 수 있도록 한 사회보장제도가 산업재해보상보험제도이다. 산업재해에 대한 보상 및 배상을 위해서는 업무상 재해로 인정받아야 한다. 산업재해보상보험법에서는 업무상 재해에 대해 "업무상의 사유에 의한 근로자의 부상, 질병, 신체장애 또는 사망을 의미한다"고 규정하고 있다. 업무상 재해에는 업무상 사고와 업무상 질병(직업병)이 포함되며, 업무수행성과 업무기인성이 판단기준이다.

2) 산업재해의 원인

재해는 원하지 않는 사건(unwanted events)을 총칭하는 용어로 그 원인은 다양하다. 산업재해 발생의 직접적인 원인은 주로 사용자측에 해당되는 물적 요인과 근로자측에 해당되는 인적 요인으로 나눌 수 있다. 사용자측에서 보면 주로 산업재해에 대한 안전대책이나 예방대책의 미비 · 부실에 기인한다고 볼 수 있으며, 근로자측에서 보면 근로자의 피로, 근로자의 작업상의 부주의나 실수, 근로자의 작업상의 숙련미달 등이 원인이다.

3) 산업재해 통계지표

산업재해 발생상황과 정도를 나타내는 지표로 도수율(frequency rate), 강도율(severity rate), 건수율(incidence rate) 등이 있다. 산업재해 지표는 재해의 실상을 알고, 그 방지대책의 중요자료로서 활용될 수 있다.

3-1) 도수율

근로자의 근로시간은 재해의 입장에서 보면 재해발생의 위험에 노출되는 시간이다. 위험에 노출된 단위시간당 재해가 얼마나 발생했는가를 보는 재해발생 상황을 파악하기 위한 표준지표로 단위시간은 연간 100만 시간을 사용한다.

$$\text{도수율} = \frac{\text{재해건 수}}{\text{연근로시간 수}} \times 1{,}000{,}000$$

3-2) 강도율

재해에 의한 손상정도를 나타낸다. 도수율이 분모의 강도를 고려한 발생 밀도라고 한다면, 강도율은 분모와 분자의 강도를 모두 고려한 밀도이다. 연 근로시간당 작업손실일수로 산출하며, 1,000시간을 단위로 한다.

$$\text{강도율} = \frac{\text{근로손실일 수}}{\text{연근로시간 수}} \times 1{,}000$$

3-3) 건수율

건수율은 조사기간 중에 근로자 1,000명당 재해발생 건수를 표시한 것으로 발생률이라고도 한다. 산업재해 발생상황을 총괄적으로 파악하는데 적합하나 작업시간이 고려되지 않은 것이 결점이다.

$$건수율 = \frac{재해건\ 수}{근로자\ 수} \times 1,000$$

4) 안전관리

안전관리(safety control)는 산업재해를 방지하기 위해 사업주가 실시하는 조직적인 일련의 조치를 말한다. 사업장에서 산업재해를 방지하기 위해서는 기계설비 등의 불안전한 상태와 작업자의 불안전한 상태를 제거하는 것이 필요하지만, 이들의 조치를 계속적으로 유지하기 위해서는 조직적으로 실천하는 체제를 만드는 것이 필요하다.

산업안전보건법에는 사업장의 규모 등에 따라서 사업장의 안전보건을 확보하기 위한 업무를 총괄적으로 관리하는 안전보건관리책임자, 사업장의 안전확보를 위한 기술적 사항을 관리하는 안전관리자, 특정한 작업에 종사하는 근로자의 지휘 등을 하는 안전담당자 등의 지정이 의무화되어 있다. 또한, 일정한 업종 및 규모의 사업장마다 근로자의 위험방지를 위한 기본사항과 산업재해의 원인 및 재발방지대책 등의 중요 사항에 대해서 조사 · 심의하고 사업주와 의견을 교환하는 안전보건위원회의 설치가 의무화되어 있다.

5) 보건관리

보건관리는 기업이 종업원의 건강상태를 보호 · 증진하기 위한 활동으로 사업장에 보건관리의 요건을 갖추는 것에서부터 건강보험과 재해보험을 통한 질병의 치료와 의료비 지급 등의 종합적인 관리를 포함한다. 보건관리의 대상 업무는 보건정보관리, 작업환경 및 작업관리, 보건교육, 근로자 건강관리, 의무실 운영 등이다. 한편, 산업안전보건법 제16조에서는 사업장의 유해인자, 작업방법 및 업무부담 등으로 인하여 발생할 수 있는 각종 질병으로부터 근로자를 보호하기 위해 사업주 및 안전보건관리책임자 · 관리감독자 등에게 보건에 관한 기술적인 사항을 지도 · 조언할 수 있는 보건관리자를 두어야 한다고 명시하고 있다. 그런데, 300인 이상 사업장의 보건관리자는 보건관리업무를 전담하여야 하며, 300인 미만 사업장의 보건관리자는 보건관리 업무에 지장 없는 범위 안에서 다른 업무를 겸직할 수 있다.

보건관리자가 될 수 있는 자격은 의사, 간호사, 산업위생관리기사 1급 및 2급, 환경관리기사 1급 및 2급, 4년제 대학의 산업보건 또는 환경위생관련학과 졸업자, 전문대학에서 산업보건 또는 위생관련학과를 졸업하고 산업보건업무 3년 이상 경력자가 시험에 합격한 자, 산업위생지도사 등이다. 그러나, 보건관리대행기관(vicarious health service organization)에 보건관리 업무를 위탁한 사업주는 보건관리자를 선임하지 않아도 된다.

우리나라에서 보건관리대행은 1980년 후반에 도입되었는데, 산업안전보건법상 보건관리에 대한 사업주의 의무사항을 효율적으로 수행할 수 있도록 중 · 소규모 사업장을 대상으로 산업보건사업 전문기관이 사업장 보건관리 업무를 지원해 주는 제도이다. 보건관리대행기관은 사업주가 행하여야 할 사업장 보건관리업무를 위탁받아 대행하는 기관으로 보건관리 업무를 하고자 하는 법인이나 의료법에 의한 종합병원 또는 병원 등이 법에 정한 인력, 시설 및 장비를 갖추어 해당 부서의 장관으로부터 지정을 받아야 한다.

병원보건

학습목표

- 병원의 정의와 기능을 설명할 수 있다.
- 의료인의 조율와 역할을 설명할 수 있다.
- 원무관리의 내용을 설명할 수 있다.
- 병원건강증진의 의미를 설명할 수 있다.
- 건강증진이 병원에 주는 편익을 설명할 수 있다.

01 병원의 이해

1) 병원의 정의

병원(hospital)의 어원은 hospiality(잘 대해 준다)로 라틴어 hospes는 손님 접대를 의미하며, hospitalium은 여관을 뜻한다. 병원은 호텔 서비스와 진료(medical care)를 합한 것이다. 어원적으로 보면, 병원은 몸이 아플 때 잘 돌보아 주는 곳이다.

병원은 입원환자를 수용하여 진료 할 수 있는 시설과 인력을 갖추고 진단, 치료, 재활을 포함한 포괄적 의료를 제공하며, 의료인력의 교육과 훈련 및 의학연구를 수행하는 공식적 조직이다. 병원의 목적은 의료행위를 통하여 인간의 건강을 증진시키고 궁극적으로 삶의 질을 향상시키는 것이다.

오늘날 병원의 기능과 역할이 다양해지고 병원조직의 규모도 커져 복잡한 시스템을 갖추게 되었다. 이러한 변화에 대응하여 병원의 기능을 효율적으로 관리하기 위한 병원경영의 중요성이 강조되고 있다.

2) 병원의 기능

2-1) 의료시설 기능

병원은 환자를 수용해서 치료해 주는 시설이다. 이를 위해서는 환자가 최대한 빨리 정상적인 일상 활동을 할 수 있도록 최상의 의료서비스를 제공할 수 있는 시설과 장비가 필요하다.

병원을 이용하게 되면 다음과 같은 장점이 있다. 첫째, 전문적인 기술과 설비로 통합된 의료서비스를 받을 수 있다. 둘째, 입원하면 다른 사람과 격리가 가능하다. 환자가 부적당한 환경의 자극에서 벗어나 안정된 환경에서 치료할 수 있고, 환자가 다른 사람에게 질병을 감염시키는 것을 막을 수 있다. 셋째, 가까이에서 수시로 관찰하여 증상에 따른 적절한 치료가 가능하다.

2-2) 교육연구 시설 기능

병원은 의료 종사자의 교육과 의학연구를 담당한다. 의료와 관련된 지식과 기술은 계속해서 발전되고 있다. 이러한 의학의 발전에 부응하기 위해서는 끊임없는 연구와 보수교육이 필요하다. 의과대학 교육은 의과대학 부속병원에서 주로 이루어진다. 병원은 의과대학을 졸업한 의사들의 실지수련, 연구, 보수교육의 목적으로 이용될 수 있다. 특히, 인턴이나 레지던트 제도를 통하여 젊은 의사들이 수련을 받게 된다. 질병은 전국 어디서나 발생하므로 특정 연구기관에 집중이 불가능하므로 일반 병원에서 연구가 이루어진다. 또한, 병원에서 훌륭한 의사를 양성하기 위해서는 교육과 관련된 연구는 불가피하다.

2-3) 우리나라 의료법의 내용

우리나라 의료법 제3조에서는 의료기관이란 "의료인이 공중 또는 특정 다수인을 위하여 의료의 업(의료업)을 행하는 곳"이라고 규정하고, 의료기관은 의원급 의료기관, 조산원, 병원급 의료기관 등으로 구분한다. 각 의료법에 명시된 의료기관의 구체적 내용은 다음과 같다.

첫째, 의원급 의료기관은 의사, 치과의사 또는 한의사가 주로 외래환자를 대상으로 각각 그 의료행위를 하는 의료기관으로 의원, 치과의원, 한의원 등으로 구분한다.

둘째, 조산원은 조산사가 조산과 임부 · 해산부 · 산욕부 및 신생아를 대상으로 보건활동과 교육 · 상담을 하는 의료기관을 말한다.

셋째, 병원급 의료기관은 의사, 치과의사 또는 한의사가 주로 입원환자를 대상으로 의료행위를 하는 의료기관으로 병원, 치과병원, 한방병원, 요양병원, 종합병원 등으로 구분한다. 병원은 30개 이상의 병상(병원 · 한방병원만 해당) 또는 요양병상(요양병원만 해당)을 갖추어야 한다.

한편, 종합병원은 의사 및 치과의사가 의료를 행하는 곳으로 ① 100개 이상의 병상을 갖출 것, ② 100병상 이상 300병상 이하인 경우에는 내과 · 외과 · 소아청소년과 · 산부인과 중 3개 진료과목, 영상의학과, 마취통증의학과와 진단검사의학과 또는 병리과를 포함한 7개 이상의 진료과목을 갖추고 각 진료과목마다 전속하는 전문의를 둘 것, ③ 300병상을 초과하는 경우에는 내과, 외과, 소아청소년과, 산부인과, 영상의학과, 마취통증의학과, 진단검사의학과 또는 병리과, 정신건강의학과 및 치과를 포함한 9개 이상의 진료과목을 갖추고 각 진료과목마다 전속하는 전문의를 둘 것 등의 요건을 갖추어야 한다.

3) 역할에 따른 의료기관 분류

3-1) 1차의료기관

주민들을 맨 처음 접촉하여 예방과 치료가 통합된 포괄적인 보건의료 서비스를 제공하는 의료기관으로서 외래진료 기능을 갖추어야 한다. 일반의 의원, 전문과 의원, 보건소, 보건지소, 보건진료소, 모자보건센터, 병원선, 조산소 등이 여기에 속한다.

3-2) 2차의료기관

기본 4과 이상의 진료 과목과 전문의를 갖추고 외래 및 입원환자 진료에 필요한 시설과 보조 인력을 갖추어야 한다. 30병상 이상의 병원, 500병상 미만의 종합병원, 보건의료원, 2개 이상 전문 과목의 30병상 이상 전문과 의원이 여기에 해당된다. 원칙적으로 소속 중진료권 내의 1차의료기관에서 후송 의뢰된 외래 및 입원 환자의 진료, 소속 중진료권 내에서 발생한 응급 환자의 응급 및 입원 진료를 담당하는 기관이다.

3-3) 3차의료기관

모든 진료 과목과 전문의를 갖추고 특수 분야별 전문의 수준의 진료와 의학교육, 의학연구, 개업의 및 제 의료 인력의 훈련 기능을 수행할 수 있는 시설과 인력을 갖추어야 한다. 500병상 이상의 의과대학 부속병원 또는 종합병원이 그 대상이다. 원칙적으로 소속 대진료권 내의 2차의료기관에서 후송 의뢰된 외래 및 입원 환자의 진료와 당해 기관이 소재한 중진료권 지역에서 발생한 응급 환자의 응급 및 입원 진료를 담당한다.

3-4) 특수병원

일반 병원에서 진료가 어렵거나 격리 또는 장기간의 치료가 필요하고 전문적인 시설과 인력이 요구되는 특정 질병의 외래 · 입원 진료 기능을 갖춘 의료기관이다. 정신병원, 결핵병원, 나병원, 재활원, 산재병원, 암센터, 감염병 병원 등이 있다. 1차, 2차, 3차 모든 의료기관에서 이송되어 온 특수질환 환자의 외래 및 입원 진료 기능을 담당한다.

02 의료인에 대한 이해

의료법에서는 의료인을 보건복지부 장관의 허가를 받은 의사, 한의사, 치과의사, 조산사, 및 간호사로 규정하고 있다. 각 의료인의 세부적인 내용은 다음과 같다.

1) 의사

의사는 의료와 보건지도를 임무로 한다. 의사가 되고자 하는 사람은 의학을 전공하고 대학(예과 2년, 본과 4년)을 졸업한 뒤 학사학위를 받은 자로서 해당 국가고시에 합격한 다음 보건복지부 장관의 면허를 받아야 한다. 의사면허는 국민에 대한 의료와 보건지도에 종사할 수 있다는 허가증이다. 의사면허를 취득한 자가 의료업을 하기 위해서는 의료기관을 개설하고 진료 과목을 표시하도록 되어 있다.

의사의 종류는 일반의사, 인턴, 레지던트, 전문의가 있다. 전문의는 특정 분야에 대한 소정의 레지던트 과정을 수료하고 일정한 심사(시험)을 거쳐 그 자격이 인정된 의사이다. 의과대학 졸업 후에 이루어지는 정례화 된 의학교육 과정으로 석 · 박사의 학위 과정, 인턴 및 레지던트 과정, 세부전공 과정 등이 있다. 인턴 과정은 의료수기에 대한 첫 단계로 졸업 후 의학교육 과정이고 레지던트 과정은 인턴 과정을 이수한 자가 특정 분야에 대한 전문적 의료수기를 배우기 위하여 수련하는 교육 과정을 말한다. 전공의 과정은 석 · 박사학위 과정이나 인턴수련 과정 또는 레지던트수련 과정을 합하여 통칭하는 졸업 후 의학교육 과정을 말한다.

2) 치과의사

치과의사는 건강한 치아를 유지하기 위하여 치아를 포함한 구강의 질환을 치료, 교정, 대치하여 예방하는 의료인이다. 치과의사가 되려면 6년제 치과대학(예과 2년, 본과 4년)이나 4년제 치의학전문대학원을 졸업하고 국가고시에 합격한 후 보건복지부

장관의 면허를 받아야 한다. 치과전문의가 되려면 수련병원에서 인턴 1년, 레지던트 3년의 수련을 받고 전문의 시험을 통과해야 한다. 전문분야는 구강외과, 구강내과, 보철과, 보존과, 치주과, 교정과, 구강병리과, 예방치과, 소아치과, 구강방사선과 등 10개가 있다. 일반적으로 치과의사는 30% 정도가 전문의 과정을 선택한다. 치과는 그 처치내용으로 볼 때 의과분류상 외과에 속한다고 할 수 있으나, 치과의사의 의료수행은 완전히 독립되어 있다.

3) 한의사

한의사는 한약과 침술 등 한방의료 원리 및 기술을 바탕으로 인체의 질병과 장애를 진료하는 의료인이다. 한의사가 되고자 하는 자는 한의학과(예과 2년, 본과 4년)를 전공하여 한의학사 학위를 받은 자로서(보건복지부장관이 인정하는 외국의 동등한 대학을 졸업하고 한의학사 학위를 받은 자와 한의사의 면허를 받은 자도 포함) 한의사 국가고시에 합격한 후 보건복지부장관의 면허를 받아야 한다.

4) 간호사

간호사(nurse)는 의료 기관에서 의사의 의료행위를 보조하고 환자를 간호하는 일을 수행한다. 의사의 처방이나 규정된 간호기술에 따라 치료를 행하며, 의사 부재시에는 비상조치를 취하기도 한다. 체온 · 맥박 · 혈압 등을 측정하는 방법으로 환자의 상태를 점검 · 기록하고 환자나 가족들에게 치료, 질병 예방에 대한 설명을 해주는 역할을 수행한다.

1987년 의료법 개정으로 1988년부터 '간호원'은 '간호사'로 명칭이 변경되었으며, 의료법에서 정하는 전문교육을 받고 국가시험에 합격한 후 보건복지부장관의 면허를 받아 활동한다. 2005년부터는 의사의 진료를 돕고 환자를 돌보던 공인등록간호사(registered nurse; RN)에서 해당 분야에서 자율적으로 상급 수준의 간호를 담당하는 전문간호사(advanced practice nurse; APN)가 도입되었다. 전문간호사가 되기 위해서는 간호실무 3년이상의 경력자로써 대학원에 진학하거나 그 수준의 전문간호사 교육과정을 거치고 시험에 하여 합격하여야 한다. 우리나라 의료법에 인정하고 있는 전문간호사 분야는 가정전문간호사, 감염관리전문간호사, 보건전문간호사, 마취전문간호사, 노인전문간호사, 산업전문간호사, 응급전문간호사, 정신전문간호사, 중환자전문간호사, 호스피스전문간호사, 종양전문간호사, 아동전문간호사, 임상전문 간호사 등 13개이다.

종합병원의 간호사들은 일반적으로 간호과장 · 감독간호사 · 수간호사 · 일반간호사로 조직되어 있다. 간호과장(또는 간호부장)은 병원에서 종사하는 간호사 전원의 인사문제와 간호업무에 관련된 행정사무를 총괄한다. 감독간호사는 몇 개의 공통된 병동의 간호를 감독하며 행정사무를 총괄한다.

5) 조산사

조산사(midwife)는 임산부의 정상분만을 돕고 임신부 · 산욕부 · 신생아의 보건지도를 하는 인력이다. 조산사는 의료법에 규정된 의료인이다. 조산사가 되고자 하는 사람은 간호사의 면허를 가지고 보건복지부장관이 인정하는 의료기관에서 1년간 조산의 수습과정을 마치거나 또는 보건복지부장관이 인정하는 외국 조산사의 면허를 받은 자로서 한국보건의료인국가시험원이 시행하는 조산사 국가시험에 합격한 다음 보건복지부장관의 면허를 받아야 한다.

조산사는 조산원을 개업하거나, 병원 · 의원 등의 분만실에서 근무할 수 있다. 현행 의료법은 종합병원의 경우 분만실 간호사 정원의 1/3 이상을 조산사로 두도록 규정하고 있다.

03 원무관리

1) 원무관리의 정의

원무는 병원업무 중에서 환자진료와 관련된 행정처리과정의 모든 업무이다. 원무는 병원이 환자에게 의료서비스를 제공하여 병원의 설립목적이나 운영목표를 효과적으로 달성할 수 있도록 지원하는 병원의 종합적인 사무관리 활동이라고 할 수 있다. 원무관리의 업무내용은 다음과 같다.

- 병원 내에서 환자진료와 관련된 모든 기능 부문들이 효과적으로 기능 할 수 있도록 계획, 조정, 통제하는 기획 활동
- 병원에서 환자 진료업무를 수행하는데 필요한 정보나 자료를 수집, 분석, 정리하여 관리, 분배하는 정보관리 활동
- 환자들이 진료를 받는데 필요한 수속절차, 진료비 수납 및 관리 등 관련 업무를 처리하는 사무처리 활동
- 환자들이 쾌적하고 편안하게 진료를 받을 수 있도록 지원하는 서비스 활동

• 병원의 진료능력을 외부에 알리고 이미지를 개선하여 수익성을 개선하는 마케팅 활동

2) 원무관리의 대상

원무업무는 환자가 외래나 입원진료를 받을 수 있도록 지원 및 관리하는 모든 사무처리 업무를 대상으로 한다. 그 기능에 따라 창구현장 업무, 창구관리 업무, 전반관리 업무 등으로 구분할 수 있다.

2-1) 창구현장 업무

환자와 직접 접촉하며 즉시 처리하는 업무로 환자안내, 예약접수, 진료접수, 수가적용, 진료비 및 수납, 입원수속, 제 증명발급, 응급실 관리업무, 간단한 민원처리업무 등이 해당된다.

2-2) 창구관리 업무

창구현장 업무를 원활히 수행할 수 있도록 지원 및 사후관리하는 업무로 환자정보관리, 진료일정관리, 수납액관리, 미수금관리, 후불진료비청구, 의무기록관리, 병상관리, 의료사고처리, 각종 환자민원처리 등이 해당된다.

2-3) 전반관리 업무

원무관리 전반에 관한 기획 및 통제 기능을 갖는 업무로 진료행정, 수가관리, 건강보험제도 관련 업무, 각종 통계작성 및 분석 등이 해당된다.

04 병원 건강증진

1) 병원 건강증진의 정의

병원 건강증진은 병원이 환자, 환자 가족, 직원, 지역사회 주민들을 대상으로 건강증진서비스를 제공하는 것이다. 병원 건강증진은 환자 치료중심의 전통적인 병원 활동의 범위를 확대하는 것이다. 사업대상뿐만 아니라 병원의 활동 공간을 지역사회 전체로 넓히는 것이다.

건강의 정의가 변화하여 질병의 치료뿐 아니라 예방, 더 나아가서는 건강증진이 건강한 삶을 유지하는데 중요한 요소로 인식되면서 병원에 대한 기대도 변화하고 있다. 치료의학이 주요한 역할을 하던 급성질환에서 만성질환 위주로 질병구조가 변화하였다. 만성질환자는 건강증진 서비스에 관심이 높고, 그들의 건강관리를 위해서는 병원이 건강증진서비스에 관심을 기울이지 않을 수 없게 되었다.

2) 병원 건강증진의 영역

건강증진과 관련된 병원의 활동은 두 가지 흐름으로 나누어진다. 하나는 단순히 치료서비스의 확장이 아니라 건강증진을 중심으로 병원의 역할과 기능을 재설정하는 것이고, 또 다른 하나는 기존의 치료서비스 확장 차원에서 건강증진을 받아들이고 점차적으로 지역사회에서의 병원의 역할을 강화하는 것이다. 전자의 경우는 유럽의 일부 국가에서 1988년부터 시작된 건강증진병원(health promoting hospital; HPH)이 대표적이며, 후자는 미국의 병원을 중심으로 운영되는 프로그램이다.

병원 건강증진 정의에는 보건의료체계 내에서 변화하는 병원의 역할과 보건의료정책 변화의 결과로 병원이 직면한 여러 문제가 포함된다. 여기에는 질병양상의 변화, 입원을 통한 휴식과 관찰만이 유일한 치료수단이던 질병과 기타 질병영역에서 이루어진 재원기간을 단축할 수 있는 진단과 치료기술의 발전, 강력한 치료약제의 발견 등으로 인해 병상위주로 운영되어 온 전통적 병원의 중요성이 감소되고 있다는 점과 병원의 병상이 환자의 가정으로 옮겨가고 있는 경향 등이 지적되었다. 또한, 응급의료를 포함해서 병원이 제공하는 급성질환에 대한 치료의 기능에 소요되는 시설과 장비는 병원들 간의 연계를 통해 해소될 수 있는 문제임을 제시하면서 병원은 어떻게든 변화해야 하며 이러한 변화를 관리할 수 있는 유용하고 강력한 전략과 미래 병원의 모형으로 건강증진을 제시하고 있다.

병원 건강증진은 치료적 서비스의 제공에만 역점을 두지 않고, 병원이 변화하는 의료 환경에 적극적으로 적응하기 위해서 기존 병원의 역할을 과감히 탈피하고 새로운 역할을 설정하는 것이다.

3) 병원 건강증진의 중요성

건강증진 활동에서 병원이 차지하는 중요성을 정리하면 다음과 같다.

첫째, 건강증진 활동이 병원에서 이루어질 때 다른 조건에서 보다 효과가 더 크다.

병원과 접촉하는 사람들의 대부분은 건강상의 문제점을 지니고 있으며 건강상의 위기를 겪고 있는 사람들과 환자의 주변의 사람들은 자신의 건강에 관한 관심이 고조되게 된다. 이렇게 건강과 관련된 관심이 고조되는 시기는 교육 가능한 계기를 형성하여 행태변화를 위한 보건교육의 효과가 극대화되는 시기로 이는 형태변화를 유도하기 위한 대부분의 건강증진 프로그램이 실패하고 있는 것과 관련하여 중요한 의의를 갖는다. 건강상의 위기를 겪고 있는 사람과 그 주변 사람들을 의학적 권위를 가지고 접촉하는 모든 의사들에게 해당되는 사항이지만 병원은 환자들이 입원하여 장기간 체류하는 시설로서 보건교육이 집중적으로 이루어질 수 있는 시간적 여유를 확보할 수 있다는 점에서 특수한 장점을 가진다고 할 수 있다.

둘째, 병원은 건강증진 관련 자원이 풍부하다. 건강증진과 관련된 활동은 개인의 행태 변화와 관련되어 있으며 이를 유도하기 위해서는 복합적 능력이 요구된다. 이에 따라 건강증진 활동에는 영양사, 운동 관리, 심리치료사, 의사, 간호사 등 다양한 전문인력의 협조적 활동이 필요하며, 이러한 전문인력을 가장 많이 보유하고 있는 시설은 병원이다.

셋째, 병원이 보건의료 전문 인력에 미치는 영향이 크다. 병원은 보건의료시스템 내에서 중심적 역할을 하는 기관으로 직 · 간접적으로 보건의료 인력과 건강증진프로그램 등에 영향을 미친다. 병원은 교육과 훈련을 통해 직접적으로 보건의료 인력에 영향을 미친다. 뿐만 아니라 보건의료체계 내에서 병원이 차지하는 위상으로 인해 1차 의료에 종사하는 인력을 포함하여 다양한 인력에게 간접적 영향을 미친다.

넷째, 병원은 일반인에게 전문적 의료기관으로 인식되어 있어서 병원의 이미지로 인해 비전문기관이나 인력을 통해 이루어지는 다양한 건강증진서비스가 병원과 연계되거나 병원에서 제공될 때보다 신뢰성이 제고되고 이는 건강증진프로그램의 효과를 높이는 역할을 할 수 있다.

다섯째, 병원이 건강증진서비스를 외면할 때 보다 나은 건강을 추구하는 건강인들이 건강증진의 효과가 확인되지 않은 대체요법으로 발길을 돌리게 된다는 점을 고려할 필요가 있다. 과학적으로 효과를 입증 받지 못한 건강증진 행위가 확산 일로에 있는 현실을 감안할 때 병원은 건강증진의 거점으로서 새로운 역할을 수행할 것을 요구받고 있다.

4) 건강증진이 병원에 주는 편익

모든 병원이 자발적으로 건강증진서비스 제공에 참여하는 것은 아니다. 민간병원들의 경우에는 병원이 누릴 수 있는 편익이 확인되어야 건강증진서비스 제공을 고려할 수 있다는 점에서 건강증진이 병원에 주는 편익은 중요하게 고려된다.

4-1) 외부편익

지역주민 등 잠재적 고객과의 관계를 증진시키고 병원 이미지를 향상시킬 수 있다. 최근 들어 병원 간의 경쟁이 심화되면서 병원마케팅에 대한 관심이 고조되고 있다는 것을 고려하면, 건강증진서비스의 제공은 병원의 마케팅 차원에서 중요한 수단이 될 수 있다. 병원이 환자의 질병에만 관심을 가지는 것이 아니라 지역주민의 건강을 위해서 존재한다는 이미지를 부각시킬 수 있으며 기존에 병원이 추구하는 정책과 결합하여 보다 나은 병원의 이미지 창출에 기여할 수도 있다. 기업이나 학교 등에 대한 집단적 건강증진에 참여하여 그 조직 구성원들과의 관계를 개선하여 궁극적으로는 병원의 경쟁력을 높일 수 있다는 점도 빼놓을 수 없는 편익의 일부라고 할 수 있다.

표 5-11 건강증진이 병원에 주는 편익

외부편익	내부편익
• 지역사회와의 관계 개선 및 병원의 이미지 향상 • 기업 등 잠재적 고객과의 관계개선 • 직접적 수익 창출을 통한 수익성 • 환자의뢰의 진입로	• 병원직원의 건강증진 및 사기진작 • 직원이동의 감소 • 부서 간 협력 증진 • 의사와의 관계 개선

출처 : 윤병준, 이원재, 이주열, 건강증진론, p268, 한국방송통신대학교출판부, 2008.

4-2) 내부편익

건강증진서비스의 일부는 직접적으로 수익을 창출하여 병원경영에 도움을 줄 수 있다. 병원의 외부나 내부에서 시행하고 있는 건강증진 프로그램과 병원이 연계되어 있으면 환자를 의뢰하는 계기가 마련되며, 병원의 진료실적을 증가시킬 수 있어 간접적으로 수익의 증대에 기여할 수 있다.

병원에서 제공하는 건강증진 프로그램은 직원의 건강증진과 사기진작에 도움이 되며, 생동감 있는 조직문화를 조성하고 유지하는 데도 기여할 수 있다. 아울러 직원들의 이직이나 전직을 감소시키고 부서 간 협조를 강화하여 병원의 생산성을 향상시킨다. 또한, 직원들의 직무만족도가 향상되어 환자들에게 더 좋은 서비스를 제공할 수 있게 된다.

CONTENTS

참고문헌

01. 강명근 외, 보건의료관리. 보문각, 2007.

02. 강명근 외, 지역사회의학의 현실과 지향. 보문각, 2006.

03. 강병우 외, 공중보건학. 청구문화사, 2011.

04. 구성회, 공중보건학. 고문사, 2008.

05. 국회법률정보시스템(http://likms.assembly.go.kr/law) 검색

06. 권명진 외, 공중보건학. 서원미디어, 2009.

07. 권수열 외, 수질관리. 한국방송통신대학교출판부, 2007.

08. 권수열 외, 환경보건학 개론. 한국방송통신대학교, 2007.

09. 권이혁, 최신보건학. 신광출판사, 1993.

10. 김경동, 이온죽, 사회조사연구방법론. 박영사, 1986.

11. 김명, 김혜경, 학교건강증진사업의 주요 영역과 전략개발을 위한 선진사례분석. 한국학교보건교육학회지 8(1), 13-27, 2007.

12. 김영임 외, 보건교육. 한국방송대학교출판부, 2009.

13. 김영종, 사회복지 조사방법론. 학지사, 2003.

14. 김정근, WHO의 건강정의. 학교보건학회지 2(2), 12-16, 1989.

15. 남궁근, 행정조사방법론. 법문사, 1998.

16. 대한민국건강도시협의회 편찬, "건강도시 프로젝트란 무엇인가?". 2007.

17. 대한예방의학회, 예방의학과 공중보건학. 계축문화사, 2010.

18. 문옥륜 외, 현대의료경제론. 신광출판사, 1992.

19. 문옥륜, 건강보장론(제6판). 신광출판사, 2009.

20. 박노례, 보건교육. 수문사, 2002.

21. 박종안 외, 새로운 환경보건학, 동화기술, 2004.

22. 배상수, 신공중보건과 국가공중보건체계, 농촌의학 · 지역보건 4(37), 195-214, 2012.

23. 보건복지부, 제3차 국민건강 증진종합계획2020, 2011.

24. 서울대학교 의과대학 의료관리학 교실, 경기도 건강증진 플랜개발, 1997.

25. 손애리 외, WHO 건강증진학교 평가정의를 적용한 사정 및 평가. 한국학교보건교육학회지, 1-15. 2008.
26. 신용애 외, 보건진료원의 일차보건의료, 한국보건복지인력개발원, 2011.
27. 신유선 외, 지역사회간호학, 수문사, 2004.
28. 양봉민, 김진현, 이태진, 배은영, 보건경제학, 나남, 2013.
29. 유승흠, 박은철, 의료보장론, 신광출판사, 2010.
30. 윤병준, 이원재, 이주열, 건강증진론, 한국방송통신대학교, 2008.
31. 이규식, 의료보장과 의료체계, 계축문화사, 2002.
32. 이부영, 의학개론 3, 서울대학교출판부, 1995.
33. 이은영 외, 건강증진학교 수행 및 효과 평가, 보건교육건강증진학회지 26(3), 85-96, 2009.
34. 이정렬 외, 역학과 건강증진, 수문사, 2004.
35. 이주열 외, 보건교육학, 군자출판사, 2012.
36. 이주열 외, 보건사업관리, 군자출판사, 2011.
37. 이주열 외, 수원시 건강도시사업 추진 개발, 남서울대학교/수원시, 2011.
38. 이주열 외, 지역단위 건강증진사업 추진체계 구축, 건강증진기금사업지원단, 2005.
39. 이주열, 보건교육사 교과목의 개발과정, 보건교육건강증진학회지 28(1), 1-10, 2011.
40. 이주열, 신승배, 보건조사방법론, 청구문화사, 2009.
41. 이주열, 양순옥 외, 의료급여 수급권자 중심의 보건복지 연계 지침서, 보건복지부, 2007.
42. 이주열, 오영아, 보건교육실무관리, 계축문화사, 2009.
43. 이주열, 이용표 외, 지역사회보건복지연계사업 방안 개발. 보건복지부, 2005.
44. 이주열, 일반보건학. 진우, 1995.
45. 이주열, 보건프로그램 개발 및 평가. 계축문화사, 2015.
46. 임재명 외, 폐수처리공학, 동화기술, 2004.
47. 정규철, 지역사회보건학, 수문사, 1997.

참고문헌

48. 정채춘, 김승호, 차병훈, 생활폐기물관리, 동화기술, 2005.

49. 조우현 외, 병원중심의 건강증진 활성화 방안 연구, 보건복지부, 2001.

50. 지역보건연구회(역), 건강증진 이론과 실제, 계축문화사, 2001.

51. 질병관리본부, 2008 국민건강통계, 2009.

52. 통계청, 장래인구추계, 2010.

53. 한국보건교육건강증진학회 역, 건강증진효과의 Evidence, 2003.

54. 허정, 보건행정학원론, 신광출판사, 1992.

55. 홍사욱 외, 환경위생학, 동화기술, 2001.

56. 네이버 지식백과(http://terms.naver.com) 검색

57. 노인장기요양보험 홈페이지(http://www.longtermcare.or.kr)

58. Dowine RS, Fyfe C, Tannahill A, *Health promotion planning: Models and Values*, Oxford Medical Publications, 1991.

59. Downie, R. S., Carol Tannahill, and Andres Tannahill. *Health Promotion: Models and Values*. Oxford: Oxford UP, 1996. Print.

60. Kerlinger, Fred N. *Foundations of Behavioral Research: Educational and Psychological Inquiry*. 2nd ed. New York: Holt, Rinehart and Winston, 1973. Print.

61. Lalonde M., *A new perspective on the health of Canadians*. A working document, Ministry of Health and Welfare in Canadian Government, 1974.

62. Roemer, Milton Irwin. *National Health Systems of the World*. New York: Oxford UP, 1991. Print.

63. Minkler, Meredith. *Community Organizing and Community Building for Health*. New Brunswick, NJ: Rutgers UP, 1997. Print.

64. Murray, Christopher J. L., and Alan D. Lopez. "On the Comparable Quantification of Health Risks" *Epidemiology* 10.5 (1999): 594–605. Web.

65. Naidoo, Jennie, and Jane Wills. *Health Promotion: Foundations for Practice*. 2nd ed. Edinburgh: New York, 2000. Print.

66. Peppard PE, Kindig D, Jovaag A. et al., *An initial attempt at ranking population health outcomes and determinants*. Wisconsin Medical Journal103(3), 52–56, 2004.

67. Rissel C, Rowling L, *Intersectoral Collaboration for the Development of National Frame for Health Promoting Schools in Australia*. Journal of School Health 70(6), 248–250, 2000.

68. Rubin, Allen, and Earl R. Babbie. *Research Methods for Social Work*. 2nd ed. Belmont, CA: Wadsworth Pub., 1989. Print.

69. Tones, Keith, and Sylvia Tilford. *Health Education: Effectiveness, Efficiency, and Equity*. 2nd ed. London: Chapman & Hall, 1994. Print.

70. WHO, *Promoting Health through Schools: Report of a WHO Expert Committee on Comprehensive School Health Education and Promotion*. Geneva: World Health Organization, 1997. Print.

색인

가

단

ㄷ

ㄹ

ㅁ

ㅂ

색인

ㅇ

영

색인

색인

협

Index

A

색인

색인

M

N

O

P

Q

R

색인

Z

Index